D0989578

El Caribe

UN PARAÍSO CULINARIO

UN PARAÍSO CULINARIO

texto y edición
ROSEMARY PARKINSON

dirección artística y del proyecto
PETER FEIERABEND

fotografía
CLEM JOHNSON
RUPRECHT STEMPELL

KÖNEMANN

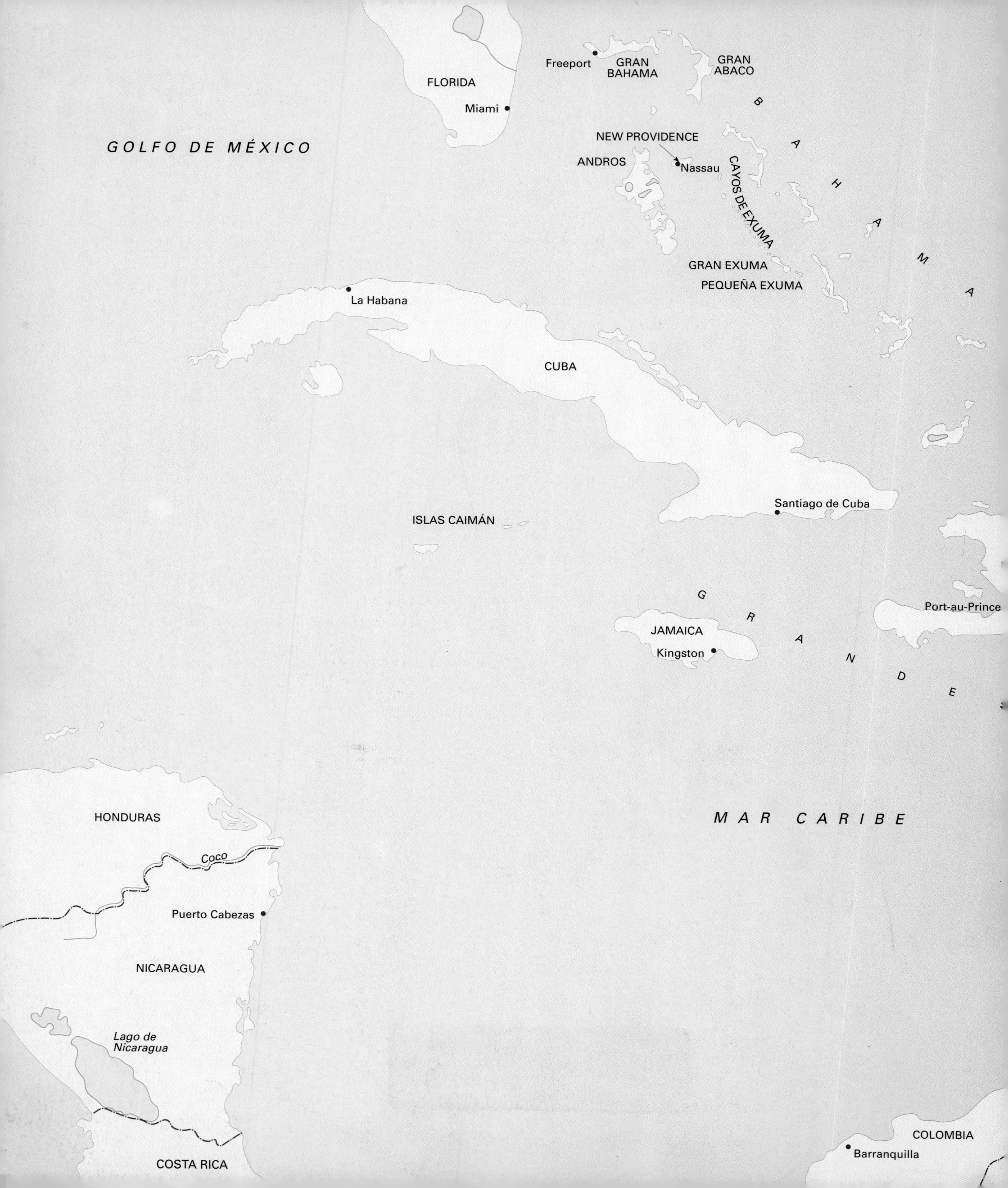

GOLFO DE MÉXICO
FLORIDA
Miami
Freeport
GRAN BAHAMA
GRAN ABACO
B A H A M A S
NEW PROVIDENCE
ANDROS
Nassau
CAYOS DE EXUMA
GRAN EXUMA
PEQUEÑA EXUMA
La Habana
CUBA
Santiago de Cuba
ISLAS CAIMÁN
G R A N D E
JAMAICA
Kingston
Port-au-Prince
MAR CARIBE
HONDURAS
Coco
Puerto Cabezas
NICARAGUA
Lago de Nicaragua
COSTA RICA
COLOMBIA
Barranquilla

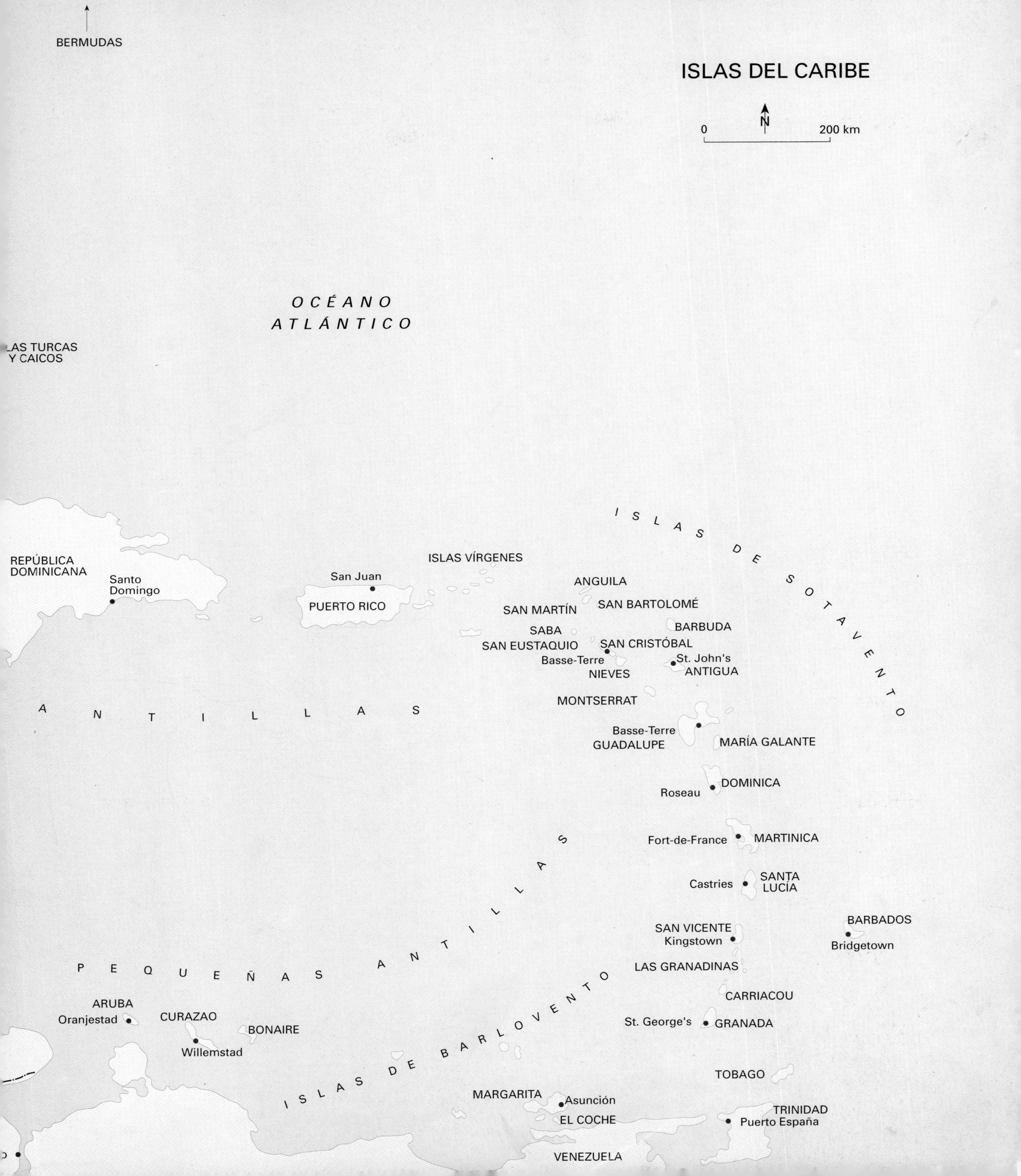

ISLAS DEL CARIBE

N
0 200 km

BERMUDAS

OCÉANO ATLÁNTICO

LAS TURCAS Y CAICOS

ISLAS DE SOTAVENTO

REPÚBLICA DOMINICANA
Santo Domingo
San Juan
PUERTO RICO
ISLAS VÍRGENES
ANGUILA
SAN MARTÍN
SAN BARTOLOMÉ
BARBUDA
SABA
SAN EUSTAQUIO
SAN CRISTÓBAL
Basse-Terre
NIEVES
St. John's
ANTIGUA
MONTSERRAT

ANTILLAS

Basse-Terre
GUADALUPE
MARÍA GALANTE
Roseau
DOMINICA
Fort-de-France
MARTINICA
Castries
SANTA LUCÍA
SAN VICENTE
Kingstown
BARBADOS
Bridgetown
LAS GRANADINAS
CARRIACOU
St. George's
GRANADA

PEQUEÑAS ANTILLAS

ARUBA
Oranjestad
CURAZAO
Willemstad
BONAIRE

ISLAS DE BARLOVENTO

TOBAGO
MARGARITA
Asunción
EL COCHE
TRINIDAD
Puerto España
VENEZUELA

Dedico este libro a Gordon, Dickie, Sian, Sara, Ami, Kahlil, Christopher, Lennox, Robbie, Bruce, Betty y David. Y a todos mis amigos; sólo ellos saben quienes son.

NOTAS SOBRE LAS ABREVIATURAS Y LAS CANTIDADES

1 g	= 1 gramo = 1/1.000 quilogramo
1 kg	= 1 quilogramo = 1.000 gramos
1 l	= 1 litro = 1.000 mililitros
1 ml	= 1 mililitro = 1/1.000 litros
1/8 l	= 125 mililitros = 8 cucharadas soperas
1 cucharada	= 1 cucharada sopera rasa
	= 15-20 gramos de ingredientes secos (en función del peso)
	= 15 mililitros de ingredientes líquidos
1 cucharadita	= 1 cucharada de té rasa
	= 3-5 gramos de ingredientes secos (en función del peso)
	= 5 mililitros de ingredientes líquidos
1 lata	= 450 gramos aproximadamente

Bonner Straße 126, D–50968 Köln

Directora de la edición: Franziska Sörgel
Ayudante: Claudia Schmidt-Packmohr
Diseño: Samantha Finn, Mark Thomson,
International Design UK Ltd., Londres
Redacción: Burke Barrett (responsable), Jon Hertzig, Jon Shelton
Ayudante de fotografía: Martin Kurter
Mapas: Astrid Fischer-Leitl
Índice: Jon Hertzig
Producción: Mark Voges
Reproducciones: CDN Pressing, Verona

Título original: *Culinaria The Caribbean. A culinary discovery*

Traducción del inglés: Ángeles Leiva Morales y Víctor Manuel Rodríguez Marcos para LocTeam, S.L., Barcelona
Redacción y maquetación: LocTeam, S.L., Barcelona
Coordinación del proyecto: Anabel Martín Encinas
Producción: Ursula Schuemer
Impresión y encuadernación: Amilcare Pizzi, Milán

Printed in Italy
ISBN 3-8290-3288-9
10 9 8 7 6 5 4 3 2 1

Contenido

Pequeñas Antillas

Islas Vírgenes 150

San Martín 162

Antigua y Barbuda 174

Anguila 192

San Cristóbal y Nieves 196

Montserrat 210
Dominica 212

Martinica, Guadalupe y María Galante 240

Santa Lucía 256

San Vicente y las Granadinas 282

Uncle Ben's
Rice

Introducción

Colón navegaba con la convicción de que Dios le había encomendado una misión santa. Tal vez no estuviera del todo equivocado. A su llegada a Cuba, escribió en una carta a sus reyes lo que sigue: "Las márgenes de los ríos se ven engalanadas con elevadas palmeras, cuya deliciosa sombra refresca el ambiente, y por doquier se ven aves y flores de gran exotismo y hermosura. Me sentía tan fascinado por aquel paisaje, que tentado estuve de resolver quedarme en esta isla para el resto de mis días; pues creedme, Señor, estas tierras superan con creces en belleza y sosiego a cualquier otra parte del mundo."

Lo mismo podría decirse hoy en día, a la vista del escaso impacto del natural progreso. Viajeros de todo el planeta continúan explorando estas islas, y algunos (como soñó Colón) jamás las abandonan.

Mucho se ha loado la naturaleza de estas tierras, no así sus artes culinarias, olvidadas durante largo tiempo. Para apreciar sus raíces, es preciso remitirse a las culturas de origen. Seis pueblos distintos de amerindios poblaron el Caribe antes de la llegada de los europeos. Los arahuacos y los caribes fueron las dos tribus dominantes en gran parte de estas islas durante al menos 2.000 años. Los arahuacos procedían del norte, de la región del Orinoco de Venezuela y Guayana, en Sudamérica, y constituían una sociedad pacífica y perfectamente organizada que vivía de la pesca, la caza y la agricultura. Más tarde, la paz de los arahuacos se vería perturbada por los guerreros caribes, procedentes de la misma región, quienes poco a poco fueron desplazándolos de la mayoría de las islas.

Cuando los europeos "descubrieron" estas 7.000 islas, que abarcan una extensión de 4.037 km entre Norteamérica y Sudamérica, se encontraron con un sinfín de delicias comestibles, como pescados y mariscos de todo tipo, tortugas, carnes de caza, frutas, verduras, tubérculos y maíz. Existen multitud de documentos que dan fe de cómo los españoles hallaron a "estos nativos salvajes" asando carne y pescado en parrillas de madera verde sobre hogueras al aire libre. Los amerindios las llamaban "boucan", vocablo que los conquistadores interpretaron como "barbacoa". Este es el verdadero origen del nombre con el que equivocadamente se conoce la técnica de asado estadounidense llamada *barbecue.* Asimismo, se debe a los indios la introducción en el "mundo occidental" de la patata, originaria de Sudamérica. El tomate, otro alimento básico de la cocina europea actual, procedía de las Américas y se cultivaba en las islas. Los amerindios consumían la guindilla de mil maneras distintas y hoy en día sigue estando presente en todas las preparaciones de la cocina caribeña.

La población indígena, calificada de salvaje pese a la organización y la independencia que caracterizaban su modo de vida, fueron aniquilados sin piedad por los europeos a fin de mantener su presencia en las islas. Sus descendientes, apenas una minoría, se concentran principalmente en la isla de Dominica, aunque hay algunos repartidos por varias islas. Parte de su legado lo constituye la experiencia culinaria, no solo por lo que se refiere a los alimentos que consumían, sino también a la forma de prepararlos, los utensilios que empleaban y sus conocimientos sobre los frutos de la tierra. Todo ello conforma el alma de la vida caribeña actual.

La cultura y la gastronomía del Caribe recibieron posteriormente la influencia de los conquistadores españoles, ingleses y franceses. Los primeros colonos contribuyeron a ampliar la diversidad de estas tierras con la introducción de los esclavos africanos y, tras la emancipación, se sumaron al abanico multiétnico los criados que llegaban con contrato previo de Irlanda, Escocia, Portugal, China y la India para trabajar en las plantaciones de caña de azúcar, café, coco, tabaco y otros productos agrícolas. Entre los últimos inmigrantes se cuentan sirios, libaneses y, en algunas islas, judíos que huían de la persecución. En la cocina caribeña se refleja hoy un auténtico crisol de culturas, con nombres exóticos como charquí de pollo, pescado salado y Johnny Cake, *pepperpot, coocoo,* chivo, guisado, roblero, mofongo, tembleque, *court bouillon,* acras, *pow, phulorie,* giambo y *keshi yena.*

Aunque existen numerosas similitudes entre las islas del Caribe por lo que se refiere a los alimentos más empleados, cada isla se distingue por sus propias marcas de identidad. Durante mucho tiempo, por ejemplo, se ha tomado el pueblo y la cocina de Jamaica como representantes de todo el Caribe. El paisaje de estas islas, conocidas también como las Antillas, es sumamente variado. De un entorno coralino se pasa en un instante a un terreno volcánico, con suelos tan fértiles que han permitido el crecimiento de productos tanto autóctonos como importados, dando lugar a un extraordinario surtido de fuentes alimenticias. Resulta asimismo impresionante la diversidad cultural, con un sinnúmero de lenguas, acentos, músicas y tendencias políticas distintas, una miscelánea de pueblos "que viven en pequeños paraísos terrenales".

La presente obra pretende documentar y rendir homenaje a la fascinante singularidad del Caribe a través de la mirada y el paladar de sus gentes. Junto a la descripción de las recetas, se ha realizado una intensa y esmerada labor orientada a ilustrar retazos de la vida en las islas. Siempre que ha sido posible, se ha incluido el relato de actividades y acontecimientos en el capítulo del país donde son más representativos. En ocasiones, sin embargo, será imposible evitar el enojo de todos y cada uno de aquellos individuos que, en calidad de auténticos gastrónomos, reivindiquen un tratamiento más riguroso de la cocina de su tierra. En el mejor de los casos, este libro habrá rozado siquiera su objetivo: acercar la vida de las islas al corazón de otras personas, y los aromas y sabores del Caribe a los hogares de todo el mundo.

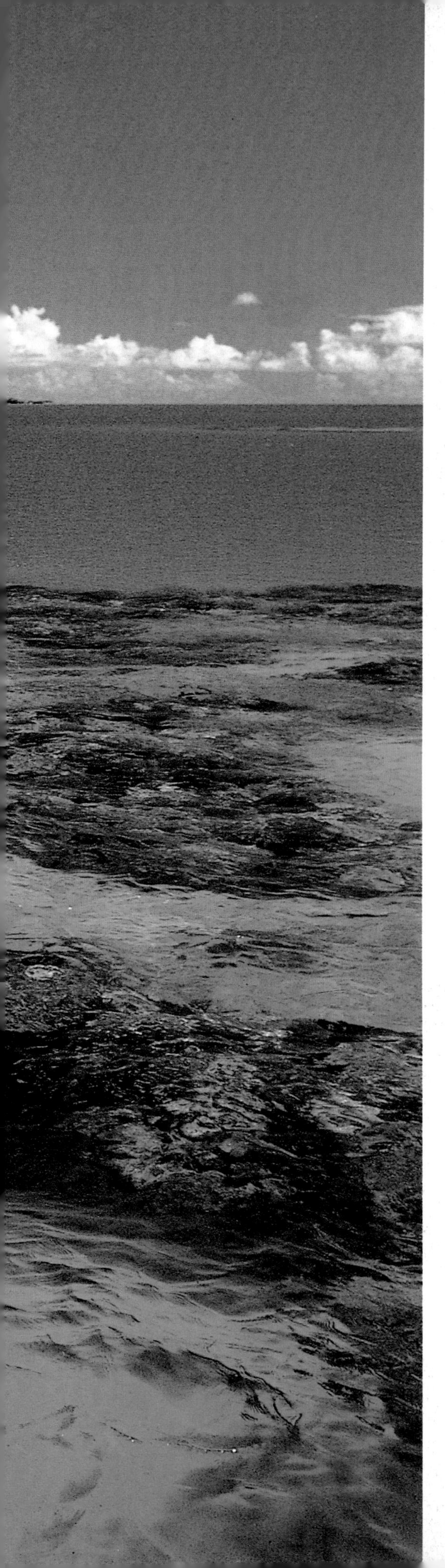

Islas Bermudas

Los primeros indicios de pobladores en las islas Bermudas se remontan al naufragio del British Sea Venture en sus peligrosas costas de coral durante una violenta tempestad en 1609. El almirante Sir George Somers reclamó de inmediato la posesión de las islas para la Corona y emprendió la construcción de nuevos buques que con el tiempo habrían de llevarle a su destino original, la nueva colonia de Virginia. En Inglaterra, los relatos sobre el impresionante naufragio inspiraron la obra de William Shakespeare *La tempestad*. Los primeros colonizadores que se asentarían definitivamente en las islas llegaron en 1612, a bordo de otro barco británico, the Plough.

Las Bermudas forman un arco de 35 km con 300 islas semitropicales diseminadas por las templadas aguas del Atlántico, a unos 966 km al sur de Carolina del Norte y a 1.600 km al norte de la primera isla del archipiélago entre Norteamérica y Sudamérica que configura el Caribe. Si bien oficialmente no forman parte de estas islas, en este libro se incluyen las Bermudas como integrante del legado histórico, cultural y culinario de la región.

Habitadas por descendientes de Gran Bretaña, África, las Azores, Norteamérica y las Antillas, las Bermudas son conocidas con el sobrenombre de "Séptimo Cielo". De hecho, fue Mark Twain quien comentó: "Los visitantes de camino al cielo llaman (...) y piensan que ya han llegado."

Los sismólogos afirman que hace unos 100 millones de años una falla tectónica produjo lava líquida, la cual se extendió por el lecho oceánico con tal violencia que el calor provocó literalmente la ebullición del agua durante muchos años, y finalmente se solidificó formando un pequeño afloramiento en medio del océano: el cielo en la tierra. Los mitólogos griegos sostenían en sus escritos que estas tierras podrían ser la cuna de la leyenda de la Atlántida, y que San Brendan las recorrió en su búsqueda de Utopía. Los intrépidos marineros europeos llamaban a las Bermudas "las islas de los demonios" debido a los ruidos estridentes y misteriosos provenientes de tierra que se oían cuando los barcos surcaban sus aguas, a su paso por unas costas calificadas ya entonces de peligrosas y en gran parte desconocidas. No obstante, posteriormente se identificaría este sonido con la nutrida población de petreles de la isla.

Habida cuenta de su célebre pasado, los misterios del Triángulo de las Bermudas no deberían ser motivo de sorpresa. En los años cincuenta, un escritor llamado Vincent Gaddis narró una serie de extraños acontecimientos ocurridos al parecer dentro de la vasta extensión de tierra y mar comprendida dentro de los límites de un triángulo que descendía desde las Bermudas hasta las islas de las Antillas y ascendía de nuevo hasta la costa de Norteamérica. Hoy en día nadie duda de las súbitas desapariciones de todo tipo de embarcaciones y aviones, con pasajeros y otras cargas, ocurridas en este "Triángulo". Las exhaustivas investigaciones no han logrado determinar la causa de dicho fenómeno, sobre el cual existen teorías tales como que esta zona del Atlántico ha sido tomada por extraterrestres para el estudio científico de la tierra, e incluso, que está habitada por espíritus diabólicos. Esta última teoría llevó a un sacerdote anglicano, con la bendición de las autoridades eclesiásticas, a practicar un exorcismo en el balcón de un importante hotel, para después sumergirse con sotana incluida en las aguas costeras de las Bermudas.

Los habitantes de las Bermudas viven ajenos a todo revuelo. Conservan el régimen de colonia de Gran Bretaña semiautónoma, con un parlamento y un gobernador como representante de la Reina. El pueblo de las Bermudas se caracteriza por su extremada simpatía. Apodos como "mirón", "algodón", "narizotas" o "chalado" gozan de tal aceptación que figuran incluso en la guía telefónica. Hasta su indumentaria tradicional resulta graciosa, las bermudas, una prenda típica que los isleños han exportado casi sin proponérselo al resto del mundo. En las Bermudas gente de toda clase social lleva estos pantalones en el trabajo, en comidas formales, en salidas nocturnas e incluso en banquetes oficiales. El orgullo cívico es otra cualidad de los habitantes de estas islas, caracterizadas por el orden y la limpieza. Un profundo espíritu comunitario se mantiene vivo en eventos como *roof wetting*, una celebración para aquellos que han contribuido en la construcción del tejado de una casa nueva. Tras su inauguración, la fiesta no se hace esperar.

Las aguas cristalinas de las Bermudas permiten a los buceadores contemplar a vista de pájaro el fascinante sistema de arrecifes.

Desayuno dominical

La noche del sábado es "noche de fiesta" para muchos habitantes de las Bermudas, por lo que resulta indispensable, de hecho es todo un ritual, despertarse (o si la fiesta ha durado hasta el amanecer, volver a casa) con los aromas que emanan de la cocina: el desayuno dominical de las Bermudas. Este plato lo prepara por lo general el hombre u hombres de la casa. Los ingredientes típicos son bacalao y plátanos. Incluso en los cafés que abren en domingo no se excluye nunca esta especialidad del menú. Para prepararlo, la noche anterior el chef en cuestión limpia el bacalao, lo deja en remojo un par de horas para desalarlo, cambia el agua y lo mantiene en remojo toda la noche. El domingo por la mañana se escurre el bacalao, se pasa a una olla llena de agua, se lleva a ebullición y se deja hervir durante una hora antes de añadir varias patatas peladas y condimentos "secretos" (incorporados con suma destreza, sobre todo si los invitados se dedican a "merodear por la cocina". No cabe duda de que aquí el chef no admite curiosos). Mientras tanto, se pelan los plátanos, se cortan en rodajas y se colocan en un plato aparte. A veces se agrega aguacate como toque adicional, y se vierten salsas especiales sobre todo el plato una vez servido. El desayuno se devora con gran apetito, acompañado de zumos de fruta, tazones de café o té, y en ocasiones incluso de un ponche de ron o zumo de naranja y champán (para quienes deseen reanudar la fiesta del sábado). Al acabar el desayuno, los comensales apenas pueden pronunciar una sola palabra, pero la expresión de satisfacción en torno a la mesa lo dice todo, una expresión que enorgullece al cocinero y anuncia que los isleños están preparados ya para afrontar una nueva semana, a la espera de otro desayuno dominical.

Cebolla de las Bermudas

La cebolla de las Bermudas *(Allium cepa)* goza de gran fama por su extraordinario dulzor. En su día fue un importante artículo de exportación. Si bien conserva su fama en el mundo entero, la producción insular se destina sólo al consumo local.

Desayuno dominical

2 paquetes de bacalao
1 docena de patatas pequeñas peladas
1 cucharada de aceite de oliva
ajo (tanto como se desee) picado
1 pimiento rojo picado
1 pimiento verde picado
1 manojo de escalonias o cebollinos,
o 1 cebolla grande picada
2 tomates frescos grandes picados
tomillo fresco picado fino
sal de ajo
pimienta negra
pimentón
1 aguacate cortado en rodajas
2 huevos duros cortados en rodajas
6 plátanos cortados en rodajas
zumo de naranja
champán

Deje el bacalao en remojo toda la noche tal como se indica en el texto. Ponga en agua el bacalao escurrido con las patatas. Mientras se cuece, rehogue con aceite de oliva el ajo, los pimientos, las escalonias, el tomate y el tomillo durante 25 minutos. Extraiga el pescado y agregue la mezcla de ajo. Remuévalo todo, tape la olla y prosiga la cocción durante 1/2 hora. Escurra las patatas, sazónelas con sal de ajo, pimienta negra y espolvoréelas con pimentón. Sirva el pescado con patatas. Incorpore el aguacate, los huevos duros y los plátanos. Acompañe el plato con café, té, Rum Swizzle o Mimosas (zumo de naranja y champán). Para 6-8 personas.
(Se pueden servir pomelos rosas partidos en dos con una guinda en medio como "postre" para limpiar el paladar después del desayuno.)

Salsa de beicon

aceite de oliva
1 cebolla picada
4 lonchas de beicon cortadas en dados pequeños
60 g de mantequilla fundida
una pizca de sal

Fría las cebollas y el beicon en aceite de oliva. Añada la mantequilla y la sal. Sírvalo como salsa.

Salsa de huevo

3 huevos duros picados finos
60 g de mantequilla fundida
1 cucharada de perejil
una pizca de sal

Mezcle los ingredientes y sírvalos como salsa.

Delicioso desayuno de las Bermudas listo para comer. 1. El plato principal de bacalao, patatas, plátanos y ensalada 2. Salsa de beicon 3. Salsa de huevo

Cebollas de las Bermudas rellenas

6 cebollas de las Bermudas
4 pastillas de caldo
12 champiñones frescos
250 g de pan rallado
30 g de almendras molidas finas
2 cucharadas de perejil picado fino
1 cucharadita de mejorana picada fina
1 diente de ajo picado fino
1 cucharadita de sal
1/4 cucharadita de pimienta negra
1/4 cucharadita de guindilla picada fina
mantequilla
1/2 cucharadita de pimentón

Precaliente el horno a 180°C. Pele las cebollas y córteles una rodaja de la parte superior. Póngalas en una olla con 2 litros de agua y las pastillas de caldo. Llévelas a ebullición y déjelas hervir durante 30 minutos o hasta que estén tiernas. Escúrralas y déjelas enfriar. Extraiga los centros de las cebollas con un cuchillo pequeño, dejando una capa de 1,3 cm de grosor aproximadamente. Vuélquelas y déjelas escurrir por completo. Pique finos los champiñones y los centros de cebolla. Incorpore el pan rallado, las almendras, el perejil, la mejorana, el ajo, la guindilla y sal y pimienta. Agregue 2 cucharadas de mantequilla fundida. En una bandeja de horno derrita 1 cucharada de mantequilla con un poco de pimentón. Deposite las cebollas en la bandeja y píntelas con mantequilla fundida. Rellénelas con cebolla, champiñón y la mezcla de pan y hornéelas durante 20 minutos.

El Desfile del Día de las Bermudas y las competiciones de vela

El 24 de mayo marca el punto álgido de las conmemoraciones del "Heritage Month" en las Bermudas, uno de los acontecimientos más relevantes del calendario social de las islas. Designado en un principio como el día oficial para celebrar el cumpleaños de la reina Victoria, se convirtió en la jornada en la que los isleños disfrutaban del primer chapuzón del año, cuando se empezaban a realizar en serio picnics, fiestas en la playa y paseos en barca, una especie de "bienvenida" al buen tiempo. En la actualidad, los festejos incluyen un ceremonioso desfile por las calles, donde se respira un ambiente de carnaval. Las *majorettes* hacen girar las varitas con gran rapidez y marcan el paso al son de las bandas de música. Carrozas decoradas, reinas de la belleza locales y bailarines vestidos con espléndidos trajes animan las calles, mientras los músicos tocan calipso, *jazz* y marchas.

El desfile llega hasta un parque en las afueras de la ciudad. Destacados miembros del gobierno y la sociedad elogian en público la riqueza del patrimonio de las Bermudas y el orgullo popular por su cultura. Finalizado el acto, las bandas empiezan a tocar de nuevo y la noche se transforma en una fiesta cautivante que dura hasta el amanecer.

Las competiciones de vela anuales tienen lugar asimismo el 24 de mayo. Durante más de 155 años, dichas regatas han admitido exclusivamente lanchas hechas a medida de las Bermudas, unas embarcaciones originarias de estas islas con velas de tales dimensiones que cuesta creer la velocidad que alcanzan. Las regatas se ven acompañadas de multitud de espectadores que aplauden a los participantes, yates y barcos de todo tipo de tamaños y formas congregados en la antigua ciudad para la ocasión, vistosas banderas que decoran el puerto, música, risas y, por supuesto, comida y bebida.

Se ven alimentos por doquier, ya sea a la venta o en las copiosas cestas de picnic familiares. Abunda el *Hopping John*, una mezcla de guisantes y arroz con judías de ojo. Dicen que si este plato se come en Año Nuevo, trae buena suerte todo el año. También hay pollo y pescado frito, macarrones y queso, ensalada de col entre otras, panes de coco y de plátano, empanadas de carne de vaca y mejillones, hamburguesas y albóndigas de pescado. Como en la mayoría de las celebraciones de las islas, la comida está a la orden del día y la bebida no deja de correr.

Hopping John

60 g de carne de cerdo salada o beicon cortado en dados
1 cebolla pequeña picada
1 diente de ajo picado
1 pimiento verde picado fino
1/4 cucharadita de guindilla picada
1 tallo de apio picado
1/2 ramita de tomillo, sin el tallo y con las hojas picadas
1 ramita de perejil, sin el tallo y con las hojas picadas
4 cucharadas de concentrado de tomate
250 g de judías de ojo cocidas
1/2 cucharadita de sal
1/4 cucharadita de pimienta negra
250 g de arroz
500 ml de agua
pollo o jamón en dados pequeños (opcional)

Fría la carne de cerdo o el beicon hasta que esté crujiente. Agregue la cebolla, el ajo, el pimiento verde, la guindilla, el apio, el tomillo y el perejil. Sofría la mezcla hasta que quede todo bien hecho. Añada el concentrado de tomate y prosiga lo cocción hasta que se haya evaporado casi todo el líquido. Incorpore las judías de ojo, salpimiéntelo todo y déjelo cocer unos 2 minutos más. Agregue el arroz y agua hasta cubrirlo todo. Tape bien la olla y déjelo hervir hasta que el agua se haya evaporado. Puede añadir los trocitos de pollo o jamón al arroz antes de servirlo como acompañamiento de guisos o currys. Para 4 personas.

Empanada de carne de vaca o mejillones

1 kg de carne de vaca o mejillones en dados pequeños
1 papaya verde despepitada, pelada y en rodajas
4 tiras de beicon cortadas en trozos pequeños
2 cebollas picadas finas
3 patatas cortadas en dados pequeños
1 cucharada de curry en polvo
1 ramita de tomillo
1/2 cucharadita de pimienta negra
1 cucharadita de sal
1 cucharada de zumo de lima o limón
1 paquete de verduras mixtas congeladas, cocidas y escurridas

Se necesita pasta suficiente para una base de empanada de 25 cm. Si va a utilizar mejillones para el relleno, lávelos bien, cuézalos al vapor y despéguelos de las valvas. Lávelos bien con agua fría y deseche cualquier resto de valvas. En el caso de rellenarla con carne de vaca, basta con sazonarla al gusto. Cueza los mejillones o la carne en una olla exprés unos 6 minutos o póngalos a hervir en una olla durante 20 minutos con la papaya verde. Fría los trocitos de beicon hasta que se doren. Retírelos del fuego y resérvelos. Añada las cebollas y las patatas a la grasa del beicon y fríalo todo hasta que empiece a dorarse. Agregue el polvo de curry, el tomillo, la pimienta, la sal y el zumo de lima o limón. Incorpore los mejillones o la carne con algo del líquido de la cocción y cuézalo todo hasta que las patatas estén tiernas. Agregue las verduras mixtas. Deje enfriar el guiso antes de utilizarlo para rellenar las bases de pasta redondas de 15 cm, que deben doblarse y sellarse presionando los bordes con un tenedor. También puede verter el relleno sobre una sola base de pasta de 25 cm. Cúbrala con otra capa de pasta, séllela dando forma a los bordes alrededor de la bandeja y practice varios agujeros en el centro con un tenedor. Hornee la empanada a 190°C hasta que la masa se dore.

Las Bermudas son un paraíso para los amantes de la vela.

Albóndigas de pescado de las Bermudas

500 g de pescado salado sin espinas
6 patatas peladas
1 ramita de perejil picada fina
una pizca de tomillo
1 cebolla grande picada
1 diente de ajo picado
2 ramitas de cebollino picadas
1/4 cucharadita de guindilla roja picada
2 huevos batidos
sal y pimienta al gusto
aceite vegetal

Deje el pescado en remojo toda la noche en un cuenco con agua. Al día siguiente, escúrralo y póngalo en una olla con las patatas. Cúbralo de agua, añada un poco de perejil, tomillo y cebolla y hiérvalo todo durante menos de una hora. Escurra el pescado y las patatas con un colador para que se conserven los condimentos y colóquelos en dos cuencos para triturarlos por separado. Pase ambas mezclas a un solo cuenco, añada el resto de los ingredientes, salvo los huevos, la sal y la pimienta, y mézclelo todo. Agregue después los huevos y sal y pimienta al gusto. Ponga al fuego una sartén llena de aceite hasta la mitad. Sírvase de una cuchara para obtener porciones de masa y déles forma de bola con la mano. Enharine las albóndigas o páselas por pan rallado y fríalas. Déjelas escurrir sobre papel de cocina. Puede servirlas con una salsa caliente. Para 24 albóndigas.

Una vez cocidos y mezclados todos los ingredientes, forme bolas de masa y páselas por harina o pan rallado.

Sirva las albóndigas con pimiento rojo y la salsa que desee.

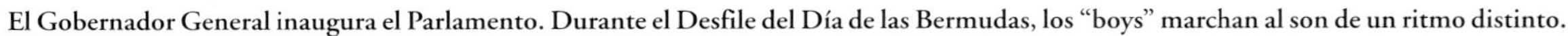

El Gobernador General inaugura el Parlamento. Durante el Desfile del Día de las Bermudas, los "boys" marchan al son de un ritmo distinto.

"Boxing Day" en las Bermudas

"Boxing Day", el día después de Navidad, o día de San Esteban, es cuando se dan los aguinaldos y los gombeys se echan en tropel a las calles de las Bermudas. Vestidos con llamativos trajes de confección casera, capas adornadas con lentejuelas y espejos y fabulosos tocados coronados de cimbreantes plumas de pavo real altas y elegantes, estos bailarines (tradicionalmente muchachos u hombres) llevan *tomahawks* y látigos y bailan por las calles fingiendo movimientos amenazadores al son trepidante de los pequeños tambores. De vez en cuando se detiene un grupo y, al compás de los tambores, se desafían entre ellos con pasos rápidos que adquieren cada vez mayor complejidad con cada invitación. Para ser un gombey hay que ser un enérgico acróbata: las bufonadas de estos bailarines no son para apocados.

Al final de cada actuación, los gombeys realizan una colecta entre el público, y pobre de aquel que no dé nada, pues con toda probabilidad se pondrán a actuar frente a él, esta vez en tono más amenazador, para regocijo del resto de los presentes. Para ocultar su identidad, el gombey siempre lleva una máscara de indudables raíces africanas, antillanas y amerindias. El término "gombey" deriva al parecer de una palabra bantú que quiere decir "ritmo". Éste se hace patente precisamente con las cabriolas que realizan los gombeys mientras desfilan por la ciudad. Naturalmente, esta festividad ofrece una ocasión más para disfrutar de la comida que se sirve en numerosos puestos ambulantes de la isla.

Los gombeys desfilan por la ciudad realizando complejas piruetas y moviéndose de forma amenazadora frente a aquellos que se niegan a darles algo para una bebida.

Sopa de pescado de las Bermudas

Caldo

2 ó 3 cabezas de pescado
4 l de agua
1 ramita de tomillo
1 ramita de perejil
2 ramitas de cebollino
1 cebolla grande
sal y pimienta al gusto

Ponga a hervir todos los ingredientes y prolongue la cocción todo el tiempo que sea posible. (En las Bermudas esta sopa se lleva a ebullición y se deja hervir un día entero.) Finalizada la cocción, extraiga todas las espinas del caldo. Para 6-10 personas.

Chowder

6 tomates picados
250 g de apio picado
250 g de zanahoria picada
500 g de cebolla picada
1 pimiento verde picado
80 g de perejil picado
1 cucharada de tomillo fresco picado
1 cucharada de albahaca fresca picada
1 cucharada de ajo picado fino
1 cucharada de comino en polvo
1/2 cucharada de curry en polvo
1 cucharada de jerez
4 cucharadas de ron negro
sal y pimienta al gusto

Añada todos los ingredientes al caldo en una olla, llévelos a ebullición y déjelos hervir todo el tiempo que sea posible. (Si desea preparar este plato como mandan los cánones, utilice una caldera en lugar de una olla y caliéntela sobre un fuego de leña al aire libre.) Para preparar un *chowder* "perfecto", lo puede dejar hervir hasta 2 días. Retire la mitad de la sopa, triture y añada a la parte sin triturar. Si es necesario, puede espesarla con un poco de fécula de maíz antes de servirla. Sirva aparte ron negro y guindillas al jerez (así cada comensal podrá servirse la cantidad deseada de ambos ingredientes). Para 10 personas.

Guindillas al jerez

3 guindillas rojas enteras u
8 guindillas de primavera pequeñas
180 ml de jerez seco y pálido o de fino

Lave las guindillas y séquelas con un paño de cocina. Póngalas en una botella o jarra de 750 ml y vierta encima el jerez. Tápelas herméticamente y déjelas macerar a temperatura ambiente durante al menos 2 semanas. Un par de gotitas de este preparado de guindillas al jerez bastan para dar un sabor picante a sopas y otros alimentos.

Syllabub

1 l de nata doble
2 limones
250 ml de vino blanco
2 cucharaditas de brandy
300 g de azúcar glas tamizado

Monte la nata hasta que quede ligeramente espumosa. Añada el resto de los ingredientes y bata bien hasta obtener una mezcla espesa. Repártala en copas de martini y decórela con nata montada y guindas. Se trata de un postre sumamente refrescante.

Rum Swizzle de las Bermudas

1/2 l de ron negro o de ron Meyers
1/2 l de ron de Barbados
125 ml de brandy de albaricoque
4 gotas de angostura
2 golpes de granadina
2 golpes de zumo de piña
2 golpes de zumo de naranja

Con estas cantidades se obtienen aproximadamente 4 litros de Rum Swizzle. Mezcle todos los ingredientes, vierta la bebida en una botella de 4 litros o en botellas de 1 litro y déjela enfriar en el frigorífico. Sirva el ron en vasos con hielo, adornados con una guinda y una rodaja de naranja o piña.

Pastel de mandioca

2,5 kg de harina de mandioca
12 huevos
500 g de mantequilla
1 cucharadita de sal
500 g de azúcar
2 pizcas de nuez moscada
1 kg de pollo
1/4 cucharadita de perejil picado
1/4 cucharadita de tomillo picado
1 diente de ajo picado
1 cebolla pequeña picada
1/4 cucharadita de guindillas rojas picadas
1 ramita de cebollino picada
sal y pimienta al gusto

Mezcle la harina de mandioca, los huevos, la mantequilla, la sal, el azúcar y la nuez moscada hasta obtener una masa esponjosa. Engrase y enharine un molde de repostería de 25 cm de diámetro y cúbralo con parte de la masa. En una olla ponga a hervir el pollo con un poco de agua y el perejil, el tomillo, el ajo, la cebolla, la guindilla, el cebollino y sal y pimienta. Cuando el pollo esté cocido y blando, retírelo del fuego y deshuéselo. Corte la carne en trocitos y pásela al molde distribuyéndola por toda la superficie. Cubra el pollo con el resto de la mezcla de mandioca. Hornee el pastel a 180°C durante 2 1/2 horas. Se sirve como plato único o acompañamiento. Para 6 personas.

1. Pastel de mandioca 2. *Chowder* 3. Guindillas al jerez

Expresiones de argot

Los habitantes de las Bermudas no solo son conocidos por sus apodos, sino también por su nutrido argot. Por ejemplo, a una extranjera blanca se le llama *longtail* (faldón largo). Si uno tiene un romance, se dice *dis pardy um bin messin with* (ése anda en líos). *Ace-Boy* (chico as) significa un amigo de verdad. *Piggly Wiggly* (andares de lechón) es el viejo nombre para los colmados del mercado. A una rotonda se le llama *island* (isla), y si uno sufre un accidente, se dice *yu get deck* (has tocado suelo).

Espectadores de la Final de Copa siguiendo el juego.

La Final de Copa

Si bien a estas islas han llegado otros deportes, el críquet se ha conservado como parte integrante de la vida caribeña. Aunque su introducción en estas tierras se debe a los ingleses, los isleños se han encargado de perfeccionarlo, aportando entusiasmo, pasión por el juego, el humor de las islas, diversión, música y, por supuesto, comida y bebida. Ya se trate de un partido local entre los chicos del pueblo, un encuentro en la playa, unas competiciones interinsulares o un torneo internacional, los caribeños han dado una nueva dimensión a este pasatiempo caracterizado por su seriedad.

De hecho, los jugadores se lo toman muy en serio. El equipo de las Antillas es una fuerza a tener en cuenta; en los últimos años han sido campeones mundiales en varias ocasiones. Explicar el funcionamiento del críquet es como tratar de explicar el origen del mundo. Para quienes desconozcan por completo las innumerables normas y reglas, el mejor consejo siempre ha sido mirar, reír, beber y divertirse. Y quizá un día lo entiendan.

La Final de Copa de las Bermudas es un encuentro de críquet de dos días celebrado cada año a principios de agosto en Somerset o en St. George que opone a los jugadores de mayor talento de la zona este de la isla con los chicos de la zona oeste. Se trata de un evento deportivo de tal calibre que algunos llegan incluso a hacer noche en los alrededores del campo de juego para asegurarse los mejores asientos. Familias, amigos y visitantes acuden a la cita con cestas de merienda y neveras con comida y bebida. Por todas partes hay vendedores con toda clase de artículos. Las apuestas, llamadas "corona y ancla", se realizan en las narices de las autoridades, que hacen la vista gorda a este "otro juego". Al fin y al cabo, se trata de la Final de Copa.

La primera pelota se lanza a las 10 h de la mañana, y la última sobre las 6.30 h de la tarde, según la luz. Entre estas horas, salvo para la pausa del té, el juego no se interrumpe, ni tampoco la fiesta, con canciones, baile, vítores de ambas partes, consejos a los jugadores de quienes "lo harían mejor" y gritos de los seguidores, que saltan de su asiento cada vez que se produce una carrera. Las gradas están atestadas de gente de todas las edades, colores y credos. En el ambiente se respira tensión; los "sopladores de caracolas" las hacen sonar cada vez que los bateadores completan una carrera, arrancando aullidos de placer de las masas. Los niños pasan de familia en familia, mostrando su particular sentido de la libertad al dejar a los pequeños campear a su albedrío, que no por ello pierden detalle; no hay tanto o buena jugada que se les escape. El críquet "les une" a todos.

La tradición de la Final de Copa tiene cerca de 100 años. A principios de agosto, a ningún isleño se le ocurriría siquiera estar en otro sitio.

Ponche de ron de las Bermudas

- el zumo de 4 naranjas de las Bermudas
- el zumo de 2 limones de las Bermudas
- 1 botella pequeña de cerezas marrasquinadas
- 1 lata pequeña de piña picada
- 1 naranja cortada en rodajas finas
- 1 limón cortado en rodajas finas
- 125 g de azúcar
- 22,5 ml de *curaçao* blanco
- 1 quinto (0,75 l) de ron jamaicano
- 1 botella (840 ml) de soda club fría

En un recipiente de ponche, mezcle el zumo de naranja y de limón. Añada las cerezas, la piña picada y las rodajas de naranja y de limón. Agregue el azúcar, el *curaçao* y el ron. Deje reposar la mezcla durante 3 horas. Añádale soda club y sírvalo en vasos largos. Para unos 8 vasos.

Hamburguesa de las Bermudas

Para 4 hamburguesas

- 500 g de carne de vaca picada
- 1 cebolla picada
- 1 diente de ajo picado
- 1 ramita de tomillo picada
- 1 ramita de cebollino picada fina
- 1 pimiento verde picado fino
- 1/4 cucharadita de guindilla roja picada fina
- 1/2 cucharadita de salsa Perrin's
- 1 cucharadita de ketchup
- 1 huevo batido
- 1 cucharada de harina
- sal y pimienta al gusto

Mezcle todos los ingredientes en un cuenco. Obtenga 4 hamburguesas de la masa dando forma primero a una bola con la mano para luego aplanarla y formar un disco de 6 cm de diámetro. Fría las hamburguesas con un poco de aceite hasta que estén cocidas. Deposítelas en panecillos redondos y añada ketchup, mostaza, mayonesa y cebolla picada. Condiméntelas con un poco de salsa de guindillas.

Dark and Stormy

- 1 golpe de ron dorado
- cerveza de jengibre

Vierta el ron dorado en un vaso largo. Llénelo de hielo. Añada la cerveza y idisfrútelo a sorbitos!

Cerveza de jengibre

- 4 l de agua
- 500 g de jengibre fresco pelado
- la corteza seca de 1 lima
- corteza seca de naranja
- 750 g de azúcar
- 6 clavos de especia
- 1 cucharadita de canela
- una pizca de nuez moscada (opcional)

Lleve agua a ebullición. Machaque el jengibre en un mortero y añádalo al agua. Cueza a fuego lento 30 minutos. Añada la corteza de lima y de naranja y el azúcar, tápelo y déjelo enfriar antes de agregar los clavos y la canela. Vierta el preparado en un cuenco y déjelo reposar tapado a temperatura ambiente 2 días. Cuélelo, embotéllelo y refrigérelo. Sírvalo frío con nuez moscada o con ron como en la receta anterior.

El críquet, un deporte inglés perfeccionado por los isleños.

Islas Bahamas

Cuando Cristóbal Colón y su tripulación desembarcaron en las Bahamas, éstas se convirtieron en la primera tierra firme que pisaron desde el inicio de su travesía por el Atlántico. Allí se encontrarían a los lukku-cairi, hoy conocidos con el nombre de lucayos, descendientes de los arahuacos, un pueblo procedente de Sudamérica que habitaba estas islas desde hacía ya 700 años. Colón los describió como "unas gentes con tanto amor y tan poca codicia... que creo que no hay una raza mejor". Los lucayos llamaban a su tierra "Guanahani". Colón la bautizó con el nombre de "Bahamar" (derivada de la expresión española "bajamar").

Los lucayos vivían en aldeas y su medio de subsistencia se basaba en los cultivos de mandioca, maíz y boniatos, así como en una amplia variedad de pescados y moluscos, y alguna que otra iguana o hutía (un roedor del tamaño de un conejo). Los lucayos cultivaban algodón que tejían para la confección de mantos que se enrollaban alrededor del talle, hamacas que utilizaban para dormir y redes de pescar que les permitían sobrevivir. Era una vida dura pero apacible, alterada sólo por los ataques esporádicos de las temibles tribus supuestamente caníbales del sur del Caribe.

Los lucayos se engalanaban de oro y llegaron a revelar a Colón que al sur podría encontrar más con toda seguridad. A partir de esta información, Colón dedujo que había llegado a las islas septentrionales de Japón, donde se decía que el emperador residía en un palacio con un techo de oro puro. Por desgracia, el oro fue la perdición de los lucayos. La fiebre del oro significaría el fin para estos indígenas singulares y pacíficos, ya que la llegada de Colón a La Española (la isla que hoy comprende Haití y la República Dominicana), propició el descubrimiento de oro y perlas. Los nativos de la isla se extinguieron bajo el yugo de la esclavitud, y los españoles volvieron a las Bahamas en busca de mano de obra. La población indígena acabó desapareciendo por completo.

Las islas permanecieron prácticamente deshabitadas hasta 1648 con la llegada a Eleuthera de un grupo de británicos, una colonia que huyó de las Bermudas por motivos religiosos. Mucho antes, las Bahamas pasaban por ser un archipiélago de gran actividad, escabroso y pendenciero, un destino ocupado y codiciado primero por bucaneros tales como el infame Barbanegra, Jack Rackham, Anne Bonny, Mary Read, Steve Bonnet y el más temible, Black Bart Roberts, al que se le atribuyeron más de 400 abordajes.

A continuación, vinieron los provocadores de naufragios y los contrabandistas. Los primeros requisaban todo tipo de bienes y mercancías de los millares de barcos que hacían naufragar en los arrecifes de coral que rodeaban las islas, y los contrabandistas ni que decir tiene que se dedicaban a hacer contrabando con cualquier artículo que les pudiera reportar algún beneficio. Los habitantes de las Bahamas jugaron un papel importante en el tráfico de armas durante la guerra de Secesión, y la Ley Seca les brindó una ocasión única de demostrar sus verdaderas cualidades con el contrabando del "oro líquido", ron añejo caribeño de primera calidad.

A pesar del turbio pasado de la isla, hoy en día impera la tranquilidad; sus aguas son seguras, y su pueblo se cuenta entre los más abiertos y alegres del planeta. Los habitantes de las Bahamas celebran nacimientos, bodas y muertes con el mismo entusiasmo y alborozo. Las 700 islas que conforman el archipiélago, el mayor del Caribe, son conocidas por algunos con el nombre de "islas de junio", ya que nunca se ven expuestas a los rigores del invierno. En cuanto a su formación geológica, las Bahamas son las cimas salientes de una vasta plataforma caliza que se extiende de norte a sur a lo largo de 966 km, bañadas por las más cristalinas aguas que se pueda imaginar, plagadas de todo tipo de pescados y mariscos. El mar constituye el centro de la vida de estos isleños. La población de las Bahamas es una mezcla de ascendencia africana, americana, inglesa, española y francesa. Después de atravesar mil y una vicisitudes, hoy en día las Bahamas se han consolidado como un próspero destino turístico y un puerto franco de gran atractivo para los inversores.

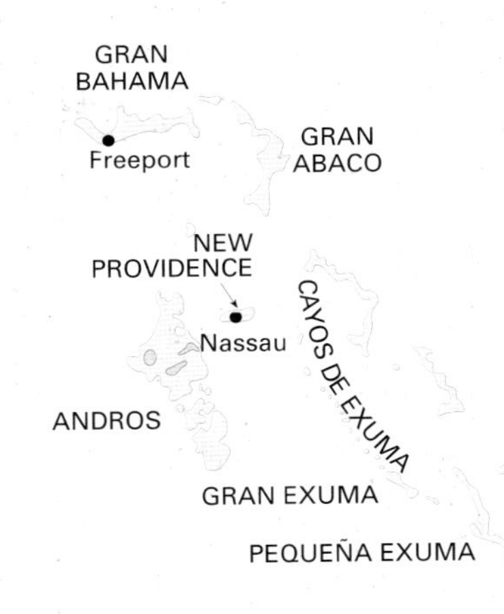

Los chicos se divierten en el agua, con un neumático como fiel compañero de juegos.

Producción de sal

Gran Inagua es la tercera isla en extensión de las Bahamas. Se encuentra en la región más meridional del archipiélago, a unos 129 km de Cuba y La Española. Esta isla remota constituye un centro de yacimientos salinos desde el siglo XVII, y desde entonces ha exportado sal tanto a Cuba como a La Española. Sin embargo, la sal no se convirtió en un producto relevante para su economía hasta 1849, cuando una corporación adquirió y modernizó el sistema de producción con automotores impulsados por mulas. La sal se guardaba en almacenes especiales denominados "casas de sal" que aún se conservan en nuestros días.

Durante el siglo XIX Inagua pasó a ser un importante puerto para los barcos provenientes de la zona septentrional del paso de Barlovento. Las principales compañías navieras hacían escala en la isla para proveerse de estibadores, trabajadores, víveres y, por supuesto, sal.

En 1936, dos norteamericanos, los hermanos Erickson, instalaron en Inagua una enorme planta de evaporación de sal solar mecanizada que obtuvo gran éxito. Otros dos hermanos, George y Willis Duvalier, llegaron a Inagua con el propósito de hacerse con el negocio de la sal a toda costa; no

Mamón

(Melicoccus bijugatus)

Denominado "akee" en Barbados y "chennet" en Trinidad, el mamón es un pequeño fruto verde, algo mayor que una aceituna pero con más hueso que carne. La piel externa es como una cáscara que debe romperse. La pulpa se asemeja a la del lichi, y su sabor va de extremadamente amargo a dulce cuando está maduro. Por insignificante que pueda parecer, se trata de un fruto muy apreciado por todos los caribeños. Los niños desoyen las advertencias de sus padres ante el peligro de atragantarse con el hueso o de mancharse la ropa recién lavada y almidonada (el fruto deja una mancha parduzca imposible de eliminar); por el contrario, cuando llega julio se preparan para abrir con sus habilidosos dedos el fruto en drupa, una operación sumamente costosa en cambio para los extranjeros, que no cuentan con esta destreza al parecer innata de los niños caribeños.

Durante la temporada del mamón, los árboles de este fruto, tan altos que parecen tocar el cielo, son vareados y apedreados hasta que el fruto cae en racimos directamente a las manos del experto vareador. Cuesta ver a un adulto o niño sin un racimo

de mamones en las manos y la boca a rebosar. Hasta la forma de comerlos es algo propio de la isla. Se coloca el fruto en la boca y, con los dientes y la lengua moviéndose al compás, se separa la pulpa del hueso "en dos mitades"; se escupe la semilla y la carne blanda se saborea unos segundos antes de engullirla, mientras se mete en la boca el siguiente mamón. ¡Todo un arte del Caribe!

Refresco de mamón

2 kg de mamones

agua

azúcar moreno

1 1/2 cucharaditas de zumo de lima

un trozo de corteza de lima

Retire las pieles de los mamones. Separe la mayor cantidad posible de pulpa del hueso y ponga las semillas en remojo con un poco de agua, frotándolas de vez en cuando para despegar la pulpa. No es preciso utilizar demasiada agua, pues ésta será la base de la bebida. Cuando se haya despegado toda la pulpa, deseche los huesos. Añada azúcar moreno y zumo de lima al gusto y mézclelo todo en una batidora. Agregue finalmente la corteza de lima. Sirva el refresco bien frío.

tardaron en ser acusados de incendio provocado y asesinato, juzgados en Nassau y condenados a la horca por sus delitos. En 1954, los Erickson vendieron su negocio de sal a la Morton Salt Company, que tomó el nombre de Morton Bahamas Limited, dando a entender a los isleños que se trataría de una empresa completamente insular. La nueva firma encargó la construcción de un muelle además del Cecil Erickson, un buque de alta mar que aceleraría el transporte marítimo de sal fuera de la isla.

El territorio de Inagua es único, con miles de hectáreas de aguas poco profundas con una alta concentración de sal. Gracias al predominio del sol y el viento, el agua de la isla se evapora y deja la sal como fenómeno natural. Los isleños la consideran "oro blanco", un producto que ha formado parte de sus vidas desde tiempos inmemoriales.

Otra atracción de Inagua, de la que todos los habitantes de las Bahamas se sienten orgullosos, es el flamenco antillano. Exquisitez en su día de las mesas de los isleños, hoy, gracias a la presencia de los guardas del Parque Nacional, estas aves de singular belleza constituyen un auténtico espectáculo visual. Las islas de Inagua y Pequeña Inagua se han convertido en un santuario de todo tipo de aves acuáticas y fauna marina. No solo los flamencos sino también las tortugas carey y las verdes han encontrado un refugio en este rincón de las Bahamas.

Los meros suelen cazar a sus presas atacándolas por sorpresa: eligen el crepúsculo como el mejor momento para entrar en acción.

Mero

El mero es un alimento sumamente extendido en la cocina caribeña. Este pez habita en los arrecifes de coral de escasa o mediana profundidad, que rara vez alcanzan los 50 m. Normalmente permanece en el fondo y se mimetiza con el entorno. Si bien en ocasiones se comporta con timidez y recelo ante la presencia humana, por lo general se muestra curioso y se aproxima con gran cautela y movimientos sumamente lentos.

Su captura se realiza básicamente mediante pesca con nasas o pesca submarina. Cuesta encontrar mero en los mercados de pescado, pero cuando está a la venta, es un manjar muy especial, una de las "carnes más dulces" halladas en aguas caribeñas.

Los arrecifes que rodean las islas albergan numerosas variedades de mero. Algunas alcanzan de 2 a 2,5 m de longitud. La cuna bonací *(Mycteroperca bonaci)* mide hasta 1,2 m y vive en los arrecifes, si bien en ocasiones puede verse en aguas abiertas incluso a 30 m de profundidad. La cuna gata *(Mycteroperca tigris)* presenta un rayado espectacular con bandas pardas y naranjas. Puede alcanzar hasta 1 m de longitud y se halla en aguas apartadas de hasta 18 m de profundidad. La cuna amarilla *(Mycteroperca interstitialis)* no suele sobrepasar los 75 cm de longitud, habita en arrecifes de hasta 24 m de profundidad y su piel presenta manchas grises y negras, con un singular borde amarillo alrededor de la boca (de ahí su nombre). Los ejemplares jóvenes son totalmente distintos, de vientre blanco, lomo oscuro y una aleta superior con el borde de color amarillo claro. Esta especie se encuentra más al norte, en las aguas de las Bermudas. La cuna negra *(Mycteroperca rubra)* mide unos 75 cm, vive en profundidades de hasta 40 m y se halla principalmente en el sur del Caribe; su piel, de color parduzco o grisáceo, puede volverse más clara o más oscura en función del entorno. Desconfían de los humanos pero suelen mostrarse curiosos; viven en los arrecifes y siempre se mueven a ras del lecho marino. El enjambre *(Epinephelus cruentatus)* no supera los 30 cm, habita en arrecifes de hasta 18 m de profundidad, permanece en el fondo y se mimetiza con el medio; presenta un color tirando a pardo rojizo con manchas rojas oscuras por todo el cuerpo y de tres a cinco manchas oscuras en la aleta dorsal. El mero colorado *(Epinephelus guttatus)* y el mero cabrilla *(Epinephelus adscensionis)* están muy extendidos en todo el Caribe y suelen capturarse con nasas. Ambas variedades tienen la piel clara cubierta de puntos rojizos, aunque la última es ligeramente más oscura. Este tipo de peces alcanzan una longitud máxima de 60 cm y viven en los arrecifes cercanos a la costa de aguas poco profundas, así como en orillas que no superan los 30 m.

El mero de Nassau. Este pez se mueve por lo general a ras del lecho marino y llega a aproximarse con mucha cautela.

Mero al horno

2 filetes de mero
sal y pimienta al gusto
1/4 cucharadita de guindilla roja despepitada y picada fina
el zumo de 1/2 lima
2 cebollas cortadas en aros
1 pimiento verde cortado en aros
1 lata de tomate (o 4 tomates maduros) pelados y triturados
3 ramitas de tomillo

Precaliente el horno a 150°C.
Sazone los filetes de pescado con guindilla, sal y pimienta, y rocíelos con el zumo de lima. Cúbralos con la cebolla, el pimiento, los tomates y el tomillo. Hornéelos durante 20 minutos. Sírvalos con arroz y ensalada. Para 2 personas.

Mero con mango

1,5 kg de filetes de mero de 2,5 cm de grosor
4 mangos maduros pelados y cortados en tiras
6 manzanas maduras peladas y cortadas en láminas
3 aguacates pelados y cortados en rodajas
250 g de espinacas frescas
el zumo de 3 naranjas
el zumo de 1 lima
aceite de sésamo

Condimentos:

6 cucharadas de cebolla picada
6 cucharadas de ajo picado
2 cucharadas de pimienta de Jamaica molida
2 cucharadas de pimentón molido
2 cucharadas de azúcar moreno
4 1/2 cucharaditas de tomillo molido
4 1/2 cucharaditas de canela molida
1 1/2 cucharaditas de nuez moscada molida
1/2 cucharadita de guindilla despepitada y picada
1 cucharada de colorante oscurecedor

Prenda fuego a la leña o carbón para preparar unas brasas. Machaque todos los condimentos en un mortero y pase después la picada por ambos lados de los filetes. Déjelos reposar durante 25 minutos. Ase el pescado a la parrilla hasta que esté bien cocido por fuera pero tierno por dentro. Apártelo de las brasas y manténgalo caliente. Deposite los mangos y las manzanas en un cuenco; rocíelos ligeramente con aceite de sésamo y áselos unos 45 segundos. Mezcle el pescado y la fruta en un recipiente grande con el zumo de naranja y de lima. Sírvalo todo sobre un lecho de espinacas cocidas al vapor y decórelo con trozos de aguacate por encima. Para 6 personas.

Pesca de bajura

La pesca de bajura, realizada en aguas poco profundas con caña, sedal y anzuelo, es una práctica muy extendida en todas las Bahamas. Las costas que bañan estas islas están pobladas por una amplia variedad de peces que, en zonas de aguas bajas y cristalinas, no pueden competir con la pericia de los pescadores de las islas en sus barcas o de pie en el agua con sus cañas de fabricación casera. La pesca de bajura se mantiene como una tradición desde la llegada de los primeros indios a las Bahamas. Hoy la isla de Andros se conoce como "la capital mundial de la pesca de bajura".

Los habitantes de las Bahamas gustan siempre de hacer comidas en la playa, y con la pesca de bajura el pescado pasa directamente del mar a la olla. Los caribeños saben que no hay nada como un buen caldo de pescado para obtener la fuerza necesaria para afrontar un día entero o quedar "bien" con tu pareja por la noche.

Esta sopa es un desayuno tradicional en las Bahamas; se le atribuyen poderes curativos mágicos tras una noche de borrachera. Se sirve con *Johnny Cake* y sémola de maíz.

Pescado hervido

1 cabeza de pescado grande
2 cebollas picadas
1 diente de ajo picado fino
1 cucharada de perejil, albahaca y tomillo, picado fino todo junto
125 g de carne de cerdo salada cortada en trozos pequeños
6 patatas peladas y cortadas en cuartos
el zumo de 2 limas
60 g de mantequilla
375 ml de agua
1/4 cucharadita de guindilla picada fina
sal y pimienta al gusto

Lave la cabeza de pescado y sazónela con sal, pimienta, hierbas y guindilla. Ponga a hervir todos los ingredientes en una olla grande durante 20 minutos. Añada agua cuando sea necesario. Prosiga la cocción a fuego medio 30 minutos más. Las patatas deben quedar cocidas y el pescado ha de presentar una consistencia firme.

1. y 2. Pescado hervido 3. Sémola de maíz 4. *Johnny Cake*

Johnny Cake

1,5 kg de harina blanca tamizada
160 g de manteca de cerdo o grasa
2 cucharadas de azúcar
1 cucharadita de sal

Precaliente el horno a 180°C.
Mezcle a mano la grasa con la harina hasta que quede "grumosa". Añada el azúcar y la sal y agua suficiente para preparar una masa; trabájela hasta que quede homogénea y forme con ella una bola. Hornéela en una fuente engrasada hasta que se dore. Córtela en rebanadas y sírvala caliente con mantequilla.

Sémola de maíz

750 ml de agua
180 g de sémola de maíz (harina sin refinar)
1/4 cucharadita de sal

Lleve agua a ebullición. Agregue la sémola de maíz poco a poco. Baje el fuego y prosiga la cocción durante 5 minutos aproximadamente. Retire el agua del fuego y déjela reposar para que se espese la mezcla. Sírvala con mantequilla por encima. Para 4 personas.

Cultivo en cuevas

Andros es la mayor isla de las Bahamas, con una extensión aproximada de 5.594 km^2. A lo largo de los 233 km de su costa oriental se extiende el tercer arrecife de coral más grande del mundo. Su territorio está formado en realidad por un enorme rompecabezas de islas, con centenares de calas y ríos, algunos todavía sin explorar. En Nicholl's Town, situada al norte, se registra la mayor concentración de habitantes, aunque nunca se sabe: la población se reparte aquí y allá por las ricas tierras de labranza, donde abundan los cultivos de tomates, coles, cítricos y patatas.

Tras la extinción de los arahuacos en Andros, la isla se vio poblada por los indios semínola de Florida. Sus descendientes, localizados en Red Bay, son la fuente de inspiración de multitud de relatos y supersticiones que perduran aún entre los isleños, como, por ejemplo, el cuento de los "chikarnees", duendecillos de ojos rojos, con tres dedos en pies y manos, que cuelgan de los pinos y premian con una larga vida de buenaventura a aquellos lo bastante rápidos para dar con ellos, o bien provocan graves perjuicios a quienes les causan algún tipo de molestia. Los ornitólogos y arqueólogos creen que los chikarnees eran en realidad lechuzas gigantes, hoy extinguidas, que tenían un extraordinario parecido con una figura humana.

Se dice que hasta los Blue Holes situados en la costa dan cobijo a monstruos, entre los cuales el más conocido es "Lusca", un monstruo marino similar a Nessy, del famoso lago escocés. Muy pocos isleños se aventurarían a vagar por las inmediaciones de los Blue Holes más "habitados".

En Andros y Little Creek está muy extendido el cultivo en cuevas, una técnica agrícola que propicia el crecimiento de plátanos y bananas de gran tamaño en cavidades practicadas en la tierra. Muchos de los hoyos son naturales, si bien a veces se perforan con dinamita. Se rellenan con matorrales cortados que al mojarse con el agua de lluvia producen un terreno repleto de humedad y protegido del sol excesivo y de los fuertes vientos por las paredes del hoyo.

Derecha: una granjera muestra el método de cultivo en cuevas a una visitante. La banana y el plátano macho son los cultivos que mejor se desarrollan en estas cavidades en la tierra.

Gandules *(Cajanus cajan)*

Los gandules, también conocidos como gandúes o quinchonchos, fueron introducidos en el Nuevo Mundo poco después de la llegada de Colón y están muy extendidos en todo el Caribe. La planta, un arbusto perenne capaz de resistir condiciones de sequía extrema, alcanza 2,7 m de altura. Las semillas jóvenes de color verde y pardo se asemejan a los guisantes comunes en cuanto a su forma y tamaño, y se consumen como verdura, recién extraídas de la vaina, secas o en conserva.

En las islas caribeñas los gandules crecen como plantas silvestres. La mayoría de los aldeanos las siembran en los patios traseros de sus casas, como plantas de "pasto" y tapizantes, que protegen de los vientos y la erosión.

En los puestos ambulantes y del mercado, las amas de casa se sientan con los niños entre comadrerías y escogen de forma sistemática los gandules que prefieren. Lo normal es que alguna amiga de las vendedoras se pare a hablar con ellas y, sin pensarlo, les eche una mano para sacar las semillas de las vainas.

Los gandules constituyen un alimento típico de la cocina caribeña.

Los gandules los venden normalmente mujeres apostadas en las aceras de las calles.

Los gandules se emplean de forma diferente en las distintas islas. En Trinidad se consumen durante todo el año, mientras que en Barbados se toman por lo general en Navidad como ingrediente básico del plato típico de esta época del año: *jugjug*. Esta variedad de guisante resulta deliciosa sola en un cocido o como guarnición de guisos de carne. Los gandules están presentes en la mayoría de los platos con arroz del Caribe; un pelau de Trinidad no estaría completo sin ellos. Se usan en currys después de haberlos secado y separado. En algunas islas, sirven para preparar *dumplings* (bolas de masa). Con los nuevos aires que corren en la cocina caribeña, hoy se pueden ver gandules incluso en ensaladas frías.

En la actualidad, Puerto Rico, Jamaica y Trinidad exportan gandules en conserva a Europa y Norteamérica en cantidades industriales, poniendo este producto típico del Caribe al alcance de los conocedores de la "buena cocina".

Sopa de gandules con pasta

500 g de carne de vaca salada cortada en dados
500 g de gandules
250 g de carne de cerdo salada cortada en dados
2 cebollas picadas
1 diente de ajo picado
1 pimiento picado
2 tallos de apio picados
1 lata de tomate pelado
4 cucharadas de concentrado de tomate
1 ramita de tomillo
1 ramita de perejil
1 ramita de albahaca
1/4 cucharadita de guindilla picada fina
sal y pimienta al gusto

Pasta (o dumplings)

250 g de harina
1/2 cucharadita de levadura en polvo
1/2 cucharadita de sal

Cubra la carne de vaca con agua y póngala a hervir 15 minutos. Escúrrala. Hierva los gandules en 1 litro de agua hasta que estén tiernos (no será preciso si son de lata). Saltee la carne de cerdo. Al cabo de unos minutos agregue las verduras y el concentrado de tomate y déjelo hervir todo hasta que quede espeso. Añada los demás ingredientes. Retire la sopa del fuego, páselo todo a una olla grande y cúbralo con agua (la misma con la que hirvió los gandules). Déjelo hervir 1 hora o hasta que la carne esté tierna.

Para la pasta: tamice a la vez la harina, la levadura y la sal. Añada agua suficiente para obtener una masa consistente. Trabájela, extiéndala y córtela en cuadrados de 2,5 cm. Añádalos a la sopa unos 20 minutos antes de finalizar la cocción. Para 4 personas.

Pan de plátano

625 g de harina
2 1/2 cucharaditas de levadura en polvo
1/2 cucharadita de canela
y de nuez moscada mezcladas
1/2 cucharadita de sal
4 plátanos maduros o pasados
1/2 cucharadita de esencia de vainilla
125 g de mantequilla
80 g de azúcar
2 huevos batidos

Precaliente el horno a 180°C. Tamice juntas la harina, la levadura y la sal. Pele los plátanos y aplástelos con un tenedor. Añada la esencia de vainilla. Bata la mantequilla y el azúcar en un cuenco y agregue después los huevos. Agregue poco a poco las mezclas de harina y plátano y remueva hasta que quede todo homogéneo. Puede añadir pasas y 125 g de nueces picadas. Vierta el preparado en un molde de pan engrasado. Horneélo 1 hora o hasta que un cuchillo hundido en el centro salga ligeramente húmedo. Déjelo reposar 10 minutos y vuélquelo después sobre una rejilla. El pan de plátano es un acompañamiento ideal de desayunos y meriendas. Sírvalo solo o con mantequilla y mermelada.

El festival Junkanoo

En tiempos de la esclavitud, a los africanos se les concedía tres días de fiesta para que abandonaran las plantaciones y pudieran estar con sus familias. Estas vacaciones se celebraban con danzas, trajes y música africanas. Esta "fiesta de la libertad" evolucionó en los festivales callejeros actuales. El festival Junkanoo da comienzo a primera hora de la mañana del "Boxing Day" (26 de diciembre) y se prolonga hasta el día de Año Nuevo. Se suceden los desfiles dirigidos por peñas con nombres como "los sajones", "los chicos del valle" y "raíces". Los preparativos para el festival se inician con meses de antelación, con vistosas carrozas que se mueven sin ayuda, hechas de papel maché con la máxima pericia, esmero y, lo que es más importante, reserva. Músicos con tambores, cornetas, silbatos, trompas y cencerros conducen dichas carrozas, mientras bailarines vestidos con llamativos trajes bordados se mezclan entre ellos, moviéndose con complejísimos pasos a ritmo de *goombay.*

Rushing (desfile) es el término utilizado para participar en el festival. Si uno no desfila, se limita a ser un mero espectador en segundo plano, lo que no le priva de unirse a la fiesta a la hora de cantar y bailar. "We're rushin', we're rushin', we're rushin' through the crowd... (Desfilamos, desfilamos, desfilamos entre la multitud...) K-k-kalik, k-k-kalik, k-k-kalik, k-k-kaliking, k-k-kalik, k-k-kalik, k-k-kalik, k-k-kalik, yeah!"

Los vendedores hacen gala de todo su esplendor culinario en el festival, durante el cual sirven deliciosas especialidades de las Bahamas como pollo frito, ensalada de patata, cobo rebozado y buñuelos de cobo. Los niños saltan y bailan, sin alejarse de los padres, pero aun así disfrutando en todo momento del festival. La bebida corre entre los espectadores y los que desfilan ante ellos. El espectáculo se entrega al más puro desenfreno. La alegría se prolonga hasta bien entrada la mañana, cuando se detiene la música, se anuncian los ganadores del festival y se aparcan los disfraces que nunca más volverán a llevarse.

¿Sabía que...

...cuenta la tradición que, en la isla Gato, cuando fallece el último miembro de una generación su casa se deja habitar por el espíritu? A lo sumo su familia puede reunir piedras del lugar y reconstruir una nueva vivienda. Los vecinos colocan husos en lo alto de las casas para evitar los daños que les puedan causar los espíritus maléficos.

Pollo en adobo

- 1 pollo entero
- 2 cebollas grandes cortadas en aros
- 2 dientes de ajo picados finos
- 5 patatas peladas y cortadas en cuartos
- 5 zanahorias cortadas en rodajas
- 4 cucharadas de zumo de lima
- 2 cucharadas de mantequilla
- 1/2 guindilla despepitada y picada fina
- de 6 a 8 bayas de pimienta de Jamaica
- sal y pimienta al gusto

Corte el pollo en trozos grandes y retire la piel. Ponga el pollo, la cebolla, el ajo, las patatas, las zanahorias, el zumo de lima y la mantequilla en una olla grande y cúbralo todo con agua. Añada la guindilla, la pimienta de Jamaica y sal. Llévelo todo a ebullición y déjelo hervir 1 hora (o hasta que el pollo se despegue del hueso y las patatas estén cocidas). Sírvalo con *Johnny Cake* y sémola de maíz. Para 4-6 personas.

Ensalada de patatas de las Bahamas

- 500 g de patatas cortadas en dados de 1 cm
- 150 g de mayonesa
- 30 g de mostaza
- 1/4 cucharadita de zumo de lima
- sal y pimienta al gusto
- 1/4 cucharadita de guindilla roja (si se desea) picada
- 2 cebollas picadas finas
- 2 tallos de apio picados finos
- 2 pimientos verdes picados finos
- 2 huevos duros cortados en dados de 1 cm
- 2 dientes de ajo rallados

Cueza las patatas en agua salada 25 minutos o hasta que estén hechas. Escúrralas y déjelas enfriar. Mezcle la mayonesa, la mostaza, el zumo de lima, sal, pimienta y guindilla y mézclelo todo con las patatas. Incorpore el resto de los ingredientes. Sirva la ensalada fría con el pollo frito de las Bahamas. Para 2-4 personas.

Pollo frito al estilo bahamés

1 pollo lavado en lima y troceado por las articulaciones (2 muslos y 2 pechugas)
sal y pimienta
1/2 cucharadita de guindilla roja picada fina
2 huevos
2 cucharadas de leche evaporada
harina
pan rallado

Retire la grasa del pollo. Sazónelo con sal, pimienta y guindilla. Bata los huevos y la leche evaporada en un cuenco. Reboce el pollo en harina, huevo batido y pan rallado, y fríalo hasta que quede dorado. Para 2-4 personas.

Nassau, en la isla de Providencia, es la capital política y el centro comercial de las Bahamas. La historia de Nassau se remonta a varios siglos atrás cuando los piratas utilizaban el puerto como refugio para huir de la ley. Criminales como Barbanegra, que abordaba los veleros españoles cargados de oro con rumbo a Europa, se servían de esta ciudad como escondite personal. En la actualidad, banqueros de todos los países enfundados en sus trajes comparten el mismo espacio en las calles junto con vendedores, rastafaris y turistas con camisetas floreadas y pantalones cortos a cuadros. La policía con sus característicos uniformes blancos dirigen el tráfico protegidos bajo enormes paraguas. En los numerosos restaurantes de calidad de Nassau se sirve una cocina variada, siempre picante y poco suave, con un sinfín de bares que se enorgullecen de sus brebajes. Kalik, la cerveza de Nassau por excelencia, se sirve muy fría, y los rones locales se ingieren con entusiasmo. Con todo, Nassau presenta su propio licor en todo su esplendor, Nassau Royale Liqueur. Destilado por Bacardí y comercializado con vistosas etiquetas del Caribe, se sirve solo, con hielo o como ingrediente de cócteles llenos de imaginación.

Cobo dorado

(Strombus gigas)

El cobo dorado se encuentra únicamente en las aguas poco profundas azul verdosas que bañan las islas de coral del Caribe. Recorre el lecho oceánico extendiendo su única extremidad y hundiendo el opérculo falciforme y afilado en la arena, mientras avanza lentamente hacia el plancton de tortuga *(thalassia),* donde sacia su apetito de algas antes de recorrer el camino de vuelta a las blancas arenas. En éste su comedero habitual es donde corre mayor riesgo de convertirse en un delicioso ágape. Si bien el hombre es probablemente su peor enemigo, constituye asimismo una presa para la raya murciélago moteada, la tortuga boba, el cangrejo ermitaño, el pulpo, la langosta, la estrella de mar y ciertos peces como el coro gallo, el pejepuerco cachúo, el pejerizo común y el tiburón tigre.

En el Caribe, el consumo humano de este molusco ha alcanzado niveles extraordinarios. El cobo dorado es una especie amenazada en muchas islas y su población se ha visto reducida a menos del diez por ciento en el último decenio. Hasta hace poco apenas se sabía nada sobre la vida de este animal. Sin embargo, los estudios realizados en los últimos años en Venezuela, las Bahamas y las islas Turcas y Caicos han propiciado la aparición de viveros de moluscos con el único propósito de satisfacer la demanda del mercado, mientras que los nuevos programas de conservación están contribuyendo a la repoblación de la especie en el mar por vías naturales.

La palabra "concha" es un término genérico derivado del griego "konkhe" que designa toda clase de molusco univalvo grande y en espiral.

En el Caribe, cuando un isleño ofrece al visitante una "concha" (pronunciado "konk" en el inglés de las islas) se está refiriendo a este apetitoso manjar denominado *Strombus gigas.* Los hallazgos fosilizados indican que los *Strombus,* entre los que se incluye el cobo dorado, tuvieron su origen hace unos 65 millones de años; algunos atribuyen su aparición a la Divina Providencia que los creó para que contribuyeran a la evolución del hombre. No cabe duda de que, desde tiempos inmemoriales, el hombre ha buscado la forma de abrir los moluscos para dar buena cuenta de la suculenta carne que albergan en su interior, una excelente fuente de proteínas y vitaminas.

Sus caparazones han servido de utensilio y, por su belleza, de ornamento y mercancía. En las aldeas y asentamientos precolombinos se mezclaban las valvas de estos animales con barro crudo para elaborar martillos, rascadores, vasos, platos, ídolos y trompetas. Los indios arahuacos y caribes los empleaban para crear pendientes, collares, medallones, brazaletes y horquillas.

Hoy en día, es costumbre soplar una caracola para anunciar la venta de pescado en las islas o celebrar una carrera en un partido de críquet. En Key West, Florida, existen incluso orquestas de caracolas que interpretan melodías completas, incluyendo piezas clásicas, en un concurso anual de caracolas. Las bandas de "rascadores" de las Bahamas, originarios de la isla Gato, están formadas por una caracola (trompa), un viejo peine forrado de papel (armónica), una sierra de carpintero rascada con una pieza de metal y un tambor de piel de cabra tensada sobre madera y calentada sobre una llama.

A Colón se atribuye el "descubrimiento" tanto de América como del cobo dorado, según pruebas documentales que acreditan que en su segundo viaje a bordo de la Niña se recogieron caracolas en la barcada procedente de las costas de Cuba, y su carne se hirvió en agua salada como alimento para la tripulación. Tras el regreso de los primeros veleros del Nuevo Mundo, el cobo dorado se convirtió en un artículo preciado por su exotismo, belleza y misterio. En el siglo XVII, se hicieron populares las perlas del molusco y en sus caparazones se tallaban camafeos. En Europa se emplearon caracolas para la decoración de grutas y fuentes de estilo rococó y se importaron a Inglaterra para la manufactura de porcelana fina.

Los primeros pobladores del Caribe aprendieron a preparar mortero mezclando arena y agua

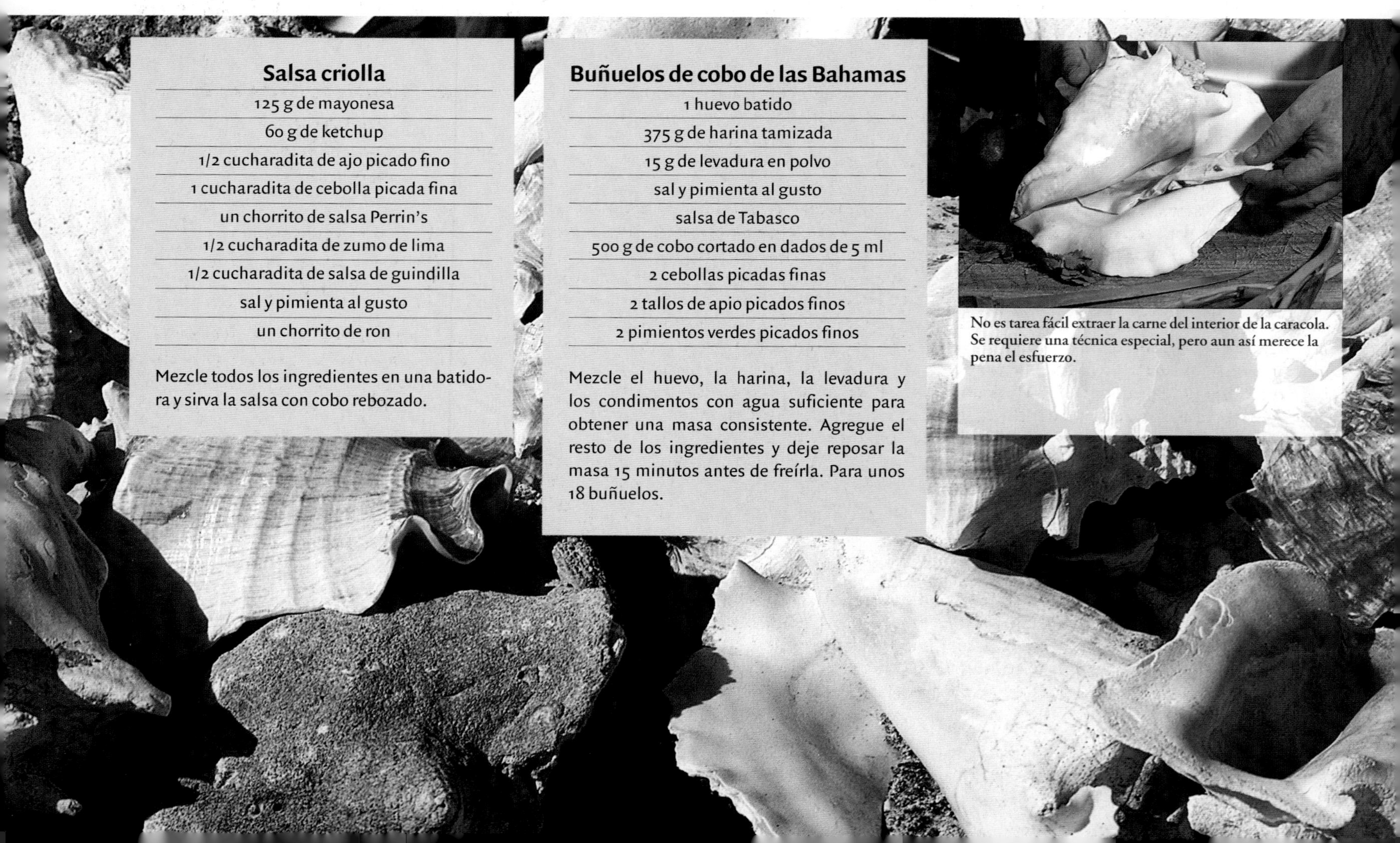

Salsa criolla

- 125 g de mayonesa
- 60 g de ketchup
- 1/2 cucharadita de ajo picado fino
- 1 cucharadita de cebolla picada fina
- un chorrito de salsa Perrin's
- 1/2 cucharadita de zumo de lima
- 1/2 cucharadita de salsa de guindilla
- sal y pimienta al gusto
- un chorrito de ron

Mezcle todos los ingredientes en una batidora y sirva la salsa con cobo rebozado.

Buñuelos de cobo de las Bahamas

- 1 huevo batido
- 375 g de harina tamizada
- 15 g de levadura en polvo
- sal y pimienta al gusto
- salsa de Tabasco
- 500 g de cobo cortado en dados de 5 ml
- 2 cebollas picadas finas
- 2 tallos de apio picados finos
- 2 pimientos verdes picados finos

Mezcle el huevo, la harina, la levadura y los condimentos con agua suficiente para obtener una masa consistente. Agregue el resto de los ingredientes y deje reposar la masa 15 minutos antes de freírla. Para unos 18 buñuelos.

No es tarea fácil extraer la carne del interior de la caracola. Se requiere una técnica especial, pero aun así merece la pena el esfuerzo.

1. Salsa criolla 2. Cobo rebozado de las Bahamas 3. Buñuelos de cobo de las Bahamas

con cal obtenida de la combustión de caracolas. En ocasiones se emplea su caparazón cementado en paredes y suelos como ladrillo o piedra.

En tiempos del comercio insular, los cobos se secaban para su transporte, un método que permitía conservar la carne durante cinco o seis días a costa de su mal olor. Actualmente, la carne de este molusco se congela para su exportación al convertirse en un negocio lucrativo, con lo cual este exquisito manjar llega a las mesas de Norteamérica y Europa tan fresco como se encontraría en cualquier isla caribeña. La caracola en sí es una marca de identidad tan propia del Caribe que si se acerca a la oreja, se puede escuchar el océano, el rugido de las olas encerrado en el interior de su caparazón en espiral.

La pesca del cobo dorado

Aún en nuestros días opera en las Bahamas una singular y pintoresca flota pesquera formada por algunos de los últimos barcos del hemisferio occidental que siguen faenando a toda vela. Estos barcos de pesca atoan lanchas de 3 a 4 m de eslora hasta las zonas de cobos conocidas. Desde aquí las lanchas, con dos hombres a bordo, llegan a vela y remo hasta los viveros naturales donde se captura al molusco con "gancho". Uno de los pescadores lleva un cubo con el fondo de cristal y una vara de madera de 6 a 9 m de longitud con dos púas metálicas. Mientras uno de los tripulantes rema el otro busca caracolas mirando a través del cubo. Cuando localiza una, baja la vara, las púas se deslizan bajo el caparazón y tira de la caracola de un solo golpe, con una mano sobre la otra, hacia el interior de la barca. Los moluscos capturados se llevan al barco de pesca y se agrupan de cinco en cinco enhebrando una hoja de palma a través de agujeros practicados en el caparazón. Los manojos se echan al agua para luego recogerlos de nuevo con gancho cuando haya una captura aceptable para llevarla al mercado de Nassau. Mientras permanecen a bordo, las caracolas se mantienen vivas y frescas mojándose en todo momento con agua del mar. Cuando el barco arriba a puerto, la pesca se sumerge una vez más en el agua a lo largo del barco para recogerlas de nuevo según la demanda del mercado.

Hoy en día, cada vez se ven más barcos de pesca a motor, en caso de que no sean sustituidos por lanchas rápidas con submarinistas expertos en la pesca del cobo dorado. Aun así, con barcos de pesca tradicionales y la técnica del gancho se sigue capturando la mayor parte de los cobos que se encuentran en Nassau.

Cobo rebozado de las Bahamas

4 cobos dorados
zumo de lima (para cubrir la carne de los cobos)
guindilla al gusto
harina
2 huevos batidos
galletas saladas o pan rallado
sal y pimienta

Extraiga la carne de los cobos. Golpéela con un ablandador de madera hasta que se aplane y llegue a duplicar su tamaño original. Ponga a marinar la carne durante 1 hora en un adobo de zumo de lima y guindilla (no la guarde en el frigorífico). Corte la carne en trozos pequeños y rebócelos en harina, huevo y, por último, pan rallado. Fríalos en aceite muy caliente hasta que se doren y déjelos escurrir sobre papel de cocina. Sírvalos de inmediato, solos o con salsa criolla. Para 18 unidades.

El distrito de la isla Crooked

El distrito de la isla Crooked engloba tres grandes islas, Crooked, Acklins y Long Cay. Su territorio de 686 km² forma una curva en torno a un banco de aguas poco profundas situado al sur del archipiélago. Sus habitantes llevan una vida tranquila, con la pesca como principal actividad.

Isla Crooked

Crooked, la mayor de las tres islas, cuenta con dos núcleos de población importantes donde se concentran aproximadamente 700 habitantes. Los ciudadanos de Landrail Point son en su mayor parte adventistas, por lo que no se permite la venta de alcohol o tabaco. El otro pueblo, Cabbage Hill, resulta de lo más pintoresco, con tres bares, un colmado, un hostal, un taller de reparaciones, una peluquería y un salón de belleza recién inaugurado.

Isla Acklins

Para muchos Acklins es una de las islas más hermosas del mundo. Pese a su proximidad a la isla Crooked, sus habitantes apenas han mantenido contacto con sus vecinos, por lo que hablan dialectos distintos. La producción de algodón supuso antaño una lucrativa fuente de ingresos para los isleños. En la actualidad, lo es la agricultura. Desde mediados del siglo XVIII, la población de Acklins se ha dedicado a la recolección de corteza de cascarilla de crotón con fines medicinales. Hubo un tiempo en que se exportaban varias toneladas al año. Hoy en día, la corteza se sigue arrancando del arbusto para enviarla vía Nassau a Italia, donde se emplea para aromatizar el Campari.

Long Cay, la tercera isla de este distrito, fue otrora un próspero puerto marítimo donde se contrataba a estibadores para trabajar en barcos alemanes, norteamericanos y holandeses con rumbo a Sudamérica. Actualmente, la isla cuenta con una treintena de habitantes contentos de llevar una vida tranquila con la pesca como medio de subsistencia. Las iguanas y los flamencos viven en perfecta armonía con los isleños, al ser hoy objeto de un esfuerzo de preservación y no meros ingredientes para guisos. Por extraño que parezca la carne de ambos animales resulta un majar delicioso, aunque cueste creerlo ante el escaso atractivo de la iguana o la vistosidad del flamenco.

Isla Eleuthera

El nombre de esta isla deriva de un término griego que significa "libertad". Con 171 km de longitud y una costa sobrecogedora salpicada de cayos, se encuentra a 20 minutos de Nassau en avión. Los primeros pobladores del norte de Eleuthera llegaron de Escocia hace unos 150 años como consecuencia de un naufragio en su viaje a Norteamérica. Aún hoy la mayoría de los habitantes de Current y Spanish Wells son blancos, de origen lealista.

Spanish Wells es el principal centro pesquero de ástacos de las Bahamas. Los pescadores salen a bordo de grandes barcos equipados con pequeñas lanchas de fibra de vidrio de 4,6 m con motores fuera borda. Estas embarcaciones tienen capacidad para dos o tres tripulantes y están especialmente diseñadas para navegar por bajíos y sistemas de arrecifes donde abundan los ástacos. Los submarinistas provistos de arpón se centran en una zona, apilando con cuidado los cangrejos sobre las cañas de repuesto. Al final del día, los pescadores "retuercen" los cangrejos, separando las cabezas de las colas. Los caparazones se arrojan al mar y las preciadas colas se guardan en grandes congeladores dentro del barco con capacidad para unos 13.608 kg de ástacos.

En el norte está asimismo en alza la industria de la piña. La cosecha de verano pasa por ser más dulce si cabe que la de invierno. Los isleños se honran de que la producción frutal se destine exclusivamente al consumo local.

En las cuevas de esta isla se recoge el guano de murciélago, un estiércol con una elevada concentración de nitrógeno que se utiliza para abonar los jardines de las casas.

En el antiguo pueblo de James Cistern se halla un pozo de agua natural en torno al cual se ha asentado la comunidad. Detrás de los muros de la mayoría de las casas se ocultan hornos de leña, aunque el único indicio de su existencia es el olor a hoguera y a pan recién hecho. En esta aldea, los muchachos de tan sólo quince años ya comienzan a construir la casa que ofrecerán a su futura esposa, invirtiendo en ella poco a poco el sueldo ganado.

Islas Turcas y Caicos

Las islas Turcas y Caicos se encuentran a 925 km al sudeste de Miami, a 48 km al sudeste de las Bahamas y a 161 km al noroeste de la República Dominicana. Este grupo de islas se divide en dos archipiélagos separados por un canal de 35 km, el paso de las islas Turcas, y ocupan una superficie total de 430 km^2, repartidos entre ocho islas y 40 cayos.

Existen varias explicaciones respecto al origen de su nombre. "Turcas" podría deberse al hecho de que la isla era frecuentada por piratas del Mediterráneo conocidos en general como turcos; por otro lado, se dice que la forma del cactus *Melocactus intortus* de la isla recordaba a los primeros pobladores a un fez turco. "Caicos" deriva con toda probabilidad del término español "cayos".

En la actualidad, las islas Turcas y Caicos son un importante centro financiero costero, en el que el turismo constituye la base de la economía insular. La conciencia de sus habitantes sobre la importancia de preservar el exuberante patrimonio de las islas hasta ahora sin explotar se ve reflejada en la actuación del gobierno, que ha impulsado una política de protección de numerosos parques nacionales, reservas naturales, santuarios y enclaves históricos a fin de reforzar esta línea de pensamiento. La exportación de langosta, cobo y otros mariscos supone la principal fuente de ingresos del sector privado. En estas islas no se gravan impuestos directos sobre los ingresos o el capital de particulares y empresas.

Las islas Turcas y Caicos fueron una posesión primero bahamesa y después jamaicana durante cerca de 75 años antes de convertirse en colonia independiente del Reino Unido en 1962. Si bien la monarquía británica ostenta oficialmente la jefatura de Estado (un gobernador asume la representación local de la isla), el dólar estadounidense es la moneda oficial y los isleños se sienten mucho más familiarizados con Norteamérica que con Gran Bretaña.

Al igual que en las Bahamas, los indios lucayos fueron los primeros pobladores de estas islas. Las excavaciones han revelado que practicaban un juego de pelota hecha de caucho natural, un material que no tardó en atraer la atención de los "descubridores" españoles. Como otros muchos pueblos indígenas del Caribe, los lucayos no pudieron sobrevivir a las embestidas de los europeos. Resulta lamentable pensar que debido a su complexión y su excelente disposición de ánimo, así como a su naturaleza reservada, reunían las condiciones idóneas para caer bajo el yugo de la esclavitud. Colón llegó a escribir: "Cuando Su Alteza así lo ordene, podemos llevarlos a la fuerza a Castilla o bien hacerlos cautivos en su propia isla, pues bastarían cincuenta hombres para tenerlos a todos subyugados y obligarlos a hacer lo que se quisiera." Otro relato escrito da fe de la tiranía para con los esclavos indios en la industria de la perla: "Los tienen en el mar a tres, cuatro o cinco brazas de profundidad, desde la mañana hasta la puesta del sol; están siempre bajo el agua, buceando sin descanso, arrancando las ostras donde crecen las perlas. Regresan a la superficie para tomar aire con una redecilla cargada de perlas, mientras un español desalmado espera en una canoa o barca, y si descansan más de la cuenta, les propina bofetadas y empujones en la cabeza bajo el agua obligándolos a sumergirse de nuevo." A principios del siglo XVI no quedaba ni un solo lucayo en las islas Turcas y Caicos. De hecho, permanecieron deshabitadas hasta la llegada de una colonia británica de las Bermudas en 1678. En 1753, los franceses ocuparon las islas durante un breve período, si bien los británicos recuperaron el poder a finales del siglo XVIII.

ISLAS CAICOS
CAICOS NORTE
Kew
GRAN CAICOS
CAICOS ESTE
PROVIDENCIALES
CAICOS OESTE
Gran Turca
ISLAS TURCAS

Los muchachos rastrean los arrecifes hasta que el ansiado trofeo les hace asomar la cabeza por encima del agua.

Pesca submarina

Los amerindios del Caribe adaptaron la lanza de caza para su empleo en el mar y la denominaron "arpón". Tallado originariamente a partir de un hueso con púas para sujetar la presa, su elaboración avanzó un paso más cuando los arahuacos emplearon un astil de madera armado con una punta afilada hecha de hueso o de la caracola de un cobo. A un extremo se ataba un hilo y al otro el tobillo o la muñeca para facilitar su recogida. Por desgracia, a lo largo de los años la pesca submarina indiscriminada ha provocado daños irreparables, no solo por la excesiva disminución de los recursos marinos, sino también por los estragos causados en los entornos coralinos, con la destrucción del ecosistema submarino. Por ello, la pesca submarina está prohibida en la mayoría de las islas. Allí donde todavía se practica, constituye una técnica empleada principalmente por los isleños con el único fin de conseguir comida, en cuyo caso extreman el cuidado para no deteriorar el medio subacuático (asegurándose además de que no haya ningún bañista ni buceador cerca antes de disparar a su presa).

En los lugares donde aún se permite la pesca submarina como deporte, rige una serie de normas y temporadas de competición. Los submarinistas se sirven a veces de bombonas de oxígeno para prolongar el tiempo de permanencia bajo el agua. Se emplean armas de tal sofisticación que la presa no tiene escapatoria. Poco tienen que ver estas prácticas con los orígenes de la pesca submarina. Para los isleños, la pesca submarina es sinónimo de buceo libre en aguas bajas o profundas, según el tipo de captura que se busque y el valor del pescador. No sería recomendable para quienes padecen del corazón que se vieran cara a cara con un mero o un tiburón de 20 kg. La mayoría de los peces comestibles se pescan en los arrecifes, y a veces se utiliza el arpón para hacerse con una langosta como manjar especial.

Criadero de cobos en Caicos

En el norte de Caicos existe una popular canción acerca del cobo que dice así:

Estrofa:
El cobo viejo es más dulce que el fresco.
El cobo viejo es más dulce que el fresco.
Sobre todo cuando se come con guisantes y arroz,
verás como el cobo viejo hace que sepan mejor.

Estribillo:
Y tú qué vas a hacer.
Mójalos, mójalos,
lávalos, lávalos,
hiérvelos, hiérvelos,
cuécelos, cuécelos.

Estrofa:
En el sur de Caicos en tierra de cobos,
hay cobos viejos a montones.
En Conch Bar en medio de la isla,
el cobo viejo tiene muy buena pinta.

El estadounidense Tom Robbins, autor de *También las vaqueras sienten melancolía* entre otras obras, describió en una de sus novelas la caracola del cobo de la siguiente forma: "Una casa exudada por los sueños de sus ocupantes, el ejemplo más bello de la arquitectura de la imaginación, la lógica del deseo... Un clavel exquisito, un clavel tropical, y sobre todo un clavel femenino. Teñido por la luna, moldeado por la geometría primaria, es el sueño original... un útero calcificado, un nido automotor."

El criadero de cobos en Turcas y Caicos es un sueño hecho realidad para los amantes de este molusco, testigos durante años del agotamiento de las reservas en todo el Caribe. El cobo rosado no fue estudiado en profundidad hasta los años sesenta; poco después, se llevaron a cabo las primeras iniciativas para su cría. Uno de los laboratorios pioneros en el campo de la maricultura inició su trabajo en las cercanías de Pine Cay. Se estableció en una cabaña no mayor que una caravana, con los fondos de una fundación creada por Chuck Hesse. Su visión global del desarrollo llevó a Hesse a aplicar en la maricultura una energía renovable no contaminante, como los generadores eólicos, con el fin de crear una "reserva de la biosfera" marina, un proyecto que bautizó con el nombre de PRIDE, Protection of the Reefs and Island from Degradation and Exploitation (Protección de los Arrecifes y la Isla de la Degradación y la Explotación).

El criadero de Caicos, un laberinto de depósitos, cúpulas y torres en forma de silos.

Con unas pocas subvenciones y la participación creciente de la clase opulenta, PRIDE se convirtió en el telón de fondo de la maricultura dedicada a la cría del cobo rosado realizada por un puñado de jóvenes científicos comprometidos, que serviría de plataforma para la consolidación en la actualidad del cultivo del cobo. Hoy en día, el criadero consta de un vivero, un criadero poslarval y una zona de "crecimiento" para los moluscos más grandes. El proyecto presenta ciertas particularidades estilísticas: el complejo resulta tan intrincado como las propias caracolas, con extraños depósitos, bóvedas, torres en forma de silos y arcos.

Durante la época del desove, hasta mil cobos hembra se concentran en una red de fondo estrecho situada a considerable altura para evitar que los moluscos se salgan. Los técnicos del criadero recogen de forma sistemática las huevas depositadas por las hembras, llegando a reunir en ocasiones hasta 500.000 a la vez. Las huevas se trasladan entonces al vivero, grandes tinas de interior donde las larvas nadadoras son alimentadas durante una delicada fase de tres semanas. A continuación, en la unidad de metamorfosis las larvas experimentan su transformación en caracolas totalmente formadas con un caparazón del tamaño de la cabeza de un alfiler. De aquí las crías de cobo se trasladan a unas bandejas bajas llenas de arena donde se alimentan con una mezcla especial de algas. Cuando alcanzan un tamaño determinado, se transfieren a grandes estanques de hormigón circulares donde se les proporciona pienso en gránulos mezclados a mano. En la unidad poslarval maduran hasta 700.000 cobos jóvenes al mismo tiempo, pasando de 4 mm a 2 cm. Los estanques de cría costeros se destinan al crecimiento de los cobos pequeños durante un período de tres a seis meses. A través de tuberías de PVC perforadas se bombea oxígeno disuelto en agua de mar a dichos estanques. Cuando alcanzan de 5 a 7 cm pasan al pasto subacuático, una zona costera vallada de pasto verde lima donde permanecen hasta que maduran.

En libertad, puede sobrevivir un cobo de cada 500.000 huevas, el resto sirve de alimento a otros animales. En el criadero de Caicos se supera con creces el índice de supervivencia, con una producción de un millón de cobos al año, y se prevé que aumente con la nueva planta procesadora en marcha.

Página siguiente superior: un cobo adulto sale de su caracola para echar un vistazo al mundo exterior.
Página siguiente inferior: las crías de cobo permanecen en los estanques de cría costeros hasta un período de seis meses.

Las crías de cobo con caparazón se alimentan con una mezcla especial de algas.

Un puñado de crías de cobo preparadas para el pasto subacuático.

¿Sabía que…

…la caracola del cobo crece en el sentido de las agujas del reloj desde su primer día de vida? El desarrollo se produce mediante capas de color naranja, creándose el espacio a medida que crece el cuerpo, un proceso que dura de tres a cuatro años, hasta que el molusco alcanza la madurez.

1. Sopa de cobo 2. Langosta picada 3. Ensalada de cobo 4. Cobo al curry 5. Varitas de mero 6. Ensalada de col

Cocina tradicional

Ensalada de cobo

3 cobos golpeados
el zumo de 1 lima
2 ramitas de apio picadas
2 cebollas cortadas en dados
4 tomates maduros cortados en dados
1 pimiento verde cortado en dados
1 guindilla roja despepitada y picada fina
1 cucharadita de vinagre
sal y pimienta al gusto

Lleve el cobo a ebullición con un poco de sal y pimienta en el agua. Déjelo hervir hasta que se ablande. Retire el agua y deje enfriar el cobo. Póngalo en una ensaladera con el resto de los ingredientes. Tenga la ensalada en el frigorífico medio día y sírvala fría como entrante.

Ensalada de col

2 cucharadas de mayonesa
1 cucharadita de zumo de lima
un chorrito de vinagre
1/2 cucharada de azúcar moreno
sal y pimienta al gusto
1/2 col grande picada
6 zanahorias peladas y picadas
2 cebollas peladas y picadas
2 ramitas de cebollino picadas
1 ramita de perejil picada
2 cucharadas de pasas
1/4 cucharadita de guindilla picada

Mezcle en un cuenco la mayonesa, el zumo de lima, el vinagre, el azúcar moreno y sal y pimienta. En un recipiente grande ponga la col, la zanahoria, la cebolla, el cebollino, el perejil, las pasas y la guindilla. Añada la mayonesa y remueva. Refrigérela 1 hora.

Varitas de mero

2 filetes de mero cortados en tiras
el zumo de 1 lima
1/4 cucharadita de guindilla roja picada fina
harina con sal y pimienta al gusto
2 huevos batidos
pan rallado con sal y pimienta al gusto
aceite

Ponga a marinar el pescado en zumo de lima y guindilla durante 1 hora. Rebócelo en harina sazonada, huevo y, por último, pan rallado. Déjelo en el frigorífico 10 minutos. Fría las varitas de pescado en una freidora con aceite humeante hasta que se dore. Decórelo con rodajas de lima y sírvalo con judías y arroz, plátano macho frito y ensalada de col.

Para el arroz: cuézalo de la misma forma que los gandules con arroz exceptuando los frijoles.
Para freír el plátano macho: corte 3 plátanos macho en rodajas y fríalos con aceite hasta que estén dorados.

Sopa de cobo

60 g de tocino salado o beicon cortado en dados pequeños
2 cebollas picadas finas
1 diente de ajo
1/2 ramita de tomillo
2 pimientos verdes cortados en dados
2 tallos de apio cortados en rodajas finas
3 patatas cortadas en dados
5 tomates maduros o 1 lata de tomates pelados
60 g de concentrado de tomate
6 cobos golpeados y cortados en dados
sal y pimienta al gusto
jerez de guindillas (opcional)

Fría el tocino salado o el beicon hasta que esté dorado. Añada a la olla las cebollas, el ajo, el tomillo, los pimientos y el apio. Cuézalo todo hasta que se ablande y agregue los tomates y el concentrado. Incorpore después el cobo en dados, 500 ml de agua y las patatas; lleve la mezcla a ebullición. Cubra la mezcla con agua en abundancia y déjela hervir 25 minutos, sin dejar que se evapore. Añada un chorro de jerez al final de la cocción.

Cobo al curry

3 cobos golpeados y cortados en trozos
el zumo de 1 lima
1 ramita de perejil picada fina
2 ramitas de cebollino picadas finas
1/2 ramita de tomillo picada fina
2 cebollas cortadas en dados
1 lata de tomates pelados picados
1/2 guindilla despepitada y picada fina
2 cucharadas de aceite vegetal
1 cucharadita de comino en grano
3 dientes de ajo picados finos
2/3 cucharada de curry masala para mariscos (también se puede utilizar curry normal)
500 ml de agua
sal y pimienta al gusto
1/4 cucharada de mantequilla para cocinar (o mantequilla normal)
1 chupito de ron

Ponga el cobo en un cuenco con la lima, el perejil, el cebollino, el tomillo, la cebolla, los tomates y la guindilla. En una sartén ponga el aceite a calentar y saltee el comino en grano y el ajo hasta que estén a punto de quemarse. Agregue el curry, removiendo a la vez, hasta que se forme una pasta. Cúbralo todo de agua y hiérvalo 10 minutos. Añada sal y pimienta, el cobo condimentado, la mantequilla y el ron y cuézalo todo 1 ó 2 horas. Baje el fuego tras el primer hervor. Sírvalo caliente sobre un lecho de arroz blanco.

Langosta picada

4 colas de langosta
2 cebollas grandes picadas
2 dientes de ajo picados
4 tomates cortados en dados o 1 lata de tomates pelados
2 cucharadas de concentrado de tomate
1/2 ramita de tomillo
1/4 cucharadita de guindilla picada
1/2 cucharadita de condimento para pescado de cualquier tipo (opcional)
sal y pimienta al gusto

Ponga a cocer las colas de langosta en agua hirviendo con sal hasta que la carne quede firme. Retírelas de la olla, despegue la carne de la cáscara y desmenúcela con un tenedor. En una sartén fría las cebollas y el ajo, añada los tomates y el concentrado de tomate y después el tomillo, la guindilla, el condimento y sal y pimienta al gusto. Mientras hierve la mezcla, añada la langosta desmenuzada. Baje el fuego al mínimo y cuézalo todo hasta que se evapore casi todo el líquido. Rellene las colas y sírvalas con arroz y guisantes.

La hermosa manta *(Manta birostris)* puede verse en las costas de las islas Caimán. Estas criaturas miden hasta seis metros de una punta a otra de las aletas. Hay buceadores que han llegado incluso a nadar a su lado.

CAIMÁN BRAC
PEQUEÑA CAIMÁN
GRAN CAIMÁN
Georgetown

Las islas Caimán constituyen una colonia leal y segura de la Corona Británica situada a unos 772 km al sur de Miami. Gozan de una tranquilidad inusual, reservas naturales y prístinas playas impolutas sin vendedores ambulantes (algo casi inaudito en el Caribe). Cristóbal Colón las descubrió en 1503. Su hijo Fernando anotó en su diario, "ante nuestros ojos se extendían dos islas bajas y diminutas plagadas de tortugas al igual que sus costas", razón por la cual las bautizaron Las Tortugas. Fue en estas islas donde Barbanegra disparó y dejó cojo a Israel Hinds, inmortalizado en la novela de *La isla del tesoro* de Robert Louis Stevenson.

Las Caimán están formadas por las islas Gran Caimán, Caimán Brac y Pequeña Caimán. La primera de ellas es conocida por la playa más espectacular del Caribe, Seven Mile Beach. La segunda debe su fama a las antiguas cuevas de piratas y a una agrupación de marineros llamados *brackers*. Caimán Brac alberga además una reserva de papagayos de 40 hectáreas donde las orquídeas salvajes están igualmente protegidas. La tercera, Pequeña Caimán, con una población de sólo 40 habitantes, es también un santuario de aves, con grandes colonias de bubias pies rojos; en la costa, los buceadores pueden admirar el espectáculo de Bloody Bay Wall.

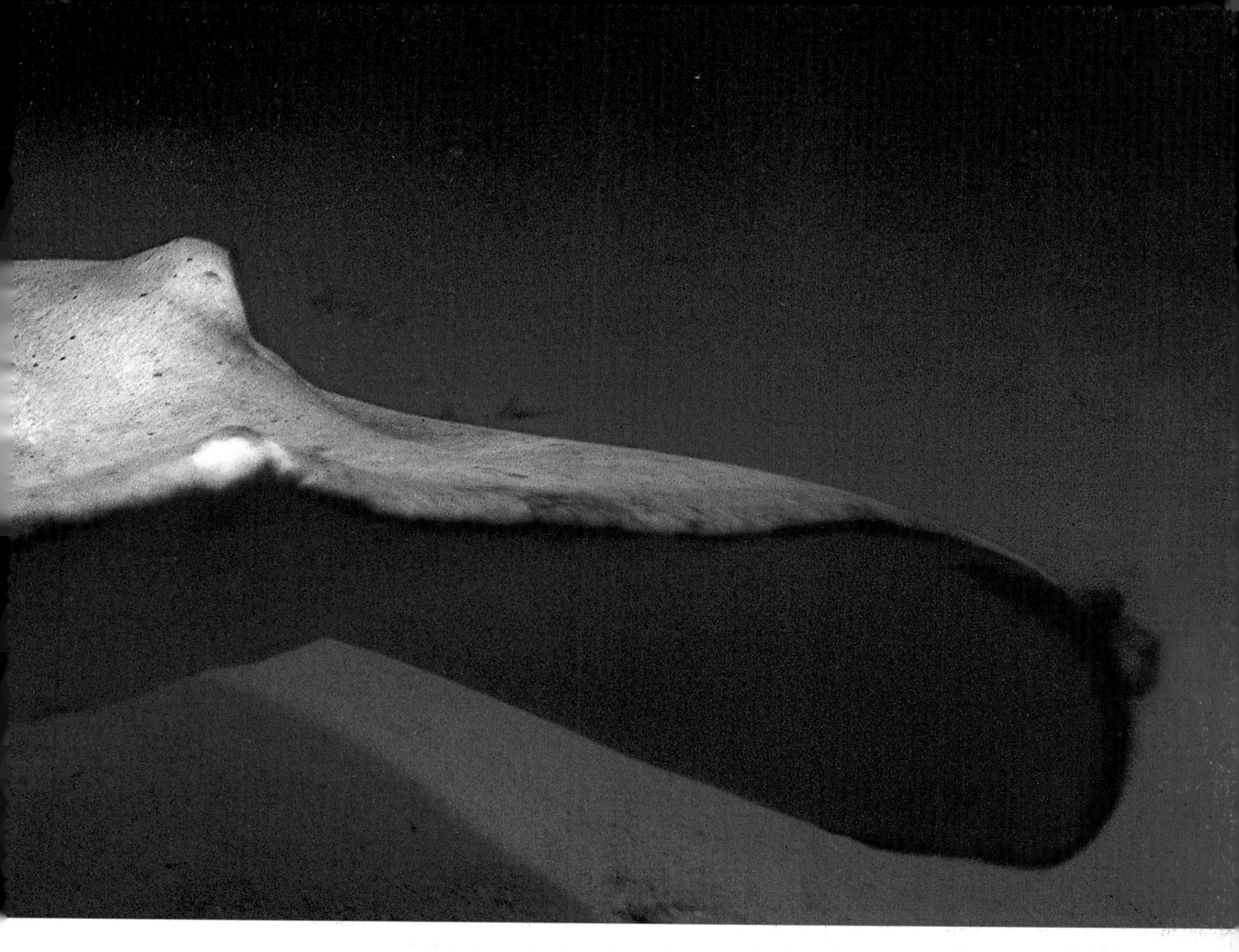

Islas Caimán

La preservación de la fauna local garantiza la supervivencia de espectaculares criaturas propias de las islas Caimán. Una de las experiencias más fascinantes que pueden vivirse en Gran Caimán es bucear por magníficos paisajes subacuáticos a cuatro metros de profundidad en Stingray City. Admiradores de todo el mundo acuden a esta isla a contemplar, fotografiar, tocar, sentir, abrazar y nadar junto a las gigantescas y afables pastinacas. Este grácil animal se capturaba en el pasado por su carne y su cola (que se utilizaba como vara de castigo). Hoy sirve únicamente de espectáculo visual.

La iguana azul de Gran Caimán, el papagayo de Gran Caimán, el pájaro carpintero de las Antillas, el conejo de Gran Caimán y el anolis de Gran Caimán han dejado de estar perseguidos (y destinados al consumo humano).

En la cocina local predomina el pescado y el marisco fresco, incluido el cobo. La empanada de Caimán, rellena de langosta, carne, pollo o verduras, compite con la empanada jamaicana como delicioso tentempié, acompañada de refrescantes bebidas tales como jugos de frutas recién exprimidos o agua de coco. La fruta del pan es otro producto que está muy extendido. También es muy apreciada una típica sopa a la pimienta.

Las islas Caimán son un famoso destino turístico, así como un mítico paraíso fiscal, libre de impuestos y de declaraciones de renta. Por otra parte, el modo de vida de los habitantes de las Caimán es el máximo exponente de la cultura local de unas islas tan pequeñas. La mayoría de los isleños tienen apellidos similares, por lo que suelen presentarse con el nombre de pila, como "Mr. Jim", "Mr. John" o "Mr. Tom". Otra particularidad: cuando a uno le invitan a comer los amigos, más que una botella de vino se agradecen unas flores.

Tortuga verde

(Chelonia mydas)

Las tortugas verdes alcanzan una media de edad de 100 años. Poseen además extraordinarias dotes para la navegación, llegando a recorrer 1.200 km por mar abierto para buscar zonas de anidamiento adecuadas. La temporada de reproducción se prolonga de mayo a octubre. Las hembras depositan los huevos sobre la marca de la marea alta, en ocasiones hasta cien en cada uno de los cinco nidos que suelen excavar en intervalos de diez a quince días. El desove tiene lugar en ciclos de dos, tres o cuatro años. La eclosión de los huevos de tortuga enterrados en la arena se produce al cabo de 60 días. Las crías surgen de inmediato al exterior rompiendo el cascarón hacia fuera. Normalmente, salen del nido por la noche y nada más llegar a la superficie se lanzan al mar. Durante su recorrido a través de la arena, las crías corren el peligro de ser devoradas por los cangrejos y, una vez en el océano, sus predadores son los tiburones, entre otros peces de gran tamaño, y las aves acuáticas. Sólo una o dos tortugas de cada tanda de cien huevos logran sobrevivir hasta alcanzar la plena madurez sexual.

Desde los tiempos de los amerindios, el hombre del Caribe ha mostrado especial predilección por la tortuga, en particular por la tortuga verde. Tanto los huevos como la carne son considerados un manjar exquisito. Se preparan sopas con el cartílago situado bajo el caparazón, el cual se pule para utilizarlo después en joyería. Las patas se secan y sirven de amuletos. La piel se emplea como material de confección de calidad. Por todo ello, esta especie siempre se ha visto amenazada; hoy en día se cría en cautividad con fines comerciales.

El criadero de tortugas verdes de Gran Caimán es el único en el mundo de su categoría con fines comerciales. Las tortugas desovan en una playa artificial. Al cabo de sesenta días los huevos eclosionan y las crías reciben una dieta especial, una mezcla de nutrientes desarrollados especialmente para el criadero. Según su crecimiento, las tortugas se trasladan a distintas zonas hasta llegar a la fase final en grandes piscinas donde se convierten en individuos adultos. Cada año se lanza al Caribe un número determinado de crías con el propósito de repoblar sus aguas. Los programas de investigación incluyen un plan de seguimiento y recuperación que permite a los científicos del criadero estudiar sus patrones fisiológicos y migratorios.

Entre otras especies de tortugas del Caribe se cuenta la tortuga carey *(Eretmochelys imbricata)*, la tortuga boba *(Caretta caretta)*, la tortuga golfina *(Lepidochelys olivacea)* y la tortuga laúd *(Dermochelys coriacea)*, todas ellas en peligro de extinción. Si bien la mayoría de las islas caribeñas cuentan hoy con una normativa estricta sobre la pesca de tortugas, muchos isleños piensan que el mar seguirá siendo una fuente inagotable de recursos.

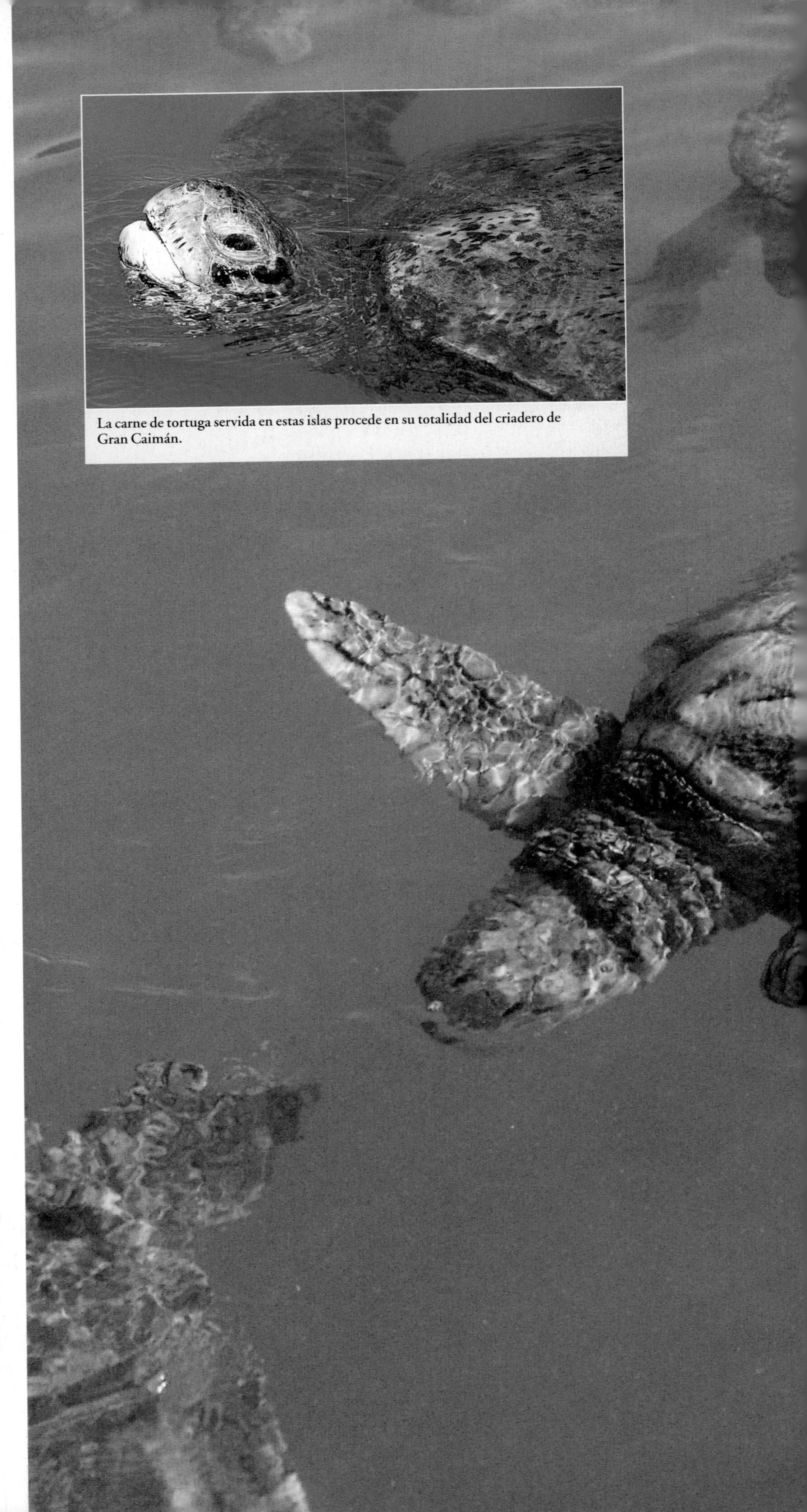

La carne de tortuga servida en estas islas procede en su totalidad del criadero de Gran Caimán.

Cuento amerindio
Cuenta una leyenda amerindia que hace muchos años, cuando el Gran Espíritu Yacahuna reinaba sobre todos los seres vivos, aparecieron en un pueblo de alta montaña dos hermanos gemelos de corta edad. Cuando se hicieron mayores, decidieron escalar la cima más elevada de la isla para instruirse en los conocimientos y la sabiduría de una mujer que estaba al cuidado de un fuego perpetuo y vivía en una cueva en compañía de una serpiente gigante con una enorme piedra roja en medio de la cabeza. Tras recibir "las enseñanzas" los muchachos regresaron al pueblo donde cobraron fama de videntes y curadores. Un día, cuando ya eran ancianos, se encaminaron hacia una laguna y se adentraron en sus aguas para cruzarla a nado poco a poco. Pero cuando llegaron a la otra orilla, ya no eran hombres, sino dos gigantescas tortugas que mudaron de caparazón para transformarse de nuevo en dos hermosos efebos, recreados por el Gran Espíritu Yacahuna para que un día volvieran a la cueva con la anciana y buscaran de nuevo el saber para curar e instruir a su pueblo.

Guiso de tortuga

1 kg de carne de tortuga lavada con agua y lima
4 cebollas picadas
6 tomates picados
1 lata de tomates pelados
4 ramitas de cebollino picadas
2 dientes de ajo picados finos
250 ml de vino tinto
aceite vegetal
1/2 guindilla roja despepitada y picada fina
1 ó 2 cucharaditas de colorante
375 ml de agua
sal y pimienta al gusto

Condimente la carne de tortuga con la cebolla, el tomate, el cebollino, el ajo y el vino. Déjela marinar toda la noche en el frigorífico. Sáquela del frigorífico y ponga a calentar un poco de aceite en una olla grande. Retire la mayor cantidad posible de cebolla, ajo y cebollino de la marinada y rehóguelo todo en el aceite. Añada la carne y fríala durante 15 minutos aproximadamente. Agregue la guindilla y el colorante, según el color deseado. Deje hervir el guiso 2 horas y salpimiéntelo al gusto. Sírvalo bien caliente sobre un lecho de arroz blanco. Para 4 personas.

Pescadores orgullosos con su glorioso trofeo.

Aguja azul

La aguja es un predador de gran velocidad, lo que la convierte en uno de los trofeos más codiciados en el deporte de la pesca. La espina de su mandíbula superior se extiende en una prolongación puntiaguda denominada "espada", que al parecer emplea para matar a golpes a sus presas de menor tamaño. En el Caribe, existen historias de agujas que han arremetido contra barcos con sus espadas. Costaría creer en el inmenso poder de esta "arma" de no ser por los numerosos ejemplos de roturas e incrustaciones visibles en el maderaje de los barcos a causa de sus embestidas. En el Museo Británico se conserva incluso un tablazón perforado unos 55 cm por una espada antes de que acabara rompiéndolo. Hemingway inmortalizó esta fascinante criatura marina en su novela *El viejo y el mar*. "Su espada era tan larga como un bate de béisbol, yendo de mayor a menor como un estoque. El pez apareció sobre el agua en toda su longitud y luego volvió a entrar en ella dulcemente, como un buzo, y el viejo vio la gran hoja de guadaña de su cola sumergiéndose y el sedal comenzó a correr velozmente." Y al capturar el ejemplar de 400 kg, exclamó el héroe: "Hermano, jamás en mi vida he visto cosa más grande, ni más hermosa, ni más tranquila ni más noble que tú." En las aguas que bañan las islas Caimán abundan las agujas azules. Los isleños afirman además que sus costas son las mejores del mundo para pescar barracudas, meros y petos, pero no hay nada como pescar una gigantesca aguja azul. Hombre y pez luchando al límite de sus fuerzas hasta que el pez se ve arrastrado a bordo o consigue escapar. La aguja tiene una carne blanda, deliciosa y suculenta que, si se cocina a la perfección, se deshace literalmente en la boca.

El medallón de aguja está delicioso con frijoles y arroz, quingomboes en mantequilla de ajo y una ensalada fría de la isla.

Medallón de aguja de David Piffre

2 medallones de aguja de 2,5 cm de grosor

sal de apio

salvia en polvo

pimienta negra

colorante de pescado

1 cucharadita de mantequilla

Salsa de jengibre y mantequilla al ron

1 cucharada sopera de mantequilla

1 cucharadita de jengibre fresco rallado

1 1/2 chupitos de ron Tortuga de las islas Caimán

sal y pimienta al gusto

Condimente la aguja con la sal de apio, la salvia en polvo, la pimienta negra y el colorante de pescado. En una sartén apropiada, derrita la mantequilla hasta que empiece a burbujear. Fría la aguja hasta que quede dorada, déle la vuelta y fríala por el otro lado (no debe freírla más de 45 segundos por cada lado). No fría el pescado en exceso, ya que la carne no tardaría en secarse. Ponga al fuego la misma sartén y cuando esté bien caliente añada la mantequilla y el jengibre hasta que se derrita y se ablande. Flambee la mezcla con el ron. Salpiméntela al gusto y rocíela sobre el pescado mientras flambea todavía. Es importante realizar esta operación en pocos segundos para evitar que la mantequilla se queme. Antes de servir, espolvoree los medallones de aguja con un poco de pimienta molida o semillas de sésamo. Sírvalos bien calientes, con arroz blanco hervido y un surtido de verduras locales. Para 2 personas.

La aguja fresca crepita en mantequilla antes de rociarla con salsa de jengibre.

Los isleños se disfrazan de bucaneros para celebrar la Semana de los Piratas.

Fiesta pirata

Las islas Caimán tuvieron un papel destacado en la época de la piratería caribeña. Los bucaneros hacían escala en sus costas para reponer provisiones y pasar unos días de ocio y descanso antes de lanzarse de nuevo al saqueo de barcos en alta mar. Célebres filibusteros como Henry Morgan y Barbanegra solían frecuentar las islas Caimán. Hoy en día perduran aún multitud de relatos sobre los tesoros ocultos en barcos mercantes y piratas hundidos en los arrecifes coralinos. De hecho, los isleños han encontrado muchas monedas en sus costas.

El Festival de la Semana de los Piratas, celebrado desde hace casi 25 años, reúne a isleños y visitantes en un homenaje a un período histórico. Una fiesta que brinda la ocasión de "soltarse el pelo" y divertirse al estilo de los auténticos piratas de antaño. La gente disfrazada aborda una réplica de un galeón español del siglo XVII, al tiempo que veleros, botes, aerodeslizadores y hasta submarinos "invaden" George Town y arrestan al gobernador. Se representan combates simulados con los "defensores" de la isla e incluso se llega a hacer volar un fuerte. Durante la semana se degustan los platos típicos de las Caimán, se representa una romántica boda a la antigua usanza, se celebran ferias de barrio, fuegos artificiales, bailes en la calle, fiestas de disfraces, desfiles, eventos deportivos y torneos. Por doquier se sirve comida "en cubierta" al aire libre, mientras cuadrillas de bailarines, actores y músicos se hacen cargo de la animación. Como en todas las fiestas celebradas en las islas, la comida y la bebida tienen una importancia capital; es en estas fiestas donde relucen las verdaderas especialidades populares en todo su esplendor.

Bolitas de langosta de las Caimán

- 1 kg de carne picada de langosta
- 3 dientes de ajo picados
- 1 cebolla picada
- 1 guindilla roja despepitada y picada
- 2 tallos de apio picados finos
- 500 g de patatas cocidas y hechas puré
- 500 g de harina (aparte unos 60 g y sazónela con sal)
- 2 huevos bien batidos
- sal y pimienta al gusto
- 1 ramita de cebollino picada
- 250 g de perejil picado fino
- aceite

Triture la langosta, el ajo, la cebolla, la guindilla, el apio y el puré de patata, todo junto. Añada la harina y los huevos a intervalos y mézclelo todo con el preparado de langosta. Agregue sal y pimienta al gusto, el cebollino y el perejil y mézclelo todo bien. Dé forma a las bolitas tomando una cucharadita colmada del preparado y amasándola con las manos para obtener bolitas de 5 cm de diámetro. Tenga preparada un poco de harina sazonada y reboce en ella las bolitas. Fríalas en aceite caliente a fuego medio hasta que se doren. Para 4 personas.

Pastel al ron del capitán Morgan

- 750 g de harina
- 2 cucharaditas de levadura en polvo
- 1 cucharadita de bicarbonato sódico
- una pizca de sal
- 375 g de mantequilla reblandecida
- 375 g de azúcar granulado
- 1 cucharadita de extracto de vainilla
- 3 huevos
- 1 yema de huevo
- 1 cucharada de ralladura de limón
- 250 ml de ron negro
- 250 g de nata doble
- un poco más de ron para rociar el pastel
- azúcar glas para espolvorear

Precaliente el horno a 180°C. Tamice la harina, la levadura, el bicarbonato sódico y la sal, todo junto, y reserve la mezcla. Bata la mantequilla y el azúcar hasta obtener una mezcla ligera y esponjosa. Añada el extracto de vainilla, los huevos y la yema poco a poco, removiendo hasta que quede todo bien mezclado. Agregue la ralladura de limón y el ron. Incorpore gradualmente los ingredientes secos y la nata, intercalándolos. Vierta el preparado bien mezclado en un molde alargado de 2,5 litros y hornéelo una hora. Déjelo enfriar, déle la vuelta y rocíelo con ron. Una vez seco, espolvoréelo con azúcar.

Sopa a la pimienta

500 g de rabo de cerdo o
500 g de carne de vaca salada
2 l de agua
1 col pequeña cortada en rodajas
8 tallos de calalú cortados en rodajas
125 g de quingombó cortado en rodajas
250 g de ñame o malanga cortado en rodajas
500 ml de leche de coco
1 guindilla roja despepitada y picada fina
1 ramita de cebollino picada fina
1 ramita de tomillo picada fina
pimienta negra al gusto

Dumplings (bolas de masa)

250 g de harina
1 cucharadita de levadura
60 g de mantequilla
1/2 cucharadita de sal
1/4 cucharadita de canela (opcional) o
1/4 cucharadita de pimienta de Jamaica (opcional)
agua

Mezcle los ingredientes en un cuenco y añada agua poco a poco hasta obtener una masa similar a la del pan. Amásela unos segundos hasta que quede homogénea. Con trocitos de masa forme palitos de unos 5 cm de largo. Échelos en la sopa tal como se muestra en la receta.

La carne

Ponga a hervir la carne en una olla grande con 2 litros de agua, la col, el calalú y el quingombó. Retírelo todo del agua menos la carne y redúzcalo a puré. Devuélvalo a la olla y añada las bolas de masa. Agregue el ñame, el coco, la guindilla y todos los condimentos. Hiérvalo todo 1 hora. Añada pimienta negra. Para 4-6 personas.

Salsa picante

Mezcle 250 g de mayonesa con 60 g de ketchup de tomate. Agregue una cucharadita de la salsa de guindillas que prefiera, sazónela al gusto y añádale un chorrito de zumo de lima recién exprimido. Bata la salsa, adórnela con trocitos de guindilla y sírvala con las bolitas de langosta.

1. Bolitas de langosta de las Caimán 2. Salsa picante 3. Sopa a la pimienta

Grandes Antillas

Cuba

"Nunca tan hermosa cosa he visto... (la isla) posee tal belleza que supera a cualquier otra en prodigios y encantos como el día a la noche por su luz y esplendor. Es tal mi arrobamiento ante tanta lindeza que no encuentro palabras para describirla..."
Extracto del diario de a bordo de la Santa María, en las costas de la isla de Cuba.
Cristóbal Colón, del 27 al 28 de octubre, 1492

Los amerindios taínos estaban plenamente asentados en la isla cuando los españoles llegaron a Cuba. Estas tierras fueron habitadas desde sus orígenes por varias tribus: los indios ciboney procedentes del norte, los arahuacos provenientes de América del sur y, antes que ellos, los indios de la península de Yucatán. Todos ellos convivían en armonía y subsistían gracias a una dieta a base de mandioca, maíz cultivado, carnes de caza y pescado. Celebraban fiestas y juegos primitivos.

Sin embargo, esta apacible existencia vería su fin con la llegada primero de los guerreros caribes y después de los conquistadores españoles. Una prueba fehaciente de la aniquilación de los nativos es el caso de un cacique ciboney llamado Hatuey que fue quemado en la hoguera por no convertirse a la fe cristiana, tras presenciar la matanza de sus hermanos en nombre de la religión. Según se dice, éstas fueron las últimas palabras de Hatuey: "Si la tortura y el asesinato es la voluntad de vuestro Dios, no puedo formar parte de esa religión ni puedo verme compartiendo el cielo con hombres que obedecen los designios de un Dios tan cruel. ¿Habrá españoles en el Paraíso? ¡En tal caso no deseo verme allí!"

Hacia 1513 se importaron esclavos de África para trabajar en las minas de oro y en los campos de cultivos como el cacao, el café, el índigo y la caña de azúcar. En 1516 fue construida la casa más antigua de Santiago de Cuba por orden del conquistador Hernán Cortés. En esta época, los piratas empezaron a saquear de forma sistemática los barcos que zarpaban de La Habana con rumbo a España cargados de oro, perlas, pieles y azúcar, y no tardaron mucho en saquear también los pueblos.

Los filibusteros más temibles eran los franceses como François Le Clerc (apodado Pata de Palo por los españoles), Richard el Corsario, Gilberto Giron y Jacques de Sores. Hacia mediados del siglo XVII, los más famosos eran conocidos en todo el mundo, como el capitán Henry Morgan, Bartolomeo el Portugués, Laurens de Graaf, Roche Braziliano, Louis le Golif (más conocido como Borgne-Fesse –"nalga tuerta"– tras sufrir la mutilación de sus posaderas con un machete), Edward Teach (Barbanegra), Mary Read y Anne Bonney.

El saqueo se había extendido en los pueblos y las costas de Cuba. Para proteger sus aguas, la capital de La Habana construyó en 1701 una flota de barcos denominada Guardacostas, pero hasta 1762 no se logró poner fin a esta práctica delictiva dirigida por astutos piratas; para detenerlos fueron necesarias fortalezas y una esmerada organización que aseguró la presencia de fuerzas armadas en todas las flotas que zarpaban de España. Mientras tanto, los gobiernos de Francia y de Gran Bretaña se alternaban en su intento siempre fallido por arrebatar la isla de Cuba a España. Dada una historia tan llena de turbulencias, no es de extrañar que la isla reciba además el sobrenombre de "la siempre fiel isla de Cuba".

La Universidad de La Habana fue fundada en 1728. La esclavitud quedó abolida en 1880 y 400 años después de Colón, en 1892, José Martí fundó el Partido Revolucionario Cubano, que pocas generaciones más tarde dejaría una huella imborrable en la historia de Cuba. En 1926 nació Fidel Castro. En 1952, Fulgencio Batista regresó del exilio, tras su derrota en las elecciones de 1944, y se hizo con el poder mediante un golpe militar. Más tarde, en 1958, tras años de lucha contra la tiranía, la opresión y la corrupción, "La Revolución" del pueblo cubano triunfó cuando Fidel Castro y sus tropas entraron en La Habana y vencieron a las fuerzas apoyadas por Estados Unidos y los secuaces de Batista. En 1961 fracasó un intento de ocupación de la isla en bahía Cochinos, por parte del gobierno estadounidense.

Cuba, el punto más occidental del archipiélago de las Grandes Antillas, se encuentra a 145 km al sur de Florida. Es la mayor isla del Caribe y la séptima más grande del mundo, además de configurar el archipiélago más extenso del hemisferio occidental. Por su situación estratégica, Cuba se ganó el título de "llave del Nuevo Mundo"; por su valor comercial, fue apodada "la joya de la Corona española"; y por su belleza, es conocida como la "perla del corazón del Caribe". Su nombre sin más, "Cuba", deriva con toda probabilidad del término étnico "Coiba".

La lengua española posee muchos vocablos procedentes de la interpretación que los marineros españoles daban a las palabras que empleaban los amerindios de Cuba. Por ejemplo, una "hamaca" era donde dormían los indios, un trozo de tela de algodón atado por sus dos extremos con una cuerda a dos troncos de árbol (hoy se ven hamacas en muchas casas de lujo de todo el mundo). Términos tales como "canoa", "patata" y "huracán" son asimismo de origen arahuaco. "Batos" era un juego de pelota practicado por los indios; según se dice, fue el precursor del actual juego del béisbol.

•La Habana

CUBA

La industria del tabaco

"Nuestro tabaco no tiene sustituto en ninguna otra parte del mundo. Resulta más fácil elaborar buen coñac que conseguir la calidad del tabaco cubano. Tiene que ver con el suelo, el microclima y otros factores naturales, uno de los privilegios con los que la naturaleza dotó a nuestra isla."
Fidel Castro Ruz

"Cuando una esposa puede comprar a su marido puros de verdad, la relación queda bendecida."
La escritora francesa Colette

"Una mujer es siempre una mujer, pero un buen puro es un Smoke."
Rudyard Kipling

Una visión cómica de los clubs de fumadores de puros del Caribe.

Planta de tabaco *(Nicotina tabacum)*
"Tabaco" era el vocablo con el que los españoles bautizaron la caña bifurcada que empleaban los chamanes indios para inhalar tabaco por la nariz cuando Colón llegó a la isla. Las variantes de esta palabra se convirtieron en los términos de los distintos idiomas europeos para la planta, cuyo nombre indígena era "cohiba". Los chamanes eran los únicos que la fumaban durante sesiones rituales de adivinación celebradas en la choza del cacique. Los productores nacionales de puros de Cuba adoptaron el término "cohiba" como marca de uno de los habanos de mayor calidad y renombre mundial. El cohiba fue estrenado por el compañero revolucionario de Castro, el Che Guevara. Era el cigarro preferido de Castro, reservado únicamente para dignatarios especiales, monarcas y dictadores. La palabra "cigarro" proviene del término amerindio "sik-ar", señal de que esta forma de fumar ya existía en el "Nuevo Mundo".

Cuando Colón llegó a estas tierras en 1492 el tabaco se cultivaba en la isla de Cuba. Sus primeros pobladores elaboraban rollos de hojas de tabaco y los inhalaban por la boca. No fue hasta 1580 cuando este preciado producto empezó a cultivarse con fines comerciales. Al principio se introdujo en Europa, donde se plantó por su valor ornamental.

Una plantación de tabaco cubano. El mejor tabaco del mundo se extiende a través de los llanos.

Una trabajadora de una fábrica de tabaco aprovecha un descanso para disfrutar de un puro especial extragrande.

Asimismo, se utilizó con fines medicinales para el tratamiento de llagas y úlceras, así como para aliviar el dolor de cabeza mediante su inhalación. La costumbre de fumar en pipa fue introducida en Europa por los marineros que volvían del Nuevo Mundo. Sir Walter Raleigh popularizó su práctica en la corte de Isabel I. A finales del siglo XVI, el hábito de fumar tabaco se había extendido por toda Norteamérica y Europa. Los españoles lo habían exportado de Cuba a las Filipinas y los traficantes de esclavos a África. Hacia principios del siglo XVIII, el tabaco era el principal producto de exportación de Cuba.

En 1892, la primera asamblea de trabajadores de Cuba fue convocada por el sector del tabaco. En la actualidad, el gobierno de Castro ha creado una nueva agencia estatal, Habanos S.A., para fomentar la exportación de puros de la isla, con la mira puesta más allá de los clientes tradicionales, en nuevos mercados de Latinoamérica, Oriente Próximo, Japón e incluso África. Los pronósticos apuntan a que, en el nuevo milenio, Cuba exportará un volumen superior a los 65 millones de unidades al día. El turismo se ha visto impulsado en Cuba por el súbito despertar del interés por la otrora agónica industria del tabaco. Las agencias de viaje ofrecen hoy "lujosas aventuras de cinco días por la ruta del puro en Cuba". Hasta el propio Castro envió recientemente invitaciones personales a célebres amantes del cigarro para rendir tributo al puro cubano, una noticia de la que se hizo eco la práctica totalidad de los periódicos más importantes de todo el mundo. Hasta hace poco, resultaba raro ver imágenes o fotografías de Castro sin el famoso puro entre los dedos o los labios.

Según *The Little Brown Book of Anecdotes*, a lo largo de los años el puro se ha interpretado con frecuencia como un símbolo fálico o un emblema de masculinidad. Groucho Marx, un fumador de puros empedernido, entrevistó en una ocasión a una mujer que había dado a luz a 22 niños. Con gran entusiasmo, la mujer le dio una explicación muy sencilla: "Adoro a mi marido." A lo que Groucho replicó: "Yo también adoro los puros, pero me los saco de la boca de vez en cuando." En el punto opuesto se sitúa la célebre cita de Sigmund Freud, fundador del psicoanálisis moderno y asiduo fumador de puros. Cuando se le preguntó por la relación entre el puro y sus posibles connotaciones simbólicas, respondió con tranquilidad mientras expulsaba el humo: "A veces un puro no es más que un puro."

Existen tres tipos de tabaco empleados en la elaboración de puros: la tripa, la hoja que forma el relleno del cigarro puro, por ejemplo, la hoja ancha de Pensilvania, española, de Gebhardt u holandesa; el capillo, la primera envoltura que mantiene en su sitio la tripa, denominado "habano"; y la capa, la envoltura final del puro, que se conoce como "cubano".

El puro cubano

El cultivo del tabaco y el secado de la hoja requiere una técnica especial. Para obtener la calidad esperada de un puro cubano, las plantas deben cultivarse con cuidado y protegerse de las condiciones climáticas adversas; durante la época de recolección de noviembre a febrero se cosechan con gran esmero cinco tipos de hojas de distinta resistencia, que se someten a un lento proceso de secado. Las hojas se cuelgan primero al aire libre en varas de madera o bambú denominadas "cujes", para llevarlas después a cobertizos altos con techos de palma llamados "vegas", alineados siempre de este a oeste para aprovechar las horas de sol.

En las regiones de Vuelta Abajo, Semi Vuelta y el valle de Viñales de la provincia de Pinar del Río se cultivan las mejores hojas destinadas generalmente a la elaboración de capas. También existen tabacales en Remedios y Vuelta Arriba, así como en vegas más pequeñas repartidas por todas las provincias de la isla. Los campesinos que cultivan el mejor tabaco reciben el nombre de "vegueros". Se dice que hablan a las plantas con amor y cariño, lisonjeándolas día a día para que crezcan sin esfuerzo, agraciadas con el don de madurar en un suelo tan fértil.

A mediados del siglo XIX, ya se había establecido la línea de operaciones de una fábrica de puros tal como funciona hoy. Los manojos de hojas llegan en pacas envueltas en hojas de palmera procedentes de las distintas granjas de tabaco. Las cinco o seis hojas de cada manojo se despliegan, se humedecen con cuidado y se dejan tendidas para que absorban la humedad durante unas tres horas. Después se trasladan a un cobertizo para que se acaben de secar. En su interior, las hojas se clasifican según la resistencia y el color, los tallos más duros se separan del centro y el dorso de las hojas y éstas se alisan. Por último, se examinan una vez más para ver si son aptas tanto para el torcido manual como mecánico, menos frecuente.

Cuando las hojas se entregan al operario que lleva una máquina torcedora, éste llena la tremuja con la mezcla, pone dos hojas de capillo sobre una plancha, corta las hojas y las coloca superpuestas sobre la cinta transportadora que alimenta la máquina. Ésta se encarga de torcer la cantidad calculada de tripa y expulsa el puro ya enrollado.

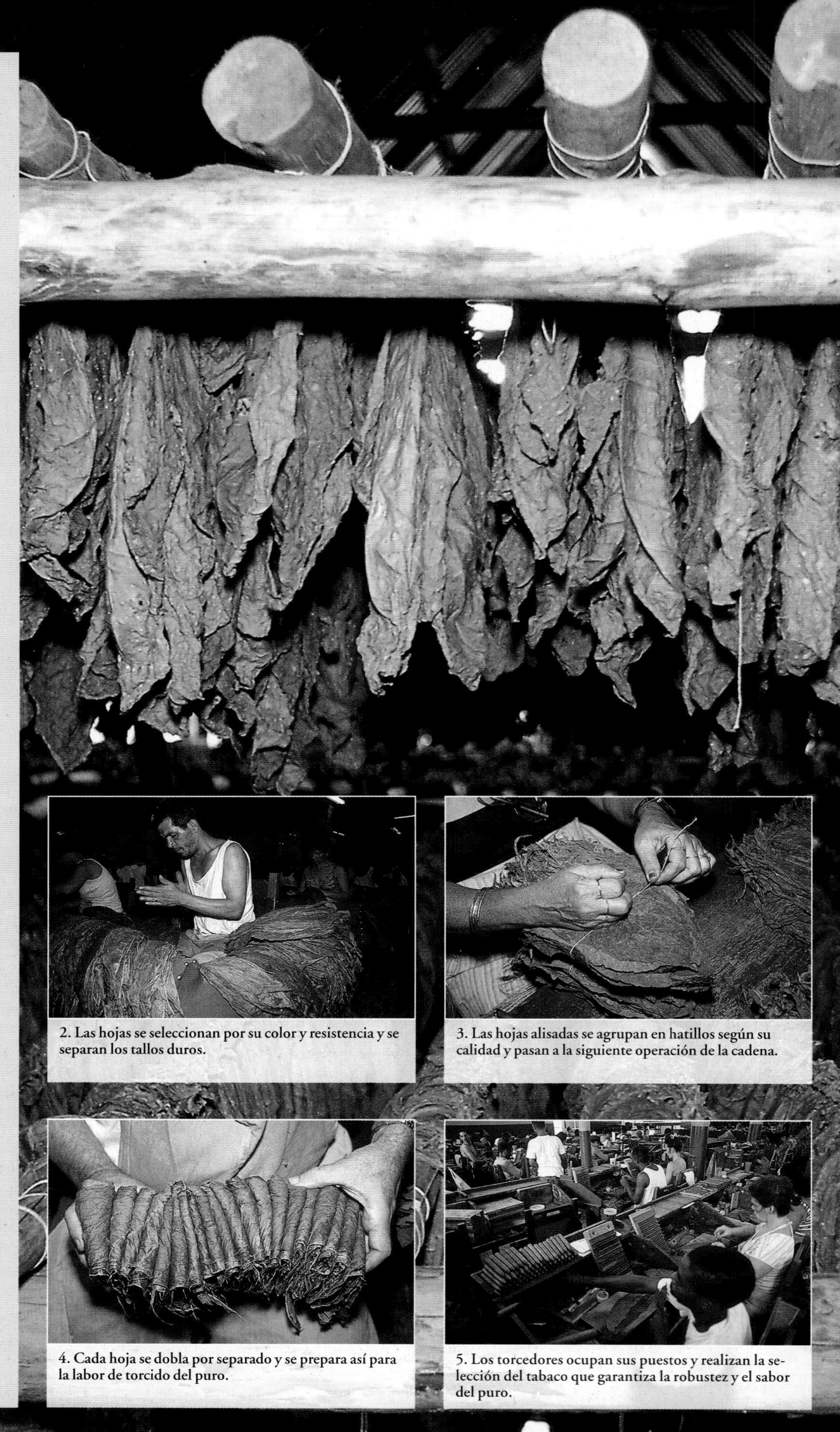

1. A su llegada de la vega, las hojas se despliegan, se humedecen y se dejan colgadas durante tres horas antes de llevarlas a los cobertizos de secado.

2. Las hojas se seleccionan por su color y resistencia y se separan los tallos duros.

3. Las hojas alisadas se agrupan en hatillos según su calidad y pasan a la siguiente operación de la cadena.

4. Cada hoja se dobla por separado y se prepara así para la labor de torcido del puro.

5. Los torcedores ocupan sus puestos y realizan la selección del tabaco que garantiza la robustez y el sabor del puro.

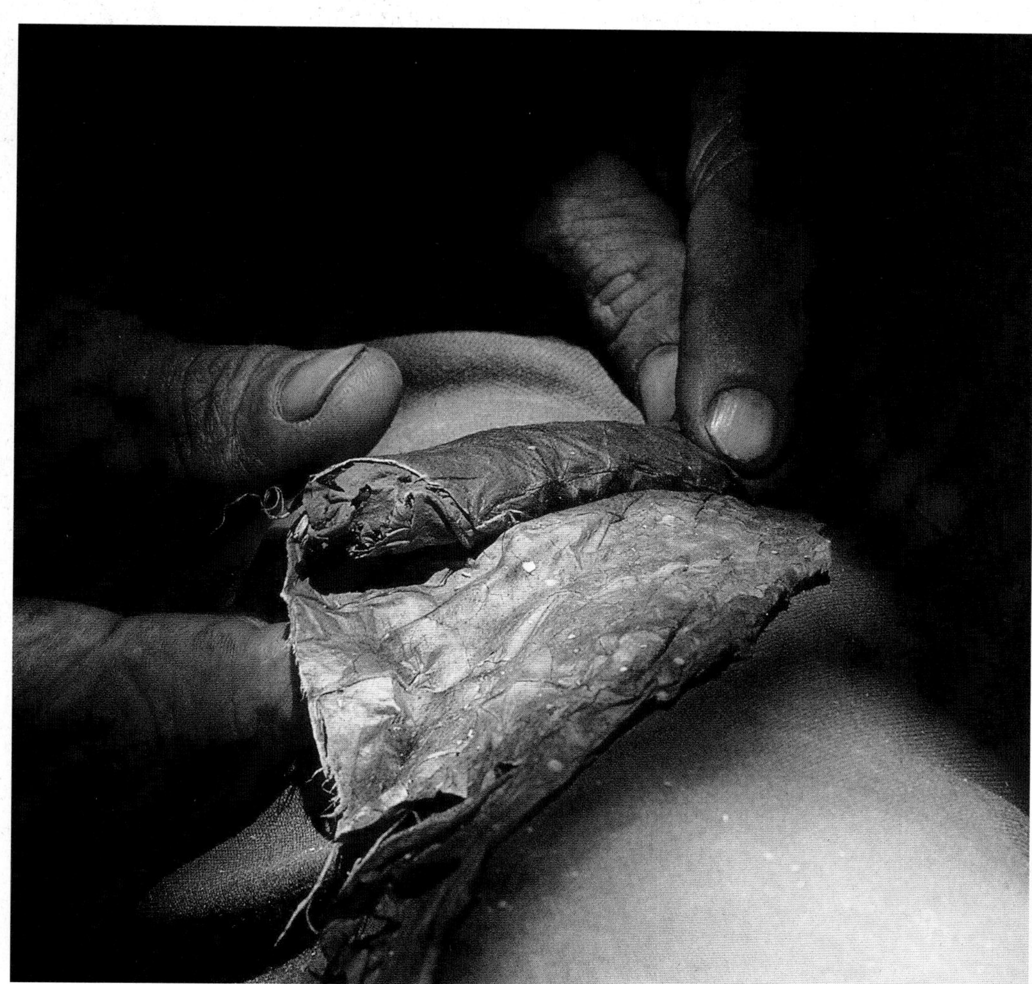

6. El torcido manual del tabaco requiere una gran maestría. El arte del "torcedor" depende de la selección personal de tres tipos de hojas empleadas como tripa: "seco" por su aroma, "volado" por su aislamiento y "ligero" por la perfecta combinación que permite producir un puro robusto de gran sabor.

7. Los extremos de los puros se recortan. Cada torcedor dispone de un cuchillo especial de hoja semicircular.

8. Los puros se presionan sobre tablas de madera durante 20 minutos antes de envolverlos a mano en la capa.

9. Con dos hojas de capillo se envuelve la cantidad calculada de tripa y la máquina torcedora expulsa el puro ya enrollado.

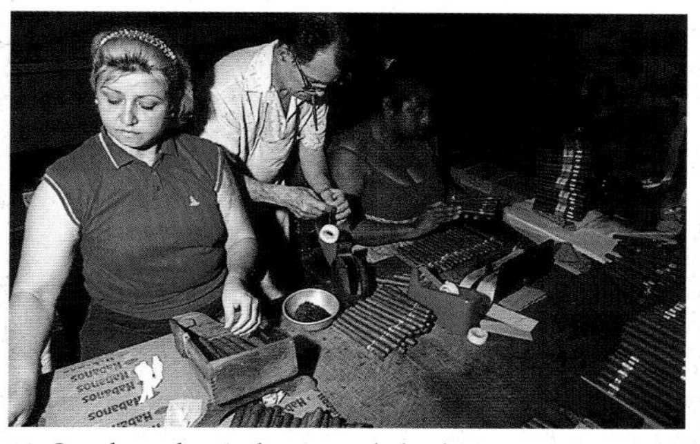

10. Se colocan las vitolas y se embalan los puros. Pasar de la hoja de tabaco al puro implica de 10 a 12 horas de trabajo.

Entre las principales clasificaciones de puros se cuentan: oscuro (de sabor fuerte), maduro (con cuerpo), maduro colorado (aromático), colorado (más aromático), colorado claro (más suave), claro (tabaco pardo y suave) y clarísimo (verde y muy suave). Si bien se tiende a pensar que cuanto más oscuro el color, más intenso el sabor, no es cierto, pues el color de un puro refleja únicamente el color de la capa. No obstante, una capa más oscura posee un alto contenido en azúcar y por lo tanto sabe más suave.

El tamaño y la forma del puro son también factores indicativos de su sabor. Entre ellos se incluyen el torpedo, corona, perfecto, panetela, lonsdale, calebras y demi-tasse.

Incluso la vitola denota la calidad y el formato del puro. Las ventas nacionales: vitola naranja. Cazadores (calidad suprema): vitolas rojas. Los de calidad inferior llevan vitolas de color verde, marrón y azul, una gradación cromática aplicable de mayor a menor calidad.

Las cajas de puros cubanos decorativas contienen los mejores cigarros. Cada tanda aparece cubierta por una fina capa de cedro con una lámina final de papel. El precinto de la caja garantiza que son "puros habanos".

En el mejor de los casos, un puro debería fumarse como máximo de 12 a 18 meses después de su manufactura; por lo visto, el mejor aroma se saborea diez meses después de su producción. Los puros verdes se guardan en frascos de cristal para conservar su frescura; algunos puros de calidad superior se enfundan en tubos de aluminio por la misma razón.

Los Cohiba se consideran los mejores. He aquí una excelente selección: 1. Lancero (191 mm), 2. Espléndido (178 mm), 3. Siglo (168 mm), 4. Corona Especial (152 mm), 5. Siglo IV (143 mm), 6. Siglo II (127 mm), 7. Exquisito (127 mm), 8. Robusto (124 mm), 9. Panatela (114 mm).

Entre las marcas de las variedades más exquisitas del mundo, algunas de las cuales apenas se conocen fuera de Cuba, se encuentran: 1. José L. Piedra y Cifuentes y Rafael González, 2. Los Satus de Luxe, 3. Sancho Panza, 4. Qui D'Orsay, 5. Hoyo de Monterrey, 6. Diplomáticos, 7. Por Larrañaga, 8. Ramón Allones, 9. Quintero, 10. San Luis Rey, 11. Caney, Troya, 12. y Juan Lopes. Las marcas más famosas son 13. Romeo y Julieta, 14. Montecristo, 15. Churchill, El Rey del Mundo, Bolívar, Punch, Fonseca y Partagás. Los expertos afirman que los mejores puros son el Davidoff y el Cohiba.

Cocodrilo

(Crocodilus rhombifer)

Los cubanos han tenido siempre una relación muy especial con los cocodrilos. La forma de la isla suele compararse con la de este animal. Hasta hace poco, muchos isleños los tenían como mascotas domésticas, si bien hoy en día se han convertido en una rareza. Se crían en cautividad, concretamente en la zona pantanosa de la península de Zapata. Tras la eclosión, las crías de cocodrilo se alimentan de caracoles e insectos que atrapan bajo el agua. Al hacerse más grandes cambian su alimentación por aves acuáticas y peces. Cuando alcanzan la plena madurez se sacrifican por la carne y la piel, con la que se obtiene un cuero exótico. La carne, además de exótica, resulta deliciosa.

Guiso de cocodrilo

mantequilla o aceite
1 kg de carne de cocodrilo cortada en dados
el zumo de 1 lima
5 chorritos de salsa Perrin's
2 cebollas
2 dientes de ajo
4 tomates maduros
1/2 manojo de cebollinos
1/2 cucharadita de orégano
1/2 cucharadita de hojas de laurel picadas
sal y pimienta al gusto
1 vaso de vino blanco
1 vaso de agua
1/2 guindilla roja despepitada y picada fina
1 pimiento rojo
1 pimiento amarillo
1 pimiento verde

En una cazuela caliente derrita un poco de mantequilla, añada luego la carne de cocodrilo y remueva sin parar hasta que se dore. Agregue el zumo de lima y la salsa Perrin's primero y después la cebolla, el ajo, el tomate, el cebollino, el orégano, el laurel y sal y pimienta al gusto. Siga removiéndolo todo hasta que los ingredientes se ablanden y empiecen a dorarse. Añada el vino y 1 vaso de agua y déjelo hervir todo una hora. Incorpore los tres tipos de pimientos y déjelo hervir todo durante 15 minutos más. Puede añadir un poco más de vino para conferirle más sabor. Sirva el guiso con arroz y frijoles y plátano macho frito aparte. Para 4-6 personas.

Cocodrilo a la parrilla

2 cucharadas de mantequilla o aceite
2 filetes de cocodrilo
el zumo de 1 lima
2 cebollas
sal y pimienta al gusto
salsa Perrin's
1 vaso de vino blanco

En una sartén grande, caliente el aceite o la mantequilla hasta que empiece a burbujear. Ponga los filetes de cocodrilo en la sartén y déles la vuelta de vez en cuando para que se doren por ambos lados. Cuando la carne empiece a secarse, agregue el zumo de lima, la cebolla y un poco más de mantequilla. Salpiméntela al gusto por ambos lados. Añada la salsa Perrin's (4 ó 5 golpes) y el vino blanco, y déjelo hervir todo unos segundos para que se forme jugo. Llegado a este punto se puede añadir un poco más de mantequilla. Corte los filetes de cocodrilo en trozos pequeños y sírvalos en una fuente con pan y verduras. Sirva el jugo aparte a modo de salsa. Para 2 personas.

Cocodrilos apiñados en el criadero de cocodrilos de la península de Zapata de Cuba.

¿Sabía que…

…el manatí *(Trichechus manatus)* es un mamífero sirenio de gran tamaño, hervíboro, solitario e inofensivo? Perteneciente a la familia de la vaca marina, alcanza unos 4,5 metros de longitud y pemanece la mayor parte del día en reposo sobre el lecho oceánico. El manatí vive en estuarios, calas, lagunas y grandes ríos de Centroamérica y Norteamérica, así como en Cuba y La Española. Debido a su carácter afable, sus grandes dimensiones y su sabrosa carne, fue un animal muy perseguido en el pasado. Hoy el manatí es una especie protegida. Antaño, los marineros lo confundían en ocasiones con sirenas y en torno a él se originaron un gran número de leyendas sobre el mar.

Comida y bebida tradicionales

A los cubanos les encanta comer fuera en familia. Es un pasatiempo nacional.

La cocina criolla de Cuba se erige como la principal atracción culinaria tanto para los visitantes como para los isleños. Los restaurantes sirven como lugares de encuentro para familias y amigos. En Cuba está muy extendida la costumbre de comer fuera de casa. Las bandas de "trova" ambulantes tocan música tradicional o "guajira", acompañada por el vocerío de los comensales. La cena empieza bastante tarde y se prolonga dos o tres horas. La comida se consume despacio, con largas pausas para charlar y fumar entre plato y plato.

La cocina cubana tradicional cuenta con tal cantidad de especialidades típicas que haría falta otro libro para recopilarlas todas. Moros y cristianos es el plato típico de Cuba. Abundan asimismo las sopas espesas, acompañadas de todo tipo de alimentos imaginables y servidas como plato único en un cuenco. Al igual que en la mayor parte de las islas de habla hispana, los frijoles se sirven como guarnición de cualquier plato, junto con plátano macho frito, yuca (mandioca) frita o cocida y arroz hervido.

Los zumos de frutas son un placer exquisito, ya sean de guayaba, naranja, uva, tamarindo o fruta de la pasión, tanto recién exprimidos como de la marca Taoro, los zumos más famosos de Cuba.

Entre los postres más creativos se cuentan el coco quemado (una crema de coco), el coco rallado y queso (en almíbar), el brazo de gitano, el cucurucho (un cornete hecho de una hoja de banano y relleno con una mezcla de coco, frutas y cacao) y los helados Coppelia, una marca de helados con una gran variedad de sabores afrutados. Se pueden ver *coppelitas* (puestos de helados) por doquier, así como camionetas que llevan los Coppelia a cualquier rincón de la isla.

Los aperitivos, llamados "tamales" se venden en puestos ambulantes apostados en las esquinas.

Un local con gran tradición donde probar la cocina criolla es La Bodeguita del Medio, punto de reunión en el pasado de artistas y escritores famosos y uno de los lugares predilectos de Ernest Hemingway, cuyas paredes están decoradas con firmas y fechas de visitantes de toda condición. La Ferminia es otro conocido restaurante criollo.

En la mayoría de bares y puestos de carretera se puede tomar café cubano, un café muy fuerte servido en tacita y acompañado de agua helada. El café de Cuba es tan famoso como el ron y su ingestión a sorbitos constituye todo un ritual. A menos que uno esté ocupado y necesite un café rápido para reanudar la marcha, el café se toma con los amigos después de los tamales o los bocadillos.

Pescado con salsa de aguacate

1,8 kg de pargo, limpio y sin escamas, con la cabeza y la cola intactas
2 cebollas cortadas en rodajas finas
2 dientes de ajo cortados en láminas finas
3 zanahorias medianas cortadas en rodajas finas
1 tallo de apio picado fino
3 ramitas de cebollino picadas finas
1 ramita de tomillo fresco picada fina
2 cucharaditas de sal
5 granos enteros de pimienta negra
6 cucharadas de zumo de lima
2 1/2 l de agua

Ponga todos los ingredientes excepto el pescado en una fuente de horno grande y honda y llévelo todo a ebullición. Hierva durante 15 minutos y deje enfriar después el líquido hasta que esté templado. Envuelva el pescado en un trozo de estopilla dejando que sobresalga de 10 a 16 cm de tela por los extremos para que sirvan como asas y ate los lados con una cuerda. Coloque el pescado sobre una rejilla que se adapte a la bandeja del horno y sumérjalo en el jugo. El líquido debería cubrir al menos la mitad del pescado. Llévelo poco a poco a ebullición y déjelo hervir 30 minutos o hasta que el pescado quede hervido por completo sin excederse en la cocción.
Extraiga el pescado del agua. Retire el trapo con cuidado, procurando que el pescado no se rompa. Quítele la piel por ambos lados cortando un trocito cerca de la cola y estirando con cuidado para que salga a tiras. No retire la cabeza ni la cola.
Tápelo con papel de aluminio y métalo en el frigorífico durante al menos medio día. Sírvalo acompañado con salsa de aguacate. Para 8-10 personas.

Moros y cristianos

(Frijoles con arroz)
180 g de frijoles secos
2 l de agua
2 1/4 cucharaditas de sal
1 ramita de tomillo fresco picada fina
1/2 pimiento verde picado fino
3 cucharadas de aceite vegetal
un trozo de carne magra de cerdo salada cortado en dados pequeños
2 dientes de ajo picados finos
1/4 guindilla roja despepitada y picada fina
2 cebollas picadas
750 g de arroz
1/2 cucharadita de pimienta negra

Lave los frijoles en un colador con agua fría corriente hasta que el agua salga clara. Deposítelos en una olla grande junto con 4 tazas de agua, 1 cucharadita de sal, el tomillo y la mitad del pimiento verde. Llévelo todo a ebullición a fuego fuerte, baje el fuego y déjelo hervir 3 horas o hasta que los frijoles queden tiernos. Añada más agua si se evapora demasiado. Escurra los frijoles cocidos y reserve el agua para hervir el arroz. Retire 1 cucharada de frijoles y macháquelos en un mortero hasta obtener una pasta fina. En una sartén grande con aceite caliente fría la carne de cerdo hasta que quede crujiente y haya soltado toda la grasa. Retire la carne del fuego y déjela escurrir sobre papel de cocina. Resérvela. Rehogue en la sartén el ajo, el resto del pimiento verde, la guindilla y la cebolla 5 minutos, removiendo constantemente. Incorpore el puré de frijoles, los frijoles restantes y la carne de cerdo. Baje el fuego y déjelo hervir todo sin tapar unos 10 minutos. Pase todos estos ingredientes a la olla con el agua de

los frijoles y añada el arroz, 1 1/4 cucharaditas de sal y pimienta negra. Llévelo todo a ebullición, sin dejar de remover, y déjelo hervir durante 20 minutos o hasta que se cueza el arroz y el líquido se haya evaporado. Pruébelo y rectifique de sal. Sírvalo de inmediato. Para 4 personas.

Pollo con piña

6 piezas de pollo
2 cucharadas de zumo de lima recién exprimido
3 cucharadas de aceite de oliva
1 cebolla picada fina
2 dientes de ajo picados finos
3 ramitas de cebollino
3 tomates frescos o 1/2 lata de tomates pelados y picados finos
60 g de pasas
1 cucharadita de ralladura de lima
3 cucharadas de ron dorado
1 cucharadita de sal
1/2 cucharadita de pimienta negra molida
1/4 cucharadita de guindilla roja picada fina
750 g de piña fresca picada fina

Deje marinar el pollo en zumo de lima, sal y pimienta durante media hora. Caliente aceite en una sartén y rehogue las piezas de pollo hasta que se doren por ambos lados. Pase el pollo a un plato grande. Añada la cebolla, el ajo y el cebollino a la sartén y rehóguelo todo hasta que quede tierno. Devuelva el pollo a la sartén y déjelo cocer todo durante media hora. Agregue a continuación el resto de los ingredientes y sazónelo todo al gusto. Añada un poco de agua a la salsa si es necesario y déjelo cocer 5 minutos más. Ponga el pollo sobre un plato grande decorado con rodajas de piña y de tomate. Sírvalo bien caliente con frijoles y arroz y una ensalada fría. Para 6 personas.

1. Picadillo con huevos al estilo cubano 2. Coco quemado 3. Pescado con salsa de aguacate 4. Sopa de frijoles 5. Pollo con piña

Coco quemado

1/2 l de leche
1/4 lata de crema de coco azucarada
12 yemas de huevo o 7 huevos bien batidos
100 g de harina
500 g de azúcar
250 g de coco rallado

Ponga a cocer la leche y la mitad de la crema de coco en una olla pequeña y honda hasta que la mezcla empiece a burbujear. Mezcle las yemas de huevo (o los huevos enteros si desea obtener una crema más espesa), la harina y el azúcar con la mitad de la crema de coco en un cuenco aparte. Vierta poco a poco la mezcla de leche y coco caliente en la mezcla de huevo, removiendo constantemente durante 1 ó 2 minutos. Ponga de nuevo la mezcla al fuego y déjelo hervir a fuego lento, sin dejar de remover, hasta que la crema quede espesa.

Retírela del fuego. Pásela a un cuenco y tápela con papel encerado para evitar que se forme una capa. Una vez fría, tueste el coco rallado y espolvoréelo por encima de la crema. Sírvala fría. Para 4 personas.

Picadillo con huevos al estilo cubano

(La Bodeguita del Medio)

3 cucharadas de aceite vegetal mezcladas con
1 cucharadita de manteca de achiote
2 dientes de ajo picados finos
3 cebollas picadas finas
1 pimiento amarillo picado fino
1 pimiento rojo picado fino
1 pimiento verde picado fino
1/4 guindilla roja despepitada y picada fina
1 kg de carne picada de vaca o cerdo
6 tomates maduros pelados, despepitados y picados finos o 1 lata de tomates pelados
2 clavos de especia
2 1/2 cucharaditas de sal
1/2 cucharadita de pimienta negra molida
60 g de aceitunas rellenas de pimiento
60 g de pasas sin semillas
1 1/2 cucharadas de vinagre de vino blanco destilado
4 huevos

Caliente aceite en una sartén y sofría en ella el ajo y la cebolla hasta que se doren. Agregue todos los pimientos, removiendo constantemente, hasta que queden tiernos. Añada la carne y fríala hasta que se dore. Incorpore el tomate, los clavos, sal y pimienta. Rehóguelo todo sin dejar de remover hasta que se haya evaporado todo el líquido y el sofrito se haya espesado lo suficiente. Añada las aceitunas, las pasas y el vinagre, removiendo con energía. Pruébelo y rectifique de sal si es necesario. Reparta el picadillo en cuatro platos grandes formando un montoncito en el centro. Manténgalo caliente. Sírvalo con arroz blanco y plátano frito. Para 4 personas.

Para los huevos: en una sartén grande vierta 2,5 cm de aceite y caliéntelo a unos 80°C. Casque 1 huevo en un platillo y, acercándolo al máximo al aceite, deje caer el huevo a la sartén. Empuje la clara sobre la yema con una espumadera. Repita la operación con los demás huevos y fríalos unos 40 segundos (sin dejar que las yemas se endurezcan). Déjelos escurrir sobre papel de cocina y sírvalos sobre el picadillo. También puede preparar huevos fritos normales.

El buey tira de la pesada carga de caña con la mirada atenta al látigo.

Jugo de caña o guarapo

En cualquier rincón del Caribe, allí donde haya caña de azúcar, hay jugo de caña. Es sin duda el zumo más popular de todos, de venta en cualquier parte. En algunas islas como Barbados sólo se halla en temporada, mientras que en otras como Cuba, la República Dominicana y Margarita se sirve durante todo el año. Los ancianos de las islas afirman que quienes "chupan caña" lucen una preciosa dentadura blanca y nunca tienen necesidad de acudir al dentista. Aunque cueste creer tal afirmación, lo cierto es que se ve a muchos niños y adultos de hermosos dientes blancos y fuertes chupando un trozo de caña, mordiendo la corteza y partiendo la pulpa acuosa y llena de fibras para extraer hasta la última gota de jugo. Pero también es cierto que hay muchos ancianos desdentados haciendo lo propio.

Antes de la construcción de los extractores de jugo de caña especiales, este líquido se obtenía de la molienda de la caña en fábricas como primer paso del proceso de refinado del azúcar. Los primeros extractores destinados a la venta ambulante de jugo de caña se montaron con piezas de maquinaria antigua. Tiempo atrás abundaban los camiones y furgonetas de ingeniería rudimentaria y a veces antediluviana. Hoy se utilizan artilugios un poco más modernos, algunos incluso equipados con nevera para mantener fría la bebida. Un vaso de guarapo con hielo es el refresco predilecto de los isleños. En ocasiones se añade un chorro de ron y lima para darle sabor.

La caña se introduce en el molinillo y sale el jugo exprimido. Un sediento transeúnte aguarda ya el ansiado refresco.

Langosta mariposa

1 cola de langosta grande (de unos 500 g)
el zumo de 1 lima
1 cucharada de aceite de oliva
1/2 cucharada de mantequilla
2 rodajas de piña en conserva
2 bolas de melón fresco
1 naranja pelada y cortada en rodajas
1 cucharada de almendras

Abra la cola de la langosta cortándola en sentido longitudinal por el centro de la carne hacia abajo. Introdúzcala en una bolsa de plástico y enróllela hasta que se aplane. Extráigala de la bolsa. Escurra el zumo de 1/2 lima sobre la langosta y salpimiéntela al gusto. Rocíela con un chorrito de aceite de oliva y póngala sobre una parrilla, con el caparazón hacia arriba, hasta que se dore. Sofría en el aceite de oliva y la mantequilla las rodajas de piña, con el melón en el centro y las rodajas de naranja sobre la piña. Saltee las almendras en otra sartén hasta que estén doradas. Coloque la cola de langosta en un plato grande y cúbrala con las almendras. Disponga las rodajas de piña y naranja con melón cerca de la cola y decórelas con perejil. Adorne el plato con rodajas de pepino y sírvalo de inmediato. Para 1 persona.

Hermosas bailarinas cubanas en el Tropicana de La Habana.

Langosta mariposa paso a paso:

1. Abra la cola de la langosta cortándola por el centro a lo largo.

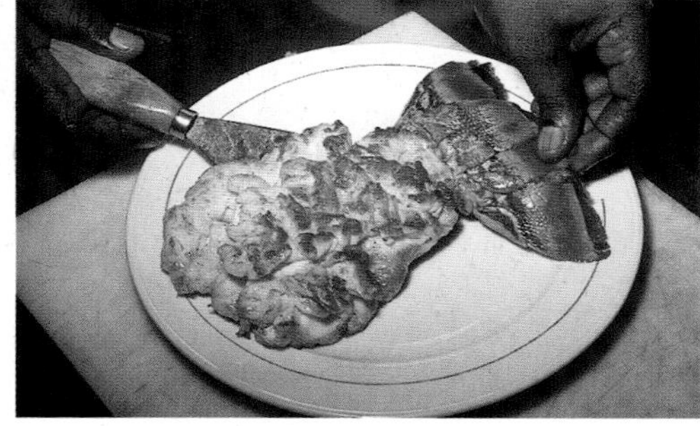

2. Una vez asada la cola de la langosta, retírela de la parrilla y colóquela en un plato grande.

3. Fría las rodajas de piña con el melón en el centro y las rodajas de naranjas sobre los bordes.

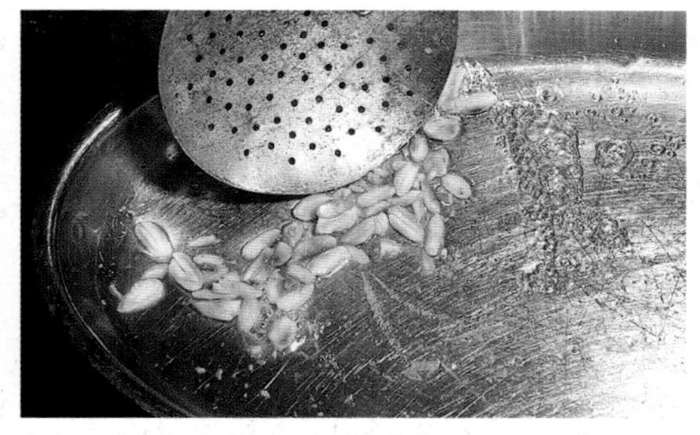

4. Saltee las almendras con cuidado hasta que queden doradas.

5. El toque final. Un manjar digno de un rey (¡o de una reina!).

1. Mezcle el azúcar y la lima en un vaso largo.

2. Añada una ramita de menta e introdúzcala en la mezcla. Agregue ron, soda, hielo y decore el cóctel.

Mojito

1/2 cucharadita de azúcar

45 ml de zumo de lima

1 ramita de menta

45 ml de ron blanco seco Havana Club

Mezcle el azúcar y el zumo de lima en un vaso largo. Introduzca en la mezcla una ramita de menta. Rellene el vaso con hielo picado. Agregue el ron y, por último, la soda. Remueva el cóctel con dos pajitas y sírvalo.

Bares y rones cubanos

La figura del barman goza de gran reputación en Cuba por su talento y creatividad.

Ron y Cuba, dos conceptos prácticamente inseparables. En el pasado los corsarios perseguían los barcos españoles de camino a Europa por su apego al ron habano. En 1714, el rey Carlos prohibió por decreto real la elaboración del ron en Cuba, una orden que debió de tomarse a broma, pues hacia 1764 se producía en destilerías oficiales el ron de mejor calidad del Caribe.

Hace casi 100 años se empezó a experimentar con otros licores en las destilerías de Cuba. La destilería Santa Cruz, situada en las cercanías de La Habana, produce no solo el excepcional ron blanco seco Carta Blanca de tres años, el ron dorado Carta de Oro de cinco años y el ron añejo de siete años (Añejo), sino también otra veintena de licores exóticos elaborados a base de frutas como la papaya, el plátano, el coco, la guayaba, la naranja y la piña, y de plantas como la menta y el café. Entre otras marcas de ron producido en Cuba se encuentra Caney, Marinero y Arecha. Con guayaba se elabora asimismo un brandy muy suave conocido como La Guayabita del Pinar.

En la época en que la Tropicola (una especie de Coca-Cola local) se empezó a fabricar en Cuba en el siglo xx, los camareros cubanos, con su gran talento e inventiva, dotaron de nombre propio a los bares cubanos, convirtiéndolos en sinónimo de distinción y calidad superior.

Entre las numerosas celebridades que han visitado Cuba, como Jean Paul Sartre, Graham Greene, Errol Flynn y Katherine Hepburn, el único nombre que perdura imborrable en la memoria de Cuba y del mundo entero no podría ser otro sino Ernest Hemingway. El escritor colmó en esta isla su hambre y sed insaciables tanto de conocimientos como de vivencias. Aún hoy se recuerdan y veneran sus hallazgos favoritos, en particular el daiquiri y el mojito. Incontables recetas de comida y bebida han adoptado su nombre. Y si bien Hemingway elevó la reputación del bar cubano, ésta se ha sabido mantener a lo largo del tiempo, con mil y un diseños y locales dispares. Existe incluso un bar en las profundidades de una cueva.

Cuba Libre

Según la tradición, el Cuba Libre data de finales del siglo xix cuando las tropas estadounidenses ayudaron a Cuba a expulsar a los españoles de la isla. Los soldados norteamericanos trajeron consigo una nueva bebida, Coca-Cola, que mezclaban con ginebra. Sin embargo, cuando ésta empezó a escasear, recurrieron al ron local. La nueva bebida sabía tan bien que la bautizaron con el grito de guerra: "¡Cuba libre, Cuba libre!"

el zumo de 1/2 lima
una tira de corteza de lima
60 ml de ron blanco seco Havana Club
Tropicola
hielo

Llene un vaso largo con el zumo y hielo. Añada el ron y la Tropicola. Remueva bien y sírvalo.

Daiquiri

En una batidora eléctrica:
1/2 cucharadita de azúcar
15 ml de zumo de lima
45 ml de ron blanco seco Havana Club
un chorrito de marrasquino
hielo

Mezcle todos los ingredientes en la batidora.
Un buen daiquiri debería quedar lo bastante espeso para que la pajita permaneciera de pie en medio.

Cuba Bella

15 ml de licor de menta
hielo picado
7,5 ml de zumo de lima
1 cucharada de azúcar
granadina
1 chupito de ron blanco
1 chupito de ron añejo de siete años
menta fresca o hierbabuena

Vierta el licor de menta en una copa de cóctel. Añada el hielo picado y ponga el vaso a enfriar. En una coctelera, agite con energía el zumo de lima, el azúcar, la granadina, los rones blanco y añejo y unos cubitos de hielo. Vierta el contenido en la copa con el licor de menta y decórela con una ramita de menta o hierbabuena y fruta.

Sahoco

1 vaso de leche de coco fresca
1 cucharadita de cacao con 1/2 cucharadita de azúcar
60 ml de ron añejo

Esta bebida puede tomarse fría o caliente.
Caliente: en una olla pequeña caliente la leche de coco y el cacao con azúcar hasta que rompa a hervir. Vierta el preparado en un vaso o copa resistente al calor. Añádale el ron y remueva.
Fría: disuelva el cacao y el azúcar en un poco de agua y deje enfriar la mezcla. Rellene un vaso largo con la leche de coco y hielo. Añada el cacao disuelto y el ron. Remueva la bebida con energía y sírvala.

Cómo preparar un Cuba Bella:

1.

2.

3.

4.

1. Mezcle todos los ingredientes del cóctel en una coctelera.
2. Agite la coctelera con energía.
3. Vierta el licor de menta en una copa de cóctel. Rellene la copa con hielo picado.
4. Vierta el cóctel en la copa y decore ésta con una ramita de menta y una guinda.

Una mirada a la vida cubana

Los cubanos son conocidos por su extremada simpatía y amabilidad, así como por su profundo patriotismo que les lleva a defender su país y costumbres hasta las últimas consecuencias. Parecen tener siempre algo que hacer, aunque se limiten a estar sentados y riendo. A los cubanos les encanta verse en la calle y en los cafés, una costumbre que muestra su afán de compañerismo y su apego por la buena cocina local. Los niños siempre encuentran la forma de entretenerse, jugando un partido de fútbol en la calle o un combate de boxeo en la acera, y se les suele ver comiendo un helado o un refrigerio de los puestos ambulantes. Si bien la situación económica está mejorando, Cuba ha sufrido muchos reveses internos. Aun así, el espíritu del pueblo cubano se mantiene vivo, como se refleja en los rostros sonrientes de sus gentes.

1. Curiosas bicicletas de fabricación casera en las calles de La Habana.

2. Dos muchachos montan a caballo de vuelta a casa después de ayudar en los campos.

3. Cuando hace buen tiempo, los balcones se convierten en un tendedero perfecto donde colgar la colada.

4. De Cuba han salido excelentes boxeadores. No es de extrañar, por tanto, que hasta los niños se interesen por este deporte.

5. Un matrimonio sonriente posa de pie en la entrada de su casa tras una dura jornada en los tabacales.

6. A los cubanos les encanta comer fuera, preferiblemente en terrazas al aire libre. Hay cafeterías en cada esquina.

7. Para los coleccionistas de coches antiguos, Cuba es un sueño hecho realidad. En las calles de La Habana abundan los clásicos sobre ruedas.

8. Para este isleño, un puro entre los dientes es una auténtica delicia por su sabor y aroma incomparables.

Jamaica

En la mayoría de las islas la lengua hablada se entiende con facilidad. Los idiomas más comunes son el francés, el holandés, el español y el inglés, este último con multitud de acentos y dialectos distintos. En Jamaica, sin embargo, tienen su propia lengua, cuya pronunciación y sintaxis resulta difícil de entender incluso para otros pueblos del Caribe. No en vano se dice que los jamaicanos hablan dos idiomas, el inglés y el jamaicano.

Los jamaicanos están orgullosos de su lengua y conservan el acento incluso después de haber residido gran parte de su vida fuera de la isla. Es una muestra del amor tan arraigado a su país, que mantienen vivo sin importar dónde residan. La escritora, actriz y poetisa jamaicana Louise Bennett ha logrado conservar intacta la lengua vernácula de Jamaica, como ha hecho Jeanette Layne-Clark con la lengua de Barbados y Paul Keen Douglas con el habla de Trinidad. Sus actuaciones, libros y películas han conmovido a los isleños que viven en los rincones más remotos de Norteamérica y Europa, además de presentar al resto del mundo una visión más profunda de las distintas culturas del Caribe a lo largo de toda su historia.

Como en el caso de otras muchas islas del Caribe, los primeros habitantes de Jamaica fueron los indios arahuacos, quienes la llamaban Xaymaca (tierra de bosques y aguas). Cristóbal Colón trató de rebautizarla con el nombre de San Jago, pero los jamaicanos, por su forma de ser, jamás habrían permitido que lo cambiaran, por lo que perduró el nombre de origen.

Jamaica, la tercera isla más grande del Caribe, después de Cuba y La Española, se encuentra a unos 145 km al sur de Cuba, a 800 km de Miami y de San Juan, Puerto Rico. Es una tierra de profundos contrastes, con montañas, frondosas selvas, anchos ríos, cascadas de aguas bravas, ciudades superpobladas, pueblos apacibles y fabulosas costas que atraen a miles de turistas cada año.

La isla cuenta además con una importante industria: la bauxita, el mineral del cual se obtiene el aluminio, se extrae de la tierra roja que caracteriza el centro y el oeste de la isla. Jamaica exporta además al extranjero toda clase de alimentos y zumos enlatados y envasados. El ron jamaicano fue uno de los primeros en comercializarse en Europa. Y los jamaicanos fueron uno de los primeros pueblos antillanos en emigrar en masa a Inglaterra.

La música jamaicana, el *reggae*, ha atraído la atención mundial gracias a figuras como Jimmy Cliff, Bob Marley, Peter Tosh y Third World. Los rastafaris han difundido sus creencias, sus "hierbas" y su verbo sagrado por los cinco continentes. Entre otras celebridades de origen jamaicano se cuentan Grace Jones, Harry Belafonte y Chris Blackwell.

Escarpadas montañas, claros de helechos, selvas tropicales y fabulosas cascadas junto con una flora y fauna exuberantes son una invitación para los amantes de la naturaleza. En Jamaica habita la segunda mariposa más grande del mundo, la exótica *Papilio homerus*. Spanish Town, con sus bellos edificios georgianos y la catedral más antigua de las Antillas, la catedral de San Jago de la Vega, fue otrora capital de Jamaica (Sevilla la Nueva fue la primera y Kingston la última). Montego Bay, meca del turismo jamaicano, cuenta con un centro comercial que suple las necesidades de la Jamaica occidental; lo que queda corresponde a la antigua base bucanera de Port Royal tras su hundimiento en el mar en 1692. Greenwood Great House, construida por un primo de Elizabeth Barrett Browning, alberga una extraordinaria colección de antigüedades y extraños instrumentos musicales. Firefly fue el hogar y la morada final del brillante dramaturgo Noel Coward. En el balneario de Bath hay jardines con árboles de más de 200 años, mientras que los baños termales de Milk River son los más radiactivos del mundo, 54 veces más que Baden Baden con temperaturas de 92 grados. En la histórica ciudad de Seaford se asentó una colonia de emigrantes alemanes en 1835. Todos estos lugares y muchos más revelan la riqueza de la historia, la cultura y las tradiciones de la isla, sin contar con la suntuosidad de su exótica cocina.

Entre los platos típicos jamaicos, que se venden en los numerosos puestos ambulantes, está el pescado frito con *bammy* o pan de miga dura, el charqui de cerdo, pollo o pescado, el cangrejo de río o las gambas cocidas con pimientos y sal, los anacardos recién tostados, la sopa de criadillas y el zumo celeste o terrenal, una bebida hecha a base de jarabe de frutas y hielo picado servida en una bolsa de plástico con pajita. El famoso"likkle bokkle" de salsa Pickapeppa, embotellada en las montañas Don Figuero de Mandeville, es todo un emblema de la isla. Ningún jamaicano saldría de casa sin esta deliciosa salsa de sabor tan exótico. No cabe duda de que Jamaica es un paraíso para todos los gustos.

Merey del diablo

(Blighia sapida)

"...Mereyes llevo al mercado de Linstead,
no he vendío gran cosa.
Señor, vaya noche, no he picao ná,
qué noche la del sábado.
Todo el mundo alternando, alternando.
No he vendío gran cosa..."

Antigua canción popular de Jamaica

El merey es un fruto tropical introducido con toda probabilidad en el Caribe durante el comercio de esclavos. Era un fruto muy preciado entre los africanos. Según otra versión lo trajo consigo el capitán Bligh a bordo del infame navío Bounty en 1787. Sea cual sea la verdad, lo cierto es que este fruto se ha convertido en el plato típico de Jamaica.

Del árbol del merey brotan aromáticas flores de color blanco verdoso. El fruto presenta una piel dura naranja rojiza que encierra varias semillas negras rodeadas de una pulpa blanquecina denominada arilo, en la base. Este arilo resulta venenoso si aún no ha madurado o ya está pasado; es el causante de una intoxicación mortal conocida como envenenamiento de Jamaica. El arilo sólo es comestible cuando se ha vuelto rojo y se ha abierto.

Aunque se trate de un fruto, el merey también se toma como verdura con pescado salado. La mayoría de los isleños exclamarían que sólo "los jamaicanos chalaos se comerían eso". Este fruto es dulce, pero al combinarlo con el pescado salado, ofrece una curiosa combinación de sabores. En la actualidad, el merey se exporta en conserva a Norteamérica y Europa, y se vende en establecimientos de comida caribeña. El merey jamaicano no debe confundirse con el mamón de Barbados, un fruto similar al lichi chino.

Merey con pescado salado

250 g de pescado salado seco
125 g de mantequilla para cocinar o margarina
2 lonchas de tocino entreverado
1 cebolla grande picada
2 dientes de ajo picados
1/4 guindilla roja picada fina
1 ramita de tomillo fresco picada fina
4 ramitas de cebollino fresco picadas finas
1 pimiento verde cortado en juliana
1 pimiento rojo cortado en juliana
1 pimiento amarillo cortado en juliana
1/2 cucharadita de pimienta de Jamaica (opcional)
2 latas de tomates pelados
1 lata o 500 g de mereyes
1 cucharada de ron de Jamaica
sal y pimienta negra al gusto
2 huevos duros rallados (opcional)

Deje en remojo el pescado en un cuenco con agua fría toda la noche. Escúrralo y hiérvalo en agua fría 15 minutos. Escúrralo de nuevo y déjelo enfriar. Retírele la piel y las espinas y desmenúcelo. En una sartén grande sofría el tocino en la margarina o la mantequilla para cocinar. Agregue la cebolla, el ajo, la guindilla, el tomillo, el cebollino, los pimientos y la pimienta de Jamaica. Rehóguelo todo hasta que quede tierno. Incorpore los tomates, el pescado y los mereyes escurridos. Añada el ron y cuézalo todo una 1/2 hora, removiendo de vez en cuando. Salpimiéntelo al gusto. Sírvalo sobre un lecho de arroz blanco, o arroz y frijoles cocidos en leche de coco. Adorne el plato con huevos duros rallados. Para 2-3 personas.

Con el fruto del merey deben extremarse las precauciones. Su uso indebido puede ser causa de envenenamiento.

Soufflé de merey

1 lata o 500 g de mereyes completamente escurridos
45 g de mantequilla
22 g de harina
3/8 l de leche
1 cucharadita de salsa Perrin's
1/4 cucharadita de ajo en polvo
1/4 cucharadita de pimienta de Jamaica
1/2 cucharadita de sal
1/4 cucharadita de pimienta blanca
4 yemas de huevo
15 g de mantequilla reblandecida
5 claras de huevo

Precaliente el horno a 190°C. Ponga los mereyes en una sartén pequeña y agítela a fuego medio hasta que la fruta se seque por completo. Pase los mereyes por un tamiz fino colocado sobre un cuenco hondo presionando con el dorso de una cuchara de madera o redúzcalos a puré en una batidora o picadora. Resérvelos. Derrita la mantequilla en una cazuela resistente a fuego medio. Agregue toda la harina y a continuación la leche, removiendo constantemente, hasta que la mezcla se espese y hierva. Baje el fuego y déjela hervir 3 minutos. Añada la salsa Perrin's, el ajo en polvo, la pimienta de Jamaica, la sal y la pimienta blanca. Retire la cazuela del fuego y bata dentro las yemas de huevo cuando la mezcla se enfríe. Agregue el puré de merey y deje enfriar el preparado a temperatura ambiente. Extienda en una capa uniforme 15 g de mantequilla reblandecida sobre el fondo y las paredes de un molde para *soufflés* de 2 1/2 litros. Monte las claras de huevo a punto de nieve. Mezcle un cuarto de las claras montadas con el preparado de merey y vierta encima el resto de las claras, repartiendo bien con una espátula. Vierta el relleno del *soufflé* en el molde preparado, alise la superficie con una espátula y hornéelo unos 35 minutos o hasta que el *soufflé* suba hasta el borde del molde y esté ligeramente dorado. Sírvalo de inmediato. Para 2-3 personas.

El *soufflé* de merey tiene un sabor suave y exquisito. Es una auténtica delicia.

Empanadillas jamaicanas

Se dice que en todo el Caribe sólo los jamaicanos saben hacer empanadillas, una preparación que si bien se originó con toda probabilidad durante la colonización de los ingleses, hoy se considera cien por cien jamaicana. Dondequiera que los jamaicanos se hayan afincado en otras partes del mundo, no falta una panadería o un restaurante donde sirvan empanadillas. Es un manjar sin el que los isleños no podrían pasar. En Jamaica no hay colmado o panadería donde no tengan empanadillas del día. De hecho, forman parte de la vida jamaicana.

Derecha: una jamaicana muestra orgullosa sus empanadillas. Cada uno tiene su particular manera de prepararlas. Dos o tres empanadillas con un vaso de zumo frío sirven de tentempié.

Inferior: después de extender y cortar la pasta, se coloca el relleno salado en el centro y se pliega el disco de masa, superponiendo las dos mitades.

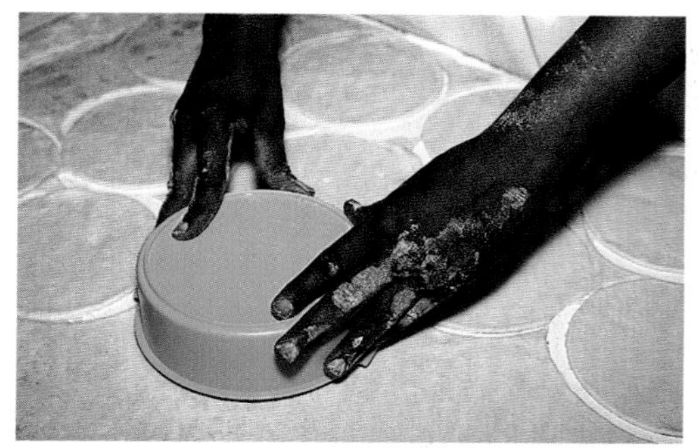

1. Se extiende la masa y se recorta en discos. El relleno debe prepararse con antelación.

2. Se coloca el relleno en el centro de cada uno de los discos.

3. Los bordes de la masa se pintan con huevo batido.

4. Se pliega el disco, superponiendo los bordes, y con un tenedor se sellan las empanadillas en forma de media luna.

5. Una vez preparadas se hornean hasta que la masa se cueza y quede dorada.

Empanadillas jamaicanas

Para la masa:

1 kg de harina
2 cucharaditas de cúrcuma o achiote seco molido
1 cucharadita de sal
250 g de mantequilla reblandecida
3 cucharadas de agua fría

Tamice la harina, la cúrcuma y la sal en un cuenco. Añada la mantequilla y mézclelo todo bien con los dedos hasta que adquiera una textura similar a las migas de pan. Agregue suficiente agua para formar una masa. Envuélvala en film transparente y refrigérela durante 2 horas.

Para el relleno:

2 cucharadas de aceite vegetal o mantequilla para cocinar
1 cebolla grande picada fina
2 dientes de ajo picados finos
2 guindillas frescas despepitadas y picadas finas
1 ramita de tomillo fresco picada fina
4 ramitas de cebollino fresco picadas finas
2 ramitas de perejil picadas finas
4 tomates grandes pelados y picados
375 g de carne picada de vaca de primera calidad, o bien pollo o pescado
1/4 cucharadita de cúrcuma o achiote fresco molido
1/4 cucharadita de jengibre fresco molido
1/4 cucharadita de comino fresco molido
1 cucharadita de pimienta de Jamaica
1/2 cucharadita de cardamomo molido
sal y pimienta al gusto
125 ml de agua o caldo
1 cucharada de ron dorado jamaicano

En una sartén grande caliente aceite y sofría en él la cebolla, el ajo, la guindilla, el tomillo, el cebollino, el perejil y el tomate hasta que quede todo tierno. Incorpore la carne y todas las especias. Sazónelo todo con sal y pimienta negra al gusto. Añada el agua o el caldo y déjelo cocer todo a fuego medio 25 minutos hasta que se haya evaporado todo el líquido y la carne esté cocida y firme. Agregue el ron antes de retirar del fuego el salpicón de carne. Déjelo enfriar.

Para lustrar y sellar las empanadillas:

2 yemas de huevo bien batidas

Precaliente el horno a 200°C. Extienda la masa y córtela en discos de 18 a 31 cm de diámetro con un platillo. Ponga 2 cucharadas del salpicón de carne a un lado del disco, pliegue la otra mitad superponiendo los bordes y séllelos con un tenedor. Coloque las empanadillas en una fuente de horno forrada de papel de aluminio o bien engrasada y enharinada, y pinte la superficie con el huevo batido. Hornéelas en el nivel medio del horno unos 30 minutos hasta que se doren. Sírvalas bien calientes. Para 12-18 empanadillas.

Fruta del pan asada a la parrilla.

Vendedores de Monte Diablo

Los asados caseros tienen una larga tradición en todo el Caribe. Por lo general, se realizaban en "fuegos sin humo", hogares de piedra fijados con hormigón con una zona para la leña y una chimenea para la salida del humo. Aún hoy en día quedan en muchas islas casitas o incluso grandes casas de plantaciones que conservan intactos dichos lares. Sin embargo, la mayoría no son sino un vestigio del pasado, hoy en desuso o sustituidos por fogones modernos.

Los vendedores de Monte Diablo (llamado así por los colonizadores españoles) heredaron esta antigua técnica de asado. Isleños y turistas arriesgan sus vidas en autocares atestados, taxis o vehículos privados para subir a esta escarpada montaña de curvas muy cerradas. La recompensa a su valor la encuentran al llegar a un gran claro llano en medio de la montaña. Junto al espectacular panorama de las laderas pobladas de vegetación, el aire se ve invadido por la aromática humareda que emana de una gran variedad de alimentos asados al aire libre o en el interior de chozas destartaladas que hacen las veces de colmados, bares y en ocasiones incluso de viviendas. Las ollas de acero se apoyan sobre ollas de carbón o directamente en parrillas hechas con bidones, al calor de la lumbre, de olor exótico y penetrante según la leña usada, que arde todo el día hasta bien entrada la noche. Entre los deliciosos manjares se incluyen boniatos, ñames, mazorcas de maíz asadas o cocidas, plátanos verdes, fruta del pan, merey, pescado salado o simplemente viandas asadas a la antigua usanza. Todo ello acompañado con refrescos o bebidas alcohólicas y un alud de risas y comentarios que sólo los jamaicanos entienden (con traducciones más ininteligibles si cabe).

Superior: en Monte Diablo se asan todo tipo de alimentos en la puerta de chozas que hacen las veces de colmados.

Fruta de jack *(Artocarpus heterophyllus)*

La fruta de jack es originaria de Malaysia y fue introducida en el Caribe procedente de la India por los colonizadores europeos. La fruta de Jack, perteneciente a la familia del higo y pariente de la fruta del pan, es similar a ésta pero tiene una piel más "granulada" y crece de la corteza del árbol y no de las ramas.

La fruta de Jack puede alcanzar dimensiones descomunales y llega a pesar hasta 18 kilos. En su interior blanco y carnoso alberga numerosas semillas que suelen consumirse tostadas como las castañas, cuyo sabor es parecido. También se consume crudo o bien cocido, como lo prefieren los isleños. En Jamaica y Trinidad la comunidad india lo utiliza en currys y se sirve en fiestas y banquetes de boda.

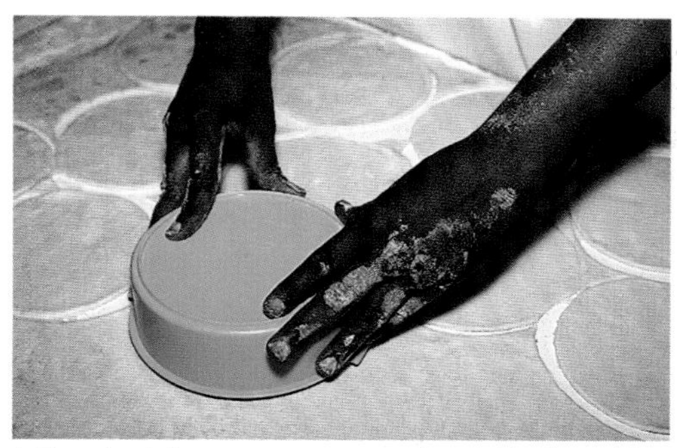

1. Se extiende la masa y se recorta en discos. El relleno debe prepararse con antelación.

2. Se coloca el relleno en el centro de cada uno de los discos.

3. Los bordes de la masa se pintan con huevo batido.

4. Se pliega el disco, superponiendo los bordes, y con un tenedor se sellan las empanadillas en forma de media luna.

5. Una vez preparadas se hornean hasta que la masa se cueza y quede dorada.

Empanadillas jamaicanas

Para la masa:

1 kg de harina
2 cucharaditas de cúrcuma o achiote seco molido
1 cucharadita de sal
250 g de mantequilla reblandecida
3 cucharadas de agua fría

Tamice la harina, la cúrcuma y la sal en un cuenco. Añada la mantequilla y mézclelo todo bien con los dedos hasta que adquiera una textura similar a las migas de pan. Agregue suficiente agua para formar una masa. Envuélvala en film transparente y refrigérela durante 2 horas.

Para el relleno:

2 cucharadas de aceite vegetal o mantequilla para cocinar
1 cebolla grande picada fina
2 dientes de ajo picados finos
2 guindillas frescas despepitadas y picadas finas
1 ramita de tomillo fresco picada fina
4 ramitas de cebollino fresco picadas finas
2 ramitas de perejil picadas finas
4 tomates grandes pelados y picados
375 g de carne picada de vaca de primera calidad, o bien pollo o pescado
1/4 cucharadita de cúrcuma o achiote fresco molido
1/4 cucharadita de jengibre fresco molido
1/4 cucharadita de comino fresco molido
1 cucharadita de pimienta de Jamaica
1/2 cucharadita de cardamomo molido
sal y pimienta al gusto
125 ml de agua o caldo
1 cucharada de ron dorado jamaicano

En una sartén grande caliente aceite y sofría en él la cebolla, el ajo, la guindilla, el tomillo, el cebollino, el perejil y el tomate hasta que quede todo tierno. Incorpore la carne y todas las especias. Sazónelo todo con sal y pimienta negra al gusto. Añada el agua o el caldo y déjelo cocer todo a fuego medio 25 minutos hasta que se haya evaporado todo el líquido y la carne esté cocida y firme. Agregue el ron antes de retirar del fuego el salpicón de carne. Déjelo enfriar.

Para lustrar y sellar las empanadillas:

2 yemas de huevo bien batidas

Precaliente el horno a 200°C. Extienda la masa y córtela en discos de 18 a 31 cm de diámetro con un platillo. Ponga 2 cucharadas del salpicón de carne a un lado del disco, pliegue la otra mitad superponiendo los bordes y séllelos con un tenedor. Coloque las empanadillas en una fuente de horno forrada de papel de aluminio o bien engrasada y enharinada, y pinte la superficie con el huevo batido. Hornéelas en el nivel medio del horno unos 30 minutos hasta que se doren. Sírvalas bien calientes. Para 12-18 empanadillas.

Charqui

A su llegada a Jamaica, los españoles adoptaron el término "charqui" para referirse al método amerindio de curación de la carne de vacuno por la acción del sol. Los orígenes de dicha técnica se atribuyen a los indios quechua de Perú que emigraron a Jamaica con sus primos los arahuacos.

El charqui (en inglés, *jerk)* sufrió en su día una transformación culinaria. En al actualidad, se aplica esta denominación a un modo determinado de sazonar y cocinar carnes, pescados e incluso verduras, con una marinada a base de guindillas como ingrediente esencial. Tradicionalmente, el charqui se cocía en hornos de barro ideados por los Cormantee (Kara-manti), africanos occidentales que se contaban entre los *maroons* de la isla, nombre que recibían los esclavos liberados por sus amos que partían a la búsqueda de oro de México a Perú.

Cuando los británicos llegaron a Jamaica para reconquistarla, los *maroons* se unieron y combatieron contra los invasores durante cerca de 40 años. A lo largo de todo aquel período permanecieron ocultos en el inaccesible territorio montañoso de Cockpit Country. En el año 1739, los *maroons* firmaron un tratado de paz con los ingleses que tuvo vigencia hasta 1795, cuando estalló de nuevo la guerra. Esta vez se impuso la victoria británica y gran parte de los *maroons* fueron enviados a Sierra Leona. El único pueblo *maroon* que queda en la actualidad, Accompong, conserva aún un coronel elegido y una férrea tradición de independencia.

Cockpit Country, con regiones y aldehuelas con nombres del tipo District of Look Behind (por aquellos que siempre miraban atrás en busca de los británicos) y Me No Se You No Come (pronunciación local de un refrán en inglés que viene a decir que uno no debe meterse donde no le llaman), pasa por ser el centro del charqui. Su preparación se llevaba a cabo casi en el secreto más absoluto hasta finales de los cincuenta, cuando el hambre llevó a comercializar la venta de charqui. Hoy en día no hay pueblecito, puerto o ciudad que no cuente con sus propias especialidades, algunas preparadas en hornos portátiles (hechos con bidones de acero), otros con hornos fijos (en pequeñas cabañas o restaurantes equipados con hornos de ladrillo). Cada vendedor posee sus propias marinadas, condimentos y preferencias por un determinado tipo de leña, ya sea de pimentero, guayabo o simples ramas. Por supuesto, todos afirman vender el mejor charqui de toda Jamaica.

Para preparar un buen charqui, es esencial la leña perfecta, una barbacoa improvisada y una sabrosa marinada (si no es casera se puede elegir entre varias marcas comercializadas como Walker's Wood, Grace y Caribbean Choice). Para acabar de redondearlo, se recomienda acompañarlo de unas cuantas botellas o latas frías de Red Stripe (la mejor cerveza de Jamaica) y buen *reggae.*

Salsa de charqui

500 g de yogur natural o queso fresco
2 cucharaditas de condimento para charqui

Bata los ingredientes hasta que el condimento para charqui se haya repartido por toda la mezcla. Si desea obtener una salsa picante, puede añadir la punta de una guindilla a la batidora. La salsa de charqui fría combina a la perfección con tortillas de maíz, plátano verde frito o tostado o tortitas de plátano a modo de aperitivo.

Marinada de charqui

6 guindillas rojas enteras sin rabito
3 dientes de ajo enteros
180 g de cebollino picado
3/4 cucharadita de canela
3/4 cucharadita de nuez moscada
1 1/4 cucharadita de pimienta de Jamaica
1/4 cucharadita de clavos de especia molidos
180 ml de vinagre de malta
180 ml de salsa de soja
1 1/4 cucharadas de sal
1 cucharada de ron blanco o dorado

Bata todos los ingredientes en una batidora hasta obtener una mezcla líquida. Viértala en tarros de cristal y refrigérelos. Ponga a marinar en esta preparación carnes, pescados y carne de aves un mínimo de 3 horas o toda la noche en el frigorífico, untando las viandas con una capa gruesa de marinada. También puede utilizar el preparado a modo de salsa picante con el tasajo de carne, o bien calentarlo con 180 ml más de vinagre y dejarlo hervir unos minutos para embotellarlo después y refrigerarlo para el consumo diario.

Un delicioso charqui picante a la parrilla.

Adobo de charqui

6 guindillas rojas enteras sin rabito y picadas finas
250 g de cebollino picado fino
1 cucharadita de ajo en polvo
3/4 cucharadita de nuez moscada molida
1/2 cucharadita de canela
1/4 cucharadita de clavos de especia molidos
1 1/2 cucharaditas de pimienta negra molida
1 1/4 cucharadas de sal

Mezcle todos los ingredientes y machákuelos en un mortero hasta obtener una pasta, de forma que queden todos bien ligados. Si no desea un adobo demasiado espeso, ponga 1/2 cucharada de vinagre de vino blanco y 1/2 cucharada de ron en el recipiente de una batidora. Agregue la pasta y bátalo todo durante 1 minuto. Esta preparación se conserva varios meses en el frigorífico en un tarro bien cerrado.

Extienda el adobo sobre los trozos de carne fresca de cerdo, vacuno, pescado o pollo, presionando con fuerza para que el adobo penetre en la carne. Utilice guantes si tiene la piel sensible ya que las guindillas pueden producir irritaciones. Deje macerar la carne 1 ó 2 horas antes de asarla. Una vez en la parrilla, la carne debe regarse constantemente con un poco de marinada de charqui mezclada con aceite de oliva. Cuando acabe de asar el charqui, déjelo reposar unos minutos para que la carne se pueda "rehidratar". El charqui de carne o de pescado también se puede asar al horno.

El charqui combina a la perfección con fruta del pan asada, guisantes y arroz o ñame. La banana verde cocida y hecha puré o el plátano macho frito sirve también como guarnición. Pero lo que nunca debe faltar es el pan de miga dura, que representa para los jamaicanos lo que la *baguette* para los franceses.

Izquierda: en un típico puesto de charqui se sirve pollo, vaca o cerdo. La carne se asa a la brasa a la antigua usanza.

Pan de miga dura jamaicano

2 paquetes de levadura (7,5 g)
1 l de agua tibia
de 1/5 kg a 1 1/2 kg de harina sin refinar
125 ml de leche
4 cucharadas de azúcar
1 cucharadita de sal
2 cucharadas de manteca de cerdo o mantequilla
mezcla de 4 cucharadas de azúcar disueltas en 250 ml de agua

Precaliente el horno a 190°C. En un cuenco mezclador disuelva la levadura en agua tibia y déjela reposar hasta que empiece a burbujear. En otro cuenco mezcle la harina, la leche, el azúcar y la sal y trabájelo todo con la manteca de cerdo. Una las dos mezclas y amase la pasta resultante sobre una superficie ligeramente enharinada de 6 a 7 minutos hasta obtener una masa firme. Pásela a un recipiente grande y limpio y tápela con un paño. Deje la masa en un sitio cálido (a unos 24°C) para que suba durante 2 horas o hasta que doble su volumen. Pínchela, pártala por la mitad y forme bolas con ella. Tape la masa y déjela reposar durante 20 minutos. Amásela en forma de barras y colóquelas en moldes apropiados de 23 cm. Tape las barras de pan y deje que suban en un sitio cálido de 1 a 2 horas hasta que doblen su volumen. Hornee las barras durante 10 minutos. Baje la temperatura a 180°C y prosiga con el horneado durante 20 minutos más. Desmoldee las barras, píntelas con una mezcla de agua y azúcar y déjelas enfriar sobre una rejilla.

Fruta del pan asada a la parrilla.

Vendedores de Monte Diablo

Los asados caseros tienen una larga tradición en todo el Caribe. Por lo general, se realizaban en "fuegos sin humo", hogares de piedra fijados con hormigón con una zona para la leña y una chimenea para la salida del humo. Aún hoy en día quedan en muchas islas casitas o incluso grandes casas de plantaciones que conservan intactos dichos lares. Sin embargo, la mayoría no son sino un vestigio del pasado, hoy en desuso o sustituidos por fogones modernos.

Los vendedores de Monte Diablo (llamado así por los colonizadores españoles) heredaron esta antigua técnica de asado. Isleños y turistas arriesgan sus vidas en autocares atestados, taxis o vehículos privados para subir a esta escarpada montaña de curvas muy cerradas. La recompensa a su valor la encuentran al llegar a un gran claro llano en medio de la montaña. Junto al espectacular panorama de las laderas pobladas de vegetación, el aire se ve invadido por la aromática humareda que emana de una gran variedad de alimentos asados al aire libre o en el interior de chozas destartaladas que hacen las veces de colmados, bares y en ocasiones incluso de viviendas. Las ollas de acero se apoyan sobre ollas de carbón o directamente en parrillas hechas con bidones, al calor de la lumbre, de olor exótico y penetrante según la leña usada, que arde todo el día hasta bien entrada la noche. Entre los deliciosos manjares se incluyen boniatos, ñames, mazorcas de maíz asadas o cocidas, plátanos verdes, fruta del pan, merey, pescado salado o simplemente viandas asadas a la antigua usanza. Todo ello acompañado con refrescos o bebidas alcohólicas y un alud de risas y comentarios que sólo los jamaicanos entienden (con traducciones más ininteligibles si cabe).

Superior: en Monte Diablo se asan todo tipo de alimentos en la puerta de chozas que hacen las veces de colmados.

Fruta de jack *(Artocarpus heterophyllus)*

La fruta de jack es originaria de Malaysia y fue introducida en el Caribe procedente de la India por los colonizadores europeos. La fruta de Jack, perteneciente a la familia del higo y pariente de la fruta del pan, es similar a ésta pero tiene una piel más "granulada" y crece de la corteza del árbol y no de las ramas.

La fruta de Jack puede alcanzar dimensiones descomunales y llega a pesar hasta 18 kilos. En su interior blanco y carnoso alberga numerosas semillas que suelen consumirse tostadas como las castañas, cuyo sabor es parecido. También se consume crudo o bien cocido, como lo prefieren los isleños. En Jamaica y Trinidad la comunidad india lo utiliza en currys y se sirve en fiestas y banquetes de boda.

Salsa de barbacoa a la jamaicana

Para 500 g de salsa:

- 125 g de mantequilla para cocinar o mantequilla común
- 2 dientes de ajo machacados en un mortero
- 2 cebollas ralladas finas
- 1/2 guindilla roja despepitada y picada fina
- 1 cucharadita de tomillo en polvo
- 2 cucharaditas de mostaza en polvo
- 125 ml de salsa Perrin's
- 2 cucharadas de puré o néctar de tamarindo
- 60 g de puré de mango verde (batido)
- 60 ml de vinagre
- 60 g de ketchup o salsa de tomate
- el zumo de un 1 lima fresca
- 1 cucharada de azúcar moreno
- 1/2 cucharadita de pimienta de Jamaica molida
- 1 chorrito de ron dorado de Jamaica
- 1/2 cucharadita de pimienta negra molida
- sal al gusto

Mezcle todos los ingredientes en una cazuela y llévelos a ebullición, removiendo con frecuencia. Asegúrese de que la mantequilla se ha fundido por completo. Deje enfriar la salsa. Esta preparación puede conservarse en el frigorífico durante meses si se guarda en un tarro con cierre hermético.

Fruta del pan asada

La fruta del pan se puede asar a la barbacoa o, aún mejor, al estilo tradicional, opción que muchos practican en el jardín trasero de casa o en la playa.

Elija una pieza de fruta del pan madura y envuélvala en papel de aluminio. Practique un hoyo en el jardín o en la playa y rellénelo de leña o de carbón para que sirva de lumbre. Coloque la fruta del pan sobre las brasas, tápela con hojas secas de cocoteros o más papel de aluminio, hojarasca o arena, y déjelas asar durante una hora aproximadamente. Una vez asada pele la fruta, extráigale el corazón y riéguela con mantequilla con un poco de sal.

Cabra al curry

- 1 kg de carne de cabra cortada en dados (el cordero es un buen sustituto)
- el zumo de 2 limas
- 3 cebollas grandes picadas finas
- 2 ramitas de tomillo fresco picadas finas
- 2 ramitas de cebollino fresco picadas finas
- 2 ramitas de perejil picadas finas
- 1 hoja de laurel
- 1 pimiento entero envuelto en muselina
- 1 cucharadita de condimento para charqui
- 1/2 cucharadita de jengibre fresco molido
- 1 cucharadita de pimienta de Jamaica
- 2 cucharadas de aceite vegetal
- 1 cucharadita de comino en grano
- 5 dientes de ajo picados finos
- 2 cucharadas de curry jamaicano en polvo
- 2 cucharadas de concentrado de tomate
- 2 latas de leche de coco
- 1 cucharada de ron dorado de Jamaica
- mantequilla

Lave a fondo la carne de cabra y cúbrala después con el zumo de lima. Déjela aparte 15 minutos. Añada todos los condimentos y especias excepto el comino en grano, el ajo y el curry en polvo. En una olla de hierro caliente aceite vegetal hasta que empiece a humear. Agregue el comino y el ajo y sofríalo hasta que se dore. Incorpore el curry en polvo y remueva bien. Añada el concentrado de tomate, sin dejar de revolver. Agregue a continuación la leche de coco y déjelo cocer todo hasta que la mezcla rompa a hervir. Incorpore los trozos de carne de cabra con todos los condimentos y especias. Déjelo hervir todo durante unos 40 minutos vigilando para que no se evapore el líquido. Añada un poco de agua si es necesario. Tras finalizar el tiempo de cocción, añada el ron y un poco de mantequilla y deje que ésta se vaya fundiendo lentamente. Sirva el curry con arroz blanco hervido o frijoles con arroz.

Asar a la parrilla toda clase de carne de vacuno, aves, pescado o verduras

Ponga a macerar la carne o verduras elegidas en salsa de barbacoa a la jamaicana. Deje la vianda cubierta por la marinada unas horas o toda la noche en el frigorífico. Ásela a la barbacoa sobre una mezcla de carbón y leña (preferiblemente de guayabo o de pimentero, si es posible). Riéguela constantemente para que no se seque. Sírvala con patatas asadas, fruta del pan, ñame, boniatos o mandioca (alimentos que también se pueden asar a la parrilla; tras hervirlos parcialmente, envuélvalos en papel de aluminio untados con un poco de mantequilla común o mantequilla de ajo).

Frijoles y arroz

- 250 g de frijoles secos
- agua
- 1 1/4 cucharaditas de sal
- 1 cola de cerdo salada
- 1 cebolla picada fina
- 1 diente de ajo picado fino
- 1 ramita de tomillo picada fina
- 500 ml de leche de coco
- pimienta negra al gusto
- 1/4 guindilla roja despepitada y picada fina
- 500 g de arroz blanco limpio
- 1 cucharada de mantequilla

Lave los frijoles en un colador bajo agua corriente hasta que el agua salga clara. Ponga las judías en una olla y añada 1/2 cucharadita de sal y una pizca de pimienta negra. Agregue 1,25 litros de agua y la cola de cerdo. Llévelo todo a ebullición a fuego medio. Agregue luego la cebolla, el ajo y el tomillo. Baje el fuego y déjelo hervir 1 1/2 horas aproximadamente o hasta que los frijoles queden tiernos sin reblandecerse demasiado. Escúrralos y apártelos, y reserve el agua. Calcule la cantidad de agua; añada la leche de coco y más agua hasta que haya 1,1 litros de líquido. Agregue la sal restante, la pimienta negra y la guindilla picada, y llévelo todo a ebullición a fuego lento. Incorpore el arroz, tápelo y llévelo de nuevo a ebullición. Déjelo hervir unos minutos a fuego lento. Añada la mezcla de frijoles y la mantequilla; tápelo y deje que el arroz se acabe de cocer. Sírvalo bien caliente. Para 3-4 personas.

Tilapia

(Tilapia mossambica x Tilapia nilotica)

El híbrido tilapia roja es una de las especies elegidas para la práctica de la acuacultura en Jamaica. Este pez se caracteriza por su piel rosada. La tilapia roja se asemeja al pargo jorobado, un pez de agua salada apreciado en todo el Caribe.

La tilapia es por naturaleza un pez tropical, ya que no puede vivir en aguas con temperaturas inferiores a 10°C. De hecho, habita en aguas de hasta 27°C, temperaturas que matarían a otras especies. Por otra parte, es un pez que apenas contrae enfermedades y al que los parásitos no parecen causarle molestias. Se trata además de una especie que se cría y crece con rapidez, lo que la hace indicada, por tanto, para la acuacultura.

En el último decenio ha aumentado la popularidad de la tilapia roja por su carne blanca y muy sabrosa. En Jamaica, así como en otros países de Norteamérica, su cría se realiza bajo estrictos controles de agua y en su recolección y preparación se garantiza la máxima frescura y pulcritud. Su venta va dirigida a un mercado que ha empezado a apreciar su exótico sabor. No en vano la tilapia roja se considera una exquisitez en los mercados de pescado y se exporta a Europa como un manjar de alta gastronomía.

La cría de tilapia no es más grande que la punta de un dedo pero aun así ya está plenamente formada.

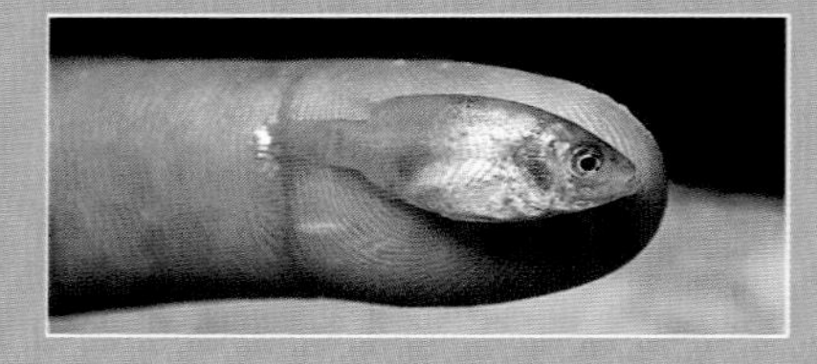

Tilapia jamaicana al horno

- 4 cucharadas de mantequilla
- 2 cebollas picadas finas
- 1 diente de ajo picado fino
- 60 g de apio picado fino
- 60 g de cebollino picado fino
- 125 g de una mezcla de pimientos verdes, amarillos y rojos picados
- 1 cucharadita de perejil fresco picado fino
- 1 cucharadita de albahaca fresca picada fina
- 1 cucharadita de estragón fresco picado fino
- 1/4 cucharadita de guindilla roja picada fina
- 3 cucharadas de harina
- sal y pimienta al gusto
- 60 ml de leche
- 250 g de queso *cheddar* rallado u otro queso suave
- 675 g de filetes de tilapia

Precaliente el horno a 220°C. Saltee en mantequilla la cebolla, el ajo, el apio, el cebollino y la mitad de los pimientos a fuego lento hasta que esté todo tierno. Añada el perejil, la albahaca, el estragón y la guindilla y sofríalo todo durante 10 segundos. En otra sartén, derrita la mantequilla restante y añada la harina y sal y pimienta. Remuévalo todo hasta obtener una pasta homogénea. Vierta lentamente la leche y mézclelo todo bien. Deje cocer el preparado hasta que se espese, incorpore la mezcla de hierbas y añada después el queso poco a poco hasta que se funda. Enjuague la tilapia en agua fría y escúrrala. Coloque el pescado en una fuente de horno engrasada y riéguelo de manera uniforme con la salsa. Hornéelo durante 8 minutos. Reparta el resto de los pimientos por encima y hornéelo 2 ó 3 minutos más o hasta que el pescado quede tierno. Extráigalo del horno y sírvalo sobre un lecho de arroz a la milanesa. También se puede adornar con nueces picadas por encima justo antes de servirlo. Para 3 personas.

1. La tilapia madura en grandes estanques de aguas tranquilas.

2. Las crías de tilapia se mueven en bancos durante su primera fase nutricional y viven en aguas de hasta 27°C.

3. Cuando el pez alcanza el tamaño indicado para su venta en el mercado, se captura con extensas redes.

4. Una vez preparado, el pescado se mete en cajas y se destina a la venta en los mercados internacionales.

Tilapia con ajo al limón

- 750 g de filetes de tilapia
- 6 cucharaditas de mantequilla fundida
- 4 cucharaditas de zumo de lima o de limón fresco
- 2 dientes de ajo picados finos
- 60 g de perejil fresco picado fino
- 250 g de mayonesa
- 125 g de queso parmesano rallado
- 125 g de una mezcla de pimientos verdes, amarillos y rojos picados finos

Enjuague la tilapia en agua fría y escúrrala. Rocíela con la mitad de la mantequilla fundida y la mitad de la lima o el zumo de limón y colóquela sobre una parrilla a unos 2 cm de la fuente de calor. Ásela durante 5 minutos. Mientras tanto, ponga en un cuenco el resto de la mantequilla, el ajo, el perejil, la otra mitad del zumo de lima o limón y la mayonesa, y remuévalo todo hasta que quede bien mezclado. Retire los filetes de tilapia de la parrilla, extienda la mayonesa por encima y espolvoréela con queso parmesano. Ponga la tilapia en la parrilla 2 minutos más hasta que la salsa burbujee y se dore. Retire el pescado de la parrilla y decórelo con la mezcla de pimientos. Sírvalo sobre un lecho de pasta o arroz. Para 6 personas.

Papaya

(Carica papaya)

Los trabajadores recogen la papaya semimadura de los árboles y ya *in situ* la embalan directamente en cajas.

Cuando Colón llegó por primera vez al Caribe, descubrió que los nativos se alimentaban básicamente de una fruta a la que llamaban "la fruta de los ángeles". Se trataba de la papaya, conocida también como "fruta bomba" y "lechosa". A mediados del siglo XVI los españoles introdujeron la papaya en Manila, desde donde llegó a la India y África.

Hoy en día, en el Caribe se come papaya para desayunar, de postre y en macedonias, además de emplearse en la elaboración de mermeladas, helados, fruta confitada y conservas en almíbar. Con la papaya madura se preparan zumos y refrescos. La fruta verde se utiliza en salsas picantes con guindilla, currys, como verdura y en sustitución de la salsa de manzanas. El fruto verde y las hojas sirven asimismo para ablandar la carne. Las hojas verdes se comen a veces a modo de espinacas.

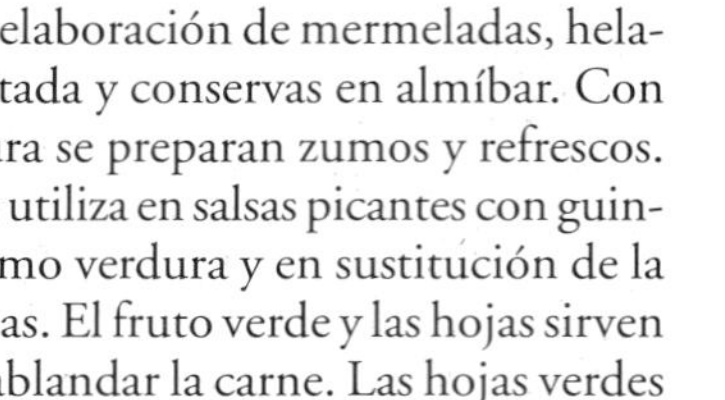

Las semillas se usan como vermífugo y abortivo. Algunos isleños afirman que una cucharadita de semillas de papaya al día contribuye a combatir el cáncer, y se han llevado a cabo estudios para comprobar sus propiedades curativas. Se sabe que este fruto constituye una rica fuente de vitaminas A, B1, B2, B5 y E, además de vitamina C y minerales. El látex contiene papaína y quimopapaína, enzimas que favorecen la digestión de las proteínas y la coagulación de la leche. Por ello la papaya se comercializa para ablandar la carne y también como agente inhibidor del enturbiamiento de la cerveza.

En el Caribe están muy extendidos los usos medicinales de la papaya. El jugo de las hojas, el tallo y las raíces resulta muy eficaz contra furúnculos, verrugas, lombrices y la tiña. La fruta verde es indicada para prevenir resfriados y la dispepsia, y las hojas se aplican como tópico en la curación de úlceras y cortes. No es de extrañar que los arahuacos y los caribes parecieran extremadamente sanos y fuertes a ojos de los primeros españoles que pisaron estas tierras.

La papaya procedente de Jamaica destinada a la exportación se puede identificar fácilmente por la etiqueta que reza "papaya por avión".

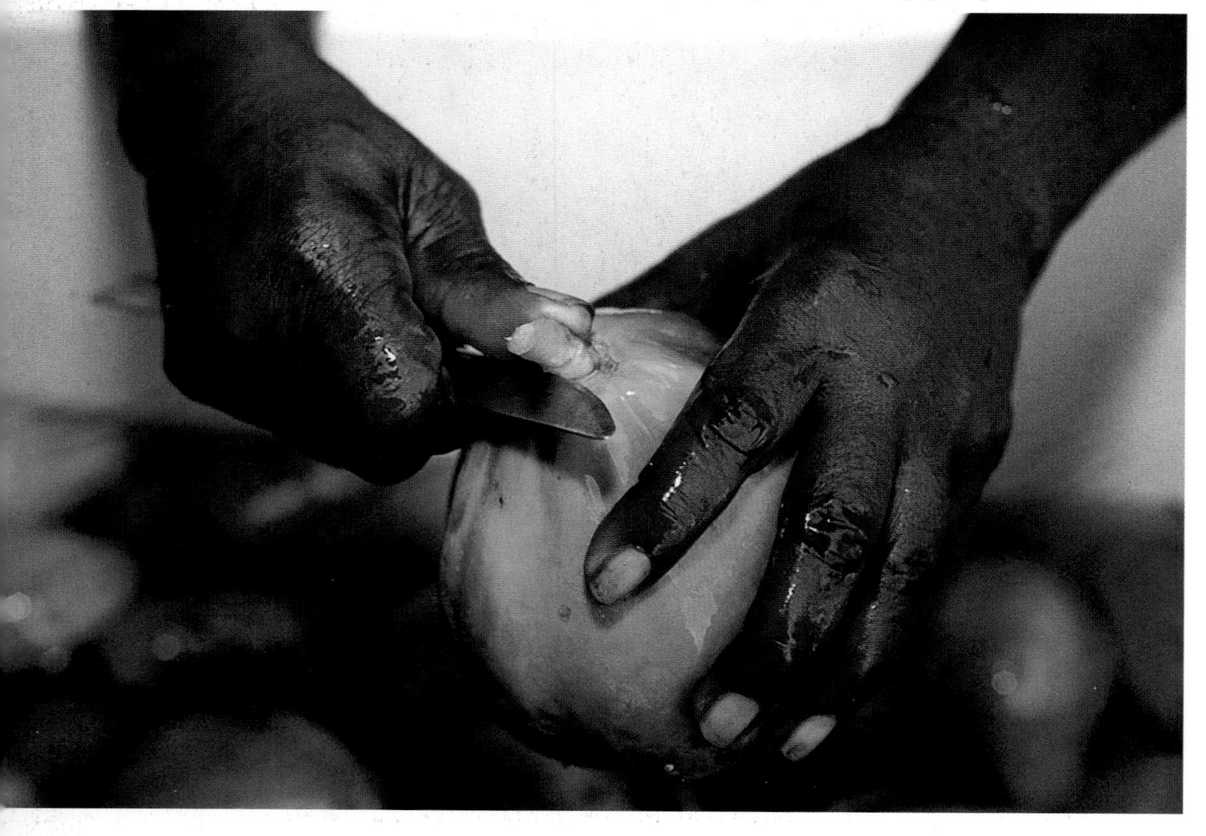

Chutney a la jamaicana

60 g de tamarindo seco
6 cucharadas de agua hirviendo
1 kg de mangos verdes pelados, despepitados y cortados en trozos de 2,5 cm
1 kg de papayas verdes peladas, despepitadas y cortadas en trozos de 2,5 cm
360 ml de vinagre de malta
250 g de azúcar
70 g de jengibre fresco
75 g de pasas sin semillas
1 cucharadita de ajo picado fino
1 cucharadita de guindillas rojas despepitadas y picadas finas
1/2 cucharadita de pimienta de Jamaica
5 cucharaditas de sal

Ponga el tamarindo en un cuenco pequeño y vierta encima el agua hirviendo. Déjelo en remojo 1 hora. Aplástelo de vez en cuando con una cuchara para ablandar la pulpa. Pase el tamarindo por agua y tamícelo sobre un cuenco, presionando con fuerza la fruta de modo que el sabor penetre de lleno en el agua al ser tamizado. Ponga los mangos y las papayas en una cazuela grande y vierta encima el vinagre y el agua de tamarindo. Llévelo todo a ebullición y cuézalo, removiendo, durante 10 minutos. Agregue el azúcar, el jengibre, las pasas, el ajo, las guindillas, la pimienta de Jamaica y la sal. Déjelo hervir sin tapar unos 45 minutos hasta que la fruta quede tierna. Retírela del fuego y reparta el chutney en tarros esterilizados. Ciérrelos enseguida y déjelos enfriar.

Sopa fría de papaya

1 papaya madura de 15 a 20 cm de longitud
azúcar al gusto
zumo de lima fresco al gusto

Pele la papaya, córtela por la mitad y retire las semillas. Guárdelas en el frigorífico en un recipiente hermético. Reduzca la papaya a puré en una batidora, añada azúcar y zumo de lima. Agregue un poco de agua si la mezcla se espesa demasiado. Sirva la sopa fría en copas de fruta con una cucharada de semillas en el centro. Para 2 personas.

Izquierda: antes de empaquetar las papayas se cortan los rabitos.

Derecha: un papayo cargado de frutos.

Papaya al horno rellena de carne

Para el relleno:

2 cucharadas de aceite vegetal o mantequilla para cocinar
1 cebolla grande picada fina
2 dientes de ajo picados finos
2 guindillas frescas despepitadas y picadas finas
1 ramita de tomillo fresco picado fino
4 ramitas de cebollino fresco picadas finas
2 ramitas de perejil picadas finas
4 tomates grandes pelados y picados
375 g de carne picada de vaca de primera calidad, o bien pollo o pescado
1/4 cucharadita de cúrcuma o achiote recién molidos
1/4 cucharadita de jengibre fresco molido
1/4 cucharadita de comino fresco molido
1 cucharadita de pimienta de Jamaica
1/2 cucharadita de cardamomo molido
sal y pimienta al gusto
125 ml de agua o caldo
1 cucharada de ron dorado de Jamaica

Caliente aceite en una sartén y sofría en ella la cebolla, el ajo, la guindilla, el tomillo, el cebollino, el perejil y el tomate hasta que quede todo tierno. Agregue la carne y todas las especias. Sazónelo todo al gusto con sal y pimienta negra. Añada agua o caldo y déjelo cocer a fuego medio durante 25 minutos hasta que se haya evaporado todo el líquido y la carne esté cocida y quede firme. Agregue ron justo antes de retirar la olla del fuego. Déjelo enfriar.

2,5 kg de papaya verde partida por la mitad y despepitada
125 g de queso *cheddar* rallado
60 g de queso parmesano

Precaliente el horno a 180°C. Rellene las papayas con el sofrito de carne. Póngalas en una fuente llana para asar y vierta agua hirviendo hasta cubrir 2,5 cm de la piel de las papayas. Hornéelas 1 hora. Espolvoréelas con queso rallado y hornéelas 30 minutos más. Sírvalas con queso parmesano. Para 4-6 personas.

Desayuno exótico

Pele una papaya y córtela en rodajas. Mezcle 2 cucharadas de miel con el zumo de 1 lima y rocíe la papaya con este preparado. Consérvela en el frigorífico 2 horas. Sírvala con rodajas de naranjas y bananas.

Papaya verde

Pele una papaya verde y córtela en dados o en pequeñas rodajas. Hiérvala en agua con sal hasta que quede tierna. Escúrrala, añádale un poco de mantequilla y sírvala a modo de verdura.

Pastel jamaicano de ortaniques al ron

6 ortaniques

250 g de mantequilla

250 g de azúcar extrafino

4 huevos

250 g de harina blanca

1 cucharadita de levadura en polvo

4 cucharadas de jalea de guayaba

2 cucharadas de ron de Jamaica

nata montada

azúcar glas para decorar

Precaliente el horno a 160°C. Corte en juliana la corteza de 1 ortanique, escáldela en agua hirviendo, escúrrala y sumérjala en agua fría, escúrrala de nuevo y resérvela para decorar el pastel. Ralle la piel de 1 ortanique y resérvela. Corte una rodaja de la parte superior e inferior de las ortaniques restantes, colóquelas sobre una tabla y retíreles la piel y la membrana blanca con un cuchillo de acero inoxidable afilado. Separe los gajos de la piel con el cuchillo y resérvelos. Exprima el jugo de la pulpa restante y resérvelo.
Bata la mantequilla y el azúcar hasta obtener una mezcla ligera y esponjosa. Agregue uno por uno los huevos ligeramente batidos, batiendo bien después de cada adición. Incorpore primero la mitad de la harina tamizada y la levadura, a continuación una cucharada de zumo y ralladura de ortanique y, por último, la harina restante. Vierta el preparado en dos moldes rectangulares de 5 x 21 cm forrados de papel de aluminio y hornéelos durante 1 hora. Para comprobar que el pastel está cocido pinche una broqueta en el medio y asegúrese de que sale seca. Deje enfriar el pastel en los moldes. Para preparar el glaseado ponga la jalea de guayaba en una cazuela pequeña con 1 cucharada de zumo de ortanique y caliéntela hasta que se funda. Déjela enfriar y añádale el ron. Desmoldee los pasteles y pinche la superficie con una broqueta o un palillo. Rocíelos con la mitad del glaseado. Monte la nata o, en caso de usar nata ya montada, extiéndala sobre la superficie de uno de los pasteles con una espátula. Coloque el otro pastel encima a modo de sandwich. Espolvoree azúcar glas por encima. Disponga las rodajas de ortanique alrededor de los bordes del pastel. Coloque la corteza reservada en el centro y riegue las ortaniques con el resto de la jalea de guayaba. Espolvoree más azúcar glas por el centro si es necesario.

Desayunar papaya es una formidable manera de empezar el día. Un chorrito de zumo de lima le añade un toque ácido.

Ortanique

La ortanique es una fruta de la familia de los cítricos *Rutaceae*. Fue descubierta en Jamaica y su aparición fue con toda probabilidad fortuita. Se trata de un cruce de mandarina *(mandarin C. reticulata)* y naranja dulce *(Citrus sinensis)*. De ahí su nombre, un acrónimo de ORange-TANgerine-unIQUE (naranja-mandarina-única). Hoy en día, la ortanique se cultiva a escala comercial en muchas islas del Caribe. Es apreciada por ser de gran tamaño, tener mucho zumo y pelarse con facilidad.

Chutney de mango a la jamaicana

60 g de tamarindo
6 cucharadas de agua hirviendo
2 kg de mangos verdes
375 ml de vinagre de malta
240 g de azúcar
75 g de pasas
70 g de raíz de jengibre pelada y picada fina
1 cucharadita de ajo picado fino
1 cucharadita de guindillas picadas finas
1/2 cucharadita de pimienta de Jamaica fresca molida
sal
1 chupito de ron de Jamaica

Ponga el tamarindo en un cuenco y vierta encima el agua hirviendo. Déjelo en remojo durante una hora, removiéndolo y aplastándolo de vez en cuando hasta que la pulpa se ablande y se deshaga en el agua. Pase el tamarindo y el agua del remojo por un tamiz, presionando con fuerza para extraer la mayor cantidad posible de pulpa. Deseche las semillas y filamentos restantes. Pele los mangos y despegue la carne del hueso; corte la fruta en trozos de 2,5 cm. Ponga los mangos y el vinagre en una cazuela de acero inoxidable, lleve la fruta a ebullición a fuego fuerte y déjela cocer 10 minutos, removiendo constantemente. Añada el azúcar, las pasas, el jengibre, el ajo, la guindilla, la pimienta de Jamaica y la sal junto con el agua del tamarindo, baje el fuego al mínimo y déjelo hervir todo sin tapar durante 45 minutos. Retire la cazuela del fuego y reparta el *chutney* enseguida en tarros herméticos esterilizados. Déjelos enfriar y guárdelos en una alacena oscura hasta su uso. Una vez abiertos se recomienda guardar el *chutney* en el frigorífico, si bien algunos isleños piensan que de esta forma se pierde la riqueza de su sabor.

Ugli *(Citrus sp.)*

Ésta es otra fruta originaria de Jamaica, si bien en la actualidad se cultiva también en otras islas del Caribe. Es el resultado de varios experimentos de cruces e hibridaciones, a partir de naranjas amargas, clementinas y pomelos. El ugli se encuentra en su mayor parte durante los meses de enero a mayo. Su aspecto no es precisamente atrayente (de ahí su nombre en inglés), pero se pela con gran facilidad, tiene escasas pepitas y una carne más dulce y jugosa que el pomelo.

Helado de papaya

4 cucharadas de arrurruz en polvo
1/2 l de leche
o 125 ml de leche evaporada y
125 g de azúcar de caña o
125 ml de leche condensada
1 papaya madura pelada, despepitada y hecha puré a mano o con batidora

Mezcle el arrurruz con un poco de leche. Caliente el resto de la leche en una cazuela y cuando rompa a hervir, incorpore el arrurruz poco a poco y déjelo cocer todo 3 minutos hasta que se espese. Retire la mezcla del fuego y déjela enfriar. Agregue la leche evaporada y el azúcar o la leche condensada y siga removiendo hasta que se haya disuelto por completo. Añada el puré de papaya y vierta el preparado en un recipiente para congelados. Al cabo de 1 hora retírelo del congelador y bátalo con brío con un tenedor. Vuelva a introducirlo en el congelador y repita la operación durante otra hora, y dos veces más en intervalos de 30 minutos. Congélelo de nuevo y sírvalo decorado con trozos de papaya y otra fruta.

Crema de papaya y ortanique

500 g de puré de papaya
250 g de ortanique cortada en trozos diminutos
250 g de coco rallado (si es posible fresco)
250 ml de nata doble
180 ml de leche
1/2 cucharadita de vainilla
3 huevos bien batidos
4 cucharadas de azúcar glas
1/4 cucharadita de jengibre fresco rallado
una pizca de sal
1/4 cucharadita de ralladura de lima

Mezcle el puré de papaya con los trocitos de ortanique y el coco rallado. Vierta la mezcla en una fuente de horno untada de mantequilla. Precaliente el horno a 190°C. En una cazuela caliente la nata, la leche y la vainilla hasta que empiecen a formarse burbujas. Pase el líquido caliente a un cuenco. Agregue los huevos, el jengibre, el azúcar y la sal, removiendo con fuerza para evitar que los huevos se cuajen. Vierta esta mezcla encima de la papaya, la ortanique y el coco y espolvoree la superficie con la ralladura de la lima. Ponga a calentar la fuente de horno al baño María (sobre una cazuela con agua caliente) y hornéela durante 30 minutos o hasta que cuaje la crema. Retírela del horno, déjela enfriar por completo y sírvala. La crema puede adornarse con rodajas frescas de papaya y ortanique. Para 4 personas.

Los Blue Mountains, una imponente cadena montañosa en el extremo oriental de Jamaica, cuna del café que lleva su nombre.

Café Blue Mountain *(Coffea arabica L.)*

Durante la Exposición Colonial de Londres de 1887, un cafetero británico hizo el siguiente comentario tras probar el café Blue Mountain de Jamaica: "La calidad de las muestras de café de los Blue Mountains y de otros parajes montañosos de Jamaica es tal que no queda sino alabar su modo de preparación; me veo incapaz de sugerir la manera de mejorar un café que raya la perfección no solo por su aspecto, sino lo que es más importante, por su sabor." Hasta la fecha, el café Blue Mountain sigue figurando entre uno de los mejores cafés del mundo. Es el café predilecto de la realeza así como de los expertos más exigentes del mundo.

La historia del café Blue Mountain se inicia con Luis XIV al ser obsequiado con café de la variedad *Arabica* por cortesía del alcalde de Amsterdam en 1713. La planta original de Java fue introducida en los Jardines Botánicos de Amsterdam, donde al fertilizarse a sí misma, floreció y dio fruto. En 1720 fue enviada a Martinica una progenie de la planta cultivada en París por De Jussieu. Una de las plantas sobrevivió a la travesía y una progenie de ésta fue enviada a su vez a Jamaica en 1730 y dio origen a la variedad Blue Mountain.

Los Blue Mountains forman una majestuosa cadena montañosa a lo largo del extremo oriental de Jamaica. La cumbre más elevada se encuentra a 2.250 m sobre el nivel del mar. Las temperaturas pueden descender a 4°C; dado que Jamaica está situada entre los trópicos, la formación de nieve o hielo no se da ni siquiera a estas altitudes. Bajo la línea de los 1.500 m, el terreno y el clima son idóneos para el cultivo del café, con precipitaciones moderadas y regulares, temperaturas bajas, sol en abundancia y un suelo fértil. El ingrediente final son los campesinos para quienes la industria del café ha supuesto el pilar económico durante generaciones. Ellos se encargan de labrar la tierra, cuidar de los cafetos y cosechar con sumo esmero las bayas verdes y rojas entre octubre y marzo.

La calidad se impone como máxima prioridad desde la recolección hasta el envasado del café. El minucioso proceso de reducción de pulpa, lavado, curación, extracción de la baya y selección se realiza según los métodos tradicionales. El café resultante se somete a una prueba de apariencia y sabor similar a la cata de vinos, en la que los expertos determinan si cumple con los requisitos de aroma y sabor que acreditan su fama. En el caso del café jamaicano Blue Mountain, basta con que los profesionales encargados de su selección remitan un telegrama con la descripción del producto al Departamento de Exportación de Café para que éste tramite su venta, mientras que los demás exportadores deben presentar muestras del producto antes de su comercialización.

Dado que el cultivo de esta variedad de café se realiza en una zona restringida y relativamente pequeña, y su salida nunca ha alcanzado ni alcanzará un elevado volumen de ventas, se trata de un producto poco común y muy solicitado, lo que se refleja en su precio. La práctica totalidad del café Blue Mountain verde o torrefacto lleva una etiqueta de diseño especial que certifica su autenticidad en los mercados internacionales. Japón es su principal comprador. Las marcas más conocidas son Langford Brothers, Jablum, Wallenford Blue, Salada y Jamaica Standard Products. Tia Maria, el famoso licor de café tan apreciado hoy en día en todo el mundo, se elabora con café jamaicano Blue Mountain.

Derecha: los espectaculares Blue Mountains de Jamaica.

El proceso de elaboración del café

1. Los trabajadores cosechan y reúnen en un mismo sitio las bayas de café.

2. Se extrae la capa externa de las bayas.

3. Los granos se ponen a secar al sol en grandes rejillas y se rastrillan varias veces al día para un mejor secado.

4. Los granos de café se tuestan a la lumbre para que adquieran su característico aroma "a leña".

Café caribeño

- 1 golpe de Tia Maria
- 1 golpe de ron oscuro de Jamaica
- 1/2 golpe de almíbar (opcional)
- café Blue Mountain
- nata montada
- virutas de chocolate

En un vaso largo resistente al calor vierta el Tia Maria y después el ron. Añada el almíbar y rellene el vaso con café Blue Mountain hirviendo. Decore la superficie con abundante nata montada y virutas de chocolate. Para 1 persona.

1. Café Blue Mountain molido de calidad superior 2. Granos de café torrefactos 3. Bayas de café recién cosechadas

Pimienta de Jamaica

(Pimenta dioica)

Mucha gente piensa erróneamente que la pimienta de Jamaica es una mezcla similar a un condimento francés denominado cuatro especias (compuesto de pimienta blanca, clavo, jengibre y nuez moscada). En realidad, la pimienta de Jamaica era una baya conocida únicamente en las tierras indígenas de Centroamérica y el Caribe hasta la llegada de los europeos. En Jamaica, esta especia crece casi de forma espontánea. Al descubrirla los europeos la bautizaron con el nombre de pimienta de Jamaica.

En verano, los pimenteros aparecen cubiertos de pequeños capullos blancos cuya fragancia sensual invade el aire con un exótico perfume. Tanto la corteza como las hojas, las flores y las bayas son aromáticas. El árbol puede alcanzar 12 m de altura, aunque las ramas inferiores se hallan a veces a menos de 1,5 m del suelo, un hecho que no se les escapa a los niños que adoran su fruto. Si bien el pimentero tarda de cinco a siete años en dar fruto, llega a producir bayas durante 100 años.

Los arahuacos utilizaron por primera vez su fruto para conservar la carne. En 1655 los colonizadores británicos hicieron aumentar su demanda; mucho antes, se había exportado este producto a Inglaterra para su uso en encurtidos, tartas de frutas, carnes picadas, *puddings* de ciruelas y popurrís. Hasta la fecha, Jamaica ostenta en gran parte el monopolio de la exportación de esta especia.

Aunque el uso de la pimienta de Jamaica está extendido hoy en día, parece existir aún cierta confusión respecto a esta especia. Las bayas se venden a veces en el mercado como pimienta de Jamaica y en polvo como pimienta. Se llame como se llame, se trata de una especia de múltiples aromas que parece conjugar la esencia de otras especias, incluyendo la pimienta, la canela, la nuez moscada, el clavo y un toque de jengibre. Las bayas enteras de color rojizo son del tamaño de un guisante y tienen una superficie un tanto áspera. Su aroma se concentra no tanto en su interior como en la cáscara externa, la cual se comercializa molida.

En Jamaica, la baya madura de esta especia se utiliza actualmente en la preparación del Pimento Dram, un delicioso licor de ron. La pimienta de Jamaica se emplea en las islas y en todo el mundo para sazonar mariscos, realzar el sabor de las cebollitas en vinagre, los huevos y hasta la remolacha. En la industria alimentaria se utiliza en la elaboración

La baya de la pimienta de Jamaica crece en racimos tras producirse la polinización de las flores.

de ketchup, encurtidos, salchichas y carnes en conserva. Constituye un ingrediente básico de la tradicional mezcla de especias empleada en la marinada de frutas, verduras y en el té aromatizado, una bebida caliente. En Oriente Próximo se utiliza especialmente en las hojas de parra rellenas. Por otro lado, en Italia un pastrami no sería nada sin esta especia.

En la industria farmacéutica la pimienta de Jamaica sirve para aromatizar los medicamentos. En las islas se emplea además para aliviar trastornos digestivos e intestinales. Con esta especia se obtiene asimismo un aceite esencial utilizado como componente básico en las colonias para hombre.

Huevos y remolacha en vinagre con pimienta de Jamaica

- 6 huevos duros
- 12 remolachas pequeñas cocidas y peladas
- 1 cebolla pequeña cortada en aros finos
- 6 granos enteros de pimienta negra
- 6 guindillas de primavera o 1 guindilla roja
- 1 cucharadita de pimienta de Jamaica en grano
- 3 clavos de especia enteros
- 1 l de vinagre de malta
- 1 cucharadita de sal
- 125 g de azúcar moreno
- 1 cucharada de ron blanco de Jamaica

En un cuenco refractario mezcle los huevos, la remolacha, la cebolla, los granos de pimienta, la guindilla, la pimienta de Jamaica y los clavos. En un cazo ponga a hervir el vinagre, la sal y el azúcar. Añada el ron. Riegue con el preparado la mezcla de remolacha y huevo. Déjela enfriar y refrigérela una semana. Empléela en ensaladas y como aperitivo. Dura hasta 2 semanas más en el frigorífico. Para 6 personas.

Cerdo a la pimienta de Jamaica

500 g de huesos de cerdo con tuétano
1 cucharada de aceite de coco
1 cucharada de azúcar moreno
750 g de carne de cerdo, de la espaldilla, cortada en dados
1 cebolla grande picada fina
2 dientes de ajo picados finos
1 ramita de tomillo fresco picada fina
2 ramitas de cebollino picadas finas
1/2 guindilla roja despepitada y picada fina
1 cucharadita de sal
1 cucharada de pimienta de Jamaica recién molida
1 cucharada de vinagre de vino tinto
1 lata de crema de coco
1 cucharada de ron de Jamaica

Ponga los huesos en una olla, cúbralos de agua, llévelos a ebullición y déjelos hervir durante 40 minutos, retirando de vez en cuando el exceso de grasa. Resérvelo. En una olla de hierro grande vierta el aceite de coco, añada el azúcar y caramelícelo. Agregue la carne de cerdo y fríala hasta que esté dorada. Incorpore la cebolla, el ajo, el tomillo fresco, el cebollino, la guindilla y la sal y sofríalo todo unos minutos hasta que se dore. Añada la pimienta de Jamaica y déjelo cocer todo 5 minutos. Agregue el caldo de los huesos –la cantidad suficiente para cubrir la carne y los demás ingredientes de la olla–. Déjelo hervir todo durante 15 minutos y añada el vinagre. Hiérvalo 10 minutos más y agregue la crema de coco. Déjelo cocer durante 1 hora aproximadamente a fuego lento y tápelo. Agregue más caldo si el guiso se espesa demasiado. Justo antes de servirlo añada ron.
Sirva el cerdo sobre un lecho de arroz blanco con verduras. Para 4 personas.

Conejo al ron y a la pimienta de Jamaica

1 conejo limpio y preparado para cocinar
2 dientes de ajo picados finos
5 cucharadas de ron blanco de Jamaica
2 cucharadas de mantequilla
1 cucharada de aceite de oliva virgen
1/2 guindilla roja despepitada y picada fina
1 cebolla grande picada fina
1 tallo de apio fresco picado fino
2 cucharadas de zanahorias frescas cortadas en dados
4 ramitas de cebollino fresco picadas finas
de 8 a 10 bayas de pimienta de Jamaica recién molidas
4 ramitas de tomillo fresco picadas finas
1 cucharada de perejil fresco picado fino
sal y pimienta fresca molida al gusto
6 cucharadas de vino blanco

Lave a fondo la carne y practique varios cortes en ella. Frote los cortes con sal, pimienta negra y ajo. Riegue la carne con ron blanco. Tápela y déjela marinar en el frigorífico toda la noche, dándole la vuelta para que los jugos penetren en ella de manera uniforme. Al día siguiente, caliente a fuego lento la mantequilla y el aceite en una olla de hierro fundido. Escurra el conejo troceado y reserve la marinada. Incorpore la guindilla a la mantequilla. Fría el conejo hasta que se dore. Agregue la cebolla, el apio, las zanahorias y el cebollino, y déjelo cocer todo hasta que quede tierno. Agregue la pimienta de Jamaica, el tomillo y el perejil, y salpimiéntelo al gusto. Tápelo y déjelo cocer durante 25 minutos. Ponga a hervir la marinada y el vino blanco en una olla aparte e incorpore después el conejo. Déjelo hervir 20 minutos más o hasta que el conejo quede tierno. Rectifíquelo de sal y pimienta si es preciso.
Sirva el conejo con arroz blanco y las verduras que desee. Para 4-6 personas.

Bayas de pimienta de Jamaica recogidas directamente del árbol. Jamaica es el principal exportador de esta especia del Caribe.

Preparado para encurtidos

1 kg de jengibre seco
850 g de mostaza en grano
750 g de clavos de especia
1 kg de pimienta negra en grano
750 g de guindilla de primavera o 450 g de guindilla roja seca
375 g de macis
375 g de semillas de cilantro
1,75 kg de pimienta de Jamaica

Mezcle todos los ingredientes juntos. Guarde el preparado en un tarro con cierre hermético y utilícelo para encurtidos como cebollitas, remolacha y otras verduras en vinagre.

Jengibre

(Zingiber officinale)

El jengibre, una de las especias más antiguas e importantes del mundo, se cultiva en Asia desde hace 3.500 años, si bien aún no se ha determinado con exactitud su lugar de origen. Lo que sí es cierto es que pese a la expoliación de las islas por parte de los españoles, la introducción del jengibre en el siglo XVI supuso una gran aportación para el Caribe. Su uso ha llegado a ser tan popular que en los países de habla inglesa se utiliza como metáfora de algo picante: se emplea para describir el color del cabello de una persona pelirroja –de la que se suele decir que tiene genio–, para calificar a una persona llena de vida o como sinónimo de animarse.

Hoy en día el jengibre se cultiva con profusión en la mayoría de las islas del Caribe. Los expertos consideran el jengibre de Jamaica como el mejor del mundo. Aunque la mayoría se exporta a Europa, el consumo local supone un elevado porcentaje de la producción. El rizoma de jengibre fresco es una raíz bulbosa de color beige, nudosa, ramificada y de forma extraña. En las islas se utiliza en todo tipo de preparaciones, desde guisos hasta currys y panes. El vino de jengibre es muy popular y el té de jengibre se emplea con fines medicinales, para temperar el estómago y aliviar las molestias gastrointestinales. El jengibre confitado es un manjar tradicional que en los últimos años se ha recuperado para su comercialización.

El jengibre se cultiva con profusión en gran parte de las islas del Caribe. La fertilidad del suelo garantiza la calidad del jengibre, potenciando su sabor picante.

Cómo elegir y guardar el jengibre fresco:

El jengibre entero debe presentar una raíz rolliza pero firme, de piel suave aunque nudosa, y un color de ante uniforme. Si bien el jengibre se puede conservar a temperatura ambiente, para prolongar su duración se recomienda meterlo en una bolsa de plástico y guardarlo en el frigorífico.

Cómo utilizar el jengibre fresco:

La piel del jengibre debe retirarse con un cuchillo afilado, lo que no resulta una tarea fácil debido a su extraña forma. Una vez pelada, la raíz se emplea en la cocina cortada, rallada o picada. El jengibre se pica con mayor facilidad si primero se golpea con la cara plana del cuchillo para separar así las fibras. El jengibre molido comercializado no es tan picante ni sabroso como el jengibre fresco.

¿Sabía que…

…dado que el jengibre es fácil de transportar, fue la primera especia oriental exportada a todo el mundo? Hacia el siglo XIX el jengibre se había hecho tan popular como la sal y la pimienta. Un buen condimento para cocinar se consigue mezclando una cucharadita de sal, de pimienta y de jengibre molido. La ralladura seca de lima o de limón le añade un toque especial.

Té de jengibre

1 trozo grande de jengibre
1 tetera de agua
1 hoja de laurel
azúcar o miel al gusto

Pele el jengibre y córtelo en trozos grandes. Añada el agua con la hoja de laurel y llévelo todo a ebullición. Déjelo hervir 5 minutos. Sírvalo caliente con azúcar o miel al gusto. (Esta receta es indicada para aliviar dolores estomacales y como reconstituyente del organismo. Se toma con un poco de ron para aliviar los síntomas gripales y purificar los riñones. Estudios recientes han probado su eficacia para activar la circulación sanguínea.)

Ron de jengibre rosado

1 botella de cristal limpia
3 raíces de jengibre peladas y cortadas en dados
1 hoja de laurel
1 ramita de canela
1 l de ron blanco

Ponga todos los ingredientes en una botella y déjelos reposar dos semanas hasta que hagan infusión debidamente. (Un traguito de este ron ayuda a hacer la digestión y se dice que quita la resaca.)

Pollo condimentado con jengibre

30 g de mantequilla
6 pechugas de pollo sin piel
2 dientes de ajo picados finos
1/2 cucharadita de cúrcuma fresca molida
de 1 a 2 cucharadas de *garam masala* o curry de Madras
1 cucharada de jengibre picado fino y machacado
1/2 cucharadita de pimienta de Jamaica
1/2 cucharada de harina
500 ml de caldo de pollo
1 hoja de laurel
1/2 cucharadita de sal
1/2 cucharadita de pimienta negra en grano
1/4 cucharadita de guindillas rojas frescas picadas finas
3 cucharadas de yogur natural

Derrita un poco de mantequilla en una sartén caliente y fría las pechugas de pollo hasta que estén doradas. Añada el ajo, la cúrcuma, el curry, el jengibre y la pimienta de Jamaica y mézclelo todo junto. Retire la sartén del fuego y resérvelo todo. Agregue el resto de la mantequilla y deje que se derrita. Añada luego la harina y forme una pasta. Incorpore el caldo de pollo poco a poco, removiendo a la vez, hasta que se espese la mezcla. Agregue la hoja de laurel, la sal y los granos de pimienta. Incorpore las pechugas de pollo y esparza por encima la guindilla. Tápelo todo y déjelo hervir hasta que el pollo se cueza. Antes de retirarlo del fuego, agregue el yogur y mézclelo con la salsa. Si hay poco líquido, puede añadir un poco de leche de coco o agua. Sirva el pollo sobre un lecho de arroz blanco. (Esta receta se puede servir también fría retirando el pollo antes de añadir el yogur. Déjelo enfriar y nápelo despúes con yogur frío mezclado con un poco de salsa. En este caso una ensalada sería el acompañamiento ideal.) Para 6 personas.

Galletas de jengibre de la isla

250 g de miel
90 g de azúcar moreno
30 g de mantequilla
una pizca de canela
una pizca de clavos de especia molidos
3 cucharaditas de jengibre fresco molido
400 g de harina tamizada
1 yema de huevo
1 cucharadita de ron dorado
1/2 cucharadita de extracto de vainilla
1 cucharadita de bicarbonato sódico

Precaliente el horno a 160°C. En una cazuela caliente la miel, el azúcar y la mantequilla, removiendo hasta obtener una mezcla homogénea y el azúcar se haya disuelto. Agregue la canela, los clavos y el jengibre y deje enfriar la mezcla. Ponga en un cuenco 2/3 de la harina e incorpore la yema de huevo con la mezcla de miel. Agregue el ron dorado y la vainilla. Disuelva el bicarbonato sódico en un poco de agua templada y añádalo a la mezcla. Trabájela añadiendo harina suficiente para obtener una masa para galletas consistente. Extiéndala sobre una superficie enharinada hasta que presente 1,3 cm de grosor. Obtenga galletas con diferentes moldes de pastas, con forma de animales o de figuras humanas. Colóquelas sobre una bandeja de horno enharinada y engrasada y hornéelas de 10 a 12 minutos. Sáquelas del horno y déjelas enfriar antes de servirlas. Para 12-18 galletas.

El jengibre molido se utiliza como condimento en todo el mundo.

Sangster's

World's End constituye una de las fábricas de licores más inusitadas y románticas del mundo. Enclavada en una ladera a 760 m de altura en los Blue Mountains de Jamaica, la fábrica fue fundada (y continúa estando dirigida) por Ian Sangster, nacido en Escocia y doctorado en química en Alemania. En 1967, Sangster llegó a Jamaica para impartir clases en la Universidad de las Antillas. Hacia 1974, junto con su esposa jamaicana se dedicaba de lleno a la producción de aguardientes Sangster's Old Jamaica en una estancia trasera de su casa. Dos toneles de ron añejo, una olla de mezclas de 38 litros y una balanza analítica fueron los utensilios que propiciaron la creación de estos licores exóticos y hoy famosos.

En la actualidad, la firma se encarga de la mezcla de sus propios licores, la obtención de extractos y esencias a partir de especias y frutas tropicales y, naturalmente, de la producción de sus licores. Su secreto reside en el empleo de extractos naturales, en gran parte de fabricación propia, obtenidos de especias y frutas jamaicanas, azúcar de caña puro, ron añejo jamaicano y el aire propicio de la cordillera de los Blue Mountains.

Estos licores suelen presentarse en hermosos recipientes de cerámica, réplicas de aquéllos en los que se importaban los caldos y aguardientes de Europa y que después aprovechaban los colonos jamaicanos para embotellar ron. La jarra Port Royal es una reproducción en gres de la jarra de un pirata descubierta en la ciudad hundida de Port Royal que quedó sumergida bajo las aguas durante un terremoto ocurrido en 1692. La Handcrafted Flagon es una imitación del diseño inglés tradicional de una botella de 2 l con asa. La Gothic Flagon es una sencilla jarra de gres que encaja dentro de un maletín, un formato ideal para viajeros, incluyendo muchos hombres de negocios de paso por el Caribe. La Seville Flagon es una reproducción de una antigua jarra con un vidriado de sal y motas marrones destinada a aguardientes europeos.

Todas las escenas históricas que ilustran las etiquetas de los productos de Sangster's son copias de cuadros y grabados de artistas jamaicanos como Kidd, Belisario y Hakewill que lograron captar el color y el carácter poético de la vieja Jamaica a principios del siglo XIX. Los originales se hallan en el Institute of Jamaica y en la National Gallery.

Licor de café Blue Mountain
Este licor se elabora con café Blue Mountain procedente de las plantaciones que Sangster's posee en Abbey Green, a unos 1.670 m de altura, mezclado con ron añejo jamaicano selecto. Se trata de un licor suave e intenso, con un toque final seco que resulta único. Fue premiado con una medalla de oro en el Concurso Internacional de Vinos y Aguardientes de 1978 celebrado en Bristol.

Licor de naranja amarga
La naranja amarga de Jamaica tiene un sabor peculiar debido a la combinación del suelo y el clima de la isla. El sutil sabor aromático de esta naranja se ha mezclado con los mejores rones añejos de Jamaica para producir un licor exquisito. Ganó una medalla de oro en el Concurso de Vinos y Aguardientes de 1976 celebrado en Londres.

Ron de coco
La sabia mezcla de ron dorado añejo de Jamaica con el sabor del coco da como resultado un fabuloso producto de gran versatilidad y la misma intensidad que el ron común. Puede servirse solo con hielo o con una amplia variedad de zumos de frutas. También se emplea para aromatizar pasteles, tartas, coberturas y glaseados.

Licores de crema
Mezclando crema de leche normal y ron jamaicano con frutas y especias, Sangster's ha creado una gama de excelentes licores de crema entre los que se incluye la crema de ron dorado, la crema de café Blue Mountain, la crema de coco y la crema de plátano. Acredita su calidad la medalla de oro para los licores de crema concedida a la crema de ron dorado en el Concurso de Vinos y Aguardientes de 1987 celebrado en Londres.

Ron blanco Sangster's
Con una graduación de 111 por ciento, este ron blanco aporta vigor a la suavidad de los cócteles. De hecho, resulta tan suave que puede tomarse solo servido con cubitos de hielo.

La fábrica de World's End de Sangster's situada en los Blue Mountains de Jamaica.

Ron dorado de lujo Sangster's

Jamaica sigue produciendo mayor variedad de rones de tipos y sabores distintos que cualquier otra isla del Caribe. Éste se elabora con un alto porcentaje de excelentes rones de sabor suave, producidos mediante los lentos métodos tradicionales en antiguos alambiques, mezclados con rones más ligeros. El resultado es un ron suave con un aroma y sabor característicos. Fue premiado con una medalla de oro en el Concurso de Vinos y Aguardientes de 1987 celebrado en Londres.

El Pimento Dram de Sangster's es uno de los licores más exquisitos del mundo.

Mousse-mousse jamaicano

90 g de chocolate común
30 g de mantequilla
3 huevos (yemas y claras por separado)
4 cucharadas de crema de ron dorado Sangster's
125 g de nata montada

Trocee el chocolate y páselo a un cuenco colocado sobre una olla con agua caliente. Añada la mantequilla y deje que se fundan ambos ingredientes, removiendo un par de veces. Incorpore las yemas y bátalas bien. Cuando la mezcla quede homogénea retírela del fuego e incorpore la crema de ron dorado Sangster's. Monte las claras a punto de nieve y agréguelas poco a poco a la mezcla de chocolate. Repita la operación con la nata montada. Reparta la crema en platos individuales y refrigérela. Para 6 personas.

Trufas a la crema de naranja

125 g de chocolate normal
60 g de mantequilla
2 cucharadas de licor de naranja amarga Sangster's
1 cucharada de nata doble
60 g de almendras molidas
245 g de azúcar glas tamizado
chocolate líquido tamizado

Derrita el chocolate y la mantequilla en un cuenco colocado sobre un cazo de agua caliente. Agregue el licor y la nata. Incorpore las almendras molidas y el azúcar glas. Déjelo reposar, forme bolitas con la mezcla y recúbralas de chocolate líquido. Póngalas en envoltorios de papel y refrigérelas. Para 12 trufas.

Negril Sunset

1 parte de crema de coco Sangster's
1 parte de licor de naranja amarga Sangster's
2 partes de zumo de naranja
un chorrito de zumo de lima
un chorrito de jarabe de fresa
1 yema de huevo

Mezcle todos los ingredientes con hielo picado. Sirva la bebida adornada con una guinda.

Orangeotang

1 parte de licor de naranja amarga Sangster's
1/2 parte de Pimento Dram Sangster's
2 partes de leche
1 1/2 partes de zumo de naranja
un chorrito de jarabe de fresa

Mezcle todos los ingredientes con hielo picado. Sirva la bebida en un vaso largo con una rodaja de naranja.

El movimiento rastafari de Jamaica

Poco a poco hemos recuperado la confianza del Dios de África, y su voz atronadora hará temblar los pilares de un mundo injusto y corrupto, y devolverá a Etiopía su antiguo esplendor.
Marcus Garvey

Rojo por la sangre
Verde por la Tierra
Dorado por el sol
Los colores rastafari

Cannabis sativa L. o el cáñamo recibe también el nombre de marihuana, ganja, hierba sagrada o hierba de la sabiduría.

El movimiento rastafari, surgido en Jamaica, es una fuerza cultural que ha adquirido una popularidad creciente a gran escala. Aun así apenas existe documentación al respecto y por desgracia ciertos elementos deplorables de la sociedad han empañado la reputación de dicho movimiento al dejarse crecer las "melenas" y hacerse llamar rastafaris, hablar su lengua y cometer actos delictivos. Han sido precisos varios decenios para que se empiece a considerar a los rastafaris con el debido respeto. Tratan por todos los medios de hacer ver a una sociedad incrédula que el rastafarianismo es en realidad una filosofía basada en la naturaleza y la libertad.

Hoy en día, en el Caribe, así como en las grandes ciudades de Norteamérica y Europa adonde han emigrado muchos caribeños, es normal ver a individuos de aspecto llamativo caminando ufanos por la calle, con los cabellos enmarañados cayendo sobre los hombros o recogidos en la típica boina jamaicana con los vivos colores del movimiento: rojo, dorado y verde.

El movimiento rastafari se dio a conocer al mundo entero por primera vez cuando el finado Bob Marley, devoto rastafari, popularizó la música *reggae* (música rasta) en todo el planeta, filtrando las letras que hablaban de sufrimiento, paz, libertad, amor y comprensión en los hogares de gentes de todas las nacionalidades. La música *reggae* conserva en la actualidad su popularidad. La sencillez de su ritmo se asocia a la armonía del latido del corazón al compás de los sonidos de la naturaleza.

La cultura rastafari logra conmover mediante la filosofía, el arte y la música a quienes antes permanecían indiferentes. Pintores, poetas, escultores y bailarines han logrado dejar una huella imborrable con sus fascinantes energías creativas.

Lamentablemente, como ocurre con todos los movimientos religiosos, hay quien lleva la doctrina básica a los extremos, lo que provoca profundos malentendidos, miedo y odio en la sociedad.

El movimiento rastafari se originó en los suburbios de Kingston en los años treinta en la época en que Haile Selassie fue coronado emperador de Etiopía. El descontento social y la pobreza reinaban en Jamaica, en la que "los blancos" controlaban la mayor parte de la economía. Sometidos a una vida de miseria en los arrabales de Kingston, un grupo de negros, que consideraban el ataque de Mussolini en Etiopía como una muestra más de la opresión blanca, crearon una agrupación que rechazaría toda forma de dominio y poder blanco, incluyendo la Iglesia cristiana.

El nuevo culto tomó como guía las enseñanzas del Antiguo Testamento y el Apocalipsis. Sus seguidores rechazaban la estructura y los valores sociales del Caribe. Jamaica era comparada con Babilonia, un infierno donde no existía la esperanza. Haile Selassie, emperador de Etiopía, pasó a ser su Dios. Los rastafaris se identificaron con la reencarnación de los antiguos israelitas, y del mismo modo que éstos habían vivido el éxodo y el regreso desde Egipto a la tierra prometida, ellos volverían de nuevo a África (Sión). Esta aspiración se hacía eco de la reivindicación de Marcus Garvey del retorno de los negros jamaicanos a la patria africana. Hasta la fecha, el Ethiopia Royal Nation Wealth Kingdom y la Asociación Universal para el Progreso de los Negros de St. Andrew, Jamaica, no han cesado de presionar al gobierno de la isla exigiendo la repatriación de los negros a África.

Los seguidores de este movimiento lucen largos cabellos rasta (o grifos) como símbolo de sus raíces y de la melena del león de Judea, que a su vez representa a Haile Selassie. Según la Biblia de los rastas, *The Holy Piby*, está escrito: "No se raparán el pelo, ni se afeitarán los lados de la barba, ni tampoco se harán cortes en la cara." Dos de los símbolos más relevantes del rastafarianismo son el anillo real de Haile Selassie y esta Biblia. Se dice que la iglesia ortodoxa de Etiopía dejó en herencia a Haile Selassie este anillo que perteneció al mismísimo rey Salomón, quien lo legó a la reina de Saba para que ésta a su vez pudiera dárselo a su hijo, el príncipe Menelik I de Etiopía. Éste se convirtió en el primer monarca de una dinastía que se prolongó durante más de 3.000 años y finalizó con el fallecimiento de Haile Selassie. A su muerte, en 1975, el anillo desapareció. Algunos afirman que fue entregado a Bob Marley.

Si bien los colores que se suelen llevar son el rojo, el amarillo y el verde, los verdaderos colores rastafaris son el negro por África, el rojo por la iglesia triunfante y el verde por la belleza y vegetación de Etiopía.

Los rastafaris tienen una imagen de sí mismos en primera persona. Todo individuo es hijo de Jah (Dios) y tiene contacto directo con el Padre. Los hijos de Jah no mueren sino que pasan a la vida eterna. Por ello no utilizan el pronombre "me" ya que lo identifican con un signo de subordinación, al ser considerado un objeto en la sociedad. De ahí que la primera persona del plural sea "yo-y-yo".

La costumbre de dejarse crecer las rastas, el cabello enmarañado, sin cortárselas proviene de la interpretación del Levítico en el que se prohíbe afeitarse la cabeza. La otra cuestión relacionada a menudo con los rastafaris procede del Génesis: "Dijo Dios: Ved que os he dado toda hierba de semilla que existe sobre la haz de toda la tierra", y del salmo 18: "Una humareda subió de sus narices, y de su boca un fuego que abrasaba, (de él salían carbones encendidos)." Para los rastafaris este pasaje revela que Dios fumaba hierba. En consecuencia, defienden el uso de la ganja, la hierba sagrada, *Cannabis sativa*, y rechazan el consumo de cualquier otra droga.

La ganja o marihuana se conoce entre los rastafaris como la "hierba sagrada" o la "hierba de la sabiduría". La pipa de arcilla utilizada para fumar recibe el nombre de "cáliz" o "santo grial". La hoja seca de banano es el papel preferido para enrollar la hierba a modo de cigarrillo –todo natural–. Según la doctrina del rastafarianismo, el resto del mundo aplica un doble rasero, al permitir el uso del alcohol y el tabaco y rechazar al mismo tiempo la mayoría de las hierbas naturales y terapéuticas. Para ellos, el uso de la hierba fumada, en infusión o como especia para cocinar, o la aplicación de la ceniza sobre la piel es un don divino para la salud.

De hecho, se sabe perfectamente que la marihuana se administra de forma legal en algunas partes del mundo para aliviar los problemas asmáticos así como el dolor de los enfermos de sida y cánceres terminales. El uso de esta hierba se ha legalizado en Holanda y se ha despenalizado en otros muchos países. En algunos lugares se ha legalizado la tenencia de marihuana en cantidades reducidas para consumo personal. Sin embargo, persiste la teoría generalizada de que esta hierba es una droga perjudicial para la salud, por lo que no deja de ser objeto de un intenso debate y de constantes presiones a favor y en contra de su legalización.

Derecha: un rastafari, en plena contemplación espiritual, fuma un "canuto" enrollado en hojas secas de banano.

Una de las facetas de mayor interés del movimiento rastafari es la cocina, cuyas raíces se asientan también en sus profundas creencias religiosas. El verdadero rastafari es un vegetariano estricto, que consume únicamente alimentos naturales y vitales denominados "ital", es decir, aquellos que apenas necesitan cocción y que no contienen sustancias químicas como los productos envasados y procesados. Algunas facciones del rastafarianismo interpretan la doctrina filosófica copta o macabea de la Biblia, según la cual se permite el consumo de pescado pero no de marisco, como la langosta, el cangrejo de mar o las gambas, ni de tiburón, al considerarse todos ellos carroñeros del mar. Por otra parte, no pueden comer ningún pescado que supere los 30 cm. Los licores, la leche, el café y los refrescos se consideran bebidas antinaturales. El cerdo es repudiado por tratarse de carne impura con la cual debe evitarse todo contacto directo.

Prevalece el lema "eres lo que comes". Los aditivos, conservantes y alimentos procesados no se consideran "ital" (aunque se admiten si no hay elección), al igual que la sal y la harina blanca. Los huevos no se incluyen en la dieta normal. Se prefiere leche de coco o de soja a la leche de vaca. Las hierbas y especias son "ital" y se emplean en abundancia para complementar o realzar la esencia natural de otros ingredientes.

El cuidado es una máxima en la cocina rastafari, un don sagrado que debe estar presente desde que se prepara hasta que se sirve la comida. Los rastafaris se enorgullecen de la pulcritud de sus cocinas, utensilios, alimentos y el "yo-y-yo" durante la preparación de la comida. Antes de cocinar, es un signo de pureza y "acercamiento a Jah" lavarse por completo como vía de purificación de cuerpo y espíritu. Las verduras empleadas también deben quedar limpias, generalmente de seres orgánicos.

Cabe destacar que muchos rastafaris prefieren cocinar y que las mujeres les ayuden. Hay hogares en los que lo normal es que la mujer tenga una profesión y el hombre se quede en casa al cuidado del jardín, los hijos y la cocina. Cada miembro de la familia asume su papel con orgullo, y lo desempeña con humildad y fortaleza. Los auténticos rastafaris no pueden trabajar o viajar en avión, al que llaman "pájaros de acero", una prohibición que se ha flexibilizado ante la fuerza del progreso.

1. Guiso "ital" con *dumplings* de harina de maíz 2. Sopa "ital" de cacahuetes 3. *Brownies* de chocolate 4. Pan de harina de maíz 5. Limas 6. Cacahuetes 7. Té de hierbas 8. Arroz "ital" con judías 9. Salsa picante 10. Ensalada rasta

Arroz "ital" con judías

180 g de judías de ojo
agua fría
250 ml de leche de coco
1 ramita de tomillo
pimienta negra recién molida
250 g de arroz integral bien lavado
el zumo de 1 lima
margarina vegetal

Deje en remojo toda la noche las judías secas cubiertas de agua. Escúrralas. En una olla lleve a ebullición 500 ml de agua y añada después las judías. Déjelas hervir 1 hora aproximadamente o hasta que estén tiernas. Incorpore la leche de coco, el tomillo y la pimienta negra, y llévelo todo a ebullición. Añada el arroz integral y agua hasta que el nivel de líquido se sitúe a 5 cm por encima del arroz y las judías. Déjelo cocer todo a fuego lento, tapado, durante unos 25 minutos o hasta que se haya evaporado toda el agua y el arroz esté cocido. Antes de servirlo, rocíe el arroz y las judías con zumo de lima, remueva el arroz y añada un poco de margarina. Para 4 personas.

Guiso "ital" con dumplings de harina de maíz

Para el guiso:

500 g de calabaza pelada, despepitada y cortada en trozos grandes
500 g de ñames pelados y cortados en trozos grandes
250 g de fruta del pan, pelada, descorazonada y cortada en trozos grandes
250 g de boniatos pelados y troceados
2 plátanos macho pelados y troceados
3 plántanos verdes pelados y troceados
250 g de mandioca pelada, descorazonada y cortada en trozos grandes
el zumo de 1/2 lima grande
500 ml de caldo de verduras
250 ml de leche de coco
1/4 guindilla despepitada y picada fina
2 dientes de ajo picados finos
1 cebolla picada fina
2 ramitas de cebollino picadas finas
1 ramita de tomillo picada fina
3 bayas enteras de pimienta de Jamaica

Ponga el caldo a hervir en una olla grande de hierro. Agregue la leche de coco y cuando rompa a hervir, añada el resto de los ingredientes (salvo los plátanos). Condimente el guiso y llévelo de nuevo a ebullición. Déjelo hervir durante 20 minutos.

Para los dumplings:

6 cucharadas de harina de maíz
6 cucharadas de harina integral
1 cucharadita de margarina vegetal
agua fría
1/2 cucharadita de zumo de lima
1/2 cucharadita de tomillo fresco machacado

Mientras hierve el guiso, tamice las harinas y añada luego la margarina hasta que quede todo bien mezclado. Incorpore un poco de agua fría y zumo de lima y trabaje la masa. Agregue el tomillo. Siga añadiendo un poco más de agua hasta que la masa se ablande. Trabájela sobre una superficie enharinada. Forme con ella *dumplings* a modo de albóndigas o hágalas rodar entre las manos para obtener varitas alargadas en forma de croquetas (conocidas en Jamaica con el nombre de *spinners*).
Ponga a hervir el guiso. Agregue los plátanos. Añada después los *dumplings* uno a uno. Tape la olla y déle el último hervor al guiso hasta que todas las verduras estén cocidas por completo. Sírvalo sobre un lecho de arroz integral con judías de ojo y una ensalada aparte. Para 8-10 personas.

Sopa "ital" de cacahuetes

180 g de cacahuetes pelados y tostados
1 l de caldo de verduras
4 bayas de pimienta de Jamaica
1 diente de ajo
1/4 guindilla despepitada y picada fina
125 ml de leche de coco

Triture los cacahuetes con el caldo en una batidora hasta obtener una pasta homogénea. Añada un poco más de caldo y bátalo todo de nuevo. Caliente el preparado en una olla a fuego medio. Añada el resto del caldo de verduras y los demás ingredientes salvo la leche de coco. Llévelo todo a ebullición y déjelo hervir durante unos 15 minutos. Incorpore la leche de coco y déjelo hervir todo unos minutos más. Condimente la sopa al gusto con un poco de pimentón o un chorro de Pickapper (la típica salsa picante de Jamaica). Extraiga las bayas de pimienta de Jamaica antes de servir la sopa en cuencos. Para 2 personas.

Un padre de familia rastafari disfruta de un merecido descanso tras un duro día de trabajo en el huerto. Aquí se vive de la tierra, en la tierra y por la tierra.

Zumo Sión

500 g de zanahorias lavadas y rascadas
500 ml de agua hervida
250 ml de leche de soja
3 cucharadas de crema de coco
1/2 cucharadita de nuez moscada fresca rallada
1 cucharadita de agua de rosas
melaza o azúcar de caña sin refinar al gusto

Preparación actual: ponga todos los ingredientes en una batidora y bátalos a máxima potencia hasta obtener un zumo homogéneo. Sírvalo con hielo en un vaso largo.
Preparación tradicional: ralle las zanahorias y póngalas en agua. Cuélelas varias veces con un tamiz de muselina hasta extraer todo el jugo. Deseche los restos de la hortaliza y añada la leche, la nuez moscada, el agua de rosas y, por último, la melaza o el azúcar de caña. Sirva el zumo frío. Para unos 6 vasos de zumo.

Pan de mandioca

500 g de mandioca dulce
1 coco
1/2 cucharadita de nuez moscada fresca rallada
1/4 cucharadita de canela molida
6 gotas de esencia de vainilla
180 g de azúcar de caña sin refinar
500 ml de leche de coco
60 g de pasas

Precaliente el horno a 120 °C.
Pele y ralle la mandioca. Despegue el coco de la cáscara y ralle la pulpa dura del interior. Mézclela en un cuenco con la nuez moscada, la canela, la vainilla y el azúcar. Agregue la leche de coco y las pasas y remuévalo todo hasta obtener una mezcla espesa.
Pase el preparado a un molde bien engrasado y enharinado y hornéelo durante 1 hora o hasta que se cueza. Córtelo en rectángulos y sírvalo caliente o frío. Para 4 personas.

Salsa picante

2 cucharadas de aceite vegetal o de coco
1 cebolla troceada
1 diente de ajo picado
1/2 pimiento verde despepitado y picado
250 g de tomates frescos pelados y picados
1/2 guindilla despepitada
1 cucharadita de zumo de lima
1 cucharadita de vinagre
1 cucharadita de hojas de cilantro fresco machacadas
pimienta negra fresca molida al gusto

Caliente el aceite en una sartén y saltee en ella la cebolla, el ajo y el pimiento verde hasta que quede todo tierno. Añada el resto de los ingredientes junto con la mitad del cilantro, llévelo todo a ebullición y déjelo hervir durante 15 minutos aproximadamente o hasta que se espese la salsa.
Retírela del fuego y déjela enfriar. Redúzcala a puré con una batidora. Sirva la salsa decorada con el resto de las hojas de cilantro.

Ensalada rasta

1 diente de ajo
125 g de frijoles cocidos
125 g de judías de ojo cocidas
1 pimiento rojo despepitado y cortado en rodajas
1 pimiento verde despepitado y cortado en rodajas
1 pimiento amarillo despepitado y cortado en rodajas
60 g de coco recién rallado
1 cucharada de pasas
1 cucharada de nueces picadas
4 cucharadas de aceite de sésamo o cacahuete
el zumo de 1 lima
1 cucharadita de vinagre de malta
1 cucharadita de azúcar moreno de caña
pimienta negra recién molida

Corte el ajo por la mitad y frote con él el interior de una ensaladera de madera o un cuenco de calabaza grande hasta asegurarse de que el penetrante aroma del ajo emana del recipiente. Agregue los frijoles y las judías de ojo, los pimientos, el coco, las pasas y las nueces picadas.
En un cuenco aparte vierta el aceite de sésamo o de cacahuete y añada el zumo de lima, el vinagre de malta, el azúcar y la pimienta negra. Aliñe con el aderezo la ensalada y remuévala. Sírvala con guiso y arroz "ital". Déle un toque final espolvoreándola con brotes de marihuana picados finos. Para 4 personas.

Brownies rasta

250 g de margarina vegetal
375 g de azúcar moreno de caña
125 g de cacao amargo rallado o chocolate
125 g de melaza
1 cucharadita de vainilla
1/2 cucharadita de pimienta de Jamaica
125 ml de leche de coco
310 g de harina integral
375 g de frutos secos picados
2 cucharaditas de levadura en polvo
125 g de hojas y flores de marihuana, sin semillas ni tallos (opcional)

Precaliente el horno a 120°C.
Bata la margarina y añada poco a poco el azúcar. No deje de batir hasta obtener una mezcla homogénea y esponjosa. Derrita el chocolate, la melaza, la vainilla y la pimienta de Jamaica en la leche de coco a fuego lento, removiendo constantemente. Vierta el preparado a la mezcla de margarina y azúcar intercalándolo con la harina y la levadura mientras sigue batiendo con una batidora giratoria. Agregue los frutos secos y las hojas de marihuana (opcional). Vierta el preparado en un molde rectangular de 18 x 29 cm untado de mantequilla y hornéelo de 45 a 50 minutos. Corte el pastel en cuadrados una vez frío. Si emplea hojas de marihuana, los *brownies* no son recomendables para menores.

Pacto de solidaridad rastafari entre tres jóvenes mediante la unión de los puños cerrados en señal de respeto y amistad.

Remedio herbario rasta

250 ml de agua
2 cucharaditas de hojas de menta fresca
1/2 cucharadita de granos de anís
1 cucharadita de albahaca fresca

Hierva el agua. Ponga las hierbas en un cuenco, vierta encima el agua hirviendo y deje reposar las hierbas durante 45 segundos. Cuele el líquido en una taza y beba la cantidad precisa. Este té es indicado para la indigestión y los trastornos estomacales.

Buñuelos de berenjena

1 berenjena grande
el zumo de media lima fresca
2 dientes de ajo picados finos
1 cebolla pequeña rallada
2 ramitas de cebollino picadas finas
1/2 guindilla roja despepitada y picada fina
90 g de harina integral
1 cucharadita de levadura en polvo
2 cucharadas de leche de coco
1 patata cocida y hecha puré
aceite vegetal para freír

Ponga a hervir la berenjena hasta que quede tierna. Pártala por la mitad una vez fría y separe la carne de la piel. Tritúrela con un tenedor y redúzcala a puré en una batidora o pasándola por un tamiz. Exprima la lima por encima y añada después el ajo, la cebolla y la guindilla. Agregue la harina, la levadura y el puré de patata. Añada la leche de coco. La mezcla debería adquirir consistencia. Caliente el aceite en una sartén hasta que burbujee. Deje caer cucharaditas colmadas de la mezcla y fríalas por ambos lados hasta que se doren. Deje escurrir los fritos sobre papel de cocina y sírvalos con salsa picante. Para 4 personas.

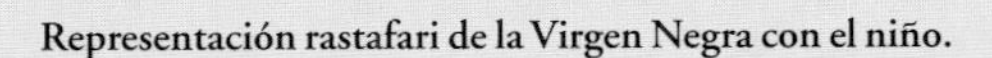

Representación rastafari de la Virgen Negra con el niño.

Pan de harina de maíz

180 g de harina de maíz
60 g de harina integral
4 cucharaditas de levadura en polvo
1/4 cucharadita de canela molida
1/4 cucharadita de nuez moscada recién molida
120 g de margarina vegetal
2 cucharadas de melaza
1/4 cucharadita de jengibre recién molido
2 cucharadas de leche de coco
120 g de frutos secos picados finos

Precaliente el horno a 120°C.
Tamice juntas la harina de maíz, la harina integral, la levadura y las especias (salvo el jengibre). Derrita la margarina vegetal junto con la melaza y añada el jengibre. Vierta el líquido en la mezcla de harinas. Agregue la leche de coco y los frutos secos picados. Pase el preparado a un molde alargado de 1 kg engrasado y hornéelo unos 35 minutos o hasta que un cuchillo salga limpio al pincharlo en el pan.

Haití

Haití fue colonizada por Colón para después pasar a manos de los franceses en el siglo XVII. En 1804, tras 12 años de sublevación de los esclavos africanos, obtuvo la independencia. Sin embargo, durante la mayor parte del siglo XIX Haití se vio sometida al control de una sucesión de dictadores que sembraron la discordia entre los mulatos más acaudalados y el pueblo llano de origen africano.

En 1957 llegó al poder el infame Jean-François Duvalier, quien impulsó la formación de un cuerpo de seguridad, los *tonton macoutes* (término traducido como los "cocos"), encargados de encarcelar o asesinar a todo oponente político del dictador. A los críticos del régimen autoritario, aunque no llegaran a realizar ataques directos, se les atemorizaba con versiones vulgarizadas de la religión vudú local.

A su muerte, en 1971, Duvalier fue sucedido por su hijo Jean Claude, apodado "Baby Doc", quien durante 15 años no hizo nada por cambiar el régimen instaurado por su padre. Mientras el país se sumía en la pobreza, la fortuna acumulada de los dictadores resultaba indecente, una fortuna que Baby Doc y su esposa se encargaron de dilapidar de forma sistemática y desmedida.

En 1986 Baby Doc fue expulsado del país, lo que no acabaría por desgracia con los infortunios políticos de Haití. En 1990, un sacerdote radical llamado Jean-Bertrand Aristide fue elegido presidente, pero en 1991 fue derrocado por un golpe militar apoyado por la clase alta. Finalmente, en 1994, tras el escándalo internacional y la amenaza de invasión de EE.UU., el ejército haitiano se vio obligado a retirarse y Aristide recuperó el poder.

Haití sigue luchando hoy en día por poner remedio a su turbulento pasado. La renta media sigue siendo la más baja del Caribe. La agricultura es la principal fuente de empleo. Port-au-Prince, la capital, tiene una población que supera el medio millón de habitantes. El bullicioso Iron Market constituye un importante foco de interés, donde todo se obtiene regateando, incluso obras de arte como tallas de madera, cuadros, telas estampadas y artículos de peletería. Otra atracción destacada es el buque hundido de la Santa María, uno de los barcos de Colón, que puede verse cerca de Cap Haitien, en la costa septentrional.

Haití produce un ron considerado el más exquisito de todos según expertos del mundo entero. Su producción fue iniciada en Haití en la primera década del siglo XVIII por parte de los franceses que aplicaron su experiencia en el campo de la destilación desarrollada en Europa. La familia Gardère, encargada aún de la producción del Rhum Barbancourt, goza de gran reputación desde la comercialización de este ron a mediados del siglo XIX. Los expertos coinciden en elogiar su modo de producción al estilo del clásico coñac francés destilado en dos tiempos en alambiques de cobre y envejecido en toneles de roble blanco, lo que le confiere un sabor característico y muy especial. Esta casa sigue aplicando el costoso proceso de fermentar únicamente caña de azúcar cortada a mano y recién exprimida en vez de emplear melaza, un producto más barato y mucho más extendido en otras destilerías. Dicho proceso se lleva a cabo en una destilería única por sus dimensiones, equipada con una unidad de molienda de caña y otras instalaciones de destilación reunidas bajo el mismo techo, en la cual se produce un delicioso ron ámbar de sabor incomparable. Barbancourt ha ganado numerosos galardones y premios internacionales por su excepcional calidad. Existen tres tipos de Rhum Barbancourt: el Tres Estrellas, de cuatro años, el Cinco Estrellas, de ocho años y el preciadísimo "Reserve Speciale", un ron dorado con mucho cuerpo; el excepcional "Estate Reserve" de 15 años se comercializa en remesas limitadas procedentes de las bodegas privadas de la familia Gardère. Se trata del ron calificado como el coñac de los rones. El ron Barbancourt se saborea mejor servido en una copa de coñac, con hielo y quizá una rodaja de lima. Los propios haitianos no recomiendan beberlo de ninguna otra forma.

Si bien Haití es uno de los países más pobres del Caribe, sus habitantes tienen fama de reputados artesanos. Su maestría les proporciona gran parte de sus exiguos ingresos al no ser la tierra tan fértil como en otras islas del Caribe.

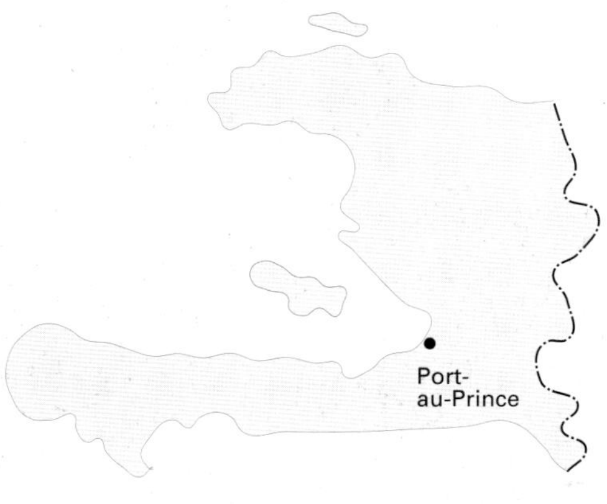

Cocina tradicional haitiana

Los *griots* son una de las especialidades más representativas de la cocina tradicional haitiana. Por lo general, se sirven como plato fuerte, aderezados con una salsa muy picante llamada *ti-malice*. Las siguientes recetas, servidas todas juntas, constituyen una comida típica.

1. Un plato de *Griots* y *Riz et pois colles* aderezado con abundante 2. Salsa *ti-malice* constituyen un fabuloso banquete para cualquier haitiano.

Griots

- 1,5 kg de espalda de cerdo cortada en dados de 5 cm
- 1 cebolla grande picada fina
- 1 guindilla picada fina
- 125 g de cebollino picado fino
- 250 ml de zumo de naranja amarga
- 1 cucharadita de sal
- 1/2 cucharadita de tomillo
- pimienta negra al gusto
- 125 ml de aceite vegetal

Ponga todos los ingredientes salvo el aceite en una olla grande y déjela en el frigorífico toda la noche. Al día siguiente añada agua hasta cubrirlo todo y póngalo a hervir durante 90 minutos. Escúrralo todo. Fría la carne en aceite muy caliente hasta que quede dorada y crujiente por fuera y tierna por dentro.

Riz et pois colles

- 250 g de frijoles
- 30 g de carne de cerdo salada cortada en dados
- 2 cucharadas de aceite vegetal
- 1 cebolla picada fina
- 125 g de cebollino picado fino
- 1 guindilla despepitada y picada fina
- 1 cucharada de mantequilla
- 1 cucharadita de sal
- 500 g de arroz

Ponga a cocer los frijoles en 1 litro de agua durante 2 horas o hasta que queden tiernos. Escúrralos y reserve el agua. Fría la carne y agregue después la cebolla, el cebollino y la guindilla. Incorpore este sofrito al agua, llévelo a ebullición y añada la mantequilla. Agregue el arroz y cuézalo durante 20 minutos.

Salsa ti-malice

1 cebolla grande picada fina
125 g de cebollino picado fino
125 ml de zumo de lima
3 dientes de ajo picados finos
60 ml de aceite de oliva
2 cucharaditas de guindillas picadas finas
una pizca de sal y pimienta

Ponga a marinar las cebollas y el cebollino en zumo de lima durante 2 horas. Llévelo después a ebullición junto con el resto de los ingredientes. Deje reposar la salsa y guárdela en el frigorífico en tarros de cristal. Sírvala con *bananes pesées.*

Bananes pesées

5 plátanos macho verdes cortados en rodajas
aceite vegetal
sal

Ponga en remojo en agua salada el plátano en rodajas durante 1 hora. Escúrralo y séquelo con un trapo. Saltéelo en aceite hasta que quede tierno. Aplástelo con una mano de mortero o una cuchara hasta que pierda la mitad de su grosor. Fríalo en aceite caliente hasta que quede dorado y crujiente.

Mora de Castilla

Nadie sabe a ciencia cierta cómo llegó esta baya a Haití. Probablemente la trajeron los amerindios cuando se asentaron en la isla. La denominada mora de Castilla *(Rubus glaucus)* crece en las montañas a unos 1.800 m de altura. Se tiene fe de su existencia desde la época de los incas. La planta da fruto durante la mayor parte del año. Las bayas silvestres superan según parece en sabor y calidad a la mayoría de las moras y frambuesas cultivadas.

1. Panecillos de canela
2. Pastel de mandioca
3. Pan de frutas
4. Tarta de mermelada
5. Galletas de pasas y coco
6. Brazo de gitano de mermelada
7. Pan de plátano

La mayor parte de los pasteles citados son caseros y hacen las delicias de los niños por su dulce sabor.

Cocina haitiana

"Nan tan gragou, patat pa gen po."
("Cuando uno pasa hambre, las patatas no tienen piel.")
Antiguo dicho haitiano

La cocina haitiana es una mezcla de cocina francesa y criolla, producto esta última de una amalgama de influencias africanas introducidas en la isla durante el tráfico de esclavos y los sabores tropicales heredados de los amerindios y los europeos. Debido a los numerosos reveses políticos y económicos que ha sufrido Haití, sus habitantes han tenido que ingeniárselas para crear platos que satisficieran al menos su apetito.

La seta *djon djon*, especie diminuta de color negro, sombrerillo pequeño y pie no comestible, es un manjar muy preciado. Al cocinarse, desprende un líquido pardusco oscuro que da a los platos un color particular, así como un aroma y sabor exquisitos. *Riz djon djon* es una especialidad del norte de la isla que se suele servir con pescado, *griots* u otra clase de carne.

Los *griots*, un plato típico de la cocina tradicional haitiana a base de trozos de espaldilla de cerdo, se sirve por lo general como plato fuerte, aderezado con una salsa picante denominada *ti-malice* y acompañado con *riz et pois colles* y *bananes pesées.*

Setas djon djon

Djon djon son unas minúsculas setas negras, de sombrerillo pequeño y pie no comestible, que se hallan en el norte de Haití. Cuando se cuecen, sueltan un líquido pardusco oscuro que confiere a los platos un color característico, así como un aroma y sabor exquisitos. *Riz djon djon* es una especialidad del norte de Haití que se suele servir como plato fuerte con pescado, *griots* u otras carnes.

Riz djon djon

250 g de setas *djon djon* haitianas
500 g de arroz blanco de grano largo
2 dientes de ajo picados finos
4 cucharadas de mantequilla
1 cucharadita de tomillo
sal y pimienta al gusto

Ponga en remojo los pies (no comestibles) de las setas en 250 ml de agua caliente durante 30 minutos. Ponga en remojo aparte los sombrerillos en 250 ml de agua también durante 30 minutos. Deseche los pies de las setas pero reserve el agua. Saltee el arroz y el ajo en mantequilla. Agregue el resto de los ingredientes y el agua. Déjelo cocer todo durante 20 minutos a fuego medio. Para 4 personas.

Asado de cerdo con setas djon djon

3 cucharadas de aceite de oliva
500 g de solomillo de cerdo (o 4 chuletas de cerdo)
2 cucharaditas de sazonador de limón y
2 cucharaditas de sazonador de pimienta
(ambos sazonadores deben mezclarse juntos)
1 kg de setas *djon djon*
750 g de patatas peladas y cortadas en cuartos
1 pimiento rojo despepitado y picado
1/4 cucharadita de guindilla
despepitada y picada fina
1 diente de ajo picado fino
1 cebolla picada

Precaliente el horno a 230°C. Extienda 1 cucharada de aceite de oliva en una bandeja para asar grande. Condimente la carne con la mitad del sazonador de limón y pimienta y póngala en la bandeja. Alíñe las verduras con el resto del aceite de oliva y el sazonador de limón y pimienta en un recipiente grande. Cubra la carne con las verduras y ásela durante 20 minutos sin tapar. Remuévalo todo de vez en cuando hasta que la carne esté hecha y las verduras queden tiernas. Si ha empleado solomillo, trinche la carne en rodajas finas y sírvala sobre un lecho de arroz.

Poulet roti a la haitiana

125 g de mantequilla fundida
2 dientes de ajo picados finos
1 cebolla picada fina
125 g de setas *djon djon*
30 g de pan rallado fino
3 cucharadas de zumo de lima fresco
1 cucharadita de ralladura fina de lima
1 cucharadita de azúcar moreno
1/4 cucharadita de nuez moscada molida
1/4 cucharadita de guindilla roja picada fina
1 1/2 cucharaditas de sal
4 cucharadas de ron dorado
1/4 cucharadita de pimienta negra
4 plátanos maduros grandes
1 pollo entero de unos 2 kg
250 ml de caldo de pollo

Precaliente el horno a 180°C. Para preparar el relleno, saltee el ajo y la cebolla en la mitad de la mantequilla fundida hasta que quede todo tierno. Añada la mitad de las setas. Incorpore el pan rallado y sofríalo hasta que quede crujiente. Agregue la mitad del zumo de lima, toda la ralladura, el azúcar, la nuez moscada, la guindilla roja, 1 cucharadita de sal, 1 cucharada de ron y pimienta negra. Deje enfriar el sofrito. Pele los plátanos y píquelos finos. Mézclelos en un cuenco con el resto del zumo de lima, la sal, las setas, 1 cucharadita de ron y un poco de pimienta negra. Limpie el pollo por dentro y por fuera con agua y lima y séquelo. Introduzca el relleno en la cavidad abdominal y cosa el orificio de apertura. Abra la cavidad del cuello y sírvase de una cuchara para separar con cuidado la piel de la pechuga sin desgarrarla. Rellene esta cavidad con el pan rallado y cosa el orificio. Unte el ave con la mantequilla restante y sazónelo con un poco de sal y pimienta por encima. Hornéelo durante 1 1/2 horas aproximadamente. Retire los jugos restantes y páselos a un cazo a fuego lento. Agregue el caldo de pollo, pruébelo y rectifíquelo de sal y pimienta si es necesario. Pase el líquido por un colador a una salsera. Antes de servir el pollo, caliente el ron restante en un cazo a fuego muy lento, préndale fuego y flambee con él el pollo. Sírvalo con *riz djon djon*. Para 4 personas.

El *Gateau de patate* con salsa coquimol es un postre delicioso.

Arte haitiano

Un norteamericano llamado Dewitt Peters se convirtió en el catalizador del renacimiento del arte en Haití al fundar en 1944 el Centre D'Art de Port-au-Prince. Hasta entonces la opinión generalizada era que el país carecía de expresión artística o a lo sumo que el arte haitiano resultaba "primitivo y naïf", tópicos que hoy en día han dejado de tener justificación. El arte haitiano ha contado siempre con grandes dosis de inspiración y energía. Los pintores haitianos se alejaron de los cánones de la pintura occidental mediante una prolífica obra. No deja de sorprender que un país tan empobrecido, subdesarrollado y volátil políticamente hablando haya producido un arte tan reputado hoy en todo el mundo.

La proporción de artistas en un país tan pequeño y con tan alto índice de analfabetismo resulta igualmente un hecho singular. La explicación está profundamente ligada a la historia y la cultura de Haití, en particular a una religión con 450 años de antigüedad. El vudú constituye la luz, la matriz y la base original del arte haitiano caracterizado por su iconografía, que imita la realidad y define la cultura mediante su representación en el lienzo. En sus obras los artistas haitianos se dejan guiar por su voz interior, plasmando con intensidad la vida de una sociedad torturada a través de los colores de la religión y el alma. Para muchos el arte ha supuesto la única vía de expresión humana al alcance para hacer frente a todas las dificultades.

El famoso pintor Hector Hyppolite (1894-1948) fue de hecho un sacerdote vudú. Entre sus temas centrales se cuenta la representación de aves asociadas en ocasiones con la magia negra, los "loa" (espíritus del vudú), así como flores y hojas con propiedades curativas y fiestas en tierra santa celebradas por los antepasados en África, imágenes presentes en cuadros como *San Francisco y el niño* y *La Dauration l'Amour*. Ambas obras reflejan con maestría la mezcla de vudú y catolicismo, cultos introducidos en Haití por los africanos y los europeos respectivamente. Otros clásicos del género son *Sirene* de Andre Pierre y *Paradise* de S.E. Bottex.

Actualmente, el arte haitiano se centra en la representación de las costumbres populares, los mercados, los pueblos, la flora y la fauna del país. Por la intensidad y el color de los cuadros se diría que la isla, lejos de identificarse con uno de los lugares más conflictivos del mundo, es un compendio del exotismo y la luminosidad del Caribe.

En la escultura haitiana se conjugan asimismo con grandeza la conciencia, el esteticismo y la artesanía. La música haitiana combina las raíces afrohispanas con una mezcla de cultura criolla francesa. Entre los estilos más destacados se cuenta el merengue, la rara y el compás. La música popular haitiana trata de difundir mensajes de esperanza política evitando al máximo las represalias y la censura. Manno Charlemagne, uno de los cantautores más célebres de Haití, se vio condenado a un prolongado exilio por la franqueza con la que describía en sus letras las condiciones del país. En la actualidad, las bandas tradicionales con acordeones y guitarras a la cabeza hacen incursiones en la salsa, el *jazz* e incluso el rap. Algunos grupos haitianos han adquirido gran popularidad en Norteamérica y Europa. Haití está dotada de una extraordinaria pasión artística y cultural, en compensación quizá por el perpetuo tormento de sus conflictos internos.

Gateau de patate

75 g de mantequilla reblandecida
1 kg de boniatos pelados y cortados en cuartos
1 plátano grande maduro
3 huevos
250 g de azúcar
180 ml de jarabe de maíz oscuro
6 cucharadas de leche de coco
6 cucharadas de leche evaporada
1/4 cucharadita de esencia de vainilla
1/4 cucharadita de canela molida
1/4 cucharadita de nuez moscada molida
45 g de pasas

Precaliente el horno a 180°C. Unte un molde de pan con 15 g de la mantequilla. Hierva los boniatos en agua salada hasta que queden tiernos. Escúrralos y tritúrelos luego en una batidora junto con el plátano. Añada todos los ingredientes y bátalo todo hasta obtener una mezcla homogénea. Vierta el preparado en el molde y hornéelo durante 1 1/2 horas. Deje enfriar el pastel durante 10 minutos y vuélquelo sobre una rejilla para que se enfríe por completo. Sírvalo con salsa coquimol.

Coquimol

180 g de azúcar
180 ml de agua
375 ml de crema de coco
6 yemas de huevo
1 1/2 cucharadas de ron blanco
1/2 cucharadita de esencia de vainilla
una pizca de nuez moscada

Lleve el azúcar y el agua a ebullición a fuego medio, removiendo de vez en cuando. Suba la llama y déjelo todo a fuego fuerte hasta que el azúcar caramelice (para ver si ha llegado a este punto deje caer un poco en agua fría; debería formarse una bola blanda de inmediato). Retírelo del fuego y agregue poco a poco la crema de coco. Bata las yemas de huevo en un recipiente aparte y añada 3 cucharadas de la mezcla de coco. A continuación, incorpore lentamente el huevo al cazo y vuelva a calentarlo a fuego lento durante 4 minutos o hasta que la salsa adquiera la consistencia de la nata doble. Agregue el ron y la vainilla. Una vez fría vierta la salsa en un tarro hermético. Espolvoréela con nuez moscada, cierre el tarro y guárdela en el frigorífico hasta que se enfríe. Sírvala sobre el *gateau de patate*.

La salsa coquimol se vierte sobre una porción de *gateau* antes de servir el pastel.

Una obra del famoso artista haitiano André Normil.

Vudú, voudou, vodon, vodoun

El vudú, como se conoce generalmente, es con toda probabilidad una de las religiones más incomprendidas del mundo. El vudú y sus primas, la santería en Cuba y el *shango* en Trinidad, se practican todavía hoy en todo el Caribe. Su culto se ha extendido a otros muchos lugares del mundo con la emigración de los haitianos de un país azotado por la pobreza y la corrupción en busca de una vida mejor. De hecho, existen importantes comunidades de esta religión en Nueva Orleans, Miami y Nueva York. Pero en ninguna otra parte se practica con tanto fervor como en Haití.

Por desgracia, el mundo occidental ha teñido de negro la visión del vudú. Hollywood en concreto la ha representado como un compendio de magia negra en el que intervienen espíritus maléficos u "obeah", rituales a cargo de nativos hostiles cuyo único propósito es atemorizar o aniquilar a la "raza blanca", o como una solución a los problemas cotidianos mediante la realización de hechizos, pócimas y conjuros contra enemigos por parte de los sacerdotes y sacerdotisas. El estereotipo más conocido es la muñeca, la efigie de una persona infame que se atraviesa sin piedad con agujas con el fin de causar un inmenso dolor y la muerte final para gran deleite de quien inflige el castigo.

En vista de estos tópicos, resulta difícil explicar que el vudú es en realidad una religión sumamente compleja y positiva, así como un modo de vida para el pueblo haitiano. Si bien en el pasado la Iglesia católica arremetió contra la religión, hoy en día goza de mayor aceptación; hay quien sostiene que los espíritus del vudú son santos disfrazados: Dumballah (la serpiente) es San Patricio y Erzulie (la madre Tierra), la Virgen María. Sus detractores son en gran parte protestantes evangélicos que siguen tachando el vudú de culto diabólico y los males de Haití de castigo divino, sirviéndose así del miedo para convertir a los fieles del vudú.

La base del vudú reside en las religiones yoruba, introducidas en Haití por los esclavos de África occidental. El término "vodoun" deriva de "vodu", que significa "espíritu" o "deidad" en la lengua de Dahomey (hoy parte de Nigeria). Las creencias yoruba, junto con las influencias de los franceses católicos, los primeros pobladores europeos de la isla, han dado lugar a una religión sincrética que forma parte de la cultura del país.

La doctrina básica del vudú parte de la afirmación de la existencia de un solo dios: Bondye. Existen además tres categorías relevantes de seres espirituales:

1) Los loa: espíritus del bien, el mal, la salud, la reproducción y la vida diaria, que influyen en los humanos, "montándolos" en ocasiones durante las ceremonias religiosas para transmitir mensajes o incluso traer dicha o infortunio.

2) Los gemelos: una curiosa y misteriosa combinación de fuerzas contradictorias: la alegría y la tristeza, el bien y el mal, etc. Los gemelos son invocados durante el servicio religioso para ayudar a uno a encontrar el buen camino.

3) Los muertos: principalmente las almas de fallecidos que no han sido "reclamados" por sus familiares. Estas almas pueden resultar peligrosas cuando se les ignora; sin embargo, cuando son invocados y reciben la atención debida, pueden ser de gran ayuda.

Los servicios del vudú a los que asisten *houngans, mambos* y creyentes se celebran normalmente al aire libre en torno a un poste central llamado *poto mitan.*

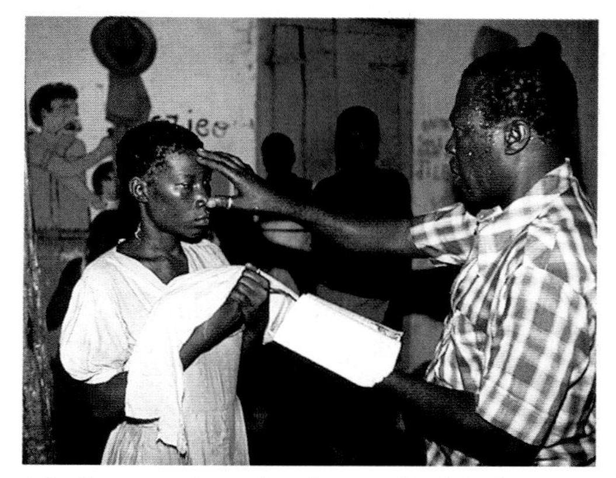

1. Se dice que gracias a su fe ardiente en el vudú los haitianos han podido soportar las calamidades durante mucho más tiempo que otros pueblos.

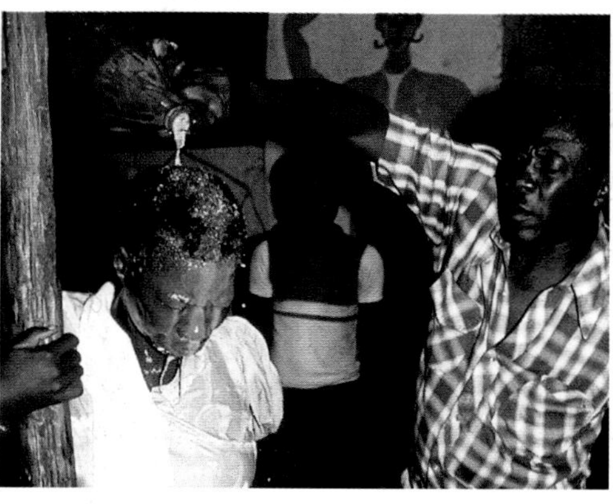

2. Con el nombre de *lave tet* se conoce el rito consistente en lavar la cabeza de los *serviteurs* que han sido montados por primera vez.

3. Los *serviteurs* son fervorosos practicantes del vudú. Si un cuerpo femenino se ve poseído por un espíritu masculino, se le trata de "él".

4. En las ceremonias religiosas del vudú se lleva a cabo el sacrificio de animales, siendo cabras y pollos las víctimas habituales.

5. A las ofrendas de alimentos y bebidas, como el ron sin destilar llamado *kleren,* se les atribuye el poder de rejuvenecer a los exhaustos loa en su labor de organizar el universo.

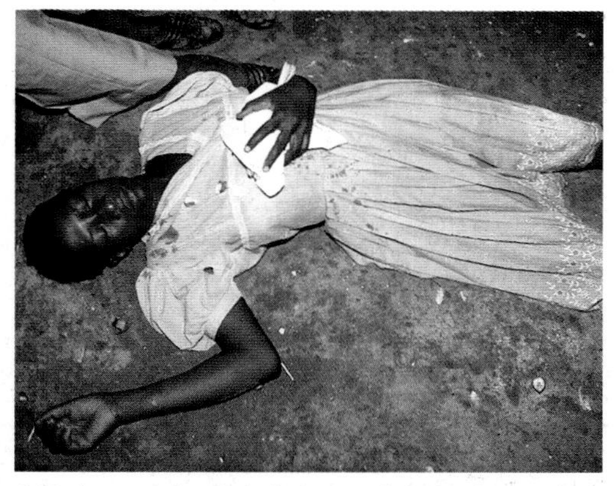

6. Un *hounganikon* dirige la danza y el tamborileo mientras los propios fieles son "montados" por los espíritus loa del bien, el mal, la salud, la reproducción y la vida diaria.

La versión del vudú que se supone asociada a los espíritus maléficos, el vudú petro, no es una práctica común ni tradicional. Mediante este culto se fomentan juramentos de muerte, orgías sexuales y todo tipo de horrores imaginables.

Sin embargo, la forma originaria del vudú, el vudú rada, que representa el 95 por ciento de esta religión, no tiene absolutamente nada que ver con un culto diabólico o la magia negra. El 65 por ciento de la actividad del vudú rada se centra en la curación de enfermos con la ayuda de los loa, los gemelos y los muertos. Los curanderos recurren hoy en día a tratamientos herbarios e incluso a la medicina occidental.

Los sacerdotes del vudú pueden ser *mambo* (mujer) o *houngan* (hombre). Entre sus funciones se incluye la celebración de ceremonias religiosas para invocar o calmar a los espíritus, la curación, la predicción del futuro, la interpretación de los sueños, la realización de hechizos protectores, la creación de pócimas con cualquier fin –desde el amor hasta la muerte– y la iniciación de los *tesses* (aspirantes al sacerdocio). Los ritos de iniciación constan de dos partes, la ceremonia *kanzo,* que eleva a los novicios a un nivel relevante dentro de la práctica del vudú, y el *ason,* la ceremonia de iniciación final en la que se convierten en *houngan* o *mambo.* Ambos actos se celebran en secreto.

Los servicios del vudú a los que asisten *houngans, mambos* y creyentes se realizan normalmente al aire libre en torno a un poste central llamado *poto mitan.* Danzar al son de un tamboril constituye una parte fundamental de la mayoría de las celebraciones, que siempre cuentan con la presencia de un maestro de ceremonias, llamado *La Place,* y un *hounganikon* que dirige la música y la danza. Las ayudantes vestidas de blanco se denominan *hounsi.* Los loa pueden "montar" a los propios fieles y apoderarse de su cuerpo. Si un cuerpo femenino se ve poseído por un espíritu masculino, se le trata de "él" durante la monta, al considerarse más importante el espíritu que el cuerpo al que monta.

En la mayoría de las ceremonias del vudú se realiza el sacrificio de animales junto con ofrendas de alimentos y bebidas como un ron sin destilar llamado *kleren.* A dichas ofrendas se les atribuye el poder de rejuvenecer a los loa, exhaustos por su incesante labor de organizar el universo. Según la religión del vudú, los humanos poseen dos almas pero un solo cuerpo. *Gros bon ange* (el gran ángel bueno) es el espíritu que presenta a una persona ante Dios, suponiendo el modo en que debería ser juzgada dicha alma tras la muerte. *Ti bon ange* (el angelito bueno) es la conciencia de un ser humano en vida. Los *serviteurs* son fervorosos practicantes del vudú. *Lave tet* es el rito consistente en lavar la cabeza del *serviteur* que ha sido montado por primera vez. Y con el nombre de *verve* se designan los dibujos ceremoniales de los loa realizados con harina.

Entre los espíritus más frecuentes se cuenta Kalfu, el espíritu de la noche cuyo símbolo es la luna, Papa Ghede, el espíritu de la muerte y la resurrección, señor del erotismo y el humor, Agw, el soberano de los mares y Ogoun, el guerrero y la fuerza detrás de toda política. Legba es un anciano que guarda la entrada entre los dos mundos, la Tierra y "los invisibles". Actúa como fuente de regeneración y se identifica con los símbolos del sol y el falo.

Se dice que la capacidad del pueblo haitiano para soportar toda clase de adversidades durante largos períodos de tiempo se debe a su inmensa fe en el vudú, y en que algún día los loa les traerán la paz merecida, en ésta o en la próxima vida.

Guiso taíno de marisco

1 cucharada de aceite
1 cucharadita de achiote molido
250 g de langosta sin pelar
125 g de carne de cangrejo
250 g de gambas sin pelar
125 g de cangrejos de río sin pelar
250 g de bucinos
250 g de almejas con las valvas
250 g de ostras
2 tomates picados finos
2 mazorcas de maíz cortadas en trozos
leche de coco
el zumo de 2 limas
1 guindilla roja entera

Ponga a calentar el aceite en una olla de barro grande, añada el achiote y el resto de los ingredientes y remueva. Cúbralo todo con leche de coco y 1/2 taza de agua. Agregue el zumo de lima y la guindilla (introduzca ésta en una bolsa de gasa y sumérjala en la sopa). Deje cocer el guiso de 25 a 30 minutos. Sírvalo con pan de mandioca o de maíz. Para 4 personas.

El guiso de marisco era el plato predilecto de los indios taínos. Según la tradición, se prepara en una olla de barro artesanal sobre una hoguera al aire libre, y se come con pan de mandioca o de maíz.

Los indios arahuacos taínos

El 6 de diciembre de 1492 Cristóbal Colón llegó a Môle Saint-Nicolas, en el norte de Haití. Se trataba de su segundo desembarco, al haber hecho escala primero en San Salvador (hoy República Dominicana); no obstante, su primer asentamiento propiamente dicho en el Nuevo Mundo fue La Navidad, en la costa septentrional de Haití. A su llegada, se encontró con una próspera civilización formada por indios taínos de raza arahuaca.

Colón ignoraba por completo que el Caribe estuviera habitado desde el 5000 a.C. y las Pequeñas Antillas desde el 2000 a.C. aproximadamente. Algunos de los primeros pobladores alcanzaron las costas de Colombia en barcas de velas, y se establecieron en Trinidad y otras islas del sur como Aruba y Curazao. Otros procedentes de Centroamérica o Florida llegaron a las Grandes Antillas y de allí a las Pequeñas Antillas a través de Cuba.

Los amerindios que emigraron a las islas recibieron el nombre de arahuacos. Entre ellos, los taínos y con anterioridad los ciboney eran las tribus que habitaban La Española. Otro extenso grupo, los caribes, eran nómadas que se dedicaban al saqueo de los poblados. Pero fue la llegada de los europeos la que selló el destino de los arahuacos. Los españoles les obligaron inmediatamente a trabajar como esclavos en las minas, los campos y más tarde en la recolección de perlas en condiciones infrahumanas. Contrajeron todo tipo de enfermedades europeas, incluyendo la viruela, ante las que carecían de inmunidad. Los que sobrevivían preferían suicidarse antes que permanecer en aquella situación o bien eran asesinados de forma sistemática por insubordinación. En opinión de algunos, la masacre de amerindios en las islas del Caribe fue el mayor genocidio de la historia de la humanidad.

Tan sólo quedan unos cuantos descendientes de los indios caribes en Dominica, San Vincente y Trinidad, pero aun así la influencia de los amerindios ha dejado una huella imborrable en la cultura y tradiciones de las islas. Los arahuacos se caracterizaban por ser una sociedad muy apacible organizada en torno a un patriarcado. Cada comunidad funcionaba como un pequeño reino, dirigido por un cacique. Los arahuacos practicaban la poligamia, y la mayoría de los hombres tenían dos o tres mujeres. Las esposas de un cacique y sus hijos se tenían en gran estima.

Los indios vivían en grandes chozas circulares construidas de paja y hojas de palmera, en las cuales llegaban a alojarse hasta diez hombres y sus familias. Para dormir utilizaban hamacas de algodón o esteras hechas de hojas de banano. Con madera elaboraban sillas de asientos tejidos, sofás y cunas para los más pequeños. En el centro de cada poblado había un patio llano destinado al juego de pelota (antecedente del béisbol moderno) y a la celebración de ceremonias religiosas. Con piedras y caracolas realizaban herramientas, ornamentos corporales y artilugios religiosos. Los tintes vegetales servían como pintura corporal.

La dieta de los amerindios se basaba en carnes y pescados como las principales fuentes de proteínas. Culebras, pequeños perros mudos (hoy extinguidos), iguanas, roedores, murciélagos, pájaros, gusanos y hasta arañas formaban parte de una buena comida. Para las tortugas idearon un ingeniosísimo método de captura: se ataba una cuerda a una especie de pez succionador que se adhería al caparazón de la tortuga y de este modo se tiraba poco a poco del animal hasta la orilla. La pesca esporádica de un manatí procuraba un banquete especial para el poblado. En los ríos abundaban los cangrejos y las gambas. Los caracoles y otros crustáceos constituían un auténtico manjar, con los cuales se preparaba un elaborado y exótico guiso de marisco. Las redes de pescar eran de algodón cultivado en las islas. El pescado se comía en gran parte crudo o parcialmente cocido. Para cocinar se solían emplear recipientes de barro y la carne se ensartaba en espetones y se asaba sobre hogueras al aire libre (el precedente de la barbacoa moderna).

La cerámica se erigía como la principal actividad artística, caracterizada por insólitas decoraciones pintadas y figurillas antropomórficas y zoomórficas. El borde de las ollas se adornaba con deidades humanas y animales. Hacia el 650 a.C. el contacto con otros pueblos provocó la transformación de los diseños con el uso cada vez más frecuente de motivos geométricos.

En cuanto a los métodos agrícolas, idearon un gran montículo llamado *conuco* como tierra de cultivo. El conuco se cubría de hojas para evitar la erosión del suelo y se sembraba con una extensa variedad de cultivos. De este modo siempre germinaba algún vegetal independientemente de las condiciones climáticas predominantes. Una de las primeras cosechas fue la mandioca o yuca. Antes de consumir esta raíz comestible debían extraerse los jugos venenosos que contenía, los cuales se utilizaban para las puntas de las flechas. De la mandioca desintoxicada se obtenía una harina que se empleaba para elaborar pan. Asimismo cultivaban maíz, boniatos, ñames, cacahuetes, calabazas, judías, guindillas y bija o achiote que utilizaban como colorante alimentario y tinte corporal. También plantaban tabaco que fumaban en especial en ceremonias religiosas. Entre los frutos autóctonos se contaba la guayaba, el zapote, la piña, el azúcar, la chirimoya, la naranjilla y el mamey. Incluso los apreciadísimos palmitos formaban parte de la dieta cotidiana.

Para surcar lagos y mares, y pescar cerca de la costa, se servían de canoas.

Los arahuacos practicaban el politeísmo. Los dioses recibían el nombre de *zemi* y se representaban mediante ídolos en forma de piedras con tres puntas, junto con un dios supremo denominado Yocahu (donador de la mandioca). Los zemis tenían control absoluto sobre sus vidas y eran objeto de numerosos actos religiosos en los que los indios daban las gracias o invocaban a los dioses. Para los rituales vestían un atuendo especial y se cubrían las piernas desde la rodilla hasta los pies con pinturas, plumas y multitud de caracolas. En sus ceremonias se daban cita el canto, la danza y el culto con hechizadores. Las mujeres servían pan, primero a los zemi, después al cacique y, por último, al pueblo, un rito similar a la Eucaristía de la iglesia cristiana.

Tras la ceremonia, tenían lugar las enseñanzas orales. Los poetas narraban historias sobre los distintos zemis que adoptaban la forma de caimanes, serpientes y ranas con rostros humanos deformes.

Los únicos actos violentos eran los legendarios ataques de los caribes, que mataban a los hombres, violaban a las mujeres y raptaban a los niños y los hacían engordar para comérselos después. Hasta el día de hoy, sin embargo, los descendientes de los caribes sostienen que dichos relatos eran inventados por los europeos con el fin de exonerarse de la matanza sistemática de los indígenas, una explicación no exenta de fundamento a la luz de las terribles descripciones remitidas por carta a la realeza de Europa sobre los "peligrosos nativos".

Tras el genocidio sistemático de los indios arahuacos taínos de Haití, se importaron esclavos africanos para que ocuparan su lugar. Se cree que en Haití y en gran parte del norte del Caribe no quedaba un solo indio cuando llegaron los africanos. De ahí que la gran mayoría de la población sea de origen europeo o africano.

La receta ofrecida trata de recrear el modo de preparación de un guiso taíno, a partir de moluscos y ollas hallados en excavaciones de antiguos poblados. Es probable que usaran aceite de pescado. No empleaban sal, pero por la cercanía de las aldeas al mar es lógico pensar que utilizaban agua de mar para cocinar (una costumbre que mantienen todavía muchos isleños). Seguramente utilizaban hierbas silvestres como aromatizantes. Puede añadir sabor a esta receta con sal, ajo, cebollino y un toque de cilantro antes de la cocción.

Reconstrucción de un poblado arahuaco taíno. Los hombres pescaban, cazaban y descansaban mientras las mujeres se ocupaban de las tareas domésticas, los cultivos y los niños.

Maíz

(Zea mays)

El maíz se cultiva en la práctica totalidad de las islas del Caribe. La planta alcanza una altura de 2,4 m. Cuando los frutos, llamados mazorcas, están completamente maduros, se cosechan como producto destinado al consumo humano y animal. El maíz, considerado un alimento básico durante miles de años, se empezó a cultivar con toda probabilidad entre el 5000 y el 3400 a.C. en el valle de Tehuacán de México. Los amerindios que lo sembraron por primera vez en el Caribe bautizaron la planta y su fruto con el nombre de "mahiz". Cuando Colón llegó a La Española, al probarlo escribió: "resulta sabrosísimo hervido, asado o molido en harina". Cuando los ingleses pusieron a los indios a trabajar en los campos de maíz, su importancia aumentó. Fue tal el éxito de las primeras plantaciones que los colonos tuvieron maíz para comer durante tres meses. En Barbados los indios enseñaron a los ingleses a preparar *lob-lolly* o gachas de maíz, una mezcla de maíz picado y agua que se convirtió en el precedente de la especialidad tradicional de Barbados llamada *CouCou.*

Buñuelos de maíz

1 lata de maíz dulce
1 diente de ajo picado fino
1 cebolla picada fina
1/4 guindilla despepitada y picada fina
1/2 pimiento rojo picado fino
300 g de harina
1 cucharadita de levadura en polvo
1 cucharadita de perejil picado fino
sal y pimienta al gusto
1 huevo batido
250 ml de leche

Mezcle el maíz, el ajo, la cebolla, la guindilla y el pimiento en una batidora. Pase el preparado a un cuenco y añada la harina, la levadura, el perejil, sal y pimienta y mézclelo todo a fondo. Agregue poco a poco la leche y el huevo hasta que se espese la mezcla. En una sartén ponga el aceite a calentar; cuando esté caliente, vierta la mezcla a cucharadas. Dé la vuelta a los buñuelos de vez en cuando hasta que se doren. Extráigalos de la sartén y déjelos escurrir sobre papel de cocina. Sírvalos calientes.

Izquierda: la imponente planta del maíz puede alcanzar hasta 2,4 m de altura.

Derecha: el maíz cosechado se lleva a un punto central donde se traslada en grandes cestos hasta al mercado.

El maíz brota a los lados del tallo principal. Fueron los indios quienes enseñaron a los europeos sus aplicaciones.

Pan de maíz

500 g de harina de maíz amarilla
4 cucharaditas de levadura en polvo
1 cucharadita de azúcar
2 cucharaditas de sal
2 huevos batidos
3 cucharadas de mantequilla
500 ml de leche

Precaliente el horno a 220°C. En un recipiente grande mezcle la harina de maíz, la levadura, el azúcar y la sal. En un cuenco aparte mezcle los huevos, la mantequilla y la leche. Bata juntas ambas mezclas y vierta el preparado final en un molde llano engrasado. Hornéelo durante 30 minutos. En vez de mantequilla se pueden utilizar cintas de beicon para darle más sabor (en cuyo caso debería reducirse la cantidad de sal). Extraiga el pan del horno, déjelo enfriar y córtelo en porciones cuadradas antes de servirlo.

Maíz al horno

2 cucharadas de mantequilla
1 1/2 cucharadas de harina
250 ml de leche
500 g de granos de maíz cocido
1 cucharada de azúcar
1 cucharadita de sal
pimienta al gusto
2 huevos batidos

Precaliente el horno a 180°C. Derrita la mantequilla y mézclela con la harina. Agregue la leche y hiérvala a fuego lento. Añada el maíz, el azúcar, sal y pimienta. LLévelo todo a ebullición. Retírelo y mézclelo con los huevos. Vierta el preparado en una cazuela con mantequilla y hornéelo 25 minutos. Para 2-4 personas.

República Dominicana

En 1492 Colón llegó a La Española, isla que tomó como base desde la que continuaría su expedición por las Américas. En 1496 el hermano de Colón fundó Santo Domingo, capital de la República Dominicana y la ciudad más antigua de las Américas. Hacia 1697 los españoles conservaban aún el control de la parte occidental de la isla, si bien los franceses habían tomado posesión de la mitad este.

En 1821 la República Dominicana proclamó la independencia de España, pero su vida fue efímera, ya que al año siguiente los haitianos invadieron el territorio dominicano y ocuparon toda la isla durante 22 años. En 1844 se proclamó la segunda independencia, pero no se lograría una estabilidad relativa hasta mediados del siglo XX. La guerra civil, la dictadura y la ocupación norteamericana han contribuido a prolongar la inestabilidad política.

La República Dominicana se define como una isla cosmopolita, con una población multiétnica. Tras el final de las dos guerras mundiales, la isla recibió un gran número de emigrantes de origen español, francés, italiano, judío, árabe y chino.

Hasta hace poco las principales exportaciones del país eran los productos agrícolas tradicionales. Las transformaciones del mercado sucedidas en el

último decenio han obligado a la isla a exportar metales y minerales, incluyendo ferroníquel, oro y plata. Las exportaciones de azúcar, café, tabaco y cacao siguen contribuyendo a aumentar la economía nacional. Por otra parte, el turismo ha irrumpido con fuerza en esta isla, destino frecuentado principalmente por ciudadanos de países europeos que buscan una alternativa asequible en el Caribe.

El modo de vida dominicano resulta en muchos aspectos más norteamericano que latino. Por ejemplo, la siesta se acorta y las comidas no duran tanto. La cultura está impregnada de influencias españolas y católicas romanas, lo que no impide que se pueda obtener el divorcio en sólo 72 horas.

La República Dominicana se caracteriza por la fertilidad del suelo. En su territorio destacan las hermosas playas de las costas norte, sudeste y este, así como los bosques, montañas, valles, llanuras y mesetas del interior.

Santo Domingo es una ciudad moderna, con casinos, discotecas, una Galería de Arte Moderno y un Teatro Nacional. En materia de deportes, la obsesión nacional es el béisbol, un juego que según algunos se originó en la época de los amerindios que poblaron la isla hace miles de años.

A unos kilómetros de la ciudad se encuentra un singular complejo de cavernas llamado Los Tres Ojos de Agua, nombre que hace referencia a los tres niveles distintos en los que se distribuyen unas lagunas turquesas alimentadas por ríos subterráneos y rodeadas de incontables estalactitas y estalagmitas.

La ciudad de La Romana cuenta con la elegante Casa de Campo de 2.800 hectáreas diseñada por Óscar de la Renta y la reconstrucción de un pueblo mediterráneo del siglo XIV dedicado al arte y la cultura con una réplica del anfiteatro griego de Epidauro con capacidad para 5.000 personas.

De la Costa Ámbar situada al norte se extrae una de las resinas fósiles más hermosas del mundo. Las piezas de mayor singularidad se conservan en el Museo del Ámbar. De hecho, el fragmento de ámbar más antiguo del mundo, utilizado en la película *Parque Jurásico*, provenía de la República Dominicana.

La isla goza de un tiempo entre primaveral y veraniego a lo largo de todo el año, cuenta con tres cordilleras y está regada por multitud de ríos, factores que permiten disfrutar de una magnífica variedad de alimentos frescos en cualquier época del año. La exquisita cocina tradicional refleja los productos propios de una tierra tan fértil.

Un trabajador con dilatadísima experiencia extrae los palmitos del tronco de una palmera real del Caribe.

Palmitos

La República Dominicana es uno de los principales productores mundiales de palmitos en conserva. Esta exquisitez procede del núcleo central de la palmera real del Caribe *(Roystonea oleracea)*, originaria de las Antillas. La palmera real es un hermoso árbol de rápido crecimiento que alcanza cerca de 30 m de altura, de tronco grisáceo y erguido y base abombada. Las enormes hojas de la copa se asemejan a las de los cocoteros, si bien resultan más frondosas y lisas, y pueden llegar a medir hasta 6 m de longitud. Justo bajo las hojas brota un espeso racimo rosa chillón que contiene un fruto ovalado de color rojizo oscuro, del cual se extrae aceite. Sin embargo, el exótico alimento se obtiene del tronco. Evidentemente, los palmitos se pueden encontrar frescos en la República Dominicana, así como en algunos establecimientos especializados en otras partes del mundo, aunque por lo general se comercializan en conserva. Chefs de todo el mundo aprecian el sabor de los palmitos crudos en ensaladas o cocidos como verdura. Se han plantado largas hileras de palmeras reales del Caribe en toda la isla, cuya presencia confiere un aspecto regio a los caminos de entrada a haciendas y grandes plantaciones.

Macedonia de palmitos

500 g de palmitos cocidos al vapor y fríos
1 cogollo de lechuga troceado fino
6 carambolas peladas y cortadas en rodajas finas
1 melón Cantalupo pelado, despepitado y cortado en dados
1/2 manzana pelada y cortada en dados
2 cucharadas de zumo de naranja
6 cucharadas de zumo de lima fresco
2 cucharaditas de miel
2 1/2 cucharadas de *chutney* ligero de mango
1 cucharadita de mostaza en polvo
80 ml de aceite de oliva virgen
sal y pimienta al gusto

Guarde en el frigorífico los palmitos fríos. Prepare un lecho de lechuga sobre una fuente llana. Agregue la carambola, el melón y la manzana y riegue la fruta con el zumo de naranja. Corte los palmitos en trozos de 8 cm y dispóngalos sobre la fruta. Mezcle el zumo de lima, la miel, el *chutney* y la mostaza en una batidora. Añada el aceite de oliva mientras liga la salsa con la batidora a velocidad mínima. Salpimiéntela al gusto. Si lo cree conveniente, puede pasar el aderezo por un tamiz fino para eliminar los trozos de mango del *chutney*. Aliñe la ensalada y sírvala fría. Para 4 personas.

Las palmeras reales del Caribe son la fuente de los apreciados palmitos.

Ensalada de palmitos

250 g de palmitos
1 pimiento verde despepitado y picado fino
1 pimiento rojo despepitado y picado fino
1 pimiento verde despepitado y picado fino
1 cogollo pequeño de lechuga troceado fino
1/2 diente de ajo
4 cucharadas de aceite de oliva
4 cucharadas de vinagre de estragón
(o el vinagre que prefiera)
pimienta negra al gusto

Corte los palmitos en rodajas de 1 cm y póngalos a macerar en vinagre. Déjelos en el frigorífico toda la noche. Escúrralos y reserve aparte el vinagre. Frote con ajo el interior de una ensaladera de madera, ponga en ella la lechuga, los palmitos y los pimientos y remueva la ensalada. Mezcle el vinagre, el aceite de oliva y la pimienta negra (añada sal al gusto si es preciso) en un cuenco pequeño y aliñe la ensalada. Decórela con perejil picado fino. Para 2 personas.

Producción de arroz

(Oryza sativa L.)

El arroz es un componente básico de la dieta caribeña. Está presente en todo tipo de comidas y se prepara de mil y una formas distintas: como plato único en algunas islas, como *pelau*, por ejemplo, en Trinidad donde se acompaña con *chutney*, o como "arroz 'ital' con judías" preparado con leche de coco en Jamaica. En todas las islas se suele servir arroz como acompañamiento del plato principal del día, junto con carnes, tubérculos, verduras y ensaladas. Los isleños no tienen por costumbre comer arroz de postre, si bien en algunas islas de habla hispana, como en Margarita, se prepara una deliciosa bebida denominada "chicha" que reparten sonrientes vendedores montados en bicicletas con carritos pintados de vistosos colores y timbres que anuncian su llegada.

El arroz se cultiva en islas con temperaturas templadas y lluvias anuales abundantes como en Puerto Rico, Cuba, Trinidad y la República Dominicana. Los arrozales parecen vastos pantanos de verdor en valles, llanuras y tierras bajas. En estas islas la producción de arroz es elevada y se destina en gran parte al consumo local.

Congri

(Frijoles con arroz)

180 g de frijoles secos
2 l de agua
2 1/4 cucharaditas de sal
1 ramita de tomillo fresco picada fina
1/2 pimiento verde picado fino
3 cucharadas de aceite vegetal
un trozo de carne magra de cerdo salada cortado en dados pequeños
2 dientes de ajo picados finos
1/4 guindilla roja despepitada y picada fina
2 cebollas picadas
750 g de arroz
1/2 cucharadita de pimienta negra

Lave los frijoles en un colador con agua fría corriente hasta que el agua salga clara. A continuación, depósitelos en una olla grande junto con 4 tazas de agua, 1 cucharadita de sal, el tomillo y la mitad del pimiento verde. Llévelo todo a ebullición a fuego fuerte, baje el fuego y déjelo hervir 3 horas o hasta que los frijoles queden tiernos. Añada más agua si se evapora demasiado. Escurra los frijoles cocidos y reserve el agua para hervir el arroz. Retire 1 cucharada de frijoles y machákuelos en un mortero hasta obtener una pasta fina. En una sartén grande con aceite caliente fría la carne de cerdo hasta que quede crujiente y haya soltado toda la grasa. Retire la carne del fuego y déjela escurrir sobre papel de cocina. Resérvela.

Rehogue en la sartén el ajo, el resto del pimiento verde, la guindilla y la cebolla 5 minutos, removiendo constantemente. Incorpore el puré de frijoles, los frijoles restantes y la carne de cerdo. Baje el fuego y déjelo hervir todo sin tapar unos 10 minutos. Pase todos estos ingredientes a la olla con el agua de los frijoles y añada el arroz, 1 1/4 cucharaditas de sal y pimienta negra. Llévelo todo a ebullición, sin dejar de remover, y déjelo hervir durante 20 minutos o hasta que se cueza el arroz y el líquido se haya evaporado. Por último, pruébelo y rectifique de sal. Sírvalo de inmediato. Para 4 personas.

Los arrozales se cultivan en vastos terrenos con gran cantidad de agua.

Basta con añadir los condimentos deseados y leche de coco para preparar una deliciosa comida caribeña.

Los frijoles con arroz constituyen un plato emblemático de las islas de habla hispana del Caribe.

Cuando llega el momento, los granos de arroz encerrados cada uno en sus "cáscaras de paja", se aferran con fuerza a la planta. Se acerca el tiempo de la siega.

Una vez cosechado, se trilla el arroz para separar el grano de la paja y prepararlo así para la molienda.

Tras extraer las capas externas, el arroz se pule y se enriquece antes de su comercialización.

Una vez cosechado, se trilla el arroz para separar el grano de la paja y molerlo después tratando de mantener entera la mies. Tras extraer las capas externas se pule el arroz a fin de que adquiera blancura. En ocasiones se enriquece también con vitaminas y minerales antes de su comercialización. En la República Dominicana destacan tres formas distintas de preparar el arroz, conocidas con los nombres de locrio, moro y asopao. El locrio es el arroz preparado con ave, pescado, salchicha, marisco o carne de vacuno, con el empleo opcional de leche de coco. El moro es el arroz preparado con verduras y frijoles. El asopao tiene la consistencia de una sopa espesa, se come en cuenco y se prepara con toda clase de carnes y en ocasiones con cerveza para realzar el sabor del plato.

Producción de frijoles

(Phaseolus vulgaris L.)

Los frijoles constituyen la base de la alimentación de todas las islas de habla hispana. En la República Dominicana su cultivo está dedicado tanto a la exportación como al consumo local. En Margarita, se conocen con el sobrenombre de "pabellón" y servidos con plátano macho frito reciben el nombre de "pabellón con resplandores".

Los frijoles se comen cocidos o fritos, acompañados generalmente de arroz, con algún tipo de carne y el inevitable plátano macho frito o cocido. La sopa de frijoles, una especialidad típica de la isla, se prepara de distintas formas dependiendo de la región.

Los campos de frijoles salpican el paisaje de la República Dominicana.

Una vez cosechados y extraídos de la vaina, los frijoles se ensacan para ser vendidos.

¿Sabía que…

…muchos piensan que la patata *(Solanum tuberrosum)* es originaria de Europa –en concreto de Irlanda–, cuando en realidad fue importada al Viejo Continente por los ingleses? Como otros muchos alimentos hoy de uso común, la patata procede del Nuevo Mundo; los amerindios la cultivaban en las islas, donde fue "descubierta" por los europeos.

Ensalada de frijoles

- 250 g de frijoles en conserva
- 125 g de papaya pelada, despepitada y cortada en dados
- 125 g de mango pelado, despepitado y cortado en dados
- 2 cucharadas de pimientos rojos picados finos
- 2 cucharadas de pimientos verdes picados finos
- 2 cucharadas de pimientos amarillos picados finos
- 1/4 cucharadita de guindilla roja despepitada y picada fina
- 2 cucharadas de zumo de lima fresco
- 2 cucharadas de aceite vegetal
- 1 cucharada de pasas
- 2 cucharadas de perejil fresco
- 1 cucharada de almendras picadas
- sal y pimienta al gusto

Mezcle los frijoles, las frutas y los pimientos en una ensaladera grande. Mezcle el aceite vegetal y el zumo de lima y aliñe después la ensalada. Esparza por encima pasas, perejil y almendras. Sirva la ensalada como entrante. Para 4 personas.

Sopa de frijoles

- 500 g de frijoles secos puestos en remojo en agua toda la noche
- 4 cucharadas de aceite de oliva
- 1 cebolla picada fina
- 1 pimiento verde picado fino
- 1 pimiento rojo picado fino
- 1/4 guindilla roja despepitada y picada fina
- 1 tallo de apio picado fino
- 4 dientes de ajo picados
- 1 hueso de jamón
- 4 tiras de beicon picadas finas
- 2 cucharadas de concentrado de tomate
- 2 cucharaditas de comino en polvo
- 2 cucharaditas de orégano fresco
- 1 hoja de laurel
- 1 cucharada de sal
- 1 cucharadita de pimienta negra
- 1 cucharada de vinagre, ron o jerez
- 1 cucharada de mantequilla

Escurra los frijoles y resérvelos aparte. Saltee la cebolla, los pimientos, el apio y el ajo con aceite de oliva a fuego lento durante 15 minutos. Agregue los frijoles, el hueso de jamón, el beicon y agua suficiente para cubrir las legumbres. Añada poco a poco el resto de los ingredientes (salvo el vinagre y la mantequilla) y llévelo todo a ebullición. Cueza la sopa tapada durante 2 horas. Déjela enfriar. Reduzca a puré la mitad de la sopa con una batidora. Pase a la olla el puré. Añada el vinagre y la mantequilla y remueva bien. Sirva la sopa vertida sobre arroz blanco cocido y decórela con cebolla picada y cilantro fresco. Para 4 personas.

Platos típicos

La cocina tradicional de la República Dominicana se compone de suculentos platos picantes y muy condimentados elaborados con multitud de productos locales frescos. Todo es casero y se prepara con esmero. Las carnes se marinan un día antes, las judías y los guisantes se dejan en remojo toda la noche y las frutas y verduras se compran frescas a diario en los mercados y puestos ambulantes.

Una forma original de repartir el pan.

El desayuno suele ser una comida completa y nutritiva a base de verduras y tubérculos hervidos, huevos con cebolla y pimientos, panes, quesos y un alimento que nunca puede faltar, longaniza; todo ello acompañado con copiosas cantidades de café solo o café con leche. Para los trabajadores y empresarios que no tienen tiempo de desayunar durante la semana se venden pastelitos, trozos de longaniza o pollo y plátano macho frito en puestos ambulantes. El almuerzo constituye la comida principal del día, con platos a base de carne, arroz, frijoles, buñuelos, plátano, postres dulces y café solo. Los dominicanos suelen tomar una cena ligera, una sopa abundante o pan de mandioca. El café se bebe a todas horas. En la cocina dominicana los utensilios indispensables son el pilón (un mortero de madera) y el mazo, utilizados para machacar una mezcla de hierbas y ajo, una picada presente en todo tipo de preparaciones culinarias.

Una curiosa manera de llevarse a casa las salchichas recién preparadas.

Una "cortina" de longanizas despierta el apetito de los clientes locales.

Los intestinos limpios sirven de tripa para envolver la longaniza.

Se introduce la carne picada y condimentada en la tripa envolvente.

Una vez rellena la tripa y atados los cabos, la longaniza está lista para su consumo.

Un desayuno dominicano servido con rodajas de plátano macho rebozadas.

Desayuno dominicano

1 cucharada de mantequilla
1 cebolla picada fina
1 diente de ajo picado fino
2 tomates picados finos
2 ramitas de cebollino picadas finas
6 huevos batidos hasta que formen espuma
1/4 cucharadita de guindilla despepitada y picada fina
1 ramita de perejil picada fina
sal y pimienta negra al gusto
yuca (mandioca) hervida y cortada en rodajas
malanga hervida y cortada en rodajas
chayote hervido y cortado en rodajas
6 trozos de longaniza de 5 cm de largo
rodajas de tomate y lechuga (opcional)

Saltee la cebolla y el ajo con mantequilla a fuego medio. Cuando la cebolla esté blanda, agregue los tomates, el cebollino, los huevos batidos y la guindilla. Remueva constantemente hasta que el huevo empiece a cuajar. Cuando quede esponjoso, espolvoréelo con perejil. Sírvalo todo con las frutas y la longaniza. Para 4 personas.

Filetes de pescado con coco

4 filetes grandes de pargo
el zumo de 1 lima
sal y pimienta al gusto
1/2 cucharadita de orégano seco
1 cucharada de aceite de oliva
1 cebolla picada fina
4 dientes de ajo picados finos
1 tomate despepitado, blanqueado, pelado y picado fino
1 tallo de apio picado fino
1 lata de leche de coco sin azúcar
125 ml de zumo de piña
1 hoja de laurel
1 cucharadita de concentrado de tomate
perejil fresco
orégano fresco

Limpie el pescado y séquelo. Riegue los filetes con zumo de lima y sazónelos con sal, pimienta y orégano. Tápelos y refrigérelos toda la noche (o unas horas). Saltee la cebolla, el ajo, el tomate y el apio con aceite durante 1 minuto. Agregue la leche de coco, el zumo de piña, la hoja de laurel y el concentrado de tomate. Déjelo hervir todo 10 minutos. En otra sartén dore el pescado por ambos lados. Vierta la salsa sobre el pescado y déjelo hervir todo 5 minutos (dé la vuelta a los filetes). Espolvoréelo con perejil y orégano. Sírvalo con arroz blanco hervido. Para 4 personas.

Quesillo
(Flan al caramelo)

4 huevos (claras y yemas por separado)
500 ml de leche caliente
8 cucharadas de azúcar
una pizca de sal
8 cucharadas de azúcar
4 cucharadas de agua

Precaliente el horno a 160°C. Para elaborar el caramelo, caramelice el azúcar en un cazo el azúcar. Cuando adquiera un color pardo, añada el agua y mezcle. Retire del fuego y vierta en un molde.

Para elaborar el flan, bata las yemas y las claras por separado. Agregue después poco a poco las yemas a las claras, la leche, el azúcar y la sal. Vierta el flan líquido en el molde. Coloque el molde sobre una cazuela llena de agua y hornéelo durante 45 minutos o hasta que al insertar un cuchillo éste salga limpio. Deje enfriar y desmoldee. Para 6 personas.

Sazón preparado

6 cebollas picadas finas
4 pimientos, 2 rojos y 2 verdes
8 dientes de ajo picados finos
2 cucharadas de orégano
500 g de cebollino picado fino
250 g de perejil fresco picado fino
250 g de cilantro fresco picado fino
500 g de concentrado de tomate
2 cucharadas de salsa Tabasco
1 cucharada de pimentón
500 ml de aceite de oliva y 250 ml de vinagre
1 cucharadita de sal

Bata todos los ingredientes hasta obtener un puré homogéneo. Póngalo a hervir 5 minutos en una cazuela. Déjelo enfriar y embotéllelo. Úselo para sazonar guisos, frijoles, verduras y arroz.

Los numerosos ingredientes que componen un excelente sancocho.

Tras poner a macerar toda la noche los distintos tipos de carne se fríen con aceite.

Se cuecen todos los tubérculos, junto con la carne frita, la calabaza y los condimentos.

El sancocho se prepara siempre en grandes cantidades para alimentar no solo a una familia entera sino también a sus invitados. Debido al tiempo que requiere su preparación, merece ser disfrutado en compañía. Esta receta está pensada para 6-8 personas.

Sancocho dominicano

2 kg de pollo
3 cucharadas de zumo de naranja ácida
1 kg de chuletas de cerdo
750 g de carne de cabra
1 cebolla
3 pimientos verdes despepitados y picados finos
1/2 guindilla despepitada y picada fina
3 gotas de salsa Perrin's
4 tomates maduros pelados y picados
5 cucharaditas de sal
500 g de carne de cerdo salada
500 g de longaniza
aceite vegetal para freír
1 kg de boniatos
1 kg de ñame blanco
1 kg de yuca
1 kg de malanga
6 mazorcas de maíz
5 plátanos macho grandes
1 1/2 cucharadas de orégano
1 cucharadita de ajo picado fino
1 ramita de perejil picada fina
4 hojas de cilantro picadas finas
2 1/2 cucharadas de vinagre de vino blanco
1 pastilla de caldo de pollo
1 lata de salsa de tomate
1 kg de calabaza

El sancocho dominicano se sirve con arroz blanco.

Prepare los diferentes tipos de carne con un día de antelación. Corte en trozos el pollo. Retire la piel, el exceso de grasa y lávelo con la naranja ácida. Añada 1/3 de cebolla, los pimientos, la salsa Perrin's, el tomate y la sal y hiérvalo todo durante 30 minutos. Cueza las chuletas de cerdo y la carne de cabra de la misma forma pero en ollas distintas, utilizando para cada una 1/3 de los condimentos. Guarde toda la carne en el frigorífico durante toda la noche.

Al día siguiente, corte la carne salada de cerdo en trozos pequeños y fríala con aceite vegetal caliente hasta que se dore. Agregue un poco de agua y déjela cocer. Procure que la carne no quede demasiado tierna. Corte la longaniza en trozos pequeños y fríala con aceite vegetal. Cuando esté frita, retire el aceite y resérvelo aparte. Pele todos los tubérculos y córtelos en trozos pequeños. Póngalos en agua para evitar que se ennegrezcan. Lleve 6 litros de agua salada a ebullición en una olla grande. Incorpore los tubérculos y la longaniza y déjelo hervir todo unos 10 minutos. Añada toda la carne, los condimentos (también los que se emplearon para la carne) y la salsa de tomate. Agregue 1/2 calabaza y deje cocer el sancocho durante 10 minutos. Incorpore la calabaza restante. Cueza todas las verduras hasta que queden tiernas. Sirva el sancocho con arroz. Para 6-8 personas.

Puerto Rico

Puerto Rico es la más oriental de las cuatro islas que forman las Grandes Antillas. Su territorio, de 177 km por 56 km, se encuentra rodeado por el océano Atlántico al norte y el mar Caribe al sur. Antes de ser "descubierta" por Colón en su segundo viaje al Nuevo Mundo en 1493, la isla era conocida como Borinquen entre los indios taínos de raza arahuaca que la poblaban. Aún hoy sus habitantes se llaman entre sí "boricua" (puertorriqueño). Posteriormente, los españoles la rebautizaron con el nombre de San Juan en honor al patrono de la isla, San Juan Bautista. Finalmente, San Juan se convirtió en el nombre de la capital y la isla pasó a llamarse Puerto Rico.

Tras la guerra hispano-americana de 1898, España entregó la isla a Estados Unidos. En 1917 fue concedida la nacionalidad estadounidense a los puertorriqueños. En 1948 se celebraron las primeras elecciones para designar al gobernador de la isla y en 1952 Puerto Rico recibió la condición de "Estado Libre Asociado" a los Estados Unidos. El español y el inglés son los idiomas oficiales, si bien en los medios de comunicación locales sigue prevaleciendo el español.

La ciudad vieja de San Juan, con varias manzanas de extensión, ostenta hoy el título de Zona Histórica Nacional. En esta parte de la capital se conservan los ejemplos más singulares de la arquitectura colonial española de los siglos XVI y XVII de toda América. Estos edificios históricos albergan en la actualidad teatros, museos, galerías de arte, iglesias, fuertes, viviendas y restaurantes.

En el interior abundan los tranquilos pueblos de estilo colonial español, con los pintorescos paradores puertorriqueños y probablemente el único cementerio taíno existente, el Centro Ceremonial de los Indios Tibes, situado cerca de la ciudad de Ponce. Junto al lugar se hallan siete patios destinados a juegos de pelota y a actos religiosos, dos espacios dedicados a danzas tribales y un reconstruido poblado taíno. En el pueblo de Utuado, el Centro Ceremonial de los Indios Caguana alberga varios espacios dedicados al culto y al deporte con más de 800 años de antigüedad, incluyendo diez campos destinados a la práctica de un juego que podría haber sido el precedente del fútbol, cercados por monolitos de piedra con petroglifos.

El paisaje de la isla se ve dominado por playas ribeteadas de palmeras en todo el litoral, escarpadas cordilleras, colinas sinuosas, zonas desérticas y 1.120 km^2 del único bosque tropical del Departamento Forestal de Estados Unidos.

Izquierda: Culebra y Vieques, dos islas cercanas a la costa oriental de Puerto Rico, son famosas por sus recónditas playas, prístinas aguas, arrecifes de coral y abundante pescado fresco.

El turismo y las manufacturas, en concreto las exportaciones de comida y bebida caribeñas, constituyen los pilares de la economía del país.

Los puertorriqueños celebran varias fiestas populares a lo largo del año que llegan a durar hasta diez días, con procesiones, festejos, bailes, juegos, música y gastronomía local. Estas fiestas suelen realizarse en los pueblos en honor al santo patrón del lugar, aunque también se celebran para festejar la cosecha del café o conmemorar ciertos elementos como flores y artesanías locales. En este tipo de eventos pueden verse a mujeres puertorriqueñas vendiendo mundillos para hacer encaje de bolillos y hombres con guitarras de cuatro cuerdas de fabricación casera denominadas "cuatros".

Puerto Rico cuenta con tres islas más pequeñas en sus aguas territoriales: Culebra, Vieques y Mona. Culebra y Vieques, situadas al este, son famosas por sus recónditas playas de arena, aguas cristalinas, arrecifes de coral y abundante pescado fresco. En Vieques hay una célebre bahía fosforescente. Mona, situada al oeste, se encuentra prácticamente deshabitada salvo por un puñado de excéntricos campistas y amantes de la naturaleza. Por ello goza de un sistema ecológico de extraordinaria belleza natural, dominado por las aves acuáticas y la fauna marina.

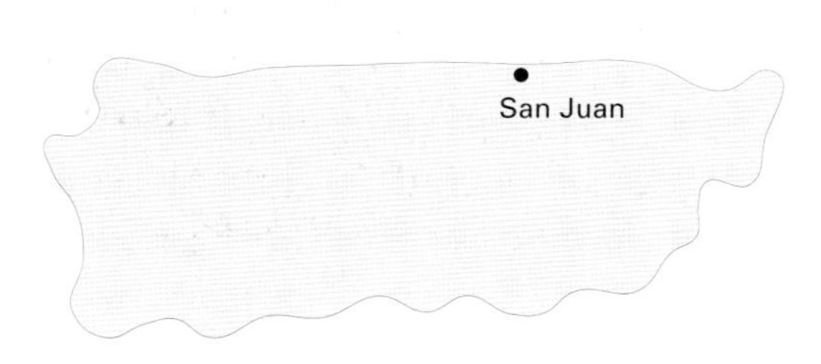

Vainilla

(Vanilla planifolia)

Puerto Rico es el principal productor y exportador de vainilla del Caribe. Los aztecas de México la utilizaron durante siglos como aromatizante y se ofrecía siempre como tributo a los emperadores aztecas. De hecho, existen pruebas que dan fe de que el emperador Moctezuma tomaba chocolate líquido con vainilla molida. Los exploradores españoles observaron que los amerindios del Caribe la empleaban para aromatizar bebidas.

La planta de la vainilla crece en bosques tropicales situados en tierras bajas y trepa a los árboles hasta una altura de más de 9 m. La planta cultivada, sin embargo, se guía para que no sobrepase el nivel propicio para su recolección. El fruto negro, alargado y delgado, denominado impropiamente vaina, se recoge verde, se trata con agua hirviendo o vapor y, a continuación, se deja fermentar. Los frutos se secan al sol durante el día y se guardan en recipientes herméticos durante toda la noche. Al cabo de un mes, adquieren un hermoso tono pardo y producen una sustancia llamada vainillina.

Este largo y complejo proceso de curación explica el elevado coste de la auténtica vainilla. Hoy ha pasado a sustituirse por la vainilla sintética, un producto mucho más asequible, aunque para los gastrónomos no tiene ni punto de comparación con el exquisito aroma y el dulce sabor del producto natural.

La obtención de la esencia de vainilla encarece tanto el producto que ha pasado a sustituirse por vainilla sintética.

El fruto de la sarapia, árbol de América tropical, crece en forma de vaina fibrosa con duras semillas almendradas en el interior. Puestas a remojo en alcohol, pueden utilizarse como vainilla.

1. El *Mousse* de vainilla es un delicioso postre cremoso 2. El Atún claro flambeado con ron de vainilla es una especialidad del chef David Piffre 3. La Tarta de café se deshace en la boca.

Atún claro flambeado con ron de vainilla

2 filetes de atún claro de 2,5 cm de grosor
el zumo fresco de 1 lima
condimentos para adobo
una pizca de canela rallada
1 cucharada de mantequilla
2 chorritos de ron de vainilla

Para preparar el ron de vainilla:
Se pueden dejar en infusión 3 vainas de vainilla fresca en una botella de Bacardí blanco de 3/4 de litro durante tres semanas o bien emplear simplemente 250 ml de ron y 1 cucharadita de extracto de vainilla. Condimente los filetes de atún con el zumo de lima y a continuación espolvoréelos por ambos lados con el adobo y la canela. En una sartén derrita la mantequilla y fría los filetes durante 2 minutos por cada lado. Riéguelos después con el ron de vainilla y flambéelos. Sirva los filetes con arroz blanco, un surtido de verduras y ensalada fría. (El atún debe quedar poco hecho por el centro para que retenga los jugos.) Para 2 personas.

La planta de la vainilla trepa por los árboles hasta alcanzar alturas superiores a los 9 m. Su fruto delgado y alargado es la apreciada vainilla empleada por chefs de todo el mundo.

Tarta de café

1 paquete de galletas de vainilla machacadas
2 cucharaditas de cacao sin refinar ni azucarar o
1 cuadrado de chocolate rallado
60 g de azúcar moreno claro
125 g de almendras picadas finas
125 g de cacahuetes picados finos
60 g de nueces picadas finas
2 cucharaditas de extracto de vainilla
1/2 cucharada de licor de café o cacao
1/2 cucharada de ron dorado Bacardí
Relleno:
125 g de mantequilla reblandecida
180 g de azúcar granulado
4 cucharaditas de café instantáneo disueltas en
un poco de agua caliente, una vez frías
3 huevos batidos

Precaliente el horno a 190°C. Mezcle todos los ingredientes de la primera parte de la receta hasta obtener una mezcla homogénea. Extiéndala uniformemente sobre una fuente de 24 cm, presionándola con fuerza hacia el fondo y los bordes. Hornéela de 10 a 15 minutos. En una batidora eléctrica bata la mantequilla para el relleno hasta que quede cremosa. Añada el azúcar gradualmente y bátalo todo hasta que quede bien mezclado. Incorpore el café y los huevos poco a poco; bátalo rápido 15 minutos. Vierta la mezcla sobre la base de la tarta y refrigérela tapada durante toda la noche. Sírvala fría cubierta de nata montada.

Mousse de vainilla

2 cucharadas de puré de piña
1 cucharada de puré de plátano
3 cucharadas de extracto de vainilla
una pizca de canela
1/2 cucharadita de zumo de lima
2 claras de huevo
una pizca de sal
60 g de azúcar
6 cucharadas de nata doble

Ponga los purés de piña y de plátano en un cuenco de cristal. Añada el extracto de vainilla, la canela y por último el zumo de lima. En un cuenco aparte bata las claras de huevo con sal hasta que adquieran una consistencia ligera y espumosa. Agregue poco a poco el azúcar y continúe batiendo hasta que queden a punto de nieve. Incorpore lentamente la nata. Pase despacio las claras montadas a la mezcla de frutas. Reparta el *mousse* en copas de postre heladas y y refrigérelas durante 3 horas. Decore el *mousse* con ralladura de limón y naranja antes de servirlo. Para 2 personas.

Algunos frutos caribeños

No hay una sola isla en las Antillas que no cuente con alguna especie autóctona de árbol frutal. Según los científicos, las islas Antillas se formaron a lo largo de una zona de tensión entre las placas tectónicas de Norteamérica y Sudamérica como resultado de la actividad volcánica. Así aparecieron varias islas con distintos climas, suelos y relieves, aunque con condiciones atmosféricas muy similares. (Naturalmente, las temperaturas más bajas se registran en las islas próximas a EE.UU., mientras que en las islas cercanas a Sudamérica hace más calor.) Estas condiciones favorecieron el crecimiento ecológico, y las variaciones marcaron el desarrollo de diversas especies de flora y fauna. Dado que la vida en las islas se originó en Norteamérica, Centroamérica y Sudamérica antes de adaptarse a los distintos hábitats, puede decirse que el Caribe reúne lo mejor de los tres subcontinentes.

Zapote
(Manilkara zapota)
Esta fruta es originaria de Centroamérica y del Caribe. El árbol, de crecimiento muy lento, llega a alcanzar alturas de hasta 23 m. Las flores, pequeñas y finas, son de color blanco. El fruto es redondo, mide de 10 a 13 cm y tiene una piel pardusca de textura áspera. La pulpa, de aspecto casi translúcido, está repleta de diminutas semillas negras y posee un sabor dulce y un intenso aroma. La crema y el helado de zapote gozan de gran popularidad en todo el Caribe. Los niños tienen especial predilección por esta fruta, que en temporada crece en abundancia. Con la savia del tronco del zapote se produce goma de mascar, ingrediente archiconocido de los chicles.

Lima
(Citrus aurantifolia)
Cuando Colón llegó al Nuevo Mundo descubrió que los indios nativos marinaban el pescado y el marisco en lima. Si bien se suele escribir que la lima procede de la India y Malaysia, resulta extraño que existan pruebas fehacientes de su empleo por parte de los primeros amerindios. Lo que sí es cierto es que los ingleses descubrieron que chupar la pulpa de esta fruta disminuía de forma considerable el riesgo de contraer el escorbuto.

El árbol es común y prolífico en todas las islas. El fruto mide de 4 a 8 cm de diámetro y su color varía de verde oscuro a amarillo claro. El jugo es extremadamente ácido pero contiene un elevado porcentaje de vitamina C. El zumo de lima se utiliza con profusión en la cocina criolla caribeña. Asimismo resulta un refresco delicioso y saludable en un día caluroso. Se producen zumos concentrados y naturales y cordiales de lima, así como aceite obtenido de la piel del fruto, destinados a su exportación. Con la lima se elaboran además jaleas y numerosos postres de sabor exquisito, como la deliciosa tarta de lima Key.

Chirimoya
(Annona reticulata)
El árbol de la chirimoya es originario de América tropical y el Caribe. Alcanza una altura aproximada de 6 m. Sus flores, de color verde oliva o amarillo, crecen arracimadas en las axilas de las hojas. El fruto se compone de pequeños bultos circulares apiñados en forma de corazón. Su color inicial oscuro se aclara según avanza el proceso de maduración. Presenta una pulpa blanca, dulce, granular y de sabor similar a la crema. La chirimoya se toma normalmente tal cual como postre, aunque sirve además para elaborar una refrescante bebida o un helado "casero", además de emplearse como ingrediente para macedonias. La extraña forma del fruto que dificulta su manejo no parece ser un inconveniente para los isleños. Como otras muchas frutas del Caribe, la chirimoya crece en la mayoría de las islas. Con frecuencia se ven árboles cargados de frutos en jardines y patios traseros y su venta en el mercado se destina principalmente al consumo local. Para preparar un sencillo y refrescante postre con esta fruta se precisa la pulpa de cuatro chirimoyas reducida a puré junto con 50 g de azúcar glas. El preparado se cuela y se refrigera. Antes de servirlo, se agrega 125 ml de nata doble en forma de espiral y se sirve en copas de postre.

Guanábana
(Annona muricata)
El guanábano, árbol de rápido crecimiento originario de Sudamérica, se cultiva hoy en todas las islas del Caribe. Puede alcanzar hasta 9 m de altura. Presenta flores de color verde amarillento y fruto de gran tamaño que llega a medir 25 cm y pesa de 3 a 4 kg. La guanábana tiene una corteza verde con escamas cubiertas de púas y una pulpa blanca salpicada de semillas negras y muy aromática. Su consumo está muy extendido como jugo y aromatizante de helados. También se puede tomar como delicioso refrigerio en los cálidos días del Caribe; basta con eliminar las semillas, separar la pulpa de la piel y dejarla en el frigorífico unas horas.
En temporada, la guanábana engalana las paradas de los mercados, ofreciendo con su extraña forma una nueva dimensión a la exposición de las frutas, al tiempo que invade el aire con su inconfundible fragancia. Los vendedores de helados, apostados a los lados de la carretera o en puestos de helados "caseros", anuncian con orgullo la llegada del helado de guanábana, que siempre es recibido con gran entusiasmo por su sabor tan preciado por los isleños. El jugo de guanábana servido en un vaso largo lleno de hielo constituye una refrescante bebida que además de saciar resulta fácil de preparar. Basta con mezclar la pulpa de la fruta con dos partes de leche condensada y una parte de leche evaporada, un poco de esencia de vainilla, una pizca de canela o nuez moscada y mucho hielo para obtener una deliciosa bebida caribeña. Otro postre de gran sencillez se elabora mezclando la pulpa de una guanábana con 1 taza de nata doble

y azúcar al gusto. Se añade nuez moscada rallada, se reparte el preparado en copas y se deja enfriar en el frigorífico antes de servirlo. Ni que decir tiene que a los isleños les encanta asimismo la fruta natural. Basta con eliminar las semillas, extraer la pulpa y refrigerar unas horas para poder disfrutar de un delicioso refresco en los calurosos días de las islas. El helado se elabora con la misma receta del jugo pero hirviendo los dos tipos de leche con un par de cucharadas de fécula de maíz diluidas en un poco de agua hasta que espese la mezcla y luego se añade la pulpa batida, las especias y la esencia. Se refrigera tres horas, batiendo la mezcla cada media hora y dejándola de nuevo en el frigorífico.

Aguacate
(Persea americana)
Los primeros exploradores españoles dieron fe del cultivo de aguacate de México en Perú, pero el fruto no llegó a las Antillas hasta 1650 cuando fue introducido por primera vez en Jamaica, desde donde se extendió en toda la región con tal rapidez que hoy sería difícil nombrar las incontables variedades existentes. Los aguacates de las Antillas suelen ser grandes, de piel suave y correosa, con una cavidad interna en la cual alberga una semilla de gran tamaño, y una pulpa sumamente dulce y tierna.

Nadie adora tanto los aguacates como un isleño. La temporada del aguacate se aguarda con auténtica pasión; mientras madura en el árbol el fruto recibe un cuidado diario hasta que se halla en su sazón. El aguacate Pollock, muy extendido hoy en Florida, procede en realidad de las Antillas, concretamente de Trinidad donde constituye una de las variedades más comunes. Si bien el aguacate se considera en muchas partes del mundo una fruta exótica de lujo, en las islas crece por doquier.

El aguacate es una de las frutas más nutritivas, rico en vitaminas B, A y E. Se trata de un alimento muy energético y digerible, con un promedio de 2.200 calorías por kg. El aceite de aguacate tiene una composición similar al de oliva. En las islas se toma de mil maneras distintas: partido por la mitad despepitado y pelado, con un poco de sal y pimienta, en ensaladas, con pescado salado, o machacado y salpimentado y untado en pan fresco a modo de un delicioso sandwich.

Sandía
(Citrullus lanata)
La sandía fue introducida en el Nuevo Mundo después de la llegada de Colón, probablemente por los africanos, y hoy reluce en los mercados y puestos de frutas de todo el Caribe. La planta, de raíces rastreras, presenta flores blancas y amarillentas y frutos que pesan hasta 11 kg, de corteza muy vistosa, verde y a veces con estrechas franjas verticales de un tono más claro. La pulpa puede variar de rosa pálido a rojo oscuro según el grado de maduración, con abundantes semillas blancas y negras. Constituye una de las frutas más refrescantes del Caribe debido a su elevada concentración de agua y su sabor dulce. Como desayuno resulta ideal, preferiblemente servida fría. Se toma asimismo en macedonias de frutas y su jugo es sumamente refrescante.

Mamey
(Mammea americana)
Esta fruta originaria de América tropical y el Caribe ya formaba parte de la alimentación de los amerindios cuando Colón llegó a estas islas. El árbol da un fruto amarillo o bermejo, de gran tamaño (unos 15 cm de diámetro) y corteza gruesa y amarga que cubre una pulpa dulce de color naranja rojizo con grandes semillas negruzcas. Se puede comer crudo y resulta delicioso en compota. Para ello basta con hervir dos partes de azúcar y una parte de agua, añadir la pulpa de la fruta cortada en dados con un poco de canela y nuez moscada y hervirlo todo durante unos minutos. Se aparta del fuego cuando empieza a adquirir un aspecto almibarado, se deja enfriar y se refrigera antes de servir la compota, decorada con nata montada. El fruto verde se emplea para elaborar mermeladas y de sus fragantes flores se destila un licor muy aromático. En algunas islas se elabora asimismo un delicioso vino de mamey de fabricación casera que se sirve con gran orgullo. Como cabe esperar, la fórmula familiar se mantiene en secreto, pero a los menos versados en el arte de la elaboración del vino no les faltarán ocasiones para degustarlo. El mamey no es común en todas las islas, pues sólo crece en terrenos de exuberantes bosques tropicales. Su recolección resulta igualmente dificultosa debido a la altura del árbol, si bien los isleños siempre han encontrado la manera de salvar este pequeño obstáculo cuando se trata de hacerse con tan preciado fruto.

Pimiento puertorriqueño
(Capsicum sp.)
El pimiento pertenece a la misma familia que la pimienta de Jamaica, la guindilla y el pimentón, con la salvedad de que no es picante. En el Caribe existen variedades de tres colores distintos, rojo, amarillo y verde. Crece en pequeñas matas y se cultiva con fines comerciales. El pimiento es originario del Caribe y se considera un ingrediente indispensable en la preparación de guisos, *pelaus* (una especie de paella de la isla) y currys. Se toma también en ensaladas. Si bien el pimiento forma parte de la cocina tradicional caribeña, su uso está mucho más extendido en las islas de habla española y francesa. Debido a su sabor dulce y un poco picante, combina a la perfección con otras frutas como mango, mamey, aguacate e incluso sandía, por lo que se puede incluir, por ejemplo, en una típica ensalada de frutas caribeña. Naturalmente, se utiliza asimismo como acompañamiento, cortado en rodajas y crudo con cebolla, ajo y aceite de oliva o relleno de marisco y otros tipos de carnes. Independientemente de la forma en que se preparen en el Caribe, los gastrónomos consideran los pimientos puertorriqueños como los más dulces de todos.

Ostras

(Isognomon alatus)

Ostra es el término genérico para designar varias especies diferentes de moluscos bivalvos marinos. Existen más de 50 especies de ostras comestibles; la ostra perlera pertenece a una familia distinta. Una ostra consta de dos valvas unidas que se abren por medio de un ligamento y se mantienen cerradas con firmeza por la fuerza de un músculo. Las ostras disponen de sistema digestivo, reproductivo, circulatorio, excretorio y nervioso.

En el Caribe se pueden encontrar ostras tanto en manglares como en el mar. Las ostras de mar viven en los arrecifes, aunque también habitan en aguas atravesadas por el curso de los ríos; por ejemplo, cerca de la isla de Margarita, en el sur del Caribe, abundan toda clase de mariscos y en particular las ostras perleras.

La mayor parte de las ostras que se consumen en las islas proceden de los manglares, un nombre común para designar una zona donde viven plantas y árboles de distintas familias en los terrenos pantanosos y movedizos que cubren de agua las grandes mareas tropicales. Los manglares deben su formación a los arrecifes de coral que les sirven de diques y propician el crecimiento de pasto marino entre los arrecifes y los mangles en un remanso de aguas. Muchos peces de arrecife, crustáceos y gambas nacen y se crían en estos terrenos; se dice que el manglar recibe los nutrientes de la tierra, los transforma en materia orgánica y los lanza al mar. En los manglares viven y anidan asimismo aves de numerosas especies. No ha sido sino hasta hace bien poco cuando los naturalistas han tomado plena conciencia de los beneficios ecológicos y económicos de este hábitat. En la actualidad, los manglares reciben la protección adecuada, y en el Caribe muchos de ellos han sido declarados parques naturales.

Existen dos tipos básicos de ostra de manglar. La *Crassostrea*, u ostión de mangle, de caparazón púrpureo y alargado que habita principalmente en aguas salobres. La *Isognomon alatus* u ostra callo de árbol, de carapazón grisáceo, vive en entornos salinos más cercanos a la costa. El interior de las valvas presenta un colorido púrpura, negro o pardo. Las raíces de los mangles que sobresalen del agua suelen verse cubiertas de fango. Ambas especies crecen en colonias que pueblan buques hundidos, rocas, montículos y las raíces de los mangles. La carne del interior resulta deliciosa, siendo la ostra callo de árbol la más salada de las dos.

Un buceador acude a la superficie con manojos de ostras cubiertas de algas.

Ambas especies, consideradas afrodisíacas por los isleños, han sido durante mucho tiempo un codiciado manjar, por lo que su población se ha visto diezmada en algunas islas. En el Caribe se le advierte a uno desde pequeño que no coma ostras en los meses sin la letra "r", y nadie parece saber por qué, pero la norma se acata a pie juntillas.

Las ostras se arrancan del pasto marino y las algas y los vendedores las ofrecen al público en la playa y en los puestos ambulantes de los pueblos. Las abren con una rapidez asombrosa, y las sirven en las propias valvas con una rodaja de lima o bien un chorrito de salsa picante, de elaboración casera a partir de una receta secreta. En algunas islas, se sirven sin las valvas en una copa con salsa, lo que se conoce como cóctel de ostras. En el Caribe las ostras se suelen comer crudas, si bien en algunas islas de habla hispana se cuecen con arroz a modo de paella.

Las ostras de manglar se aferran a las raíces de las plantas y árboles de los manglares.

Cómo abrir una ostra:

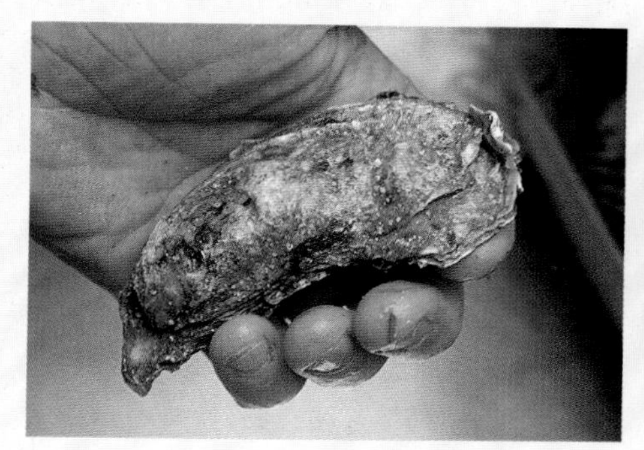

1. Sujete la ostra con firmeza, con la parte más plana mirando hacia arriba.

2. Introduzca un cuchillo corto y fuerte en el extremo de la bisagra que forma la unión de las dos valvas de la ostra.

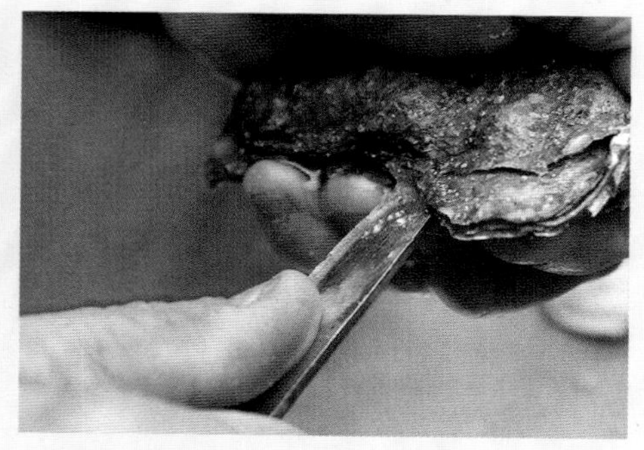

3. Practique un corte longitudinal.

4. Haga girar el cuchillo para abrir la ostra.

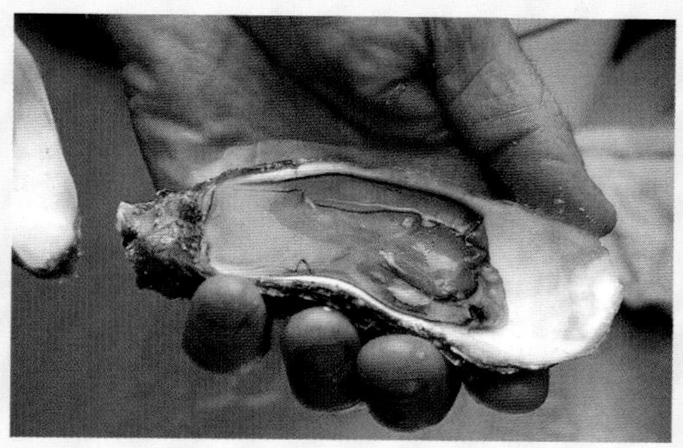

5. Retire la valva superior de la ostra.

6. En las islas se toman las ostras en las valvas recién salidas del mar. El agua de mar les da un sabor salado.

Las madreperlas, de aspecto distinto a las ostras de las fotografías superiores, son típicas del Caribe.

Cóctel de ostras

24 ostras sin las valvas

Salsa:

250 g de ketchup de tomate

60 ml de agua

1 cucharadita de cilantro fresco picado

1/4 cucharadita de guindilla picada

1 cucharada de zumo de lima fresco

sal y pimienta al gusto

Mezcle todos los ingredientes para la salsa juntos y déjelo reposar todo durante 1 hora. Reparta las ostras en dos copas. Aderécelas con la salsa y sírvalas. Para 2 personas.

Cómo asar un cerdo en un espetón:

Limpie y lave el cerdo por completo. Ensártelo en un espetón sobre una hoguera de leña o carbón. En una olla grande de hierro ponga 1 litro de aceite y 1 cucharada de semillas de achiote. Cuando el aceite haya adquirido un color amarillo anaranjado, retire las semillas. Exprima 12 naranjas ácidas y añada el zumo al aceite. Riegue el cuerpo entero del cerdo con la mezcla. Gire de vez en cuando el espetón para lograr un asado uniforme, regando la carne con frecuencia para evitar que se reseque. Durante la última hora de asado, no riegue la piel para que quede crujiente. Puede pinchar la carne con una broqueta para comprobar si está hecha del todo. Si no quedan restos de sangre en la broqueta y la piel está crujiente y dorada, la carne está lista. Generalmente requiere media hora de cocción por cada 500 g. Trinche el cerdo ensartado aún en el espetón y sírvalo con mofongo.

Lechón asado

El lechón asado es una especialidad heredada de los taínos arahuacos. Normalmente, el animal se se asa ensartado en grandes espetones sobre hogueras de leña o carbón al aire libre, mientras se va regando con zumo de naranja amarga y colorante de achiote. El proceso dura varias horas, lo que convierte el acto en una fiesta al aire libre. También se asan plátanos macho con piel como acompañamiento del plato principal. Cuando la piel del lechón queda crujiente y dorada, ya se puede trinchar en suculentos trozos directamente del espetón al plato. Se sirve con arroz blanco o con arroz y gandules, además de una típica ensalada mixta fresca puertorriqueña y los plátanos macho asados. El aderezo tradicional para el lechón es el ajili mojili.

Arroz con gandules

250 ml de agua
250 ml de leche de coco
250 g de arroz
1/2 cucharadita de sal
1 cebolla picada fina
1 diente de ajo picado fino
1 ramita de tomillo
1 lata de gandules

Ponga a hervir el agua y la leche de coco en una olla. Añada el arroz, la sal, la cebolla, el ajo y el tomillo y prosiga la cocción. Agregue los gandules unos 10 minutos antes de finalizar la cocción y de que se evapore toda el agua del arroz. Déjelo hervir todo hasta que el arroz esté cocido. Para 3 personas.

Mofongo

3 plátanos macho verdes
1 l de agua
1 cucharadita de sal
1 cucharada de aceite de oliva
3 dientes de ajo
250 g de salchicha de vacuno
250 ml de aceite vegetal

Pele los plátanos y córtelos en rodajas de 2,5 cm. Déjelas en remojo con agua con sal 15 minutos. Escurra el agua y seque el plátano. En una olla de hierro ponga el aceite a calentar y fría después las rodajas de plátano, procurando que no queden doradas ni crujientes. Extráigalas del aceite y déjelas escurrir sobre papel de cocina. Maje el ajo en un mortero y añada el aceite de oliva poco a poco, removiendo, hasta que el ajo y el aceite queden bien mezclados. Reserve el preparado. En un mortero grande, añada 1/4 de la salchicha con unas rodajas de plátano. Agregue un poco de la mezcla de ajo. Mézclelo todo a medida que va añadiendo la salchicha, el plátano y la mezcla de ajo. Sálelo al gusto. Forme con el preparado dos bolas de 5 cm y sírvalas calientes. El mofongo puede prepararse también con trozos de pollo cocido y muy condimentado, trozos de cerdo o jamón o incluso con carne de vacuno braseada. Para 3 personas.

Papaya

1 cucharada de agua
125 g de azúcar moreno
1 cucharadita de canela en polvo
1 papaya verde pelada y despepitada
queso blanco

En un cazo ponga a hervir el azúcar y el agua. Cuando se derrita el azúcar, agregue la canela y la papaya. Remueva con cuidado para que la fruta no se deshaga. Sírvala con queso blanco. Para 2 personas.

Ajili mojili

6 dientes de ajo
1 guindilla roja
125 ml de aceite de oliva
60 ml de vinagre
60 ml de zumo de lima
1/2 cucharadita de sal
1/2 cucharadita de pimienta negra

Maje el ajo en un mortero y agregue poco a poco la guindilla roja y el aceite de oliva hasta que se forme una pasta. Pase el preparado a un tarro junto con los ingredientes restantes y remueva bien. Deje reposar la salsa durante una hora antes de servirla.

1. Fría en abundante aceite los trozos de piel de cerdo con grasa.

2. Cuando los chicharrones queden dorados y crujientes y halla desaparecido toda la grasa, escúrralos y sírvalos.

Cómo preparar chicharrones:

Retire la piel del cerdo incluyendo una capa de al menos 2,5 cm de grasa. Frote la piel con sal. Ponga aceite a calentar en una sartén de metal. Cuando esté muy caliente, añada los chicharrones y fríalos hasta que queden crujientes y dorados. La grasa situada bajo la piel debería haberse derretido por completo. Extraiga los chicharrones del aceite, escúrralos y sírvalos enseguida como pasapalo o tentempié. (En España los chicharrones son los residuos que quedan tras derretir la manteca de cerdo, mientras que en Sudamérica se trata de la piel de cerdo, oreada y frita.)

Cocina tradicional

La cocina de Puerto Rico tiene sus orígenes en la dieta de los arahuacos taínos, basada en frutas tropicales, maíz, mandioca, carnes de caza y mariscos. Los colonos españoles incorporaron a ella la carne de vacuno y de cerdo, el arroz, el trigo, el ajo y el aceite de oliva. Con el cultivo de la caña de azúcar, los esclavos introdujeron manjares africanos como el quingombó y el taro (denominado yautia en Puerto Rico). Con la aportación ulterior de ingleses y franceses, la cocina puertorriqueña acabó por convertirse en una ecléctica mezcla.

La cocina criolla se erige como la preferida de todos los puertorriqueños. Para la elaboración de sus platos es indispensable contar con varios utensilios e ingredientes básicos: el pilón (un mortero donde se prepara el sofrito, un sazonador típico de Puerto Rico), manteca de achiote (un aceite amarillo obtenido de la cocción de las semillas del achiote) y el caldero, una olla de hierro o aluminio de fondo abombado y paredes rectas.

Para desayunar se suele comer huevos, preparados, por ejemplo, en tortilla española. Antes del almuerzo, se toman unas tapas, como bacalaítos (buñuelos de bacalao), empanadillas (rellenas de langosta, cangrejo, cobo o carne de buey) y surullitos (varitas de harina de maíz). Las sopas constituyen un entrante popular de todas las comidas, en particular el sopón de pollo con arroz y el sopón de garbanzos con patas de cerdo. El asopao es un suculento plato de arroz de elaborada preparación que se presta a múltiples variantes, como el asopao de pollo o de gandules. Para condimentar la comida se emplea adobo o sofrito, dos preparados compuestos de hierbas y especias que aportan un sabor característico a los platos puertorriqueños. Abundan los guisos o asados a base de carne de buey, cerdo, ternera y pollo servidos con arroz blanco, guisantes con arroz, chayotes y plátanos macho. Las especialidades más preciadas son los sesos empanados, los riñones guisados y la lengua rellena.

La comida se suele acompañar con cerveza bien fría, Medalla, o un cuba-libre bien frío de ron Don Q. Los abstemios pueden optar por los granizados de frutas. La mayoría de los postres se elaboran con leche de coco. Después de una excelente comida al estilo criollo puertorriqueño y antes de la siesta se toma café, obtenido de bayas cultivadas en las alturas de la isla desde hace más de 300 años. Al margen de la cocina casera, también se puede degustar un delicioso plato al estilo criollo preparado en los numerosos puestos ambulantes de comida. El adobo es el sazonador más empleado de la cocina puertorriqueña. Según el cocinero, se elaborará con concentrado de tomate y aceite vegetal, sin concentrado de tomate ni aceite vegetal, o sin glutamato monoxódico.

Lengua asada

1 lengua de ternera o vaca
4 cebollas cortadas en aros
3 zanahorias cortadas en rodajas
1 ramita de tomillo fresco
2 clavos de especia
1 hoja de laurel
1 cucharada de aceite
1 cucharada de azúcar moreno
4 dientes de ajo
sal al gusto

Ponga la lengua en una olla y cúbrala de agua. Añada 2 cebollas, la zanahoria, el tomillo, los clavos y la hoja de laurel y hiérvalo todo hasta que la lengua esté casi cocida. Extraiga la lengua y retírele la piel mientras todavía está caliente. Reserve el caldo. Caliente el aceite y el azúcar moreno en una olla de hierro hasta que el azúcar se caramelice. Sofría la lengua con el aceite caliente, dándole la vuelta con frecuencia para que no se queme. Agregue la cebolla restante y el ajo. Vierta la mitad del caldo sobre la lengua y hiérvala hasta que la salsa se espese y tome sabor. Sálela al gusto. Corte la lengua en rodajas y sírvala con arroz blanco y plátanos macho. Para 6 personas.

Riñones guisados

1 cucharada de aceite de oliva o vegetal
1 cucharada de azúcar moreno
1 kg de riñones de ternera o vaca
3 cebollas peladas y cortadas en aros
2 tomates cortados en rodajas
3 zanahorias peladas y cortadas en rodajas
4 dientes de ajo pelados y picados finos
1/2 cucharadita de guindilla roja despepitada y picada fina
1 cucharada de ketchup o concentrado de tomate
1 cucharada de sofrito
1 cucharadita de adobo
sal y pimienta
1 chorrito de ron dorado Bacardí

Caliente el aceite en una olla de hierro. Añada el azúcar y deje que caramelice. Fría los riñones hasta que se doren. Incorpore la cebolla, el tomate, la zanahoria, el ajo, la guindilla, el ketchup o el concentrado de tomate y el adobo. Cubra los riñones de agua, tape la olla y hiérvalos hasta que la salsa se dore y espese. Añada sal y pimienta y el ron. Remuévalo todo y cuézalo 1 minuto. Sirva los riñones con arroz blanco y pepinos en salsa de naranja. Para 4 personas.

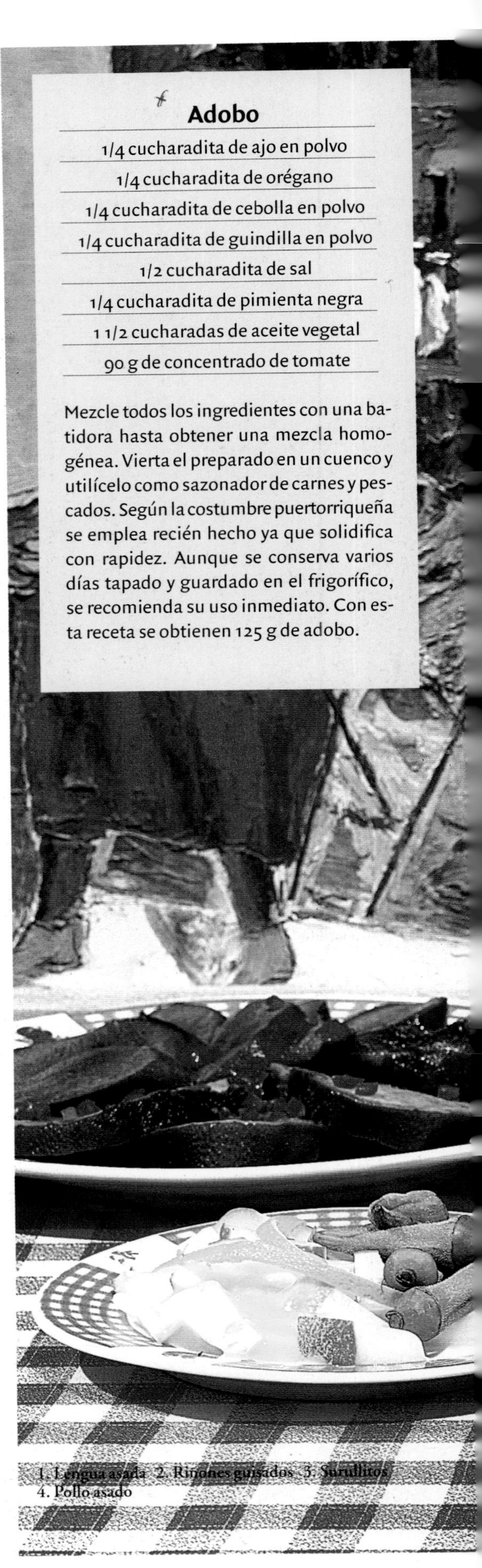

Adobo

1/4 cucharadita de ajo en polvo
1/4 cucharadita de orégano
1/4 cucharadita de cebolla en polvo
1/4 cucharadita de guindilla en polvo
1/2 cucharadita de sal
1/4 cucharadita de pimienta negra
1 1/2 cucharadas de aceite vegetal
90 g de concentrado de tomate

Mezcle todos los ingredientes con una batidora hasta obtener una mezcla homogénea. Vierta el preparado en un cuenco y utilícelo como sazonador de carnes y pescados. Según la costumbre puertorriqueña se emplea recién hecho ya que solidifica con rapidez. Aunque se conserva varios días tapado y guardado en el frigorífico, se recomienda su uso inmediato. Con esta receta se obtienen 125 g de adobo.

1. Lengua asada 2. Riñones guisados 3. Surullitos 4. Pollo asado

Adobo en polvo

1 cucharada de cebolla en polvo
1 cucharada de ajo en polvo
1 cucharada de orégano seco
1/2 cucharadita de sal
1/2 cucharadita de pimienta

Mezcle todos los ingredientes y guárdelos en un tarro tapado. Utilícelo para sazonar carnes o ciertas especialidades puertorriqueñas.

Sofrito

1 cebolla picada fina
4 dientes de ajo picados finos
4 pimientos despepitados y picados finos
1 guindilla despepitada y picada fina
125 g de hojas de cilantro fresco
250 ml de aceite de oliva
2 cucharaditas de semillas de achiote

Mezcle todos los ingredientes salvo el aceite y el achiote en un mortero. Ponga el aceite a calentar en un cazo con las semillas de achiote y cuando se vuelva amarillo retírelo del fuego y déjelo enfriar. Cuele el aceite y viértalo en un tarro con la mezcla de aceite. Guárdelo en el frigorífico después de su uso.

Surullitos

625 ml de agua
1 1/4 cucharaditas de sal
200 g de harina de maíz
90 g de queso *cheddar* rallado o queso blanco
aceite para freír

Ponga a hervir agua con sal en una olla de hierro. Añada lentamente la harina de maíz, removiendo al mismo tiempo. Revuelva al fuego durante 15 minutos hasta que la harina se disuelva por completo y se espese. Retire la olla del fuego y añada queso rallado. Deje enfriar la mezcla. Con las manos humedecidas en agua forme cilindros de 8 cm de longitud por 2,5 cm de diámetro tomando 1 1/2 cucharadas de harina por cada cilindro. En una sartén ponga el aceite a calentar; cuando humee, fría los surullitos uno a uno hasta que queden crujientes y dorados. Extráigalos de la sartén y déjelos escurrir sobre papel de cocina para eliminar el exceso de aceite. Sírvalos calientes.

Dulces de menta

1. La cocinera pone en dos ollas 1 parte de agua por 2 partes de azúcar moreno.

2. Se añade esencia de menta en abundancia mientras se remueve con energía.

3. La mezcla gomosa se cuelga en un árbol.

4. En la otra olla se añade esencia de fresa y colorante rojo y se cuelga la mezcla.

5. Una vez frías, las mezclas roja y blanca se vuelven maleables.

6. Ambas mezclas se descuelgan, se entrelazan y se amasan juntas.

7. El dulce se estira y se retuerce hasta que adquiere un aspecto marmóreo.

8. Cuanto más se estira el dulce, más fino queda.

9. Se retuercen los extremos y se deja solidificar el caramelo.

Arriba y abajo con grandes bloques de hielo, preparando raspados todo el día.

Raspados

El vendedor de raspados tira de su reluciente carrito o lo lleva a remolque en bicicleta por las calles de la ciudad, anunciando su presencia con timbres y bocinas. El surtido de jarabes depende de la fidelidad del vendedor a su negocio. Un vendedor leal dispone al menos de seis a ocho tipos de jarabe de distinto color, etiquetados según su sabor, como por ejemplo piña, naranja, fresa, cola, menta y anís. El jarabe puede ser comercializado o de elaboración casera, obtenido mediante la cocción de dos partes de azúcar por una parte de agua además del aromatizante correspondiente, y un poco de agua en caso de que se espese demasiado.

Antiguamente, el vendedor llevaba en el interior del carrito un enorme bloque de hielo que raspaba con meticulosidad con un utensilio especial. Los vendedores de hoy disponen de pequeñas máquinas que pican el hielo a modo de granizado y lo comprimen en vasos de plástico hasta que rebosa por el borde. Después se inserta en el vaso una pajita de forma estratégica y, a continuación, llega el momento decisivo de escoger un color o sabor. Si uno no sabe por cuál decantarse, puede elegir dos o tres. Para saborear un raspado realmente exótico, merece la pena pagar un poco más y pedir que pongan leche condensada por encima.

No hay nada más refrescante que un raspado en una sofocante mañana caribeña. A la mayoría de los europeos los jarabes les resultan demasiado dulces, pero a los isleños nada les parece "demasiado dulce" o "demasiado frío", sobre todo si se trata del tradicional raspado.

Ésta es la manera tradicional de preparar un raspado. La máquina pica el hielo y lo vacía en un vaso de plástico.

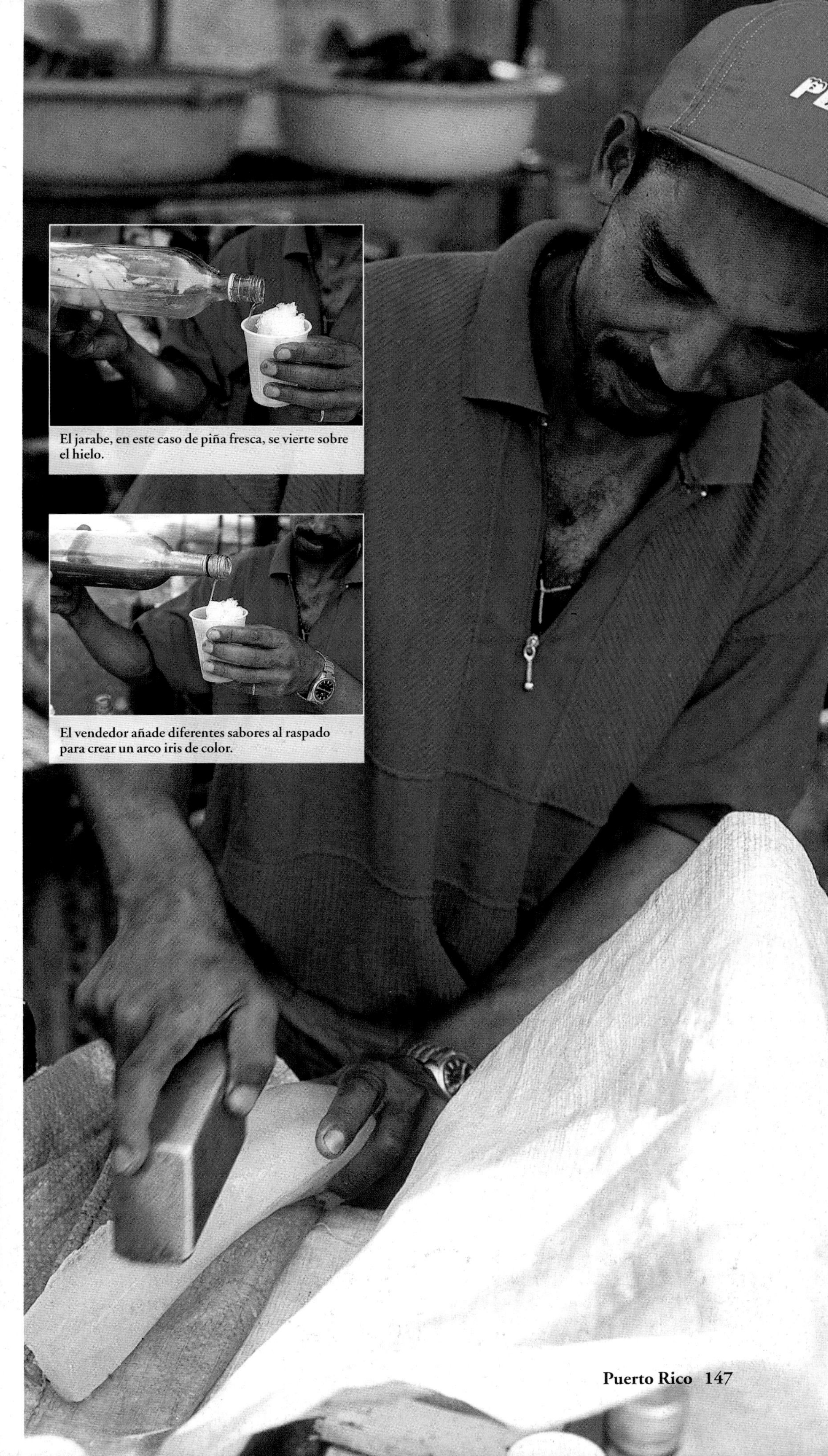

El jarabe, en este caso de piña fresca, se vierte sobre el hielo.

El vendedor añade diferentes sabores al raspado para crear un arco iris de color.

Pequeñas Antillas

Islas Vírgenes

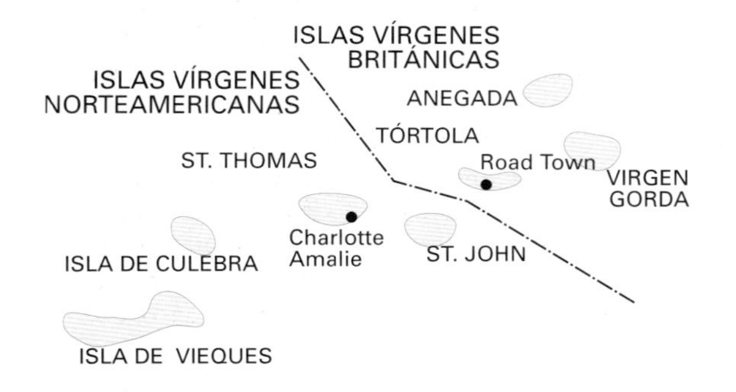

En 1493, Cristóbal Colón quedó tan prendado por la increíble belleza de estas islas que decidió bautizarlas en memoria de las 11.000 vírgenes de Santa Úrsula. Hoy en día, son conocidas simplemente como islas Vírgenes, acertado nombre dada su belleza natural y su encanto inocente que aún conservan intactos. Las aguas limpias y cristalinas están pobladas de vistosos peces y mariscos, que viven entre los restos de naufragios de célebres piratas como Barbanegra. El litoral de cada isla, islote o cayo está ribeteado por desérticas playas de fina arena blanca. En el interior habitan gentes de extraordinaria amabilidad; se les conoce como "propietarios" e irradian una simpatía y hospitalidad tan pura y natural como sus tierras.

Pero en el paraíso también ha habido problemas. Este archipiélago formado por un centenar de islas y situado al este de Puerto Rico, se encuentra hoy divido administrativamente entre Estados Unidos y Gran Bretaña. En el pasado, se disputaron su territorio los indios arahuacos y caribes, más tarde los españoles, los franceses, los ingleses y, por

último, los daneses que dominaron la isla durante más de 200 años. En 1917, Estados Unidos y Gran Bretaña compraron gran parte de las islas a Dinamarca con fines defensivos. Las islas Vírgenes Norteamericanas están formadas por unas 50 islas e islotes, con una superficie total de 325 km² y una población cercana a los 110.000 habitantes.

Las tres islas principales, St. Thomas, St. Croix y St. John, se dedican básicamente a la exportación de ron. La capital, Charlotte Amalie, es la ciudad más importante de St. Thomas. Hasta 1931, la administración de las islas dependía del Ministerio de Defensa; hoy constituyen un territorio no asociado bajo la jurisdicción final del Ministerio del Interior, con un cuerpo legislativo de 15 miembros y un gobernador con un poder ejecutivo limitado.

El legado popular se mantiene vivo a través de festividades culturales que incluyen danzas tradicionales. En St. Croix es costumbre representar la cuadrilla imperial, un baile típico del siglo XVIII con partes cantadas en francés. Muchas de las danzas dejan de ser un mero espectáculo vistoso y alegre para convertirse en un encuentro social, con el frecuente intercambio de *mêlé* (chismes) entre los bailarines. En St. Thomas se prefiere la cuadrilla alemana llana, un vals disciplinado y majestuoso combinado con un paso de calipso, que incluye un cómico movimiento de "flirteo". Durante el carnaval, celebrado por Pascua, se representan danzas festivas denominadas *bamboulas,* que en sus orígenes se basaban en rituales de culto a los dioses de Dahomey. Si bien la cultura cristiana ha reorientado estos rituales hacia la celebración del carnaval, subyace aún la influencia africana. A la cabeza de los desfiles se sitúan los *mocko jumbi* (espíritus ficticios) subidos en zancos de 5,2 m, con llamativos atuendos cubiertos de espejos.

La parte británica consta también de unas 50 islas Vírgenes. Los tres grupos principales son Jost Van Dyke, Tórtola y Virgen Gorda. Una de las islas menores, Necker Island, pertenece a Richard Branson, fundador del grupo de empresas Virgin.

Tórtola, el mayor de los archipiélagos, tiene alrededor de 21.000 habitantes. Road Town, en la costa sur de la isla, es la capital de Tórtola y de las islas Vírgenes Británicas. En este mismo archipiélago se halla el aeropuerto de Beef Island –la entrada de la isla al mundo– y el famoso Cell Five Lounge. En su folleto publicitario se cantan las alabanzas de la isla: "los mejores desayunos del Caribe", "suntuosos banquetes", "fantásticas bebidas", "grandes comidas", "banda de percusión" y el lema de la isla como broche de oro, "lo sentimos, pero no atendemos a nadie que tenga prisa".

Los isleños de esta mancomunidad británica reflejan tradiciones y costumbres inglesas, como la reserva: el turismo se acoge con cautela. Estas islas constituyen un refugio privado para sus visitantes, que las recorren en sus yates, o bien en ferry, aerodeslizador, lancha motora o avioneta.

Otros dos puntos de interés son Anegada, conocida por sus peligrosos arrecifes donde han naufragado más de 300 barcos –un paraíso para los buceadores–, y Salt Island, un lugar desde donde cada año se envía un saco lleno de sal de la isla a la reina de Inglaterra.

Bautizado en memoria de las 11.000 vírgenes de Santa Úrsula, este archipiélago de más de un centenar de islas ofrece magníficas vistas y aguas cristalinas con toda clase de peces.

Cultura y gastronomía tradicional

Cultura y gastronomía tradicional.
Fungi, gundy, calalú.
Plátanos, uvas de mar y foo-foo hervido.
Papaya, anona, guiso de cabra espesito,
Johnny Cakes y también jug jug.
Una poesía sobre los manjares de las islas Vírgenes.

Fritura de pescado de St. John

Uno de los acontecimientos más atrayentes de las islas Vírgenes Norteamericanas es la fritura de pescado de St. John. Este acto se celebra un día cualquiera de la semana elegido al azar, "cuando a los isleños les apetece". La gente se concentra en las calles de la ciudad más importante de las islas, mientras los mejores cocineros locales preparan la comida en puestos ambulantes. El olor a pescado frito inunda el aire. "Propietarios" y visitantes dan buena cuenta de la fritura, acompañándola con sus bebidas alcohólicas preferidas o el tradicional mauby, mientras se mueven al son de la música. Los isleños suelen decir que "el sabor, la salsa y hasta la bebida retienen a muchos en las frituras de pescado y la única manera de que uno se vaya a casa es llevarse al cocinero consigo".

Fritura de pescado de St. John

4 filetes de pescado de 2,5 cm de grosor
lima y agua para aclarar
sazonador de las islas Vírgenes
aceite para freír
3 cebollas cortadas en aros
3 tomates pelados y picados
1/4 cucharadita de hojas de tomillo
2 cucharadas de concentrado de tomate
125 ml de vinagre
60 ml de agua
sal y pimienta negra al gusto
salsa de guindillas al gusto

Limpie bien el pescado y enjuáguelo con lima y agua. Corte los filetes longitudinalmente hundiendo al máximo el cuchillo por los lados. Rellénelo con el sazonador. Refrigérelo durante unas horas o toda la noche. Ponga el aceite a calentar en una sartén. Seque el pescado con un paño y fríalo después. Espolvoree los filetes de sal mientras se fríen. Déjelos freír por cada lado hasta que queden dorados y extráigalos de la sartén. Retire la mayor parte del aceite de la sartén. Saltee las cebollas, los tomates y las hojas de tomillo con el aceite restante. Añada el concentrado de tomate, el vinagre y el agua. Incorpore después la sal, la pimienta negra y la salsa de guindillas al gusto. Devuelva el pescado a la sartén y déjelo cocer tapado durante 5 minutos. Para 4 personas.

Mauby o Mawby

Se trata de una bebida elaborada con la corteza de árboles pequeños *(Colubrina elliptica* o *C. arborescens)* autóctonos del Caribe. Su sabor amargo es algo a lo que se le va tomando el gusto.

125 g de corteza de mauby
2 l de agua
1/2 ramita de canela
1/2 ramita de pimienta de Jamaica
1 ramita de clavo de especia
3 hojas de laurel
500 g de azúcar

En una olla grande lleve a ebullición la corteza de mauby, las especias, el laurel y 1,5 l de agua. Déjelo hervir todo durante 25 minutos. Retírelo del fuego y déjelo enfriar. Extraiga la corteza, las especias y las hojas de laurel. Hierva el azúcar con el agua restante hasta que se disuelva y mézclelo con el preparado de mauby. Guarde la bebida en botellas con tapón de rosca y refrigérela. Sírvala fría con hielo. Esta bebida, además de refrescante, purifica la sangre y los riñones. Para 8 vasos.

Sazonador de las islas Vírgenes para pescados, carnes y aves

6 pimientos
1/2 guindilla despepitada y picada fina
6 dientes de ajo majados y picados
1 tallo de apio picado fino
5 ramitas de cebollino picadas finas
1 ramita de perejil picada fina
1 cucharadita de tomillo fresco
1 cucharadita de pimienta negra
60 g de sal fina
1/8 cucharadita de canela
1/8 cucharadita de macis
1/4 cucharadita de pimienta de Jamaica molida
1/8 cucharadita de clavo de especia molido
una pizca de nuez moscada

Maje todos los ingredientes en un mortero y guarde después la picada en un tarro hermético. Rellene con ella cortes o huecos en pescados, carnes o aves.

Pera espinosa
(Opuntia rubescens)

Este cactus presenta vistosas flores que producen una pequeña vaina roja, jugosa y comestible. Con estas "peras" se elabora una refrescante bebida. El resto del cactus, también comestible, tiene un gusto limpio y fresco, aunque el fruto es la parte más preciada. Pera espinosa se usa asimismo para elaborar dulces y jaleas. Con la pulpa se preparan emplastos que alivian el dolor de las picaduras.

Ron de gumamela rosado

1 l de ron blanco
8 flores rosas de gumamela lavadas
1/4 ramita de canela
1/4 nuez moscada fresca rallada
2 clavos de especia
un trozo de 2,5 cm de jengibre pelado

Ponga todos los ingredientes en una botella de litro y déjelos reposar una semana antes de servir la bebida. Tómela de golpe seguida de agua (o en la receta de Miss Colleen con hielo y Coca-Cola). Se dice que actúa como afrodisíaco para las mujeres, y algunos calvos aseguran que les ha vuelto a crecer el cabello tras la ingestión de varias botellas. Para 4 vasos.

Los *mocko jumbies,* con más de 5 m de altura, se encargan de animar las fiestas locales, como el carnaval y la Pascua.

Gumamela
(Hibiscus rosa-sinensis)

La gumamela, prolífica en todo el Caribe, es considerada en muchos lugares una "flor nacional". Dentro del género *Hibiscus* se incluyen numerosos árboles y arbustos autóctonos. Esta planta, además de hermosa, resulta útil: la flor se utiliza para lustrar el calzado negro o elaborar bebidas a base de ron y vino, y las hojas pueden majarse con agua para preparar champú.

Vino de gumamela

30 flores de gumamela
4 l de agua
1 cucharada de levadura seca
125 ml de agua templada
500 g de pasas
1 corteza de limón cortada en dados pequeños
1 corteza de lima cortada en dados pequeños
1 corteza de naranja cortada en dados pequeños
1/4 ramita de canela
el zumo de 1 lima
el zumo de 1 naranja
1,5 kg de azúcar
250 ml de ron

Lave los capullos de gumamela. Llévelos a ebullición con el agua en una olla grande y déjelos hervir durante 15 minutos. Retire el agua del fuego y déjela reposar 1/2 hora. Cuele las flores con un tamiz y pase el líquido por una estopilla a un bote de cristal. Déjelo reposar. Disuelva la levadura en agua tibia. Agregue las pasas, las cortezas, la canela, el zumo y el azúcar. Déjelo reposar todo 2 semanas en un lugar fresco, removiéndolo a diario. Pase el líquido por una estopilla varias veces hasta que se aclare. Añada el ron y déjelo reposar un día más. Reparta la bebida en botellas de vino y tápelas (etiquételas y féchelas). Guarde el vino 2 ó 3 semanas más. Sírvalo frío.

Zumo de pera espinosa

12 peras espinosas partidas por la mitad
2 l de agua
500 g de azúcar

Vacíe las peras con una cuchara y deseche la estrella del centro. Reduzca a puré la pulpa. Déjela en remojo con la mitad del agua durante 1 hora. Lleve el resto del agua a ebullición con el azúcar y déjela reposar. Bata el almíbar y la pulpa hasta obtener una mezcla homogénea. Añada azúcar o agua al gusto. Sirva el zumo frío. Para 8 vasos.

Tiempos pasados

Una vieja mecedora se ve envuelta en un halo espectral, abandonada por su dueño hace ya mucho tiempo.

En el pasado, la clase media afincada en las Antillas de habla inglesa tomaba un copioso desayuno al estilo británico antes de dirigirse al trabajo o a la escuela. Más tarde, se reunían a la hora del té, de 4:30 a 5 de la tarde, como marcaba la tradición.

Por su parte, el desayuno de los trabajadores consistía en una especie de gachas líquidas servidas en taza o té con pan y "saltin" (mantequilla salada). Los niños tomaban unas gachas más espesas servidas en un cuenco con canela, macis, una pizca de sal y en ocasiones un poco de leche condensada, mantequilla y nuez moscada rallada. A esta comida se le llamaba "té". Más tarde, entre las 10 de la mañana y las 12 del mediodía, se tomaba el almuerzo, que se llevaba al trabajo en una fiambrera esmaltada con distintos compartimientos y una tapa con cierre hermético. Las fiambreras rebosaban de guisos muy condimentados o suculentas sopas con todo tipo de tubérculos, judías y trozos de pescado o carne salada.

Mientras los trabajadores debían conformarse con un almuerzo frugal, la clase media tomaba al mediodía el ágape más copioso de la jornada. Los hombres dejaban de trabajar a las doce para ir al encuentro de una abundante comida preparada por su mujer o la criada. Por la noche tomaban una cena ligera.

Para el pueblo, por el contrario, la cena era la comida más cuantiosa. Las horas de comer venían dictadas por el tiempo disponible para cocinar. Por la noche, se sustituían los platos esmaltados del almuerzo por la vistosidad de la vajilla y la cristalería de la cena. En ocasiones se utilizaba cuchillo y tenedor, si bien la cuchara era el cubierto preferido. Por lo general, los hombres comían primero, servidos por su esposa, que después alimentaba a los niños; por último, las mujeres de la casa se repartían en silencio las sobras de la comida. Mientras tanto, los hombres se pasaban por la taberna después de comer para tomarse un ron y charlar un rato con los amigos.

Las mesas de los colonos revestían la suntuosidad propia de una casa real en Europa.

En la mayoría de las Antillas la principal comida del día incluía un amplio surtido de platos que variaba en función de la posición económica. Por lo general, se consumía carne y pescado, arroz y tubérculos, *coocoo*, buñuelos, plátano macho y alguna que otra ensalada.

Para un tercer colectivo, los colonos, la principal comida del día se iniciaba con un cóctel de ron al atardecer, seguido de unos tragos de las bebidas predilectas. A continuación, se anunciaba la cena haciendo sonar una campana. El mayordomo y las criadas servían la cena bajo la supervisión de la señora de la casa. El amo se encargaba de trinchar la carne o el pescado y de llenar los platos que le hacían llegar, mientras que la servidumbre repartía entre los comensales la guarnición: boniatos, ñames, taros, malangas, arroz y guisantes, pastel de macarrones, plátanos macho fritos o cocidos, maíz dulce, buñuelos de calabaza, ensalada de col o de tomate, pepino y lechuga. Mientras tanto, las cocineras se tomaban un respiro antes de preparar los postres, que solían constar de dos o tres tipos de pasteles, *puddings* o tartas, todo recién hecho.

En el servicio de la cena se esperaba todo un despliegue de elegancia: porcelana china y vajilla de plata pulida a diario de las firmas internacionales más reputadas. Por descontado, la conducta en la mesa era algo que "formaba al hombre".

Después de cenar, las mujeres "se empolvaban la nariz" y se dirigían a la sala de estar para tomar el té o el café, mientras que los hombres se acomodaban en la "biblioteca" para disfrutar de un puro y una copa del mejor brandy. Antes de retirarse, los hombres se reunían con las damas en la sala de estar. Si coincidía con el fin de semana y se esperaba la visita de más amigos, la velada se prolongaba hasta altas horas de la madrugada, amenizada con bebida a raudales y música, normalmente de piano, que animaba a bailar a los presentes.

Mientras tanto, en las grandes cocinas el mayordomo se aseguraba de que el servicio estuviera bien alimentado. Las sobras se repartían entre el ganado del amo, y luego se reservaba un poco más para la familia, algo que el personal de cocina consideraba un "derecho propio", pues nadie echaría en falta un pollo o un pastel, ni dos tampoco.

Aunque parezca mentira, hace sólo 20 años se celebraban todavía veladas de este tipo en muchas de estas islas. Aún existirán colonos que sigan este estilo de vida, si bien los tiempos modernos y el declive económico han obligado a la mayoría a cambiar de hábitos. Pese a perdurar muchas tradiciones, hoy se respira un clima más sosegado en la cocina caribeña. Abundan los restaurantes de comida rápida y de calidad, y hay costumbre de comer fuera. Los rituales al viejo estilo están desfasados, pero el progreso no ha mermado un ápice la devoción de los isleños por la cocina criolla.

Pierna de cordero con guayaba

3 ó 4 kg de pierna de cordero
2 cucharadas de sazonador de las islas Vírgenes
1 cucharada de jalea de menta
4 cucharadas de jalea de guayaba
1 cucharada de ron
1/4 cucharadita de sal y pimienta
rodajas de guayaba guisada (opcional)

Mezcle el sazonador, las jaleas, el ron, la sal y la pimienta. Practique cortes profundos en la pierna de cordero y rellénelos con el preparado. Frote la pierna con el resto del condimento y refrigérela toda la noche. Precaliente el horno a 200°C. Ponga el cordero en una bandeja para asar engrasada y hornéelo durante 10 minutos. Reduzca la temperatura a 180°C. Calcule 20 minutos por cada 500 g. Una vez asada, decore la pierna con rodajas de guayaba guisada.

Para preparar la salsa: pase los jugos de la bandeja a una cacerola y caliéntelos a fuego medio. Añada una cucharada de harina y remueva hasta que se forme una pasta homogénea. Agregue 250 ml de agua hasta que la salsa espese y salpimiéntela. Para 12 personas.

Fungi de las islas Vírgenes

375 g de harina de maíz
625 ml de agua
1 cucharadita de sal
1 cucharada de mantequilla

Ponga agua a hervir en una olla. Espolvoree poco a poco la harina de maíz en el agua, removiendo constantemente para que no se formen grumos. Una vez mezclado todo, añada la mantequilla. Tápelo y cuézalo al vapor durante 5 minutos. Remueva de vez en cuando para que el fungi no se pegue a la olla.

Un truco de las islas: para evitar que se formen grumos mezcle 60 g de harina de maíz con 180 ml de agua. Disuelva esta mezcla en el agua hirviendo, removiendo constantemente hasta que adquiera la textura espesa de los cereales. Agregue la harina de maíz restante y remueva con cuidado, deshaciendo los grumos al mismo tiempo. Para 4-6 personas.

Calalú de las islas Vírgenes

250 g de carne de vacuno salada
250 g de cola de cerdo
250 g de hueso de jamón
1 cobo salado
750 g de pescado fresco limpio
2 cangrejos de mar enteros limpios
12 quingomboes
1 guindilla despepitada
1,5 kg de espinacas (o verduras variadas)

Deje en remojo la carne toda la noche en agua fría. Escurra el agua. Hierva la carne y el cobo juntos en 3 litros de agua fría hasta que queden tiernos. Añada el pescado limpio y cuézalo 5 minutos. Extráigalo con una espumadera. Retire las espinas, trocee el pescado y devuélvalo a la olla. Limpie los cangrejos, lávelos con agua y lima y agréguelos luego a la olla. Lave las espinacas y los quingomboes. Añada las verduras a la olla junto con la guindilla y hiérvalo todo a fuego fuerte 30 minutos. Agregue 1/4 cucharadita de vinagre para evitar la formación de espuma en la superficie. Sírvalo con fungi. Para 4-6 personas.

1. Pierna de cordero con guayaba sobre lecho de arroz 2. Calalú de las islas con hueso de jamón, cola de cerdo, cangrejo de mar y cobo 3. Fungi de las islas parecido al *coocoo* de Barbados

Tarta de lima de las islas

250 g de galletas integrales picadas

1/4 cucharadita de nuez moscada molida

2 cucharadas de azúcar moreno

2 1/2 cucharadas de mantequilla fundida

4 huevos (yemas y claras por separado)

125 ml de zumo de lima fresco

1 lata de leche condensada azucarada

1/2 cucharadita de crémor tártaro

80 g de azúcar blanquilla

Precaliente el horno a 180°C.
Mezcle las galletas integrales con la nuez moscada, el azúcar moreno y la mantequilla fundida. Introduzca la mezcla en un molde de 20 cm de diámetro presionándola sobre el fondo y refrigérela. Bata las yemas de huevo hasta que se espesen. Incorpore poco a poco el zumo de lima y luego la leche condensada. Vierta la mezcla sobre la base de la tarta. Monte las claras con el crémor tártaro. Añada gradualmente el azúcar y bátalo todo a punto de nieve; agregue después las claras montadas sobre la tarta. Hornéela durante 20 minutos o hasta que el merengue se dore. Deje enfriar la tarta e introdúzcala en el frigorífico antes de servir. Para 6-8 personas.

Berenjenas al estilo criollo

3 berenjenas medianas cortadas en dados y ligeramente saladas

2 cebollas grandes cortadas en cuartos

2 dientes de ajo picados finos

6 tomates frescos pelados y cortados en cuartos

3 pimientos verdes despepitados y picados finos

3 pimientos rojos despepitados y picados finos

1/2 guindilla roja despepitada y picada fina

1 tallo de apio picado fino

1 ramita de perejil picada fina

2 cucharadas de aceite de oliva

1 cucharada de concentrado de tomate

125 ml de agua

una pizca de orégano

una pizca de tomillo

1/4 cucharadita de sal

pimienta negra al gusto

1 cucharada de ron

60 g de queso *cheddar* y parmesano rallados

Seque las berenjenas y fríalas en aceite de oliva a fuego medio. Extráigalas y colóquelas en una fuente de horno. Precaliente el horno a 150°C. Saltee la cebolla, el ajo, el tomate, los pimientos y el apio en una sartén durante 5 minutos. Agregue los ingredientes restantes (salvo el ron) y deje cocer el sofrito hasta que se espese. Incorpore el ron, vierta la salsa sobre las berenjenas y espolvoréelas con queso rallado. Hornéelas de 15 a 20 minutos o hasta que el queso se haya fundido y quede dorado. Para 6 personas.

Pato asado con piña

1 pato grande limpio y seco

Marinada:

2 cucharadas de miel

1/2 piña fresca (o 1 lata de piña en rodajas)

1 cucharadita de vinagre de vino blanco

1 cucharada de ron

1/2 cucharadita de ajo en polvo

el zumo de 1 lima

1/4 cucharadita de sal

pimienta negra al gusto

Relleno:

2 cucharadas de mantequilla

el hígado y la molleja del pato picados finos

1 cebolla picada fina

2 dientes de ajo picados finos

1 pimiento rojo despepitado y picado fino

1/2 cucharadita de guindilla roja despepitada y picada fina

2 1/2 cucharaditas de almendras picadas

250 ml de leche

125 g de pan rallado

3 rebanadas de pan y 6 galletas saladas

1 cucharada de pasas

1 cucharadita de sal

pimienta negra al gusto

1 cucharadita de sazonador de las islas Vírgenes

perejil picado

Mezcle los ingredientes de la marinada en una batidora. Ponga a macerar el pato, envuélvalo en papel de aluminio o en film transparente y refrigérelo toda la noche.

Precaliente el horno a 180°C. En una sartén deposite la mantequilla y saltee el hígado y la molleja de pato, las verduras del relleno y la mitad de las almendras hasta que quede todo tierno. Retírelo todo del fuego y resérvelo. Deje en remojo la leche, el pan y las galletas en un cuenco durante unos minutos. Ponga la sartén de nuevo a fuego lento. Escurra la leche del pan y las galletas (procure que no queden demasiado secos) e incorpórelo todo a la sartén. Agregue el resto de los ingredientes (salvo el perejil). Extraiga el pato del frigorífico y rellénelo con la mezcla que había reservado. Una vez relleno, cosa la abertura. Coloque el pato en una bandeja para asar engrasada y riéguelo con la marinada. Hornéelo 30 minutos. Baje el fuego a 120°C. Prosiga el horneado una hora más o hasta que se clarifiquen los jugos del pato. Extráigalo del horno y decórelo con perejil. Para 6 personas.

Plátano macho al horno

4 plátanos macho maduros grandes
2 cucharadas de mantequilla
queso *cheddar* rallado
azúcar moreno

Precaliente el horno a 150°C. Pele los plátanos y practique un pequeño corte longitudinal por el centro de cada uno (para pelarlos, córtelos por los extremos y los lados y retire la piel). Unte con mantequilla una fuente de horno de vidrio, coloque en ella los plátanos y unte la superficie de la fruta con mantequilla. Disponga los plátanos con el corte hacia arriba y rellene las hendiduras con queso *cheddar*. Espolvoréelos con azúcar moreno y hornéelos hasta que queden tiernos y dorados. Para 6 personas.

Arroz con lentejas rubias

un poco de mantequilla
1 cebolla picada fina
1/2 guindilla roja despepitada y picada fina
1 ramita de tomillo
125 g de lentejas, remojadas en agua toda la noche
1,5 l de agua
1 cucharadita de sal
1 cucharadita de sazonador de las islas Vírgenes
500 g de arroz

Derrita la mantequilla en una cazuela honda y sofría la cebolla, la guindilla y el tomillo. Añada las lentejas, el agua, la sal y el sazonador. Hiérvalo todo hasta que las lentejas estén casi cocidas. Agregue el arroz y prosiga la cocción hasta que se haya evaporado toda el agua. Sirva este plato caliente.

Esta preparación era en su día una "sopa" que los daneses introdujeron en las islas Vírgenes. Si se añade más agua, se puede tomar como sopa. En tal caso no se emplean natillas. Para 6 personas.

Lechada roja

500 g de guayabas despepitadas y peladas
500 ml de agua
250 g de azúcar
1/4 cucharadita de sal
60 g de tapioca
80 g de pasas
una pizca de canela
una pizca de nuez moscada
una pizca de macis
1 cucharadita de esencia de vainilla
250 g de natillas

Corte las guayabas en trozos pequeños y póngalos a hervir en una olla con 375 ml de agua durante 25 minutos. Escurra la fruta y mida después el zumo. Añada agua suficiente para obtener 625 ml de líquido. Incorpore el agua y la sal y llévelo todo a ebullición. Mezcle la tapioca con 125 ml de agua. Agregue poco a poco las pasas y las especias y hiérvalo todo lentamente. Retírelo del fuego cuando los granos de tapioca queden sueltos. Añada la esencia de vainilla. Reparta el preparado en moldes aclarados previamente con agua fría. Ponga unas gotas de colorante alimentario rojo en cada molde. Deje reposar la lechada y sírvala fría con natillas. Para 6 personas.

Pastel de queso con mango

2 1/2 cucharadas de mantequilla fundida
250 g de galletas integrales picadas
4 cucharadas de azúcar moreno
2 huevos bien batidos
500 g de requesón
60 g de azúcar blanquilla
1 cucharadita de zumo de lima
1/2 cucharadita de sal
4 cucharadas de pulpa de mango maduro
1 cucharadita de canela molida
125 g de nata agria
1/2 cucharadita de esencia de vainilla
1/4 cucharadita de nuez moscada molida
8 rodajas (de unos 5 cm de largo) de mango

Precaliente el horno a 190°C.
Mezcle la mantequilla, la galleta picada y 2 cucharadas de azúcar moreno. Introduzca el preparado en un molde para tartas de 20 cm de diámetro presionándolo sobre el fondo y refrigérelo. Bata los huevos, el requesón, el azúcar blanquilla, el zumo de lima y la sal. Incorpore la pulpa de mango. Extraiga la base de galleta del frigorífico y vierta encima el relleno. Hornee el pastel durante 20 minutos. Extráigalo del horno, extienda la mitad de la canela sobre la superficie del pastel de queso y déjelo enfriar. Bata la nata agria, 2 cucharadas de azúcar moreno, la vainilla y la nuez moscada. Añada las rodajas de mango. Vierta el preparado sobre el pastel de queso y hornéelo durante 5 minutos más. Extráigalo del horno, espolvoree por encima el resto de la canela y déjelo enfriar. Refrigere el pastel durante 8 horas como mínimo antes de servirlo. Se pueden utilizar rodajas de mango para decorarlo. Este postre puede prepararse también en un molde redondo desmontable para desmoldearlo justo antes de servirlo. Para 6-8 personas.

Un isleño exhibe su captura recién salida del mar. La langosta común resulta un delicioso manjar hervida a fuego fuerte en agua salada en la misma playa.

Langosta común

(Panulirus argus)

Hubo un tiempo en que el mar Caribe rebosaba de langostas. Algunos ancianos aún recuerdan haber visto ejemplares que llegaban a pesar de 15 a 20 kg. Hoy en día, debido a la demanda de su exquisita carne, este crustáceo apenas tiene tiempo de alcanzar los 3 ó 4 kg de peso antes de ser capturado. Los gobiernos caribeños han promulgado una serie de leyes para tratar de impedir el agotamiento total de las reservas de langostas. En gran parte de las islas se impone una temporada de veda para favorecer la reproducción de esta especie.

Naturalmente, las langostas se reproducen durante todo el año, aunque con mayor frecuencia entre febrero y agosto. Una langosta hembra de unos 15 cm de longitud produce unos 850.000 huevos por desove. Una vez fecundados, permanecen durante cuatro semanas en una gran bolsa abdominal de color naranja brillante. Lo que podría transformarse en una nutrida población de langostas, se ve frustrada por la captura ilegal de las hembras que desovan, una codiciada pesca al considerarse sus huevas un exótico manjar con supuestos poderes afrodisíacos para los hombres.

Si consiguen escapar del acoso humano, los huevos eclosionan al cabo de cuatro semanas. Las diminutas larvas se adhieren al plancton, donde muchas acaban sirviendo de alimento a las ballenas. Las que sobreviven se lanzan a la búsqueda de lugares donde ocultarse: lechos de pasto marino, manglares y objetos flotantes. Las numerosas crías que fracasan en su intento son devoradas por otros peces como el pargo. Las larvas que logran desarrollarse mudan de caparazón en varias ocasiones. Esta fase de crecimiento puede durar alrededor de un año, durante el cual la cría mide unos 5 cm. Habrá de pasar otro año antes de que alcance la madurez y pueda procrear. Durante este tiempo continúa mudando de caparazón cada 90 días. En tres o cuatro años la langosta alcanza un tamaño aceptable para su venta en el mercado, con un peso mínimo de un kilo.

El ejemplar adulto presenta un aspecto bastante feroz, provisto de un caparazón rojo brillante y apéndices espinosos de los que se sirve para cortar y rasgar a sus agresores, lo que no consigue disuadir a sus depredadores naturales, que también lo consideran un manjar exquisito. La langosta es un preciado bocado para rayas, meros, pulpos, delfines, tiburones de arena y tortugas bobas.

En la actualidad, se están impulsando iniciativas con el objetivo de llevar a cabo la reproducción de esta especie en cautividad. Por ahora el éxito de la empresa es limitado, pues la iniciativa aún no resulta rentable en la producción de un crustáceo que sigue siendo un artículo de lujo en el mercado.

Ensalada de langosta

Aderezo:

125 g de mayonesa
1/8 cucharadita de tomillo fresco picado fino
3 cucharadas de nata agria
1 cucharada de zumo de lima fresco
1/2 cucharadita de vinagre de vino blanco
1 cucharadita de sal

Langosta:

1/2 diente de ajo
1 cogollo de lechuga fresca
1 kg de carne de langosta fresca desprovista de su caparazón
4 huevos duros pelados y cortados en dados
4 cebollinos verdes picados finos
1 cebolla pequeña picada fina
1 tallo de apio picado fino
1/2 pimiento rojo despepitado y picado fino
1/2 pimiento amarillo despepitado y picado fino
1 cucharada de pasas
1 cucharada de almendras picadas
queso parmesano

Bata todos los ingredientes para el aderezo hasta obtener una mezcla ligera y esponjosa. Frote los cuencos individuales o una ensaladera grande con 1/2 diente de ajo. Prepare un lecho de lechuga en juliana previamente lavada y escurrida. Desmenuce la carne de langosta en un cuenco aparte. Agregue el huevo duro, el cebollino, el apio y los pimientos. Aliñe la ensalada con el aderezo y espolvoree por encima las pasas, las almendras y el queso parmesano. Sírvala fría. Para 4 personas.

Langosta termidor de las islas

2 cucharadas de sal
2 langostas, de 750 g cada una
1 lima
1 cucharada de mantequilla
1 cebolla pelada y rallada
1/2 pimiento rojo despepitado y picado fino
1/2 pimiento verde despepitado y picado fino
1 cucharada de harina
60 ml del agua de la langosta
60 ml de leche
1 cucharada de ron
1/2 cucharadita de mostaza francesa
125 g de nata doble
1 yema de huevo batida
3 cucharadas de queso parmesano

Precaliente el horno a 180°C. Lleve a ebullición una olla grande de agua con sal (suficiente para cubrir la langosta). Ponga los crustáceos en el agua hirviendo (si están vivos asegúrese de introducir en primer lugar la cabeza de la langosta). Hiérvalos 3 minutos, extráigalos y córtelos longitudinalmente. Deseche las tripas y aclare la carne de la langosta con agua y lima fresca. Ponga la langosta sobre una hoja de papel parafinado ligeramente engrasada y hornéela hasta que la carne empiece a despegarse del caparazón, unos 12 minutos. Procure no cocerla en exceso. En una sartén derrita la mantequilla a fuego medio y saltee la cebolla y los pimientos hasta que quede todo tierno. Añada la harina, removiendo hasta obtener una mezcla homogénea. Incorpore poco a poco el agua de la langosta (directamente de la olla en la que se ha hervido) y la leche. Remueva hasta obtener una salsa sin grumos. Cuando quede cremosa, añádale ron y mostaza. Retírela del fuego y déjela reposar. Separe la carne de los caparazones y resérvelos. Corte cada pieza de carne en 3 ó 4 trozos. Agregue la nata doble, la yema de huevo, el queso y la carne de langosta a la salsa fría y hiérvala durante 2 minutos a fuego lento. Reparta el preparado en los caparazones de langosta. Hornéelos o áselos a la parrilla hasta que empiecen a dorarse. Sirva la langosta caliente. Para 2-4 personas.

Langosta al horno

2 langostas enteras de 750 g cada una
el zumo de 1/2 lima
4 cucharadas de mantequilla
2 cucharadas de ajo picado fino
1 cucharada de cebollino picado fino
sal y pimienta al gusto

Precaliente el horno a 180°C. Corte la langosta longitudinalmente, límpiela bien y aclárela con agua y lima. Disponga la langosta (con la carne hacia arriba) sobre un trozo de papel de aluminio lo suficientemente grande como para envolverla. Mezcle la mantequilla y el resto de los ingredientes y extienda la mitad de la mezcla por la superficie de la carne de la langosta. Envuélvala bien con el papel de aluminio. Póngala sobre una bandeja de horno y cuézala durante 10 minutos. Extráigala del horno, retire el papel de aluminio y disponga la langosta en un plato. La carne está cocida cuando se puede despegar del caparazón. Procure no cocerla en exceso para evitar que quede gomosa. Una vez fuera del horno, unte la carne con la mezcla de mantequilla restante. Sirva la langosta dentro del caparazón. Para 2-4 personas.

Guiso de langosta de David

1 cucharada de aceite de oliva
1 cebolla picada fina
1 pimiento verde despepitado y picado fino
2 colas de langosta, de 500 g cada una, cortadas en segmentos
1 lata pequeña de tomate pelado
sal y pimienta al gusto
6 patatas pequeñas peladas, hervidas y cortadas en rodajas
125 g de zanahorias peladas, hervidas y cortadas en rodajas
250 g de calabaza vinatera hervida y cortada en rodajas
1/2 lata de guisantes escurridos
1/4 l de vino blanco

En una olla honda ponga a calentar el aceite de oliva a fuego medio y saltee luego la cebolla y el pimiento verde durante unos segundos. Añada los segmentos de cola de langosta y sofríalos 5 minutos. Agregue los tomates, sal y pimienta y saltéelo todo unos minutos más. Incorpore el resto de los ingredientes. Déjelo hervir todo durante 1 ó 2 minutos hasta que la carne de la langosta quede cocida. Sírvala caliente. Para 2 personas.

En la dirección de las agujas del reloj desde arriba: langosta termidor de las islas, refrescante ensalada de langosta, langosta al horno, guiso de langosta con huevas y ceviche de langosta.

AGALI
CHASTENET
Droste
cacao
SCOTCH WHISKY

San Martín

Mil años atrás los arahuacos bautizaron esta isla con el nombre de Sualouiga, que significa "tierra de sal", debido a sus abundantes terrenos salinos. Tras remontar en canoa la cuenca fluvial del Orinoco a su paso por Venezuela, los arahuacos llegaron a esta isla, donde vivieron apaciblemente de los recursos que les brindaba el entorno hasta la llegada de los salvajes caribes, que no tardaron en desplazarlos y apoderarse de la isla. Más tarde, serían los europeos quienes expulsarían a los caribes. Cristóbal Colón descubrió la isla el 11 de noviembre de 1493, el día de la festividad de San Martín de Tours; en su memoria rebautizó la isla con el nombre de San Martín cuando se convirtió en posesión española.

La piratería, el contrabando y el saqueo existentes en la zona impidieron que San Martín fuera habitada hasta la segunda década del siglo XVII. Fue entonces cuando los holandeses empezaron a extraer sal de sus salinas para exportarla a los Países Bajos. Los españoles regresaron para expulsar a los holandeses de la isla y en 1644 una flota holandesa bajo el mando de Peter Stuyvesant llevó a cabo un intento frustrado de reconquistar la isla. Cuenta la tradición que el comandante de la empresa perdió una pierna en la contienda que fue enterrada en Curaçao –el resto de su cadáver reposa en Nueva York donde más tarde llegaría a ser gobernador–. Finalizada la Guerra de los Ochenta Años entre España y Holanda en 1648, los españoles abandonaron la plaza. Los franceses de la cercana San Cristóbal y los holandeses de San Eustaquio no tardaron en reclamar su posesión.

Después de numerosas escaramuzas se llegó finalmente a la firma de un acuerdo negociado según los términos del Tratado de Monte Concordia. La isla quedó dividida en dos partes: la holandesa Sint Maarten con su capital, Phillipsburg, y la francesa Saint Martin con su capital, Marigot. Cuenta una leyenda que la división de la tierra se decidió en una carrera entre un francés y un holandés que empezaron a andar dándose la espalda en direcciones opuestas a lo largo de la costa hasta que se encontraron de frente. La explicación de los franceses, que se quedaron con dos tercios de la isla, concluye que el holandés iba más despacio por la gran cantidad de ginebra que había bebido durante el camino.

El algodón, la sal y el tabaco eran los pilares de la economía de la isla, explotada por los europeos que eran enviados a estas tierras como criados sin experiencia o convictos bajo condena, quienes fueron sustituidos por esclavos africanos con el auge de la industria azucarera. Se instalaron plantaciones en ambas partes de la isla. El precio del azúcar, sin embargo, fluctuaba y las plantaciones acabaron por cerrar definitivamente con la abolición de la esclavitud a principios del siglo XIX. La isla cayó entonces en una crisis económica que duraría cerca de cien años.

En 1939, San Martín se convirtió en una isla libre de impuestos. Durante las siguientes décadas la economía experimentó un crecimiento vertiginoso con el auge del comercio internacional y el turismo, hasta el punto de que hoy se considera el paraíso comercial del Caribe. Entre los artículos más vendidos se cuentan joyas, perfumes, ropa de marca y cristal de todo el mundo. El juego es la segunda atracción más importante de la isla.

En San Martín conviven gentes de 80 nacionalidades distintas. En la parte holandesa se habla principalmente holandés y papiamento, mientras que el francés y el criollo (un dialecto) predominan en el sector francés. También se habla inglés y algo de español. La mezcla de lenguas, culturas y arquitectura hacen de esta isla dividida en dos un lugar fascinante que bien merece una visita.

Izquierda: esta isleña vende todo lo que crece bajo el sol en su pequeño colmado, algo típico del Caribe. Fuera de la tienda, lleva un brillante negocio de cocina local.

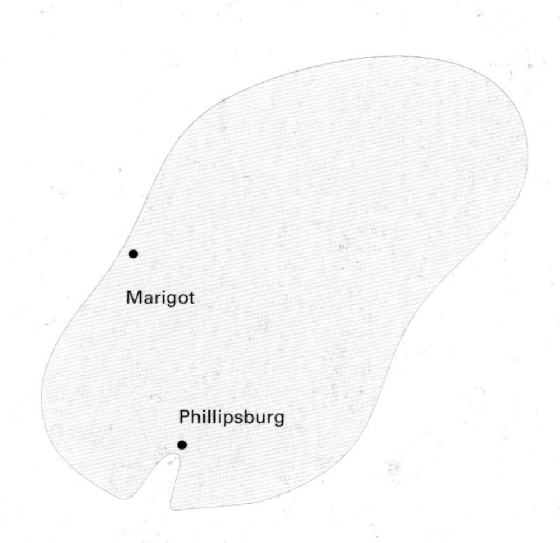

Mercado de Marigot Bay

En el puerto de Marigot puede verse los miércoles y sábados por la mañana uno de los mercados más fascinantes del Caribe. Si tiene la ocasión de visitarlo antes de las nueve de la mañana, encontrará un lugar realmente pintoresco, plagado de vistosas barcas amarradas a puerto y toldos tendidos a lo largo del muelle donde se venden frutas, verduras, ropa, pescado y especias. La oferta es exótica además de incontable. Los pescadores no cesan de charlar sobre su vida en el mar. Las mujeres atraen a los transeúntes con los aromas penetrantes de la cocina casera. Una visita a este mercado es un viaje al pasado, lejos del bullicio del turismo, en el que cobra vida la auténtica San Martín. Los sonidos del criollo se entrelazan con el holandés, el papiamento, el inglés, el portugués y el francés de los clientes semanales en una bella melodía. Como en todos los grandes mercados caribeños, en Marigot la esencia de la isla se presenta en todo su esplendor.

Granada *(Punica granatum)*
La granada se cultiva en la mayoría de las islas, si bien no crece de forma prolífica. En San Martín y las islas Vírgenes hay un número considerable de granados. Este árbol da flores escarlata y un fruto redondo del tamaño de una naranja, con una piel gruesa, lisa y correosa que adopta la forma de una corona invertida en uno de sus extremos. Cuando está en su sazón, la piel del fruto se vuelve de color rojo amarillento. La carne del interior es muy jugosa y presenta semillas blancas rodeadas de masas de pulpa rosada en forma de lágrima. La granada se emplea para elaborar la granadina.

Uva de mar *(Coccoloba uvifera)*
En las costas de todo el Caribe, cerca de la orilla, oculto entre árboles y matorrales, se halla la uva de mar, un arbusto que puede llegar a extenderse a lo largo de varios metros; en zonas más protegidas del interior alcanza alturas de hasta 12 m. Las hojas, redondas y cordiformes, llegan a medir 20 cm de ancho. Tras la polinización, las flores evolucionan en racimos de frutos que al madurar adoptan el aspecto de uvas moradas. Este fruto comestible hace las delicias de los niños, que disfrutan chupándolo pese a su sabor amargo. La uva de mar es originaria del Caribe, y probablemente fue la primera planta que vio Colón al llegar a las islas. Con el fruto se elaboran mermeladas y jaleas. En Barbados y otras islas, las hojas servían para envolver la carne del erizo de mar blanco.

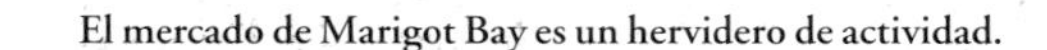
El mercado de Marigot Bay es un hervidero de actividad.

Desayuno de Great Bay

4 huevos
180 ml de leche
60 ml de licor de murta de Sint Maarten
60 g de azúcar
un chorrito de vainilla
una pizca de sal
30 g de mantequilla
6 rebanadas de pan blanco
azúcar glas (opcional)
canela fresca y nuez moscada ralladas

Bata los huevos junto con la leche, el licor de murta, el azúcar, la vainilla y la sal. En una sartén caliente derrita la mantequilla. Ponga en remojo el pan en la mezcla de huevo de modo que lo cubra por completo. Fría en la sartén el pan hasta que se dore por ambos lados. Cuando quede bien frito, extráigalo de la sartén, espolvoréelo con azúcar glas, si lo desea, y con canela y nuez moscada. Para aumentar el valor energético del desayuno, puede rociar el pan con una mezcla de jarabe de arce y un chorro de licor de murta. Para 2-3 personas.

Hierba de limón *(Cymbopogon citratus)*
Se trata de una mata de hierba perenne provista de numerosos tallos rígidos. Es originaria probablemente de Malaysia o Ceilán, si bien hoy en día crece de forma espontánea en todo el Caribe. La hierba de limón se cultiva para la extracción de su importante aceite esencial. La hierba fresca se emplea en muchas islas caribeñas como aromatizante y en infusión para el tratamiento de fiebres, resfriados y trastornos estomacales.

Boniato *(Ipomoea batatas)*
El boniato se cultiva en todas las zonas tropicales. Este tubérculo comestible, un alimento básico en muchas islas, aporta un 50 por ciento más de calorías que la patata común y es rico en vitamina A. Las variedades más corrientes tienen la piel de color pardo cremoso o bien pardo rojizo. Aunque existen preferencias, ambas están muy extendidas.

Tanto en el mercado de Marigot Bay como en muchos otros pueblos pesqueros, es habitual encontrar grupos de hombres sentados cómodamente, enfrascados en la "limpieza del cobo", una tarea nada fácil, que para muchos isleños es coser y cantar. Una vez retirada la concha del cobo –el paso más difícil– se prepara la suculenta carne para su venta en el mercado.

Un barquero se remolca hasta el muelle para descargar la captura.

El boniato se consume normalmente hervido o al horno, y forma parte de toda clase de potajes caribeños. Tanto las hojas como el tubérculo sirven como pienso para el ganado.

Colón llevó el boniato a España a su regreso del primer viaje al "Nuevo Mundo". Lo llamaban "batata", el término caribe para designar patata. De hecho, estos indios ya lo cultivaban cuando los conquistadores europeos llegaron a las islas. Los españoles lo llevaron a Filipinas y los portugueses a África y Asia; a partir de entonces su consumo se extendió en todo el mundo. A pesar de la certeza casi absoluta de que el boniato se originó en la América tropical, no se conoce con exactitud el origen de las especies predecesoras. En tiempos precolombinos, antes de que el boniato fuera conocido en Europa, Asia o África, este tubérculo se cultivaba no solo en México, Centroamérica, Sudamérica y las Antillas, sino también en Polinesia y Nueva Zelanda, lo que hace preguntarse "quién descubrió a quién" en esta tierra.

Dorado *(Coryphaenidae hippurus)*
El dorado, conocido también con los nombres de dorada tropical, lampuga y *mahimahi*, es un manjar preciadísimo en las islas. Para muchos se trata de una de las criaturas de sabor más exquisito que ofrece el Caribe. Este pez presenta una piel plateada brillante, con manchas iridiscentes amarillas, verdes y azules. El dorado se sirve en filetes, relleno y condimentado, a la brasa o frito.

Peto *(Acanthocybium solandri)*
Este pez, conocido también como sierra canalera y *wahoo* en algunas islas, presenta un cuerpo alargado en forma de puro con un hocico afilado, de piel plateada brillante y gris. Esta especie se cría en mar abierto, por lo que suele pescarse en alta mar. El peto resulta delicioso y es junto con el dorado uno de los pescados más comunes de la cocina caribeña.

Picuda barracuda *(Sphyraena barracuda)*
Este pez de apariencia temible y llamativa está provisto de dientes afiladísimos que tienen la reputación de ser tan destructores o más incluso que los del tiburón, aunque en realidad este animal suele ser inofensivo a menos que se vea atacado. Por lo general, permanece inmóvil al acecho de sus presas, con una extraordinaria velocidad de aceleración en el ataque. La picuda barracuda puede medir hasta 1,8 m. En el Caribe está considerado un pez exótico y delicioso y se encuentra normalmente en los arrecifes de coral. Algunos desaconsejan su consumo en las islas más septentrionales o en las islas situadas al sur de Estados Unidos ante el peligro que podría suponer para la salud humana la existencia de yacimientos de mercurio en los arrecifes de estas zonas.

Jurel *(Caranx hippos)*
En el Caribe este pez se conoce con los nombres de caballa, jiguagua y sargentillo. Presenta una piel plateada, en ocasiones con un ligero tono amarillento en la cola. Vive en mar abierto y rara vez se le ve cerca de arrecifes. La carne del jurel es dura, ligeramente blanda por la parte grasa, pero mantiene su consistencia durante la cocción, por lo que resulta indicada para sopas y ensaladas frías. Como ocurre con otras muchas especies de peces criados en el Caribe, las preferencias varían de una isla a otra; el jurel no suele comerse en Barbados, mientras que en Trinidad se considera un manjar exquisito.

Atún claro *(Thunus albacares)*
Este pez resulta especialmente delicioso por la firmeza de su carne. Ésta puede presentar un color oscuro y se suele vender cortada en filetes. Se recomienda cocerla a fuego lento, con hierbas y ajo, envuelta en papel de aluminio para retener los jugos, dejando una tira fina cruda a lo largo del centro, lo que impide que el filete se seque con rapidez justo después de cocerse.

Un crisol de artes culinarias

En la St. Maarten holandesa las tiendas de comestibles están repletas de productos procedentes de los Países Bajos y las naciones vecinas: quesos como gouda y edam rojos y amarillos, brie y camembert, cervezas holandesas, vinos y chocolates exquisitos. Los restaurantes ofrecen las mismas salchichas y las apetitosas sopas de guisantes que se sirven en Amsterdam, mezcladas con los sabores picantes de la cocina antillana. También se puede encontrar *rijsttafel* indonesio holandés, un surtido de una treintena de platos entre los que se incluye cerdo, gambas, pollo y frutas tropicales. Predomina asimismo la cocina francesa, con especialidades tales como la bullabesa y el *pâté de canard*, tan deliciosas como las de París y Marsella.

En la St. Martin francesa, abundan las cafeterías donde café y charla se entrelazan como es habitual en cualquier otra ciudad de Europa. De las pastelerías emanan los aromas de las pastas y los panes recién hechos. En los restaurantes se ofrece la que podría considerarse como la mejor gastronomía de las islas, con cocina americana, continental y caribeña entre otras de calidad suprema.

Berehein Na Forno, St. Martin

1 cucharada de mantequilla

1 kg de berenjenas peladas y cortadas longitudinalmente en lonchas de 6 mm

250 g de cebolla pelada y picada fina

1/2 cucharadita de guindilla roja despepitada y picada en un mortero

1 1/4 cucharadita de sal

pimienta al gusto

625 g de crema de coco (recién hecha o de lata y sin azúcar)

Precaliente el horno a 160°C. Caliente una fuente de horno de 23 x 34 x 5 cm aproximadamente y unte de mantequilla el fondo y las paredes. Disponga la mitad de las berenjenas en la fuente y reparta la cebolla por toda la superficie. Cúbrala con el resto de la berenjena y de la cebolla en capas sucesivas. Agregue la guindilla, la sal y la pimienta y vierta por encima la crema de coco. Tape la fuente con papel de aluminio y hornéela durante 45 minutos. Retire el papel de aluminio y dore la berenjena de 5 a 10 minutos más. Para 4 personas.

Crevettes sauce créole: Le Palmier Restaurant, Chef Claude Mussington, St. Maarten

90 ml de aceite vegetal
1 cebolla grande pelada y cortada en dados
1 pimiento verde pelado y cortado en dados
1 tallo de apio cortado en dados
1 guindilla roja despepitada y cortada en dados
1 tomate fresco cortado en dados
1 diente de ajo fresco picado fino
1 ramita de tomillo fresco picada
3 cucharadas de concentrado de tomate
250 ml de agua
1 ramita de perejil picada
12 gambas medianas peladas
sal y pimienta al gusto

En una sartén grande ponga a calentar 60 ml de aceite vegetal y rehogue después la cebolla, el pimiento, el apio, la guindilla, el tomate, el ajo y el tomillo hasta que esté todo tierno. Añada el concentrado de tomate y remueva hasta que quede todo bien mezclado. Agregue el agua y el perejil y deje hervir el sofrito hasta que se espese. En otra sartén pequeña, saltee ligeramente las gambas en 30 ml de aceite vegetal hasta que se doren. Incorpore la salsa criolla y salpimiente las gambas al gusto. Sírvalas con el sofrito sobre un lecho de arroz blanco. Para 2 personas.

+ Pollo antillano

4 piezas de pollo (a su elección)
125 ml de consomé
2 cucharadas de salsa de soja
60 ml de licor de murta de Sint Maarten
60 ml de zumo de naranja
1 cucharadita de semillas de hinojo
1/4 cucharadita de guindilla picada fina
sal y pimienta al gusto

Deje macerar el pollo toda la noche en una marinada preparada con todos los ingredientes salvo con la sal. Ponga el pollo sobre una parrilla caliente. Añada un poco de sal a la marinada y rocíe con ella el pollo constantemente de 15 a 20 minutos. Reduzca al máximo la temperatura de la parrilla y continúe regando el pollo hasta que esté bien hecho. Para 4 personas.

En el sentido de las agujas del reloj desde el plato superior:
1. Pollo antillano
2. *Berehein Na Forno*
3. *Crevettes sauce créole*

Hotel Pasanggrahan de Phillipsburg, St. Maarten

El bar del hotel Pasanggrahan.

Otrora vivienda del gobernador, hospedaje de figuras destacadas y residencia real, el Pasanggrahan es hoy el hotel más antiguo de St. Maarten. La reina Juliana (entonces princesa) de los Países Bajos fue uno de sus huéspedes de honor. El hotel está situado en una playa de arenas blancas rodeada de jardines tropicales. El nombre de "Pasanggrahan" corresponde a un término indonesio que significa casa de huéspedes. De este hotel se ha hecho mención en artículos de todo el mundo por su encanto, sus antigüedades centenarias y su exquisita cocina francesa y tailandesa, preparada con un toque caribeño por el chef Alan Dutka.

Los propietarios y el chef Dutka toman asiento en torno a un suntuoso banquete tras una dura jornada de trabajo.

Mahimahi

1 filete grande de dorado de 2,5 cm de grosor, limpio y aclarado con agua y lima
mantequilla de limón
60 ml de vino blanco

Precaliente el horno a 200°C. Practique un corte a modo de bolsillo en el filete de mahimahi y rellénelo con 2 cucharadas de salsa de mango y papaya. Unte el filete con mantequilla de limón y salpimiéntelo. Cuézalo en una sartén resistente al horno unos 12 minutos.
Para servir: vierta salsa de langosta en una fuente, disponga encima el filete de mahimahi y sírvalo con verduras salteadas y arroz blanco.

Salsa de langosta

1 cola de langosta
1/2 cebolla cortada en aros
1 tallo de apio
1 zanahoria pelada
1 cucharadita de concentrado de tomate
60 ml de vino tinto
1 hoja de laurel
sal y pimienta blanca al gusto
1 l de agua
60 g de nata doble
una pizca de pimienta de Cayena

En una olla llena de agua lleve a ebullición la cola de langosta con la cebolla, el apio, la zanahoria, el concentrado de tomate, el vino tinto, la hoja de laurel y sal y pimienta al gusto hasta que el líquido se reduzca a la mitad. Cuele el caldo y resérvelo. Reduzca a puré la langosta en una batidora con un poco del caldo y páselo a una olla limpia. Incorpore la nata doble y deje hervir la salsa hasta que espese. Sazónela con la sal, la pimienta blanca y una pizca de pimienta de Cayena. Para 1-2 personas.

Ceviche de cobo caribeño

1 kg de cobo fresco limpio y desollado
1 cebolla picada
1 pimiento rojo despepitado y picado
1 pimiento verde despepitado y picado
1 zanahoria pelada y cortada en dados
2 tomates despepitados y cortados en dados
6 limas
30 ml de aceite de oliva
2 cucharadas de cilantro fresco
1 cucharada de ajo fresco picado
1/2 guindilla roja despepitada y picada fina
6 ramitas de tomillo fresco
sal y pimienta al gusto

Corte el cobo en trozos muy pequeños y póngalos en un cuenco. Agregue la cebolla, el pimiento rojo y verde, la zanahoria y el tomate. Aderece el ceviche con el jugo de 6 limas, el aceite de oliva, el cilantro, el ajo, la guindilla y el tomillo y salpimiéntelo. Tápelo con film transparente y déjelo macerar 12 horas o toda la noche.

Para servir: disponga el ceviche sobre un lecho de lechuga y adórnelo con trozos de tomate y rodajas de lima. Sírvalo como entrante. Para 3-4 personas.

Salsa de mango y papaya

1 mango maduro pelado y cortado en dados
1/2 papaya madura pelada, despepitada y cortada en dados
2 cucharadas de cebollino cortado en dados
1 cucharada de jengibre fresco en dados
2 cucharadas de cilantro fresco en dados
2 cucharadas de pimiento rojo en dados
2 cucharadas de salsa de pescado
2 cucharadas de azúcar moreno
el zumo de 1 lima

Ponga el mango y la papaya en un cuenco y agregue los condimentos y las hierbas. Añada el zumo de lima. Tápelo todo con film transparente y déjelo marinar 1 hora. Para 1 persona.

1. Practique tres cortes profundos por ambos lados del pargo.

Pargo jorobado a la brasa

1 pargo jorobado entero, de unos 500 g, descamado, limpio y enjuagado con agua y lima
Practique tres cortes profundos en cada lado

Marinada:

2 cucharadas de ajo
1 cucharada de pimienta negra
1 cucharada de cilantro
1 cucharada de jengibre
1 cucharada de hierba de limón
125 ml de salsa de soja ligera
2 cucharadas de salsa Perrin's

Bata todos los ingredientes hasta que queden bien ligados. Vierta la marinada sobre el pescado y déjelo macerar 2 horas o toda la noche.

Glaseado:

4 cucharadas de cilantro fresco
2 cucharadas de jengibre fresco
1 cucharada de aceite de sésamo
125 ml de salsa de soja ligera
1/4 guindilla roja despepitada
1 cucharada de ajo fresco
1 tallo de hierba de limón
30 ml de miel líquida
el zumo de 2 limas

Bata todos los ingredientes hasta que queden bien ligados. Hierva el glaseado a fuego lento para que se mezclen los sabores. Caliente la parrilla y rocíela de aceite. Extraiga el pescado de la marinada y áselo por ambos lados hasta que esté hecho y crujiente. Úntelo con el glaseado y sírvalo decorado con semillas de sésamo tostadas, cilantro y cebollino. Para 2 personas.

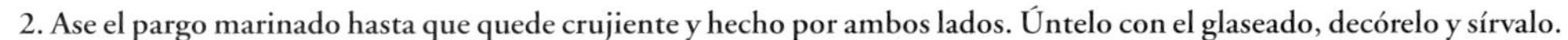

2. Ase el pargo marinado hasta que quede crujiente y hecho por ambos lados. Úntelo con el glaseado, decórelo y sírvalo.

Murta

(Eugenia o Myrciaria floribunda)

El árbol silvestre de la murta (llamada guavaberry en San Martín), que crece en varias islas del Caribe, da unas hermosas y delicadas flores rosas y blancas hacia el mes de agosto. A continuación, la mitad del árbol se cuaja de bayas diminutas que al madurar adquieren un color rojo oscuro tirando a purpúreo; la otra mitad del árbol aparece cargada de frutos de color naranja dorado. Solamente un experto podría apreciar la diferencia de sabor entre las bayas de uno y otro color.

Para los botánicos, la murta, prima del eucalipto y el clavo de especia, es una rareza. Su cultivo resulta ineficaz y costoso, por la escasez de pulpa de la baya y el tiempo indefinido de maduración. Con ella se preparan zumos de frutas, mermeladas, panes, pasteles y licores de ron. Cuando los daneses colonizaron las islas Vírgenes en el siglo XIX, iniciaron la elaboración y exportación de vino y ron de murta.

Antaño, en los hogares de St. Maarten se preparaba, sobre todo por Navidad, un licor de murta. Para los isleños, este fruto evoca el recuerdo de canciones e historias populares. En Navidades, existía la costumbre de ir puerta por puerta cantando "¡Buenos días, buenos días, vengo por mi guavaberry!"; el dueño o dueña de la casa se dirigía entonces al armario de los licores y ofrecía una copita de licor de murta a los componentes de la ronda.

Hace alrededor de 15 años, un restaurante de Phillipsburg emprendió la elaboración de licor de murta basándose en antiguas recetas. Alcanzó tal popularidad que en pocos años se constituyó en una pequeña empresa independiente, dedicada en un principio a la venta local de licor de murta de Sint Maarten, y más tarde a la exportación del producto a otras islas. Aún hoy en día se puede ver a los empleados de la compañía enfilándose con cestos y cubos por caminos de cabras hacia las cálidas colinas verdes situadas en el centro de la isla donde los árboles de la murta crecen con profusión. En disputa directa con los pájaros, los jornaleros recogen las bayas a mano de forma sistemática. Una vez cosechadas, las bayas se lavan y se pisan en grandes toneles de madera con ron dorado caribeño y azúcar moreno de la isla. El licor resultante tiene un sabor único, afrutado, agridulce y con gusto a madera. El embotellado, encorchado y acabado final se realiza a mano.

En 1995, Sint Maarten Guavaberry Company, N.V. comercializó una nueva gama de productos: rones Blackbeard's elaborados en St. Maarten, con un ron envejecido en roble como principal producto. Ofrece además un completo surtido de licores de frutas, incluyendo lima silvestre, fruta de la pasión, mango, anisado y amaretto di Santo Martino.

Las murtas se recogen a mano y se llevan a la destilería, donde se lavan y se hierven en grandes depósitos. Así comienza el proceso de elaboración del licor de murta.

Made in Sint Maarten

GUAVABERRY

CARIBBEAN ISLAND FOLK LIQUEUR

Guavaberry is the legendary island folk liqueur of Sint Maarten/St Martin where it has been made in private homes for hundreds of years. To local people, Guavaberry conjures up treasured memories of the olden days & there are folk songs & stories about it. This simple, fresh, wild fruit liqueur actually became and is now, more than ever, an essential feature of the island's folklore.

Guavaberry is made from rum and the local berries from which it gets it's name. The fruit is found far off the road & high in the warm hills in the centre of the island. Guavaberries are NOT at all like Guavas. The mature liqueur has a woody, fruity, bitter-sweet flavour all of it's own. There is also a full range of Sint Maarten Tropical Fruit Liqueurs which includes Wild Lime, Passion Fruit, Mango and Anisette & Amaretto di Santo Martino.

BLACKBEARD'S RUMS

In 1995 the company released a new range of products - Blackbeard's Made On Sint Maarten Rums, starting with an oak-aged high quality Spiced Rum.

SINT MAARTEN GUAVABERRY COMPANY N.V.
NO. 8-10 FRONTSTREET, PHILIPSBURG, SINT MAARTEN
NETHERLANDS ANTILLES. FAX (USA 011) + 5995 24497

Este curioso folleto es uno de los muchos que publica la firma Guavaberry Co. N.V. para dar a conocer su exquisito producto.

Las botellas se rellenan con el premiado licor de murta.

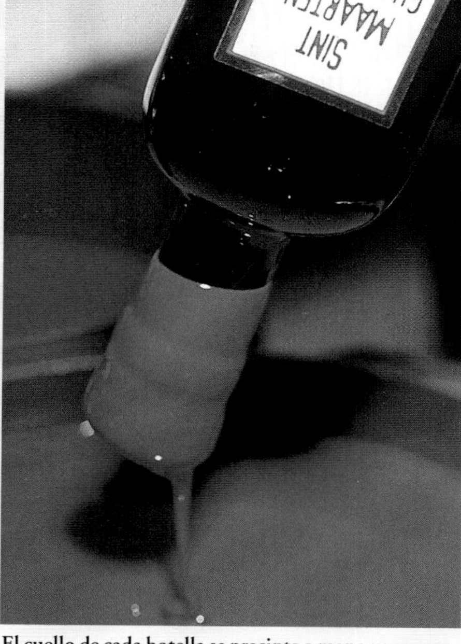

El cuello de cada botella se precinta a mano una a una. El licor de murta se exporta a varias islas caribeñas.

Nude Beach

En un vaso largo lleno de hielo vierta:

30 ml de ron dorado

60 ml de zumo de piña

60 ml de zumo de naranja

un chorrito de zumo de lima o de limón

15 ml de granadina

Decore el preparado con rodajas de piña, de naranja y de lima frescas y espolvoréelo con nuez moscada.

Island Queen

Vierta unos 30 ml de licor de murta de Sint Maarten en una copa de cava helada. Acabe de llenarla con champán francés blanco o rosado de calidad, seco y frío.

Margarita de mango

Agite 30 ml de tequila, 30 ml de licor de mango de Sint Maarten y 30 ml de zumo de lima en una coctelera con hielo hasta que el recipiente se le adhiera casi a las manos. Sale el borde de una copa de cóctel, añada hielo, vierta la margarita de mango con cuidado y ¡a disfrutar!

Gibikini

En un vaso largo lleno de hielo vierta:
60 ml de licor de murta de Sint Maarten.
Acabe de llenarlo con 150 ml de zumo de pomelo recién exprimido. Añada una rodaja de pomelo o de lima y espolvoree el cóctel con canela recién rallada.

Murta colada

En una batidora mezcle 60 ml de licor de murta de Sint Maarten, 30 ml de crema de coco y 90 ml de piña fresca. Vierta el cóctel en un vaso largo y decórelo con piña, un trozo de coco y nuez moscada.

Saba, San Eustaquio y San Bartolomé

Saba es un frondoso pico volcánico de 13 km^2, situado a 45 km al sur de San Martín y a unos 15 minutos en avión. Constituye prácticamente un peñasco en medio del mar Caribe. En sus accidentadas colinas se asientan cuatro pueblos, que hasta hace poco se hallaban comunicados sólo por escaleras excavadas en la roca. Si bien los ingenieros advirtieron a los habitantes de Saba de la imposibilidad de construir una carretera en la isla, los isleños se atrevieron a demostrarles que no estaban en lo cierto. Les costó veinte años de duros esfuerzos y trabajos realizados con sus propias manos.

Saba está habitada por una particular casta anglohablante. Incluso durante el siglo XVII, los primeros pobladores de la isla repelían el ataque de los bucaneros arrojando sobre ellos inmensos cantos rodados. Durante la recesión económica, los hombres de la isla se echaron a la mar y se convirtieron en los marineros más solicitados del mundo. Las mujeres, mientras tanto, se dedicaron a la confección de los famosos encajes de Saba.

Saba ha sido bautizada "la reina inmaculada", un nombre apropiado para este pequeño peñasco de los Países Bajos.

La isla de San Eustaquio, situada a 61 km al sur de San Martín y a unos 17 minutos en avión, se conoce normalmente como "Statia". Asimismo, recibe el sobrenombre de "amiga de la infancia de América" por haber sido la primera potencia extranjera en reconocer los colores de Estados Unidos, pocos meses después de su declaración de independencia.

Esta isla fue en su día el centro comercial más poderoso de las Antillas, por donde pasaban todas las provisiones con rumbo a las rebeldes colonias británicas. En cierta ocasión, Benjamin Franklin insistió en que el correo enviado a su nombre desde Europa le fuera remitido a través de Statia.

En la actualidad, se trata de una pequeña isla de habla holandesa y ambiente agradable, donde los colonos aún se desplazan de un sitio a otro en asno con las famosas casas de pan de jengibre como telón de fondo, construcciones características del legado arquitectónico de San Martín, Saba y San Eustaquio. Estas pintorescas viviendas con diseños calados en forma de cadena, cinta y "Pedro y Pablo" –algunos en miniatura– realizados en colores pastel y tan vistosos como pasteles de boda, son dignas de admirar.

Otro de los imponentes atributos de Statia es el volcán extinto "the Quill". Tras recorrer 274 km cuesta abajo uno puede adentrarse en su cráter donde se encuentra una exuberante selva tropical en la que despuntan cedros gigantes. En el Quill se pueden ver colibríes que no existen en ninguna otra parte del mundo, entre las 54 especies distintas de pájaros que revolotean en torno a orquídeas de 15 especies diferentes.

San Bartolomé, conocida como St. Barts, forma parte de las Antillas Francesas y junto con St. Martin integra la región de Guadalupe, si bien ambas se hallan a 225 km al norte de dicha isla. "Ouanalao" era el nombre aborigen de St. Barts, cuyo territorio llevaba deshabitado mucho tiempo antes de ser descubierta por Colón, quien la bautizó "Bartolomeo" en memoria de su hermano.

La isla no tuvo interés excepto para los curiosos piratas y corsarios hasta que en 1648 se afincaron en ella un puñado de colonos normandos y bretones. La mayoría de ellos, no obstante, resultaron muertos en ataques ocasionales a manos de los caribes. Los que consiguieron salvarse vivían ocultos. En 1784 Luis XVI cedió la isla a su buen amigo el rey de Suecia, quien la convirtió en puerto franco. En 1878 la isla volvió definitivamente a Francia mediante el pago de 320.000 francos.

St. Barts es hoy un refugio de la *jet set* internacional, con hoteles de lujo y restaurantes que ofrecen una combinación de cocina francesa y criolla. Por el contrario, los campesinos bretones visten y conservan las costumbres de los primeros colonos de Bretaña. El idioma oficial es el francés, aunque para ser una isla pequeña cuenta con numerosos dialectos, incluyendo una variante de un dialecto arcaico que mezcla francés continental y colonial e inglés caribeño y criollo de las Antillas Francesas.

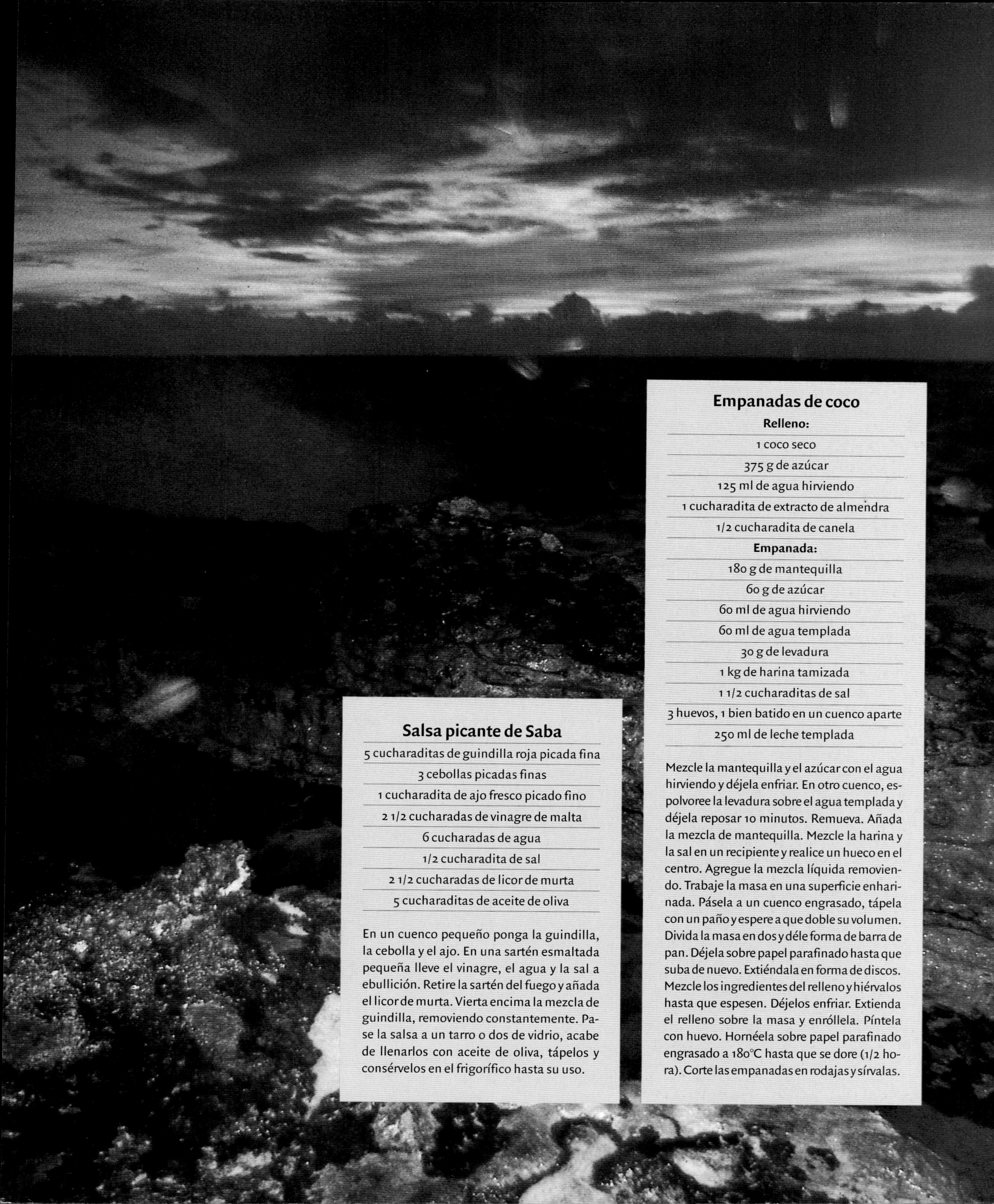

Salsa picante de Saba

5 cucharaditas de guindilla roja picada fina
3 cebollas picadas finas
1 cucharadita de ajo fresco picado fino
2 1/2 cucharadas de vinagre de malta
6 cucharadas de agua
1/2 cucharadita de sal
2 1/2 cucharadas de licor de murta
5 cucharaditas de aceite de oliva

En un cuenco pequeño ponga la guindilla, la cebolla y el ajo. En una sartén esmaltada pequeña lleve el vinagre, el agua y la sal a ebullición. Retire la sartén del fuego y añada el licor de murta. Vierta encima la mezcla de guindilla, removiendo constantemente. Pase la salsa a un tarro o dos de vidrio, acabe de llenarlos con aceite de oliva, tápelos y consérvelos en el frigorífico hasta su uso.

Empanadas de coco

Relleno:

1 coco seco
375 g de azúcar
125 ml de agua hirviendo
1 cucharadita de extracto de almendra
1/2 cucharadita de canela

Empanada:

180 g de mantequilla
60 g de azúcar
60 ml de agua hirviendo
60 ml de agua templada
30 g de levadura
1 kg de harina tamizada
1 1/2 cucharaditas de sal
3 huevos, 1 bien batido en un cuenco aparte
250 ml de leche templada

Mezcle la mantequilla y el azúcar con el agua hirviendo y déjela enfriar. En otro cuenco, espolvoree la levadura sobre el agua templada y déjela reposar 10 minutos. Remueva. Añada la mezcla de mantequilla. Mezcle la harina y la sal en un recipiente y realice un hueco en el centro. Agregue la mezcla líquida removiendo. Trabaje la masa en una superficie enharinada. Pásela a un cuenco engrasado, tápela con un paño y espere a que doble su volumen. Divida la masa en dos y déle forma de barra de pan. Déjela sobre papel parafinado hasta que suba de nuevo. Extiéndala en forma de discos. Mezcle los ingredientes del relleno y hiérvalos hasta que espesen. Déjelos enfriar. Extienda el relleno sobre la masa y enróllela. Píntela con huevo. Hornéela sobre papel parafinado engrasado a 180°C hasta que se dore (1/2 hora). Corte las empanadas en rodajas y sírvalas.

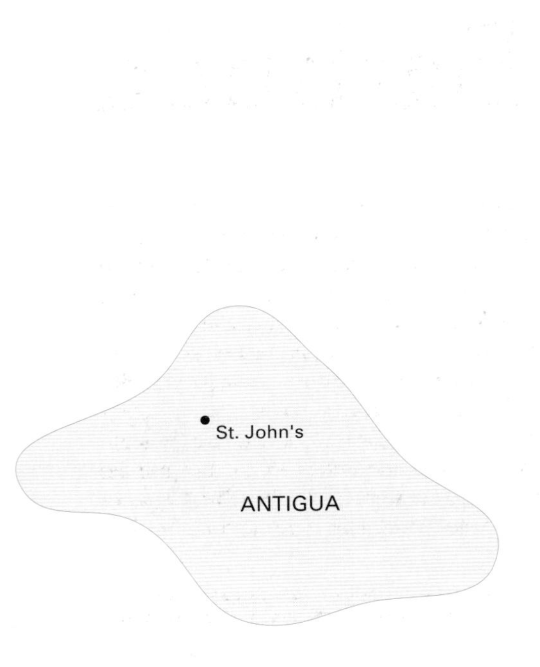

Los primeros indicios de la ocupación de Antigua se remontan a 4.000 años atrás cuando un pueblo conocido como los ciboneys procedentes de Sudamérica llegaron por mar a la isla. Tras la desaparición de los ciboneys, les sucedieron los arahuacos, quienes bautizaron la isla como "Wadadli". Colón la descubrió en 1493 y sin poner siquiera los pies en tierra le puso el nombre por la milagrosa Virgen sevillana de Santa María de la Antigua. Más tarde, españoles y franceses ocuparon la isla durante breves períodos, hasta que en 1632 los británicos iniciaron su colonización definitiva. En esta época habitaban la isla los caribes, quienes intentaron expulsar a los recién llegados. Sin embargo, los ingleses tomaron posesión de la isla y comenzaron a cultivar jengibre, tabaco e índigo. Hacia 1630, la caña de azúcar se convirtió en el motor de la economía, por lo que los ingleses introdujeron a esclavos africanos en la isla. En 1834 fue abolida la esclavitud, y en 1981 Antigua alcanzó plena independencia de Gran Bretaña.

Hoy en día, constituyen el estado unitario de Antigua y Barbuda las islas de Antigua, Barbuda y Redonda, situadas a unos 2.092 km al sudeste de Miami, en medio de las islas de Sotavento, al este del Caribe. La costa de Antigua aparece ribeteada por multitud de calas, puertos y no menos de 365 playas paradisíacas.

Barbuda es una isla baja de arrecifes coralinos situada al norte de Antigua y considerada un santuario de la fauna autóctona. Perteneció en su día a un inglés llamado Sir Christopher Codrington, quien construyó una mansión, Highland House, en el punto más elevado de la isla, desde donde se disfruta de unas fantásticas vistas. Se dice que Sir Christopher utilizaba Barbuda como "caballeriza" para "esclavos de raza", muchos de los cuales acababan siendo trasladados a Betty's Hope, su plantación en Antigua. Por entonces Barbuda era rica en pescado, madera, ganado y productos agrícolas. Cuando la esclavitud fue abolida, la mayoría de los esclavos de Sir Christopher se fueron a Antigua.

Antigua y Barbuda

En 1860, Antigua y Barbuda se hermanaron. Barbuda es famosa hoy en día por albergar a miles de fregatas, unas aves fascinantes de conducta reposada y dócil, pues nada tienen que temer en este paraíso. Los habitantes de Barbuda se muestran sumamente hospitalarios, ansiosos por guiar a los visitantes hasta los lugares de interés, como labrantíos, manglares, cuevas y enclaves históricos. A los isleños les encanta la comida, incluyendo la carne de venado, cuya caza y presencia en la cocina local están aún muy extendidas en la isla.

Redonda, un islote rocoso deshabitado, tuvo relevancia en su día por la explotación de fosfato y guano para su uso como fertilizantes. En 1865, fue "reclamada" por un tal Matthew Shiell como "reino" para su hijo Philippe. Su sucesor sería el poeta John Gawsworth, quien concedió el título de duque y duquesa a muchas figuras literarias de la época, como J. B. Priestley, Rebecca West y Dylan Thomas. Al margen de este excéntrico afán de notoriedad, Redonda se conoce por el mochuelo excavador, hoy extinguido en la vecina Antigua.

Antigua es famosa por ser la isla donde el equipo de críquet antillano "da lo mejor de sí". Y es que ganen o pierdan, un partido en el campo de Antigua se convierte en una fiesta salvaje con bebida, comida y música a raudales. Fue aquí donde el jugador de Trinidad Brian Lara batió el récord de Sir Garfield Sobers, incluido en el Libro Guinness de los Récords, por ser el jugador de críquet más joven en completar 375 carreras en un solo turno. Antigua cuenta asimismo con numerosos lugares históricos, incluyendo fuertes, iglesias y astilleros, como el antiguo Astillero de Nelson que sigue sirviendo como fondeadero para yates. La Semana de la Vela celebrada cada año en Antigua supone una atracción turística de primer orden en un país cuya principal industria es el turismo. Por su aridez, Antigua no es una isla propicia para la agricultura. Aun así, sus habitantes han adquirido con los años grandes dotes para la gastronomía, como prueban los platos caseros o los servidos en los restaurantes de la isla.

La abrupta costa este de Antigua está dominada por pintorescos acantilados que parecen precipitarse hacia el océano.

Desayuno dominical de Antigua

Desayuno dominical de Antigua
500 g de pescado salado hervido y desprovisto de espinas
500 g de *antrober* (berenjena) hervida y picada
lechuga troceada
pepino cortado en rodajas
3 plátanos macho en rodajas fritos en aceite
2 huevos duros cortados en rodajas
tomate cortado en rodajas
Salsa:
2 cucharadas de aceite vegetal
1 cebolla grande cortada en rodajas
1/2 cucharadita de ajo picado fino
1/2 guindilla roja fresca picada fina
4 tomates
2 cucharadas de concentrado de tomate
2 cucharadas de mantequilla
sal y pimienta al gusto

Para la salsa:
En una sartén grande ponga el aceite a calentar y fría luego la cebolla, el ajo y la guindilla. Saltéelo todo durante unos segundos. Añada los ingredientes restantes con 1/2 taza de agua y hierva la salsa a fuego lento.

Para servir:
Coloque una ración de pescado salado y de *antrober* en el centro del plato y riéguelo todo con la salsa. Disponga a un lado la lechuga, el pepino y el plátano y decore el plato con rodajas de huevo y de tomate. También se puede poner más cebolla (cruda o salteada) por encima. Para 3 ó 4 personas.

No hay nada parecido a un desayuno dominical de Antigua, una ocasión en la que se reúne toda la familia, se deja de lado la rutina de la semana y se instaura el bullicio de la vida doméstica. Como en gran parte del Caribe, el pescado salado ocupa un lugar muy especial en el corazón de los isleños. Introducido en primer lugar por los portugueses e importado después desde el norte de Canadá, ha seguido siendo un alimento básico en la dieta de todo el Caribe, aun cuando las capturas diarias de pescado fresco son abundantes. Si bien las preferencias se inclinan por las especies importadas, en general por el bacalao, cada vez hay más familias que "vuelven a sus orígenes" y se encargan de salar el pescado. De hecho, en algunos lugares, se ha empezado a comercializar pescado en salmuera a fin de competir con los productos de importación de coste cada vez más elevado. La salazón se prepara dejando el pescado en remojo toda la noche para eliminar el exceso de sal y reblandecer la carne de forma considerable. Otro método consiste en poner a hervir el pescado, cambiar el agua y repetir la operación dos veces, probando el pescado después de cada hervor hasta que su sabor alcance el punto de sal deseado.

El desayuno dominical de Antigua es un plato sabroso y abundante que se toma hacia las 10 de la mañana, más bien como almuerzo.

1. El pescado salado se hierve tres veces en agua fría para eliminar el exceso de sal.

2. Se desmenuza, se retiran las espinas y se reserva.

3. Se hierve el *antrober* y se machaca hasta obtener una pasta fina.

4. Se coloca una ración de pescado salado hervido y de *antrober* en el centro del plato.

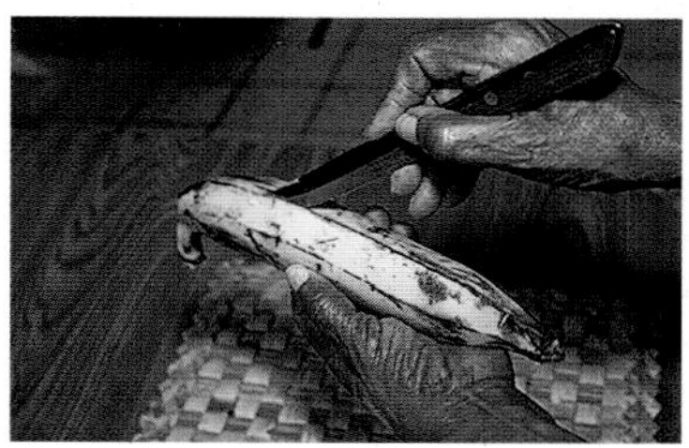

5. Corte la piel del plátano a lo largo con un cuchillo afilado.

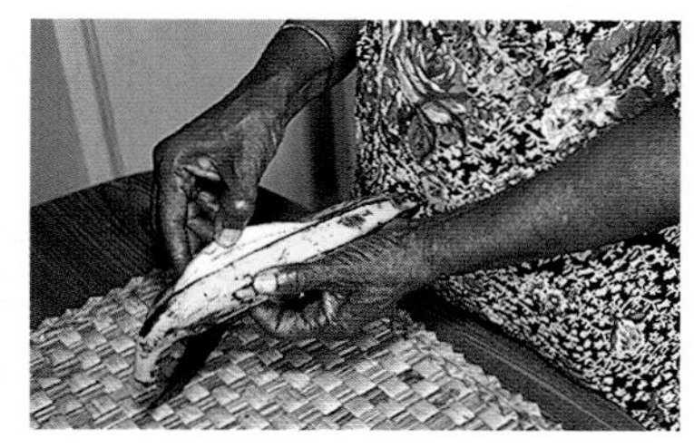

6. Abra el corte y retire la piel.

7. Corte el plátano en rodajas como se muestra en la fotografía.

8. Fría las rodajas de plátano en aceite vegetal hasta que estén cocidas y queden doradas.

Para la presentación final del plato: decore el pescado salado y el *antrober* con lechuga, tomate y pepino. Riegue el pescado con salsa bien caliente y adórnelo con huevo duro por encima. ¡Buen provecho!

El juego del warri

El *warri* es un juego de mesa popular en muchas islas del Caribe, aunque no en todas. En Antigua constituye un pasatiempo nacional. De hecho, según un antiguo proverbio de la isla, "quien juega al *warri* con Dios, se queda sin semillas". Pese a que los orígenes del *warri* tienen sus raíces en el pasado africano, existen dudas sobre la nacionalidad del juego. El término "warri" significa "casa" en la Costa Dorada de África, donde se juega otra versión. En otros lugares de África existen juegos casi idénticos con los nombres de *ayo*, *darra*, *mwes*, *mweiso* y *adis*. En otras partes del mundo, entre las cuales se incluye China, el sudeste asiático y Extremo Oriente (donde recibe el nombre de *macala*), tienen juegos de mesa similares.

El *warri* y sus múltiples variantes se juega entre dos personas en un tablero de 1 cm de hondo, por 23 cm de ancho y 69,5 cm de largo. El tablero dispone de 12 hoyos de unos 7,5 cm de diámetro, con seis hoyos a cada lado. En cada hoyo se colocan cuatro semillas (llamadas *nichols* en Antigua), que suman en total 48 semillas. Gana el jugador que logra hacerse con 25 semillas o más del lado de su adversario. En Antigua, el juego se inicia decidiendo a cara o cruz quién moverá primero. Tan importante como la estrategia y la técnica resulta la capacidad del jugador para intimidar verbalmente al contrario, bromear y espetar algún insulto en voz alta. Si bien las normas son sencillas, hay quien dice que el *warri* resulta un juego más complicado que el ajedrez, pues exige gran destreza matemática y agilidad mental. Se aconseja aprender mediante la observación antes que "dejarse machacar repetidamente" por un maestro.

¿Sabía que ...

...se juega al *warri* con semillas de kannik *(Caesalpinia bonduc)*, un arbusto trepador que crece en zonas secas frente al mar? Aparte de su aplicación lúdica, tienen fines medicinales si se tuestan hasta oscurecerse y se dejan en infusión con ron un par de semanas. El elixir resultante se emplea contra la flatulencia y el resfriado.

Cocina tradicional de Antigua

Empanada de pescado salado

375 g de ñame cocido
425 ml de leche
un poco de mantequilla
1 kg de pescado salado hervido y sin espinas
1 cebolla grande cortada en rodajas finas
3 tomates grandes cortados en rodajas
3 cucharadas de ketchup
1/2 guindilla roja despepitada y picada fina
4 cucharadas de mayonesa
sal y pimienta al gusto
2 huevos duros cortados en rodajas
4 cucharadas de mantequilla

Triture el ñame con la leche y un poco de mantequilla. Cubra una fuente engrasada con parte del ñame triturado. Añada trozos de ñame, el pescado salado, la cebolla y los tomates en capas intercaladas. Disponga encima una capa final de ketchup, guindilla, mayonesa y sal y pimienta y cúbralo todo con rodajas de huevo. Esparza mantequilla por encima. Extienda el puré de ñame restante sobre una superficie enharinada. Cubra la tarta con el ñame, decórela con un tenedor y salpíquela de mantequilla. Hornéela hasta que se dore. Sírvala sobre un lecho de lechuga.

Pescado salado con ducana (duckanoo o duckna)

1 kg de pescado salado
125 ml de aceite vegetal
125 g de cebolla picada
4 tallos de apio picados
125 g de pimiento verde picado
150 g de tomate cortado en rodajas
1/2 guindilla despepitada y picada
3 dientes de ajo
1/4 manojo de tomillo fresco picado
60 g de mantequilla
125 g de concentrado de tomate

Hierva tres veces el pescado, cambiando el agua tras cada hervor. Extraiga el pescado del agua y déjelo reposar. Retire la piel con el dorso de un cuchillo. Acto seguido, retire las espinas, desmenuce el pescado y resérvelo. Ponga el aceite a calentar en una sartén de hierro; cuando esté caliente, añada las verduras, el tomillo y la mantequilla. Incorpore el pescado salado y déjelo hervir. Agregue el concentrado de tomate. Déjelo cocer todo de 10 a 15 minutos. Retire el pescado del fuego y sírvalo con ducana. Para 4 personas.

Ducana

500 g de boniatos
250 ml de leche de coco
150 g de azúcar moreno
125 g de pasas
2 cucharaditas de esencia de vainilla
30 g de nuez moscada
500 g de harina
60 g de levadura en polvo
1 hoja de banano cocida al vapor

Pele y ralle los boniatos. Mezcle los demás ingredientes en un cuenco hasta obtener una pasta homogénea. Corte la hoja de banano en cuadrados de 25 cm. Reparta el relleno en la hoja de banano, pliéguela y átela con una cuerda como se muestra en las fotografías (enróllela en forma de tubo si emplea papel de aluminio). Hierva los montoncitos en agua con un poco de sal durante 1 hora aproximadamente.

El pescado salado con ducana es el plato típico de Antigua. Como ocurre en la mayoría de las islas caribeñas, las amas de casa añaden ingredientes secretos que dan a las preparaciones un toque especial. La ducana no es una excepción.

1. En las islas, muchas amas de casa prefieren salar ellas mismas el pescado. Después de limpiarlo, lavarlo y abrirlo, lo cubren de sal.

2. Los portugueses trajeron el bacalao salado de Canadá para venderlo a los primeros colonos. Desde entonces se ha convertido en un alimento básico en la dieta de las islas.

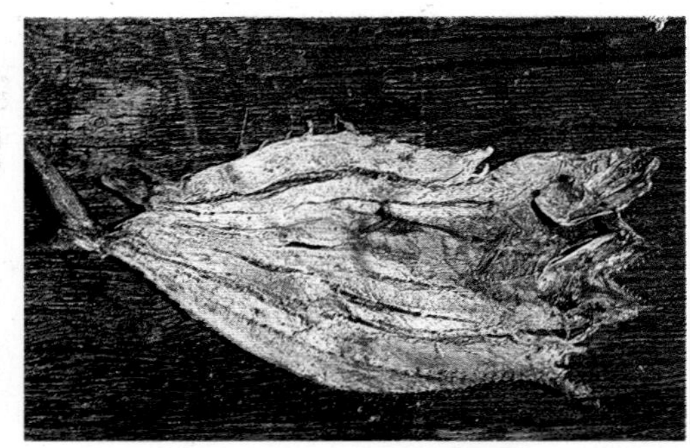

3. Todos los rincones del pescado deben frotarse por completo con sal. Una vez hecho esto, ya se puede dejar secar al sol. Sólo tarda unos días en estar listo para su consumo.

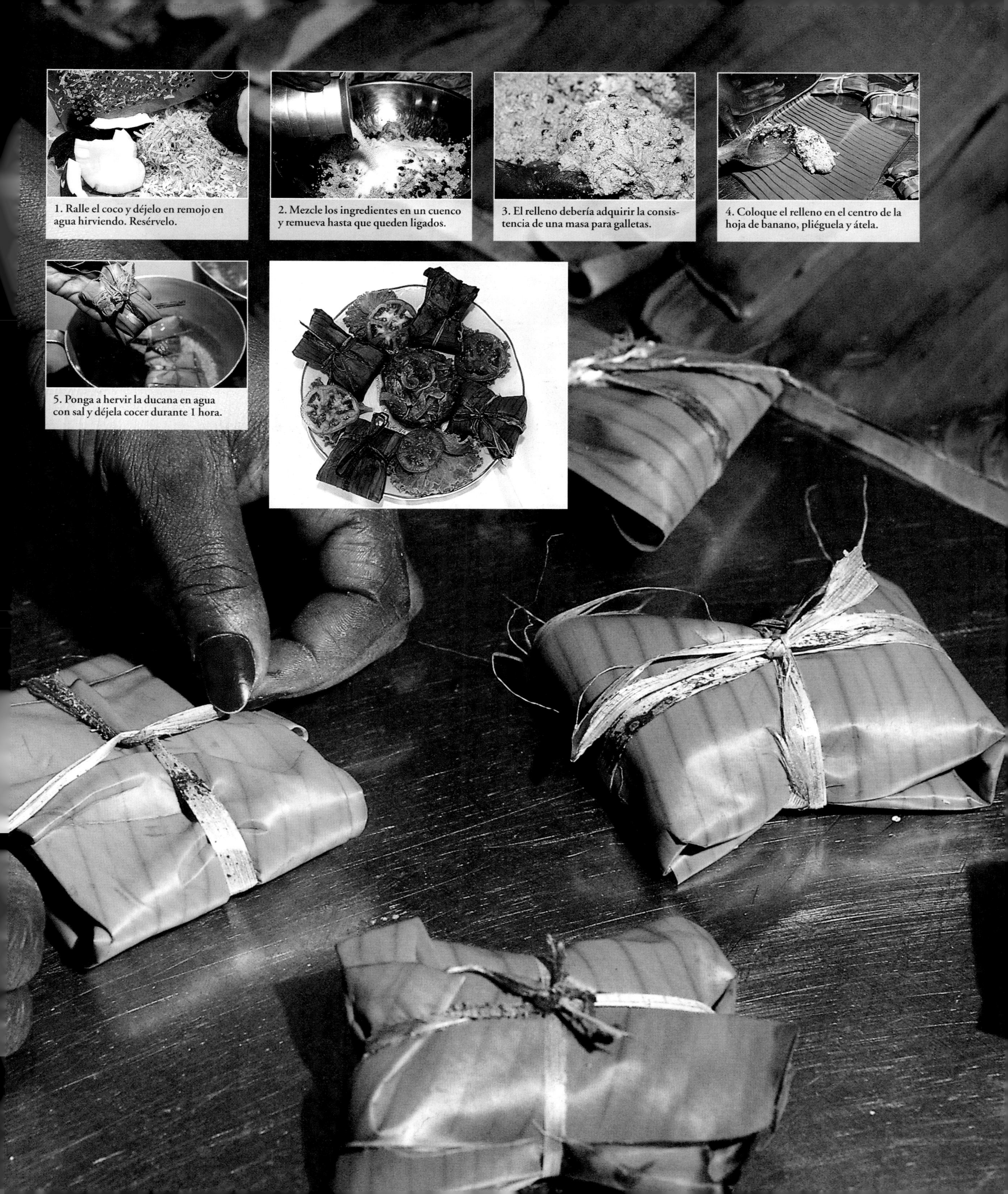

1. Ralle el coco y déjelo en remojo en agua hirviendo. Resérvelo.

2. Mezcle los ingredientes en un cuenco y remueva hasta que queden ligados.

3. El relleno debería adquirir la consistencia de una masa para galletas.

4. Coloque el relleno en el centro de la hoja de banano, pliéguela y átela.

5. Ponga a hervir la ducana en agua con sal y déjela cocer durante 1 hora.

Ñame

(Dioscorea sp.)

Los tubérculos de ciertos ñames silvestres contienen sapogeninas esteroides, sustancia utilizada en la composición de anticonceptivos orales. Pero en el Caribe el ñame se aprecia por su sabor. Entre las clases de ñames comestibles de las islas, la variedad White Lisbon es considerada la mejor, junto con el ñame de Barbados, que cultivado con regularidad produce cosechas muy cuantiosas. Los ñames comestibles aportan hidratos de carbono, proteínas y una dosis considerable de vitamina C. Debido a su bajo coste y su elevado valor nutritivo, los portugueses y los españoles lo emplearon como sustento básico de la alimentación de los esclavos africanos. El cultivo del ñame requiere un enorme esfuerzo, si bien en contrapartida se pueden obtener ejemplares de más de 59 kg de peso. Su preparación exige asimismo una labor importante, dada la dificultad que supone pelarlo. El ñame que se vende en el mercado suele aparecer cubierto de barro. La carne resulta pegajosa al tacto, pero no cabe duda de que una vez preparado, ya sea simplemente hervido o rehogado con un poco de mantequilla, relleno al horno, cubierto de queso y gratinado, el ñame constituye un acompañamiento de lo más sabroso para cualquier comida caribeña.

Taro

(Colocasia esculenta)

El taro, conocido en las Antillas con el nombre de *eddo*, es un pequeño tubérculo globular que según parece fue introducido en las islas desde Oriente, razón por la cual se denomina en ocasiones taro chino. Presenta una piel parda cubierta de filamentos vellosos. Su carne sólo puede describirse como "viscosa". Una vez cocido, el taro tiene un ligero sabor a nueces. El tubérculo cultivado madura en cinco o seis meses, se desentierra a mano y puede conservarse durante largos periodos, hasta varios meses, lo que lo convierte en un producto agrícola muy asequible. El taro se prepara normalmente hervido con la piel, se deja enfriar y se pela de un modo particular: sujetándolo por la base del extremo más pequeño, se pela la parte superior del extremo opuesto y presionando un poco se desprende el tubérculo entero. La carne del taro se come con mantequilla, fría y encurtida, triturada en una especie de *coocoo* o como ingrediente de una sopa. Hoy en día, este tubérculo se vende en la mayoría de los mercados de comida antillana de Estados Unidos y Europa.

Buñuelos de ñame

- 1,5 kg de ñame pelado
- 1 cebolla rallada
- 2 ramitas de cebollino picado fino
- 1 1/2 cucharaditas de perejil picado
- 1 pimiento rojo picado fino
- 1/4 guindilla picada fina
- sal y pimienta
- 1 huevo
- pan rallado seco
- aceite para freír

Sale ligeramente el ñame y cuézalo al vapor hasta que quede tierno. Tritúrelo junto con la cebolla, el cebollino, el perejil, el pimiento y la guindilla. Salpiméntelo todo al gusto. Agregue el huevo batido. Amase la mezcla en forma de bolas de 5 cm. Rebócelas en pan rallado hasta que queden bien cubiertas y fríalas en aceite caliente hasta que se doren.

El ñame al horno es un plato sencillamente exquisito. Bata el relleno con una varilla giratoria para que el plato resulte más meloso.

Los buñuelos de ñame constituyen un delicioso acompañamiento, aunque también pueden servirse como sabrosas tapas en fiestas.

Ñame al horno

de 1 a 1,5 kg de ñame
1 huevo
1 cucharadita de mantequilla
1 pimiento rojo picado fino
sal y pimienta al gusto
500 g de queso *cheddar*
60 g de queso parmesano mezclado con una pequeña cantidad de pan rallado

Precaliente el horno a 180 °C. Pase el ñame por agua y elimine todas las hebras. Sáquelo y cuézalo al vapor hasta que se ablande. Acto seguido, hornéelo hasta que quede tierno. Déjelo reposar y vacíe la pulpa del ñame sin romper la piel. En un cuenco aparte triture el ñame con el huevo. Se puede añadir un poco de leche para darle cremosidad. Incorpore la mantequilla, el pimiento rojo y sal y pimienta. Agregue la mayor parte del queso *cheddar* y mézclelo todo hasta obtener una masa homogénea. Rellene la piel del ñame con el puré preparado. Espolvoree por encima el resto del *cheddar* y el parmesano. Hornee el ñame relleno durante 30 minutos o hasta que se dore la superficie. Sírvalo directamente en la piel. Para 4-6 personas.

La sopa de taro, con un ligero sabor a nueces, es un entrante de primera. Se sirve en numerosos restaurantes especializados en cocina caribeña de calidad.

Después de colar la sopa se añade la nata o la leche de coco.

Sopa de taro

1 kg de taro
1 l de caldo de pollo
2 hojas de laurel
125 g de cebolla picada
1 diente de ajo picado fino
125 g de apio picado
2 clavos de especia
125 g de puerro picado
2 ramitas de tomillo fresco
1/2 guindilla roja picada fina
sal y pimienta al gusto

Pele y corte en rodajas los taros. Lleve todos los ingredientes a ebullición en un olla grande llena de agua y salpimiéntelo todo. Elimine la espuma que se forme en la superficie. Deje hervir el caldo a fuego lento durante 40 minutos y retírelo del fuego. Páselo por una batidora a máxima potencia hasta obtener una mezcla homogénea. Cuélelo con un chino. (Llegado este punto puede añadir nata montada o leche de coco si lo desea.) Sirva en un sopera y decore con un poco de pimentón. Para 4 personas.

Arroz y guisantes rodeados de rodajas de zanahorias y un surtido de verduras de huerta con salsa son una excelente guarnición para el asado de carne de venado.

Cocina casera tradicional de Barbuda

Dumplings (bolas de masa)

125 g de harina
60 g de harina de maíz
1/2 cucharadita de levadura en polvo
1/2 cucharadita de azúcar
1/4 cucharadita de canela o de especias variadas
30 g de mantequilla
1/4 cucharadita de perejil picado
1/4 cucharadita de cebollino picado
sal al gusto
4 cucharadas de leche

Tamice juntos todos los ingredientes secos. Añada la mantequilla, el perejil, el cebollino y la sal. Incorpore poco a poco la leche hasta obtener una masa; tome bolas de masa y déles forma de croqueta con las manos. Añádalas a la sopa de taro 5 minutos antes de finalizar la cocción.

Asado de carne de venado de Barbuda

Condimentación:
2 cebollinos picados finos
1 cebolla picada fina
1 pimiento para condimentar despepitado y picado
1 guindilla despepitada y picada fina
2 ramitas de perejil picadas finas
1 diente de ajo picado fino
1/2 tallo de apio picado fino
1/2 cucharadita de tomillo
125 ml de ron de Antigua
Carne de venado y salsa:
carne de venado para asar (unos 2 kg)
5 cucharadas de mantequilla
4 tiras de beicon
2 cucharadas de harina
sal y pimienta al gusto

Mezcle todos los ingredientes de la condimentación a mano o en una batidora. Practique cortes de 2,5 cm de profundidad en la carne del venado y rellénelos con el condimento preparado. Deje reposar la carne durante un mínimo de 4 horas (o toda la noche en el frigorífico). Precaliente el horno a 180°C. Coloque la carne en una bandeja para asar, rocíela con mantequilla fundida y extienda por encima las tiras de beicon. Ase la carne sin tapar 1 1/2 horas aproximadamente. Riéguela de vez en cuando con los jugos del asado. Retire la carne de la bandeja y manténgala caliente. Caliente los jugos del asado en un cazo a fuego lento. Disuelva la harina en 250 ml de agua y añada después más harina hasta que la salsa se espese. Agregue un chorrito de ron y sal y pimienta al gusto. Sirva la carne trinchada y cubierta de salsa, con arroz o patatas al horno.
Para 8 personas.

1. Una vez pelado el taro, déjelo en agua fría con un poco de lima para evitar que se ennegrezca. Trocee la calabaza.

2. Trocee los quingomboes y el chayote. Ponga a hervir con mantequilla una olla grande con la cebolla picada, el ajo, el apio, el tomillo, la cebolleta y la guindilla.

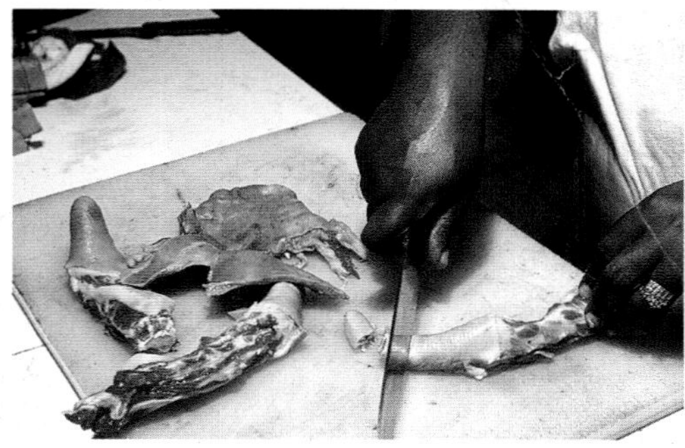

3. Trocee la cola de cerdo. Añada el caldo y la leche de coco con las hojas de laurel y deje que hierva. Agregue las verduras, el taro y la cola de cerdo y cuézalo todo 20 minutos.

4. Deje hervir la mezcla y agregue las espinacas. Cuézalas a fuego lento, removiéndolo todo de vez en cuando para evitar que se pegue en el fondo.

5. Cuando espese el potaje, los ingredientes estén cocidos y las espinacas tiernas, añada sal al gusto. Sirva el potaje bien caliente en cuencos con un *dumpling* en el centro.

Un *dumpling* en medio del potaje dominical de Barbuda garantiza una buena siesta después de comer.

Potaje dominical de Barbuda

1 cebolla grande picada fina
2 dientes de ajo picados finos
1 tallo de apio picado fino
1 ramita de tomillo picada fina
1 manojo de cebolletas picadas finas
30 g de mantequilla
1 l de caldo de verduras o de pollo
1 l de leche de coco
2 hojas de laurel
1/2 guindilla roja despepitada y picada fina
6 quingomboes medianos
310 g de taro pelado y cortado en dados
1 chayote pelado y picado
1 plátano macho verde pelado y troceado
250 g de calabaza cortada en dados
1 cola de cerdo salada, pelada y picada
310 g de hojas de espinacas o malanga lavadas y picadas
sal y pimienta al gusto

Saltee la cebolla, el apio, el tomillo y la cebolleta en mantequilla durante 5 minutos. Agregue el caldo, la leche de coco, las hojas de laurel y la guindilla y llévelo todo a ebullición. Incorpore los quingomboes, el taro, el chayote, el plátano, la calabaza y la cola de cerdo. Deje cocer el potaje durante 20 minutos a fuego lento. Añada las hojas de espinacas (o de malanga). Hiérvalo todo 15 minutos o hasta que las espinacas queden tiernas. Salpimiéntelo todo al gusto. Sirva el potaje con *dumplings*. Para 6-8 personas.

Acedera

(Hibiscus sabdariffa)

La acedera es una pequeña planta autóctona del Caribe. Se consume cruda, como ingrediente en refrescos y bebidas alcohólicas y como aromatizante en helados, mermeladas, jaleas y salsas. La acedera se cultiva por los carnosos sépalos de color rojo oscuro que se mantienen bajo los capullos tras la floración del árbol. Los sépalos se ponen en remojo en agua con especias y aromatizantes varios y se cuelan después para preparar una aromática bebida de color rojo brillante. Debido a que la recolección de los sépalos se realiza a mediados de diciembre, la acedera se utiliza con profusión en Navidades.

Hoy en día, la acedera se envasa seca para ser comercializada, por lo que en algunos lugares se puede encontrar a la venta durante todo el año. De esta forma se destina también a su exportación en Estados Unidos y Europa para deleite de los inmigrantes antillanos, para quienes la Navidad en cualquier parte del mundo no sería lo mismo sin acedera. También se vende embotellada en forma de jarabe concentrado con el que preparar zumo durante todo el año. Aun así, no hay nada como la acedera natural, recién cogida del árbol o fresca en los mercados donde se exhibe en enormes manojos desplegando todo su esplendor.

El fruto irradia un extraordinario colorido en el árbol.

Sépalos de acedera, uno con la semilla a la vista. La bebida de acedera, típica de Navidad, se elabora con los sépalos del fruto.

Un refrescante vaso de bebida de acedera con hielo es lo que se necesita en un caluroso día caribeño.

Después de lavar a fondo los sépalos de acedera, se ponen a hervir con especias. Hay que dejar reposar la mezcla de dos a tres días antes de pasar la bebida de acedera por un tamiz fino cubierto con una estopilla.

Bebida de acedera

500 g de acedera seca

1 trozo de jengibre fresco de 2,5 cm de largo

1 trozo de corteza de naranja fresca de 13 cm de largo

1 trozo de ramita de canela fresca de 5 cm de largo

6 clavos de especia enteros

250 g de azúcar

Ponga los ingredientes en una jarra grande y añada 1 litro de agua hirviendo. Tape la jarra y déjela reposar a temperatura ambiente durante 2 ó 3 días. Cuele el líquido con un tamiz fino y déjelo reposar 2 ó 3 días más. (Puede añadir 3 cucharadas de ron negro si lo desea.) Pase de nuevo la bebida por un tamiz fino con una estopilla y refrigérela. Sírvala con hielo como zumo o con ron al gusto.

Mermelada de acedera

1 kg de sépalos de acedera despepitados

1 ramita de canela

1,5 kg de azúcar blanquilla

Lave bien los sépalos de acedera y póngalos a hervir en una olla grande con 250 ml agua y la canela hasta que queden tiernos. Retírelos del fuego. Añada el azúcar y mézclelo todo a mano o con una batidora hasta que quede ligado. Devuelva la preparación al fuego y hiérvala hasta que cuaje (la mezcla alcanza este punto cuando al dejar caer unas gotas en agua fría se cuaja con facilidad). Déjela enfriar y repártala en tarros de conserva con cierre hermético. Una vez abierta, guarde la mermelada en el frigorífico.

Para preparar jalea: siga la receta de la mermelada pero hierva los sépalos con agua suficiente para cubrirlos. No los pique. Escurra el agua. Por cada taza de jugo añada una taza de azúcar. Hiérvalo todo hasta que cuaje. Déjelo enfriar y retire la espuma que se forme en la superficie. Guárdela en tarros de cristal.

1. Los sépalos se separan de las semillas con cuidado. A continuación, se lavan con abundante agua y lima.

2. Hay quien prefiere añadir un toque de lima a la acedera antes de hervirla.

Piña de Antigua

(Ananas comosus)

Antigua produce una de las frutas más dulces y jugosas que pueda imaginarse: la piña negra. Los indios procedentes de Sudamérica introdujeron la piña en Antigua hace siglos, pero el suelo volcánico y ácido de la isla y su clima extremadamente seco son los factores que propician el crecimiento de esta deliciosa fruta. Los primeros documentos occidentales que dan fe de la existencia de piñas en el Caribe datan de 1493, de la segunda travesía de Colón a su paso por Guadalupe, cuando un caballero llamado De Cuneo escribió: "Había plantas semejantes a la alcachofa pero cuatro veces mayor, que daban un fruto con forma de piña, el doble de grande, de sabor excelente y aspecto saludable, que se corta como si de un nabo se tratara." En su cuarto y último viaje, el hijo de Colón, Fernando, escribió que los indios arahuacos elaboraban un vino "a partir de un fruto similar a un piña grande que se encuentra en la isla de Guadalupe. La planta se siembra en extensos campos para recoger el fruto que crece en lo alto de la mata, al igual que hacemos en nuestra tierra con la col y la lechuga". Debido a su similitud con el fruto del pino piñonero, los españoles la denominaron "piña". Según la nomenclatura científica, recibe el nombre de "ananas", derivado del término indio tupí "nana". En Antigua, los primeros europeos que documentaron de forma oficial la existencia de la piña negra fueron los colonos españoles en 1520. Hacia 1970 se había consolidado ya su producción con fines comerciales, destacando Claremont Farms como la plantación de mayor importancia. En la actualidad, las nuevas técnicas, como el riego por goteo, han aumentado la producción anual a 150 toneladas. La piña exige un cultivo intensivo, y las labores de siembra y cosecha se realizan a mano. De la planta madura se toma el serpollo para repoblar los campos. Los primeros frutos aparecen al cabo de un año y medio después de la siembra. La segunda aparece un año más tarde, momento en el cual se arranca la planta madre y se repite el proceso. Este ciclo garantiza la continuidad de la calidad que caracteriza la piña de Antigua.

Las labores de siembra y cosecha de la piña negra de Antigua se realizan a mano. En la imagen, dos campesinas mantienen las matas limpias de malas hierbas.

La piña negra de Antigua es uno de los frutos más nutritivos que existen.

Tarta de merengue de piña

1 base de tarta de 23 cm de diámetro
250 ml de leche
250 ml de zumo de piña
5 rodajas de piña picadas
250 g de azúcar
80 g de harina
4 yemas de huevo
6 claras de huevo
250 ml de azúcar glas

Precaliente el horno a 150°C. Hornee la base de la tarta hasta que se dore. En un cazo hierva la leche y el zumo. Mezcle el azúcar, la harina y las yemas de huevo en un cuenco. Vierta poco a poco la leche y el zumo. Remueva con cuidado para evitar que se formen grumos. Devuelva la mezcla al cazo y póngala a hervir a fuego lento. Remuévala constantemente con una cuchara de madera hasta que se espese, sin dejar que hierva. Agregue los trozos de piña y retire la crema del fuego. Déjela enfriar un poco y viértala sobre la base de la tarta. Deje que se enfríe del todo.

Merengue:
Monte las claras a punto de nieve, agregando poco a poco el azúcar. Sírvase de una espátula para extender el merengue sobre la tarta. Gratínela con el grill hasta que se dore. Corone la tarta con una guinda.

Piña en salmuera

de 2 a 2,5 kg de piña
250 ml de agua
1 1/2 cucharadas de sal
1 cucharadita de pimienta negra
1/2 guindilla roja picada fina
15 hojas de cilantro picadas finas

Pele la piña y córtela en rodajas. Corte éstas en dos y dispóngalas sobre una bandeja. Aparte la mitad de la guindilla y del cilantro. Mezcle los ingredientes restantes para preparar una salsa y remueva bien hasta que se disuelva la sal. Pase las rodajas de piña por la salsa, dejándolas en remojo durante 15 minutos en tandas de cuatro. Extráigalas de la salsa y deposítelas en otro cuenco. Cuando finalice la operación vierta la salsa restante sobre la piña. Agregue el resto de la guindilla, el cilantro y, si lo desea, sal.

Ponche de frutas de la isla

3 rodajas de piña
250 ml de zumo de piña
2 rodajas de mango maduro
1 plátano maduro entero
250 ml de zumo de guayaba
125 ml de zumo de naranja
1 cucharadita de zumo de lima
2 cucharadas de almíbar
un chorrito de angostura
2 guindas, una rodaja de plátano y una de naranja
un golpe de granadina

Mezcle todos los ingredientes en una batidora con hielo y bata hasta obtener una mezcla homogénea. Repártala en vasos altos y decore con guindas, rodajas de plátano y de naranja. Antes de servir el cóctel, déle color con un poco de granadina.

Cómo pelar una piña:

1. Con un cuchillo afilado en la mano, déle la vuelta a la piña.

2. Corte la base de la piña y deséchela.

3. Empiece a pelar la piña como se muestra en la fotografía.

4. Una vez pelada la piña, extraiga los ojos trazando círculos en espiral a su alrededor con el cuchillo.

5. Retire las tiras y deséchelas.

6. Una forma original de pelar una piña en la isla. Al cortarse las rodajas parecen ruedas con púas.

Tiburón

Los tiburones y las rayas se distinguen por tener un esqueleto compuesto de cartílagos en vez de huesos y una piel gruesa cubierta de pequeñas escamas duras que le confieren un aspecto similar al papel de lija. La primera duda que les asalta a muchos visitantes de estas islas es si podrán nadar sin temor a los tiburones. Los isleños se ríen porque sólo en las películas de *Tiburón* los turistas que nadan felices en aguas cristalinas acaban siendo devorados de forma rutinaria (por extraordinarias criaturas diseñadas con ordenador). Aunque se tiene constancia de ataques de tiburones en el Caribe, la mayoría han ocurrido mar adentro por haber provocado al animal. Los tiburones no suelen merodear por las playas en busca de carne humana. Por su parte, los isleños disfrutan con un buen filete de tiburón, preparado como sólo ellos saben hacerlo.

En el Caribe habitan varias especies de tiburón. Uno de los más temidos es el tiburón ballena *(Rhincodon typus)*, cuyo cuerpo aparece cubierto de vistosas manchas blancas y puede medir hasta 17 m. Pese a ser imprevisible, algunos buceadores muy prudentes han tenido la suerte de montar a lomos de este animal y poder contarlo. El tiburón de arena *(Ginglymostoma cirratum)* es de un color que va de gris a pardo amarillo y mide 4,3 m de longitud. El tiburón coralino *(Carcharhinus perezi)*, gris plateado, vive en los arrecifes y se considera peligroso si se ve atraído por sangre en el agua, por ejemplo de la pesca submarina. La variedad comestible más común en el Caribe es el tiburón macuira *(Carcharhinus limbatus)*, que mide hasta 1,8 m y vive en aguas de 45 m de profundidad, aunque también se ve en aguas poco profundas, donde supone un peligro para los pescadores rodeados de la sangre de sus capturas. Entre otras especies menos comunes en el Caribe (fuera de su hábitat normal) están el tiburón pardo *(Carcharhinus plumbeus)*, el tiburón sedoso *(Carcharhinus falciformis)*, el tiburón oceánico *(Carcharhinus longimanus)*, y el tiburón tigre *(Galeocerdo cuvier)*, que supera los 7,3 m de longitud y puede mostrarse agresivo.

Antaño no había mucha costumbre de comer carne de tiburón en las islas, pero recientemente la influencia de los isleños que sí la consumían, en concreto de las gentes del norte del Caribe y de la isla de Trinidad, en el sur, ha despertado un súbito interés por este pez. Dada la dureza de su piel, ésta se retira antes de cocinarlo. Cuanto menor es la pieza, más sabrosa es la carne. Por su sabor picante, conviene lavarla y ponerla en remojo en un cuenco con agua, sal y lima antes de cocerla. También se puede macerar en leche y guindillas para suavizar su sabor y ablandar la carne de las especies de mayor tamaño. Con tiburón se prepara un excelente ceviche, marinando la carne en zumo de lima hasta que está lista. Asimismo, se puede preparar al curry, rellena de condimentos, rebozada o a la brasa con ajo y mantequilla. La carne de tiburón al horno es un aperitivo típico de la isla de Trinidad.

Tartaleta de tiburón

1 base de tarta de 25 cm de diámetro sin hornear
475 g de queso *cheddar* en tiras
250 g de carne picada de tiburón
4 huevos
80 g de cebollino picado fino
1 cucharada de perejil picado fino
1/2 cucharada de albahaca picada fina
1/4 cucharadita de tomillo picado fino
1/4 cucharadita de guindilla roja despepitada y picada fina
1 tomate grande picado fino
1/4 cucharadita de nuez moscada
1/4 cucharadita de mostaza en polvo
una pizca de cúrcuma
una pizca de pimienta de Jamaica molida
1/2 cucharadita de corteza de limón en tiras
2 cucharadas de zumo de lima o de limón
125 ml de nata
125 ml de leche
1/2 cucharadita de sal
1/4 cucharadita de pimienta negra

Precaliente el horno a 220°C. Disponga la base de la tartaleta de 25 cm en un molde apropiado, fórrela con papel de aluminio y cúbrala con arroz o judías. Hornee la base durante 10 minutos. Reduzca la temperatura del horno a 160°C. Retire el papel de aluminio y las legumbres y hornee la base otros 10 minutos. Déjela enfriar sobre una rejilla. Reparta la mitad del *cheddar* sobre la base fría y cúbrala con la carne de tiburón. Bata los huevos en un cuenco. Añada los demás ingredientes, remuévalo todo bien y extienda el preparado sobre la carne de tiburón. Espolvoree el resto del queso sobre la tartaleta. Hornéela de 55 a 65 minutos (o hasta que un cuchillo introducido en el centro salga limpio). Sirva la tartaleta caliente o a temperatura ambiente.

Fotografía principal: si bien los tiburones abundan en aguas caribeñas, se producen pocos ataques. Parece que a estos animales no les gusta la carne humana tanto como se pretende hacer creer y muy rara vez se les ve cerca de las costas de las islas. Los isleños no les conceden mayor importancia.

Ron Cavalier

El ron se empezó a producir en Antigua a mediados del siglo XVII en la primera plantación de caña de azúcar de la isla, Betty's Hope. Desde entonces, muchos terratenientes elaboraron sus propias mezclas de ron en alambiques normales y empleando melazas (derivado de la fabricación del azúcar). A principios del siglo XX, cesó la producción de ron en las plantaciones. Los propietarios de las licorerías tomaron el relevo, ofreciendo sus mezclas de fabricación casera, así como ron de graduación superior con "fines medicinales", con llamativos nombres como Red Cock y House y Silver Leaf.

Conscientes de la necesidad de consolidar y mantener la producción del ron de Antigua, un grupo de empresarios y vendedores locales fundaron Antigua Distillery Limited en 1933. Tras la compra de nueve haciendas de azúcar y una pequeña fábrica, en 1934 iniciaron la producción de ron joven y añejo denominado Caballero. A principios de los cincuenta, se produjo el primer ron embotellado, llamado Cavalier Muscovado Rum, envejecido en toneles de roble un mínimo de dos años. En los sesenta la firma modificó el proceso de destilación para crear un ron más suave, famoso hoy en Antigua. Con el paso del tiempo, la gama Cavalier contaba con un ron añejo, ligero e incoloro, un ron con una graduación del 151 por 100 y un ron añejo especial de cinco años para expertos. En 1992, con motivo del XXV Aniversario de la Semana de la Vela en Antigua, la empresa lanzó al mercado otra marca, English Harbour Antigua Rum, una mezcla de los mejores rones añejos, sin aromatizantes artificiales, envejecida en cubas de roble un mínimo de seis años.

El ron caribeño, la bebida preferida al parecer de Mozart y sin duda de Hemingway, se exporta hoy a todo el mundo. Las marcas de las distintas islas han ganado múltiples galardones internacionales, como el English Harbour Antigua Rum premiado con el bronce en el Concurso de Vinos y Aguardientes celebrado en Londres en 1995.

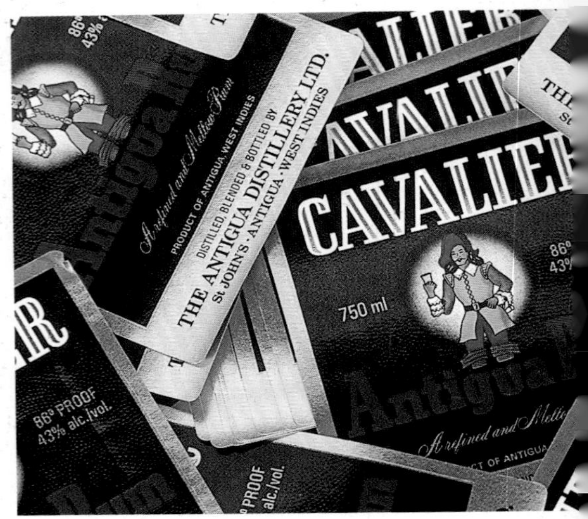

Superior: las etiquetas de ron Cavalier rinden homenaje a los caballeros caribeños, distinguidos por su gentileza y galantería.
Inferior: los excelentes rones Cavalier se embotellan con sumo esmero sabiendo que cada botella complacerá por igual a isleños y visitantes .

Ponche tradicional de ron de Antigua

45 ml de ron negro de Antigua
15 ml de zumo de lima
15 ml de almíbar
60 ml de zumo de naranja
60 ml de zumo de piña
1/3 cucharada de angostura

Mezcle todos los ingredientes y viértalos sobre hielo picado. Añada un chorrito de granadina para proporcionar color al cóctel. Espolvoree nuez moscada fresca por encima. Decore el ponche con una guinda y un trozo de piña fresca. Sírvalo con una pajita. Para 1 vaso.

Antigua Devil

15 ml de ron de Antigua
7,5 ml de ginebra
7,5 ml de aguardiente de cerezas
15 ml de zumo de lima o de limón
60 ml de zumo de piña
1 rodaja de piña
1/6 cucharada de angostura
un chorrito de almíbar

Mezcle todos los ingredientes en una batidora con hielo hasta que se forme espuma. Vierta el preparado en grandes copas de cóctel. Agregue la angostura. Decore el cóctel con una guinda y sírvalo con una pajita.

Superior: el ron destilado se conserva en toneles de roble. Las anillas metálicas se ajustan alrededor de la circunferencia de los toneles para impedir que la madera se hinche.

Inferior izquierda: con el uso de herramientas especiales se procede al sellado de los toneles con una cuerda.

Inferior derecha: esta técnica de sellado impide que gotee el ron de los toneles volcados durante el proceso de envejecimiento. Algunos rones Cavalier se conservan en barricas durante más de seis años.

Anguila

Anguila, la isla más septentrional de las Sotavento, se halla en la zona oriental del Caribe y, todavía hoy, constituye una colonia de la Corona británica. El área de Island Harbour está poblada en gran parte por descendientes de irlandeses y la cercana Arawak Beach, por gentes que continúan disfrutando de la cocina amerindia. La isla se caracteriza por un litoral muy rocoso y escarpado –en el que destacan unas 30 playas de arena de coral blanco–, y un interior de colinas accidentadas, rocas graníticas, fondos rojizos y llanuras de arcilla blanca.

La isla, colonizada por los británicos en 1650, disfrutó de autogobierno hasta principios del siglo XIX, cuando la administración británica fue trasladada a la cercana San Cristóbal. Los habitantes de Anguila nunca vieron este cambio con buenos ojos, pues creían que sus intereses ya no eran prioritarios. En 1967, Gran Bretaña concedió "independencia parcial" a la colonia de San Cristóbal-Nieves-Anguila. Los habitantes de esta última isla reaccionaron perturbando los actos oficiales, expulsando a la policía extranjera y declarando la independencia de forma unilateral. Gran Bretaña trató, en vano, de mediar entre Anguila y las otras dos islas. La tensión aumentaba y los habitantes se preparaban para una invasión (de hecho, repelieron un intento). Los dirigentes de otras islas caribeñas se reunieron para resolver la situación pero de poco sirvió: la isla de Anguila no aceptó volver a su unión con San Cristóbal y Nieves. En marzo de 1969, los Red Devils británicos invadieron en paracaídas la isla; con todo, lo que comenzó como una invasión terminó en misión de rescate. Tras la marcha de los Red Devils, los ingenieros reales británicos dotaron a Anguila de su primera verdadera infraestructura, que incluía una emisora de radio propia. Por fin, en diciembre de 1980, una jornada que se conmemora como el Día de la Separación, consiguió lo que desde tanto tiempo anhelaba: su separación oficial de San Cristóbal y Nieves como colonia de la Corona británica.

En la actualidad, Anguila sobrevive gracias a una industria turística bien organizada que se promociona con el lema "su hogar lejos de casa".

ANGUILA

The Valley

Pescados de las Antillas

Derecha: el loro viejo es una de las especies acuáticas más hermosas del mar Caribe.

El pescado del Caribe posee un sabor exquisito especial. Las características del agua, quizá su salinidad, o incluso la belleza del mundo submarino no solo han dado lugar a especies multicolores sino que diríase que éstas ya están condimentadas. Es cierto que a los caribeños les encanta añadir al pescado condimentos especiales antes de comerlo, pero el verdadero entendido, el isleño de pura cepa o el propio pescador le dirán que no hay nada más delicioso que el pescado recién capturado, lavado, escamado y asado al fuego (o, si lo prefiere hervido, es recomendable usar el agua del mar).

Entre los pescados que se describen a continuación se hallan algunos de los más sabrosos del Caribe. Existe, sin embargo, un tema de discusión al que llaman "lo de cada isla". Los habitantes de una isla no pueden tocar una especie que en otra isla se considera la mejor de los mares. Por ejemplo, sólo hasta hace pocos años, el tiburón (un manjar en Trinidad) ha empezado a aparecer con discreción en la gastronomía de Barbados, donde se empleaba desde hace siglos como comida para perros. Algunos isleños ni se acercarán al loro viejo, mientras que otros no lo cambiarían por nada. Puede que estas diferencias expliquen que siempre haya peces en abundancia.

Un gran surtido de pescados de colores engalana esta pescadería.

Loro viejo
(Sparisoma viride)
Pez herbívoro que alcanza los 30 cm de longitud y abunda en Anguila. En la isla se denomina "Gutu" y, según la tradición, este nombre se remonta a cuando Dios olvidó bautizarlo. El pez, implorando al Creador que le diera un nombre, insistía diciendo en inglés *I good too!* (¡también soy bueno!), hasta que accedió. Su carne es consistente y no presenta grasa. Se puede hervir, freír, o sólo marinar en zumo de lima y servir acompañado de arroz con gandules de Anguila.

Cajo canario
(Balistes forcipatus)
Pescado muy apreciado en Anguila que presenta una piel hedionda y áspera, por lo que debe desollarse en cuanto se pesca para evitar que el olor penetre en la carne. Antaño se curaba y se empleaba para ¡fregar suelos! El multicolor pejepuerco caucho, del mismo género, alcanza los 30 cm. Se suele preparar con espinas, a la plancha o frito en mucho aceite, y se sirve acompañado de arroz con gandules de Anguila.

Pargo colorado del Caribe
(Lutianus purpureus)
En el Caribe hay muchas variedades de pargo: el pargo sesi, la rabirrubia, el pargo biajaiba, el pargo ojón, el pargo prieto e, incluso, el pargo jocu. Presentan colores muy diferentes, desde el gris hasta el amarillo, con rayas o marcas especiales alrededor de los ojos; con todo, el más apreciado es el pargo colorado. Si el pargo no es de ese color, no se considera un pargo "auténtico". Está considerado como el "caviar" de los pescados. Su único defecto es la gran cantidad de espinas, pero hoy en día los vendedores las retiran sin deshacer el pescado y, así, queda listo para rellenar y cocinar con una presentación magnífica. Los filetes de pargo también son muy populares, en especial de otras especies, como el pargo prieto. Su carne es suave, muy sabrosa y no necesita que se añadan demasiados condimentos para que resulte un plato especial.

Arroz con gandules de Anguila

1 l de agua
1 cucharadita de sal
1 cebolla picada fina
1 diente de ajo picado fino
1 cucharadita de guindilla roja picada fina
1 ramita de tomillo
500 g de arroz
500 g de gandules cocidos

Lleve a ebullición el agua con sal. Si desea añadir más sabor, se puede sustituir 1/2 de agua por 1/2 litro de leche de coco. Cuando hierva, añada la cebolla, el ajo, la guindilla y el tomillo; por último, se agrega el arroz. Baje el fuego y tape la preparación, que deberá cocerse hasta que el arroz se ablande. Para 4 personas.

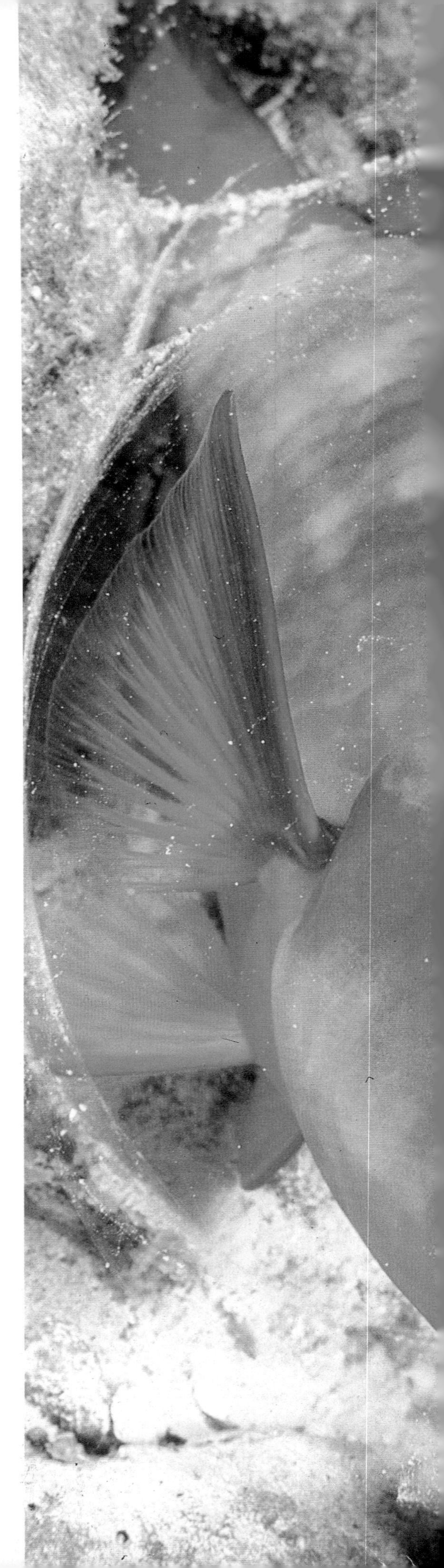

Pargo colorado relleno

de 1 a 1 1/2 kg de pargo colorado

sal y pimienta

el zumo de 1 lima o 1 limón pequeños

1 cebolla grande picada fina

1 cucharada de perejil picado

1/4 guindilla picada fina

1/4 pimiento verde picado fino

2 dientes de ajo picados finos

1 cucharada de pasas

1/2 cucharada de almendras molidas

6 cucharadas de pan rallado fresco

1 cucharadita de ron

125 ml de aceite de oliva

Eviscere, escame y lave el pescado, y espolvoree el interior con sal y guindilla. Marine el pescado en zumo de lima durante 1 hora. Precaliente el horno a 180°C. Mientras tanto cueza la cebolla, el perejil, los pimientos, el ajo, las pasas, las almendras y el pan rallado con un poco de mantequilla. Añada el ron y una cucharada de aceite de oliva. Mézclelo todo bien y déjelo enfriar. Rellene el pargo y rocíe el pescado con el aceite de oliva sobrante. Cubra la preparación con papel de aluminio y hornéela durante 30 minutos. Transcurridos 20 minutos retire el papel para que se dore el pescado. Sírvase con gandules y arroz. Para 4-6 personas.

Limpie a fondo el pargo y prepare los ingredientes según indica la receta.

En una sartén grande, dore los condimentos y añada el pan rallado.

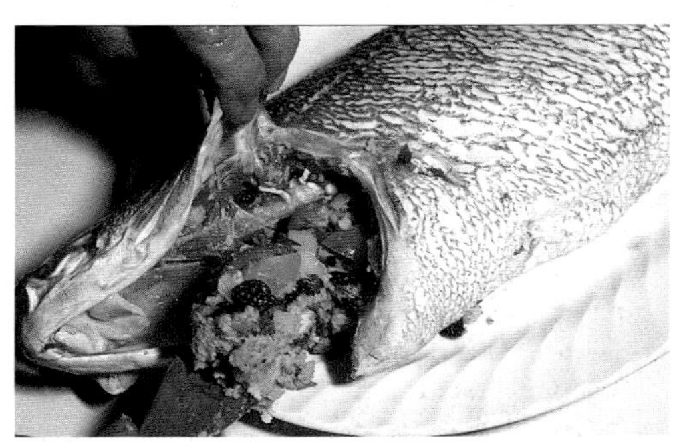

Rellene el pargo y hornéelo durante 30 minutos.

San Cristóbal y Nieves

San Cristóbal, llamada Liamuiga ("tierra fértil") por los indígenas y Saint Christopher por los colonizadores, es Saint Kitts para los caribeños, incluidos los habitantes de la isla. Cuenta con 176 km², se halla a unos 327 km al sudeste de Puerto Rico y presenta forma de pala o remo indio. Gran parte de su superficie se halla ocupada por una sierra que se eleva de este a oeste y cuya máxima altura es el Mount Liamuiga (antaño Mount Misery), que se alza a 1.156 m sobre el nivel del mar.

Durante siglos, británicos y franceses se disputaron la isla, con la presencia ocasional de los españoles. Basse-Terre, la capital, situada cerca de la costa occidental, conserva el sabor de ambos imperios con maravillosos edificios georgianos en torno a la plaza llamada Independence Square. Al final, los británicos se impusieron y comenzaron el cultivo del "oro caribeño": el azúcar. San Cristóbal estaba formado por plantaciones de azúcar, con casas grandes y mano de obra esclava, y se conocía como la Colonia Madre y "cuna" del Caribe. Con la abolición de la esclavitud, los trabajadores fueron sustituidos por inmigrantes pobres de Gran Bretaña. Otros colonos británicos, que procedían en su mayor parte de las clases baja y media, incluían a carpinteros, herreros, sastres y agricultores. En 1983, San Cristóbal y Nieves consiguió la independencia y, al igual que otras islas caribeñas de habla inglesa, forma parte de la Commonwealth.

Aunque el azúcar continúa siendo la base de la economía, se ha puesto en marcha una política de diversificación que ha fomentado el desarrollo de otros productos agrícolas como los plátanos, los ñames y los boniatos. El capitalismo real todavía no se ha adueñado de la isla y sus habitantes disfrutan de un ritmo de vida tranquilo. Los isleños tratan al turismo –hasta ahora poco importante– con simpatía y una actitud de acogida.

En cambio Nieves, su hermana gemela, que a veces hace amagos de secesión, ha visto cómo en los últimos cien años aparecían balnearios y elitistas centros de vacaciones. Como la mayoría de los propietarios de las plantaciones vivían en Nieves, adquirió fama de lugar de vida elegante y sofisticada. Desde el siglo XVIII se conoce como "la Reina del Caribe" o "la joya más rica". Charlestown, su capital, presenta edificios de madera erosionados, profusamente decorados con delicadeza y rodeados por arcadas de buganvillas de vivos colores.

El algodón de Sea Island fue antaño la base de la economía de Nieves. La situación actual ha cambiado, pero aún se cultiva, se recoge a mano, se desmota y se exporta a Japón. La Cotton Ginnery, el Tribunal y el cementerio judío son algunas muestras del pasado de esta isla de 97 km² y separada de San Cristóbal por un estrecho de 3,2 km de largo. Sus habitantes son fanáticos del críquet. Cualquiera que desee jugar, hablar o respirar este deporte se considera "uno más de la familia".

Horacio Nelson (1758-1805), almirante mayor de la flota británica y héroe naval, se casó en la isla con Frances (Fanny) Woolyard Nisbet, oriunda de Nieves, en la Montpelier Great House, la casa familiar. En la cercana iglesia Fig Tree Church se guarda el acta matrimonial. Hoy en día, Nelson sigue ocupando un lugar destacado en la vida de la isla, pues el Horatio Nelson Museum tiene un papel importante en la conservación de objetos personales del militar. El Old Bath Hotel, abierto en 1778 para los que llegaban a los manantiales de Hot Mineral Springs para realizar curas, aún sigue en pie. Las aguas calientes y sulfurosas fluyen por el arroyo que baja por detrás y se puede ver a bañistas locales dándose un "chapuzón medicinal".

Tanto San Cristóbal como Nieves poseen una flora y una fauna maravillosas. Abundan los bosques secos, los manglares y las selvas tropicales. Los agricultores hacen su agosto vendiendo frutas y verduras orgánicas. El mercado de los sábados en Bay Road (Basse-Terre) constituyen una delicia para toda la familia, con sus vendedores de trajes multicolores, los productos y mercancías en bandejas sobrecargadas, y la fragancia del ramillete de hierbas aromáticas *bouquet-garni,* –una especialidad de este mercado– que flota en el ambiente.

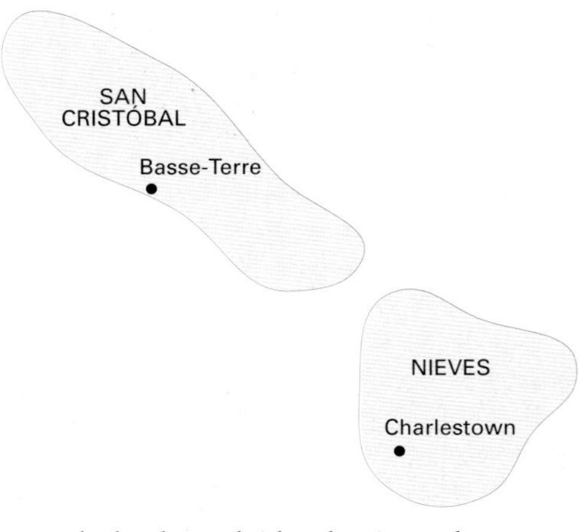

Antaño los hombres trabajaban duro junto a barreños hirviendo en un centro isleño de desmotado de algodón.

Frutas y verduras de la isla

Muchas bebidas antillanas se preparan con recetas familiares que han pasado de generación en generación, se ofrecen a amigos y parientes con orgullo y tienen un "ingrediente especial" secreto. La cerveza de jengibre, el zumo de tamarindo, el ponche de guanábana, el musgo marino, la acedera o el *mauby* de un ama de casa son mejores que la de la vecina. En cualquier caso, las bebidas alcohólicas son más apreciadas. Un pasatiempo típico de los hombres consiste en preparar vinos que las visitas, a veces por desgracia, deben catar. No obstante, las bebidas caseras caribeñas en general resultan deliciosas, servidas en grandes vasos multicolores llenos de hielo son refrescos perfectos para el trópico. Y no sólo en las casas: en los mercados y en las aceras los vendedores los ofrecen orgullosos. Sin que el posible cliente se lo pueda repensar, rompen un trozo de hielo con una piqueta (más rápido de lo que usted tardaría en sacar un cubito del recipiente), los echan en grandes vasos de plástico y vierten una bebida fría deliciosa.

En Nieves, donde el críquet es el pasatiempo estrella, sus habitantes van a su restaurante favorito para ver los partidos y atiborrarse de buenos platos caseros. Unos refrescos elaborados artesanalmente riegan estas comidas, aparte de calmar exaltadas "conversaciones". Los sentimientos encendidos sobre el críquet aumentan con un traguito de ron; en Nieves, el preferido es el CSR (Cane Spirits Rothschild), un ron destilado en San Cristóbal por una compañía de la familia Rothschild.

Aunque las verduras se usan cada vez más en las bebidas sin alcohol caribeñas, su función principal es la de acompañar carnes y pescados. De todas formas, la alimentación de los vegetarianos, que aumentan día a día, se basa en todo tipo de verduras, legumbres y frutas. En estas islas resulta difícil saber qué se considera verdura o fruta. Los isleños realizan esta distinción: pomelos, naranjas, plátanos y similares son frutas (pero el plátano verde para acompañar se considera verdura) y los alimentos con más sabor como la calabaza, el chayote, el quingombó y el plátano macho se consideran verduras. Hay una tercera categoría para tomates, pepinos, zanahorias y lechuga: "ensaladas"; y una cuarta: "productos de la tierra", en la que están los tubérculos, como ñames, taros, malangas y boniatos. Por raro que parezca, el arroz y la fruta del pan se incluyen a veces en este último grupo. Para más detalles tendrá que consultar a un isleño.

Albóndigas de tamarindo

500 g de pulpa de tamarindo
1 cucharada de sal
1/4 cucharada de guindilla roja despepitada y picada fina
500 g de azúcar

Extraiga el tamarindo de la cáscara y quítele el hueso. Hierva el tamarindo en una olla con agua y sal hasta que se torne blando. Deje que se enfríe por completo. Tire el agua y agregue la guindilla. Añada azúcar hasta obtener una masa consistente para formar albóndigas de un tamaño de unos 2,5 cm. Páselas por azúcar refinado y envuélvalas en papel parafinado hasta que vayan a comerse. Para 2-4 personas.

1. El fruto del tamarindo se extrae de la cáscara y se lleva a ebullición hasta que se ablanda.

2. Se añade guindilla y azúcar hasta alcanzar la consistencia necesaria para formar albóndigas.

3. Una vez formadas, se pasan por azúcar refinado.

Piel de toronja

1 toronja grande
1 kg de azúcar

Lave bien la fruta y ralle suavemente la corteza. Trocee la fruta y déjela en maceración toda la noche en agua con sal. Sustituya el agua salada por agua corriente y vuelva a poner la fruta en remojo durante varias horas. Deseche el agua, retire la parte de fruta que quede de la corteza y séquela. En una olla coloque la corteza con agua suficiente para cubrirla y hiérvala hasta que se ablande. Vuelva a escurrirla por completo con la ayuda de dos platos a la vez que la aplasta. Prepare un almíbar con 500 g de azúcar y 1/2 l de agua. Añada la piel y deje la preparación a fuego lento hasta que el agua se consuma comprobando siempre al remover que la piel no se quema. Retírela del fuego. Pásela por azúcar granulado y déjela enfriar en una rejilla. Deje secar durante un día o dos; trascurrido este tiempo, envuélvala en papel encerado y consérvela en una botella o una lata tapada. Sírvala en la sobremesa como algo especial.

Buñuelos de calabaza

500 g de calabaza
8 cucharadas de azúcar
4 huevos
1 cebolla pequeña
1 cucharada de mantequilla
10 cucharadas de harina
1/2 cucharadita de sal
1/4 l de aceite vegetal

Pele la calabaza, extraiga las pepitas, córtela en dados y hiérvala en agua con un poco de sal hasta que se ablande. Apague el fuego, escurra y deje enfriar. Triture la calabaza en un cuenco hasta que se forme una pasta suave. Añada azúcar y, a continuación, los huevos uno por uno, la cebolla y la mantequilla. Mezcle mientras va incorporando los ingredientes. Agregue la harina poco a poco. Caliente el aceite en una sartén poco profunda. Cuando esté caliente, deposite en el aceite cucharadas de la mezcla (los buñuelos deben tener unos 5 cm y ser planos). Fríalos hasta que estén dorados. Espolvoréelos con azúcar y canela antes de servir. Para 4 personas.

Zumo de tamarindo

Pele el fruto y colóquelo en un recipiente con agua. Añada un par de clavos de especia o una rama de canela (opcional) y llévelo a ebullición. Deje enfriar y cuele la preparación. Agregue azúcar al gusto y sírvase muy frío.

Tamarindo *(Tamarindus indica)*
El tamarindo, que crece en casi todo el Caribe, alcanza los 15 m de altura y protege en caso de vendavales o incluso de huracanes; por este motivo se plantan en muchas islas de la región. Aunque originarios de la India, el tamarindo y su fruto se han convertido en parte de la cultura antillana. Las vainas granuladas de color marrón que cuelgan de sus ramas se recogen cuando alcanzan la maduración. Los niños, verdaderos entendidos en la materia, saben mejor que nadie cuándo el fruto está en el momento adecuado. La pulpa que rodea el hueso es agria pero no impide que tanto adultos como niños abran la dura cáscara exterior, succionen la pulpa y, de un golpe, escupan la semilla negra. ¡Y todo a una altura considerable! La pulpa del tamarindo se emplea en la fabricación de la salsa Worcestershire de Lea & Perrins (salsa Perrin's) y, casi seguro, en la receta secreta de la angostura de Trinidad. Además es uno de los componentes básicos de la cocina india. La esencia de tamarindo se usa en helados y refrescos. Las albóndigas de tamarindo son uno de los dulces de las Antillas que ya no solo se preparan en casa sino que se manufacturan y se venden en los mercados.

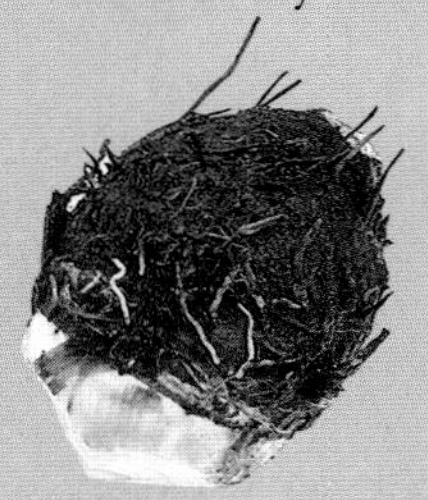

Malanga *(Colocasia var. esculenta)*
Este fruto, una variedad del taro, se cultiva en todas las islas. Algunos arqueólogos defienden que las aráceas comestibles (incluyendo malangas, taros y tanias) formaban parte de la dieta del hombre mucho antes que el arroz. Al principio, la ingestión de estos tubérculos debió resultar desagradable por su contenido de cristales de oxalato de calcio, cuya consistencia es semejante a la ¡fibra de vidrio! Por suerte, la cocción descompone este oxalato. La malanga se pela, se hierve y se sirve en rodajas rociadas con un poco de mantequilla fundida. Los arbustos que producen este tubérculo pueden llegar a alcanzar el metro de altura y sus hojas acorazonadas se usan como elemento básico de la famosa sopa calalú de la isla.

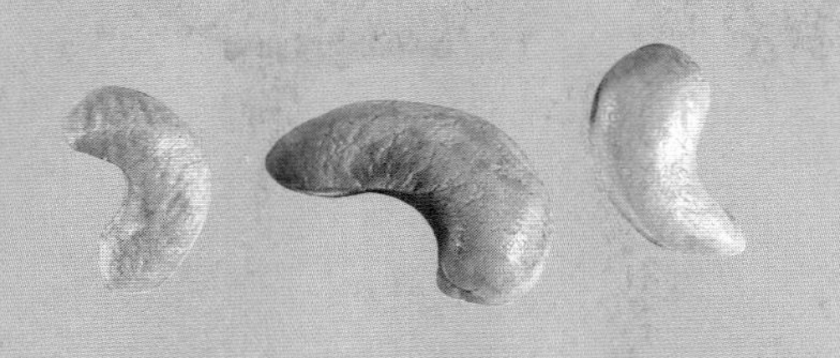

Anacardo *(Anacardian occidentale)*
El árbol que produce este fruto, llamado cajuil o marañón, procede de las Antillas y de Sudamérica. El anacardo es el pecíolo abultado y rojo de la flor que da lugar al fruto seco. En algunas islas, la pulpa del anacardo se cuece como cualquier verdura o se transforma en vino o licor. Las semillas, que se tuestan con fines comerciales, se hallan incrustadas en la parte inferior del fruto. Los anacardos suelen ser caros porque se recolectan a mano, debido al líquido aceitoso muy venenoso que se encuentra en en el interior de la cáscara y que en casos extremos puede causar la muerte.

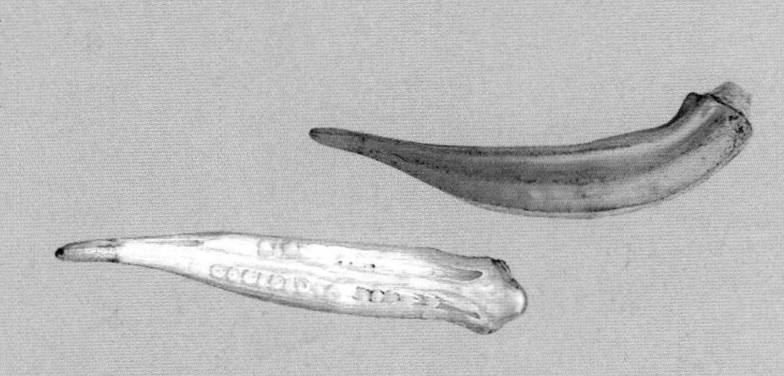

Quingombó *(Hibiscus elementus)*
Este fruto pertenece a la misma familia que el hibisco, cuyas flores constituyen el emblema de la región para los caribeños. El quingombó llegó en la época del comercio de esclavos y hoy en día forma parte de la cultura caribeña y se emplea en recetas de todas las islas. A los niños no les suele gustar su textura –viscosa como una babosa–, pero al madurar pasa a ser un alimento apreciado por todos. Muchos caribeños creen que consumido en grandes cantidades es afrodisíaco, aunque en estas islas casi todo lo es. De la planta surgen flores de tamaño mediano que se transforman en frutos alargados y cilíndricos, semejantes a vainas, terminados en punta. Para la medicina, el quingombó hervido se utiliza en dolencias oculares, y del agua sobrante se dice que calma la inflamación de los órganos sexuales. Se puede comer crudo, partido en rodajas finas para ensaladas, o cocido. Se usa, asimismo, para elaborar el *CouCou,* un plato originario de Barbados pero que también se encuentra en otras islas en diversas preparaciones. Un modo de comprobar que el quingombó que compre se halla en condiciones adecuadas para cocinarlo es apretar el extremo más estrecho de la vaina. Si está blando, es indicio de que su estado es el ideal.

Toronja *(Citrus grandis)*
En el siglo XVII, un capitán a bordo de un mercante británico llevó toronjas de Polinesia a Jamaica. Presentan una forma similar al pomelo pero es mayor y posee una corteza más espesa. Su pulpa fresca, de fragancia aromática, es dulce pero con un regusto un tanto amargo. No se ha podido probar la teoría de que el pomelo es el resultado de una mutación genética de la toronja. Su corteza se utiliza en las Antillas para preparar exquisitos dulces confitados.

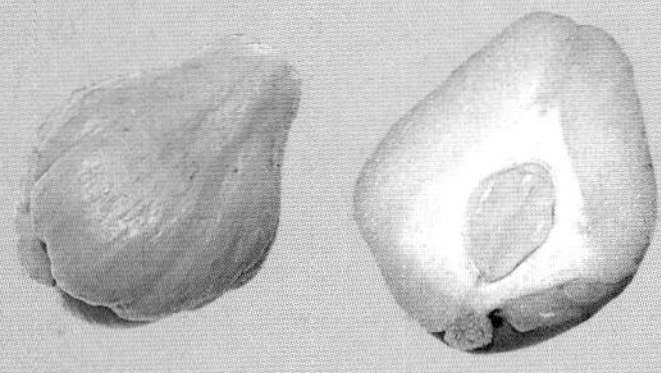

Chayote *(Sechium edule)*
El chayote pertenece a la familia de la calabaza y era uno de los alimentos preferidos de los amerindios, aunque se cree que procede de México. Posee forma de pera, presenta un color verdoso que oscila entre tonos claros y oscuros, y cuenta con un gran hueso en el interior. La mayoría se caracteriza por una piel un tanto rugosa al tacto, aunque la de algunos híbridos nuevos es totalmente suave. El hueso es tierno y se come, pero suele retirarse antes de la cocción. El fruto se puede comer crudo si bien, en las preparaciones más habituales, se emplea cocido. El sabor del chayote se asemeja al de los calabacines tiernos o grandes. Resulta delicioso si sólo se hierve un poco y se sirve con mantequilla de ajo.

Calabaza *(Cucurbita sp.)*
La calabaza, que forma parte de la familia de las cucurbitáceas, se emplea por todas las Antillas y es una de las frutas más grandes del mundo (algunas especies pueden llegar a alcanzar los 200 kg). Las que crecen en las Antillas se caracterizan por tener la pulpa de color naranja intenso y un sabor dulce. La calabaza de jardín, una variedad popular, se caracteriza por poseer la parte superior redondeada y la parte inferior alargada, tiene menos cantidad de pepitas y una textura muy suave una vez que está cocida. En estas islas se suele servir hervida, cocida al horno o en forma de buñuelos.

La crema de fruta de la pasión es un postre exquisito, suave y fresco, muy recomendable tras una buena comida. Se trata de un verdadero refresco para el paladar.

Fruta de la pasión

(Passiflora edulis)

La fruta de la pasión, también denominada maracuyá o granadilla, procede de Sudamérica. La planta, que presenta estructura de parra, comprende unas 400 especies distintas distribuidas por los trópicos. Sus flores son muy hermosas, de tonos violeta vivo y blanco, con unos brotes interiores que simbolizan tradicionalmente, la crucifixión (de aquí viene el nombre). La fruta de la pasión madura se caracteriza por las arrugas y un color violeta. La pulpa se emplea para elaborar helados y una bebida deliciosa que se vende como jarabe embotellado. Los jefes de cocina del Caribe y de todo el mundo recurren a su sabor aromático, sutil y agradable para crear platos extraordinarios: salsas para pescados y aves y, por supuesto, magníficos postres.

Las Antillas son un hábitat ideal para la fruta de la pasión.

Crema de fruta de la pasión

- 250 g de azúcar
- 2 huevos
- 4 yemas de huevo
- 250 ml de leche
- 1 cucharadita de zumo de fruta de la pasión
- 1 ramita de menta
- jarabe de cereza

Precaliente el horno a 120°C. En un cuenco bata el azúcar, los huevos y las yemas. Caliente la leche y el zumo juntos en una cazuela y añada esta mezcla a los huevos y el azúcar. Remueva sin parar con una cuchara de madera. Cuele la preparación y viértala en recipientes individuales. Sitúelos en una bandeja para asar con dos tercios de agua caliente y hornee durante 20 minutos. Vigile que el agua no llegue a hervir (agregue agua fría si es necesario). Luego introduzca un cuchillo en la crema y, si al sacarlo está limpio, el postre ya está listo. Déjelo enfriar en el frigorífico al menos 6 horas. Adorne cada recipiente con una ramita de menta y 1/2 cucharadita de jarabe de cereza.

Zumo de fruta de la pasión

Parta la fruta madura por la mitad. Exprímala con la mano o con un exprimidor. Cuele el zumo, añada agua y azúcar al gusto y sírvalo frío.

Sopas afrodisíacas

La sopa es un plato popular entre los habitantes de casi todas las islas caribeñas. Los hombres, en particular, se muestran orgullosos de sus recetas celosamente guardadas que compiten en concursos gastronómicos celebrados en playas u orillas de ríos. La sopa suele servirse los sábados por la mañana y hay varias teorías que lo justifican: el sábado es un buen día para limpiar el frigorífico poniendo todas las sobras en la cazuela antes de la gran comida dominical. Asimismo, el sábado es un día adecuado para tomar sopa y así absorber el alcohol bebido el viernes durante la visita ritual de la tarde –tras el trabajo– a las tiendas de ron y la fiesta de la noche, que puede prolongarse hasta bien entrada la madrugada.

Entre las sopas especiales del sábado están las que se suponen afrodisíacas ("¡Te carga las pilas, chico!"). En San Cristóbal y Nieves, "Goat Water" (agua de cabra) o "Mannish Water" (agua varonil) son las sopas principales, y los vendedores ambulantes y los pequeños establecimientos de la isla hacen su agosto. Las mujeres antillanas siempre bromean sobre el hecho de que los hombres de esta zona, quienes dicen estar tan bien dotados y no tener ningún tipo de problemas "al respecto", se muestren tan dependientes de estas bebidas y sopas "energéticas". En cualquier caso, las bebidas sanas y las sopas excelentes y abundantes son una tradición de las islas. Posean o no efectos afrodisíacos, la mayoría de las sopas de los sábados son una comida completa y sabrosa que gusta a toda la familia.

Goat Water o Mannish Water

1 cabeza de cabra desollada
2 limas
6 chayotes pelados y cortados en rodajas
6 plátanos verdes
2 dientes de ajo
1 paquete de sopa de pollo con fideos
1 guindilla roja despepitada y picada fina
1 pimiento verde entero despepitado y picado fino
2 ramitas de cebollino picado fino
1 ramita de tomillo picada
2 clavos de especia enteros y frescos

Lave a fondo la cabeza de la cabra con lima y agua, póngala en una cazuela con agua y llévela a ebullición. Añada el chayote, los plátanos verdes y el ajo, y mantenga en el fuego hasta que la carne se ablande. Agregue la sopa de fideos, el pimiento, la guindilla y el resto de los condimentos. Hierva a fuego lento durante una hora.

¿Sabía que…

…la mantequilla para cocinar se utiliza mucho en la cocina criolla en todas las islas de habla inglesa del Caribe? Se compone de grasas marinas, aceite de soja, monoglicéridos, lecitina, antioxidantes, vitaminas A y D y aroma de mantequilla. Cualquier isleño le confirmará que una pizca de mantequilla para cocinar –llamada a veces Mello-Kreem, el nombre de la marca– añade un sabor muy dulce a los alimentos más básicos hervidos, sopas o guisos… incluso a un tazón de *CouCou* con pescado salado o al arroz hervido.

Sopa de manos de toro

- 2 kg de manos de toro
- 2 cebollas picadas
- 2 tomates picados
- 1 pimiento despepitado y picado
- 250 g de malanga
- 250 g de tania
- 250 g de boniato
- 250 g de zanahorias
- 250 g de calabaza
- 1/2 guindilla roja despepitada y picada fina
- 1 diente de ajo picado
- 1 ramita de perejil picada
- 2 hojas de laurel
- 1 cucharadita de sal
- 1 cucharadita de pimienta
- 2 clavos de especia

Lave bien las manos, póngalas en una olla a presión llena de agua con sal y cuézalas entre 40 y 60 minutos o hasta que se ablanden. Añada el resto de los ingredientes y deje la preparación en el fuego otros 10 minutos. Retire la tapa de la olla y rehogue hasta que todas las verduras estén tiernas. En esta sopa, algunos isleños prefieren incorporar *dumplings* (bolas de masa), que deben añadirse unos 5 minutos antes de que la sopa esté lista.

Las sopas de los sábados por la mañana son muy típicas en estas islas.

Sopa de patas de pollo

- 60 g de lentejas marrones secas
- 1 cucharada de mantequilla
- 3 cebollas grandes picadas
- 3 tomates grandes picados
- 6 ramitas de cebollino picadas finas
- 1 ramita de tomillo picada
- 3 dientes de ajos picados
- de 12 a 18 patas de pollo
- 3 plátanos verdes (o 3 higos verdes)
- 250 g de calabaza pelada y picada
- 500 g de patatas peladas y cortadas en dados
- 500 g de boniatos pelados y cortados en dados
- 1 hoja de laurel
- 1 pastilla de caldo de pollo
- 1/4 cucharadita de guindilla despepitada y picada
- 1 cucharadita de salsa Perrin's
- 1 cucharadita de condimento para adobar
- 1 cucharadita de sal
- 1/2 cucharadita de pimienta negra
- 1/2 hierba de gallina con sal
- 1 chorrito de angostura
- 1 chorrito de ron

Deje las lentejas en remojo toda la noche.
En una cazuela grande saltee en mantequilla la cebolla, el tomate, el cebollino, el tomillo y el ajo durante 5 minutos. Añada las patas de pollo. Cuando empiecen a dorarse, agregue el agua para preparar la sopa. Incorpore las lentejas, los plátanos, la calabaza y las patatas y, luego, agregue el resto de los ingredientes excepto la sal y el ron. Rehogue hasta que todo se haya cocido. Añada el agua necesaria, sal al gusto y un chorrito de ron antes de servir.

Los recogedores de musgo marino pasan horas en el agua buscando esta alga.

Musgo marino

Aunque el mar Caribe alberga numerosas especies de algas marinas, sólo unas 10 son comestibles. La mayoría de los isleños de habla inglesa la llaman "musgo marino", excepto en Jamacia, donde recibe el nombre de "musgo irlandés". En esta isla es también donde se consumen más variedades de musgo marino. Las especies más conocidas son la gracilaria y el eucheuma; ambos producen hidratos de carbono que se disuelven en agua caliente y, al enfriarse, se espesan formando una gelatina que se emplea para preparar bebidas y *puddings*.

El musgo marino posee un importante valor nutritivo, rico sobre todo en aminoácidos y minerales. No obstante, cabe señalar que éstos pueden perderse si el musgo, una vez seco, se lava con agua corriente. El análisis químico ha demostrado que los hidratos de carbono del musgo marino, incluyendo el agar-agar y el *carragheen*, son fáciles de digerir, incluso para las personas que suelen presentar dificultades a la hora de asimilar los azúcares compuestos. Tanto los hombres como las mujeres creen que las bebidas elaboradas con musgo marino dan energía y aumentan la actividad sexual. Los extranjeros se asombran del número de comidas y bebidas que se consumen en las Antillas por sus supuestas propiedades afrodisíacas, pero los isleños opinan que la prueba está clara para el que haya tenido un amante de la zona.

Casi todo el musgo marino que se consume en estas islas se recoge del océano en estado silvestre. Sin embargo, debido a la gran demanda, se empezó a investigar sobre la creación de cultivos y fue en la isla de Santa Lucía donde se consiguió por primera vez. En Barbados, la familia Saint John, oriunda de de Santa Lucía, está haciendo un negocio redondo cultivando musgo de calidad en grandes zonas cercadas frente a las costas.

Brebaje de musgo marino

1 l de agua por cada 250 g
de musgo marino seco

Ponga el musgo en una cazuela grande con agua. Añada una rama de canela, un trozo de jengibre, una rama de pimienta de Jamaica y dos clavos de especia (si lo desea, perfúmelo sólo con canela). Lleve a ebullición y rehogue durante un período de 40 a 60 minutos. Luego, retire la cazuela del fuego y cuele la preparación. Deje enfriar y se formará una gelatina. Por cada 250 ml de gelatina, emplee 1 lata de leche evaporada y 1/2 de leche condensada. Mézclelo todo con hielo. Añada más canela al gusto.

La gracilaria y la eucheuma son las variedades más conocidas de musgo marino.

En agua caliente, producen una gelatina espesa que se usa en bebidas, *puddings* y helados.

Comida isleña

Ensalada tropical

2 pomelos
4 naranjas
4 mandarinas
1/2 sandía pequeña
2 plátanos
1/2 piña
1/2 melón Honeydew
3 carambolas
4 ambarelas
1 mango duro
1/2 papaya madura
1 cucharada de pasas
2 cucharadas de ron dorado
el zumo de 1 lima
1 cucharada de miel de Nieves
2 cucharadas de almíbar
1 chorrito de angostura
60 ml de zumo de cereza

Limpie y trocee la fruta en dados y en rodajas. Añada el ron y el resto de ingredientes. Mezcle la preparación y consérvela en el frigorífico 2 horas antes de servirla. Para 4 personas.

Carpaccio de las Antillas

250 g de delfín desollado y sin espinas
250 g de tiburón desollado y sin espinas
250 g de atún desollado y sin espinas
2 badianas (anís estrellado)
el zumo de 2 limas
1/4 cucharadita de nuez moscada rallada
una pizca de canela en polvo
1 cucharadita de salsa de tamarindo
1 chorrito de salsa Perrin's
1 ramita de eneldo verde picado fino
sal
tomates "cherry"
pimienta negra

Corte el pescado en rodajas finas y colóquelo en un plato grande. Triture la badiana en el mortero y bátala con el resto de los ingredientes (menos la pimienta) en un recipiente. Rocíe con cuidado los trozos de pescado con la salsa de badiana. Espolvoree la pimienta negra por todo el plato y acompáñelo con una ramita de eneldo, trozos de lima y tomates "cherry". Para 4 personas.

¿Sabía que...

...la tania es uno de los alimentos preferidos de la isla de Nieves, preparada en buñuelos y servida como entrante o acompañamiento?

Tania *(Xanthosoma sagittifolium)*
Este tubérculo comestible (también llamado ocumo) es oriundo del Caribe y ya se cultivaba en los tiempos precolombinos. La tania, nudosa, tomentosa y de forma más cilíndrica que los taros, resulta deliciosa hervida, al horno y, en especial, sancochada y en forma de buñuelos. Es muy apreciada en Cuba, Puerto Rico, Margarita y Dominica, donde se tritura y se mezcla con coco, azúcar, huevos y especias, y después se cocina como *pudding*.

Buñuelos de tania

Pele de 4 a 6 tanias y hiérvalas con sal hasta que estén blandas. Extraiga el agua y añada una cucharada de mantequilla, 2 huevos, un diente de ajo machacado y sal al gusto. Tritúrelo hasta formar una masa compacta. Caliente el aceite vegetal en una sartén honda y, cuando esté caliente, fría cucharadas de masa de tania hasta que se doren. Se pueden servir con salsa de guindilla.

Pechugas de pollo con salsa de cacahuete

6 pechugas de pollo sin piel y deshuesadas
1 cucharadita de condimento de pimienta al limón
1 chorrito de ron de jengibre
11/2 cucharadas de aceite de cacahuete
250 g de cacahuetes tostados y salados
500 ml de leche de coco sin azúcar
1 cucharada de salsa de soja
1 cucharada de azúcar
1 cebolla picada fina
2 dientes de ajo picados finos
1 cucharada de hierba de limón fresca picada
1/4 cucharadita de cúrcuma molida
1/4 cucharadita de comino molido
1/4 cucharadita de cilantro molido
1 guindilla roja despepitada y picada fina
1/4 cucharadita de sal
pimienta negra al gusto

Corte el pollo en dados de unos 4 cm y sazónelos con condimento de pimienta al limón y la mitad del ron de jengibre. Mantenga en el frigorífico durante 1 hora o 2. Mezcle el resto de ingredientes con la batidora hasta que quede bien triturado. Vierta la preparación sobre el pollo y déjelo marinar toda la noche. Saltee el pollo en aceite de oliva hasta que se dore. Añada la marinada y rehogue entre 20 y 25 minutos. Revuelva de vez en cuando para que no se pegue en el fondo de la cazuela. Agregue agua si la salsa se espesa demasiado. Sirva el plato con boniatos confitados, zanahoria hervida, chayote y espárragos verdes. Para 6 personas.

Boniatos confitados

1 kg de boniatos pelados y troceados
1/2 cucharada de agua
2 cucharadas de azúcar moreno
2 cucharadas de mantequilla
1/4 cucharadita de sal
nuez moscada rallada

Precaliente el horno a 180°C. Hierva los boniatos durante 5 minutos. Escúrralos y colóquelos en una bandeja de horno untada con mantequilla. Hierva agua y azúcar en una cazuela. Cuando se espese, añada mantequilla y sal. Vierta esta salsa sobre los boniatos y espolvoree con nuez moscada rallada. Hornee la preparación entre 25 y 30 minutos. Para 4 personas.

La recolección de la miel

1. Todos los días el apicultor comprueba las bandejas de los panales.

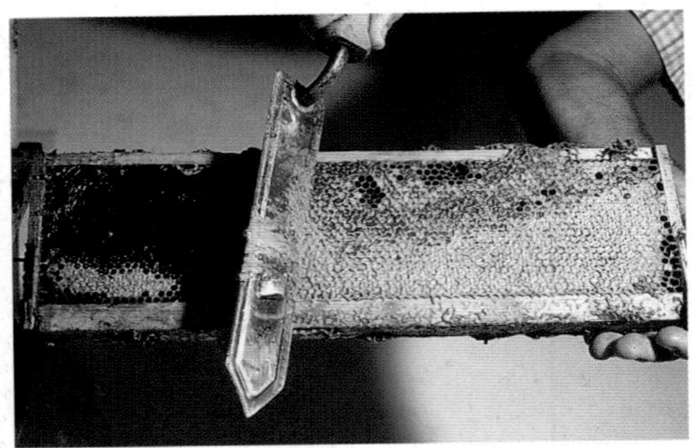

2. Un cuchillo que se calienta eléctricamente se emplea para raspar la miel que rebosa.

3. El resto de la miel se extrae "peinando" las celdillas del panal. Una vez extraída, se cuela y se envasa.

4. El panal de cera con celdillas repletas de miel. Todas las bandejas y panales vaciados se vuelven a colocar en su lugar una vez que se ha retirado la miel.

La apicultura en Nieves

El primer documento que atestigua la presencia de abejas *(Apis mellifera)* en Nieves se remonta a 1716. La apicultura es un pasatiempo tradicional de la isla, aunque no se efectúe siguiendo un método tradicional, pues los hombres cortan panales silvestres con un alfanje y se llevan a casa la miel en un cubo. Esta miel silvestre se almacena en botellas de ron viejas y es un producto muy apreciado que se comparte, se troca o se vende entre amigos y familiares. En la mayor parte de las Antillas, la miel se usa con fines medicinales: una pequeña cantidad mezclada con ron y lima cura, según dicen, múltiples dolencias, incluso los resfriados. Estos apicultores han aprendido nuevas técnicas y emplean colmenas movibles Langstroth (patentadas en 1851 por el reverendo L.L. Langstroth).

Lo mejor de la apicultura de Nieves es que, debido a su carácter insular, las abejas no padecen ninguna de las devastadoras enfermedades que suelen afectar a otras poblaciones de estos insectos. No hay abejas "africanizadas" y no se precisan productos químicos para mantenerlas sanas. Las abejas de Nieves se deleitan en las flores tropicales y silvestres de la isla: matarratón, coralita, campeche, jagua, cocolobo, coco, mango y azahar de naranjo común y amargo. Por consiguiente, la miel se caracteriza por un aroma especial.

Uno de los apicultores con más tradición de Nieves es Laughton Thibou. Posee unas 45 colonias en Hamilton Estate cuya producción anual asciende a unos 68 kg de media. La miel de Nieves es famosa en todo el Caribe y los turistas de todo el mundo se llevan este elixir puro y natural.

El apicultor siempre lleva máscara y sombrero cuando realiza su trabajo. Aquí aparece echando humo a las abejas para calmarlas antes de recolectar la miel. El humo incita a las abejas a atracarse de miel por lo que no pueden picar. Se trata de un antiguo método de recolección de la miel.

¿Sabía que…

…el consumo energético de una abeja equivale a un coche que recorriera más de 2,5 millones de kilómetros con sólo 4 litros de combustible? Para producir 1 kg de miel, el enjambre tiene que consumir unos 8 kg de néctar y polen. Para acumular el combustible necesario con que producir ese kilo de miel, las abejas tienen que recorrer una distancia equivalente a seis veces la vuelta a la Tierra. Por tanto, un tarro de ½ kg de miel requiere tres vueltas alrededor del planeta.

La miel de Nieves es famosa por su sabor aromático. Las abejas de esta isla disfrutan, entre otras, de las flores silvestres y tropicales como el cocolobo, el coco y el azahar de naranjo común y amargo y de limero.

Los isleños, bien pertrechados con machetes o alfanjes, cortan las colmenas silvestres de garajes, árboles viejos o incluso coches y neumáticos abandonados, y se la llevan a casa en cubos. Es una forma especial de apicultura.
Fotografía principal: una abeja solitaria trabaja duro para producir miel de Nieves.

Montserrat

Esta isla con forma de pera se halla a unos 43 km al nordeste de Antigua y al sudeste de Guadalupe. Los pobladores aborígenes la llamaban Alliouagana ("la tierra de los arbustos punzantes"). Debido a su vegetación tropical exuberante y su fauna abundante, los británicos la denominaron "La Isla Esmeralda". Antes de la horrible destrucción volcánica, el carácter único, la belleza natural y la simpatía y amabilidad de sus gentes constituían el distintivo de Montserrat. Hoy en día permanece bajo la autoridad de Gran Bretaña aunque con fuertes raíces irlandesas, que se hacen patentes en los antiguos nombres de las propiedades –St. Patrick's, Riley's, Cork Hill, Sweeney's, O'Garro's– y antropónimos locales –Irish, Galloway, Roach, Ryan–. Según algunos, los isleños emplean una especie de dialecto irlandés y una danza local popular con la canción *Bam-chick-lay Chiga Foot Maya*. Incluso el plato nacional, *goat water*, se asemeja a un guiso irlandés en el que se emplea carne de cabra en lugar de vaca.

La agricultura fue, antaño, la base de la economía de esta isla, con cosechas prolíficas de todo tipo de verduras y frutas, ¡hasta fresas! El zumo de lima de Montserrat se hizo famoso en Australia, Gran Bretaña y Nueva Zelanda. Su demanda era particularmente significativa entre la Marina británica, donde se utilizaba como protector de la piel y prevención contra el escorbuto. Incluso cuentan que inspiró el apelativo de *¡limeys!* para los británicos. Hubo una época en que Montserrat también contó con una próspera industria algodonera que producía un algodón muy apreciado. Entre la caza comestible de la isla destacaban los agutíes, las iguanas y el *crapaud* –una enorme rana sólo existente aquí y en Dominica–, que formaban parte de la dieta local.

Cuando la isla se modernizó, sus habitantes permanecieron como pueblo de costumbres arraigadas patentes en su vida cotidiana. El teatro, el calipso y los coros, las fiestas de Navidad con bandas disfrazadas el día de San Esteban o Boxing Day, concursos de belleza, Semana Santa, el Día de la Emancipación; todo, en fin, se celebraba con gran fasto. En los pueblos, los bailes *jumbie*, una expresión de la religión popular para invocar a los espíritus –que se introducen en los bailarines y los convierten en adivinos–, están precedidas por espléndidas fiestas en honor a los vivos y a los muertos. Los velatorios se celebran en la casa del fallecido, que yace en el lecho mientras los invitados se reúnen en la sala adyacente para comer, beber y cantar. Más tarde, el funeral termina en la tumba, donde estalla un llanto colectivo.

Otra tradición era el *maroon*, nombre de una celebración en que amigos y familiares se reunían para prestar ayuda al que la necesitaba, preparar la tierra para plantar, construir una casa o cambiar la casa de lugar. En Montserrat se solían trasladar casas enteras (las más pequeñas) siguiendo un método único de la isla: simplemente se levantaba, se colocaba en el remolque de un camión y se llevaba a su nueva ubicación. El medio de transporte más usado en algunos pueblos sigue siendo el burro, aunque Plymouth, la capital, se halla repleta de coches y autobuses en los días de ajetreo.

Esta hermosa isla, donde las catástrofes naturales (incluidos los devastadores huracanes) unieron a sus gentes, padece en la actualidad un destino incierto. No muchos de sus habitantes han decidido soportar la ira del volcán, antaño dormido pero ahora en continua actividad. Hace más de tres años que la isla, tan bella y rica en cultura, se halla en estado de desintegración. Algunas zonas han sido totalmente destruidas por el volcán Soufrière, con la consiguiente pérdida de vidas, casas y tierras. En la actualidad, el volcán continúa activo y causando estragos. Los pocos habitantes que permanecen en la isla se concentran en la parte septentrional con la esperanza de que el poderoso destructor se torne pacífico de nuevo y florezca de nuevo la tranquilidad de su hogar ancestral. Llegará un día en que los habitantes de Montserrat y los turistas vuelvan a beber del arroyo Runaway Ghaut, siguiendo el dicho de "si bebes de esa agua, volverás".

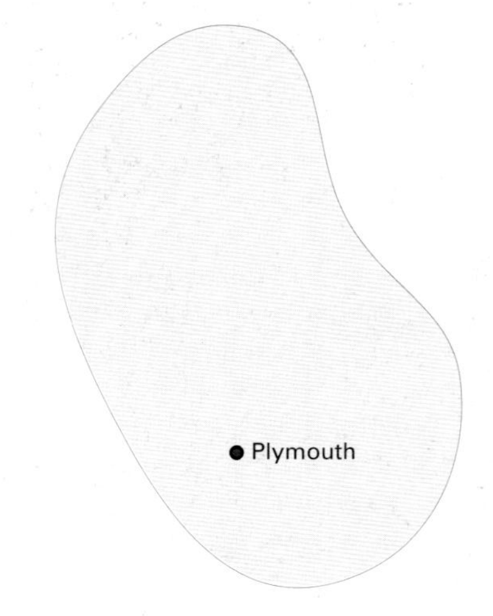

Estas ovejas, que parece como si no tuvieran lana, pastaban tranquilas en otros tiempos. El volcán Galways Soufrière, al fondo, dormido y oculto por las nubes bajas, está pasando factura a esta isla, antaño pacífica y exuberante.

Dominica

Dominica posee un río para cada día del año y montañas volcánicas que primero tocan el mar y luego se elevan al cielo. En una de ellas se halla Boiling Lake (el lago hirviente), quizás el mayor del mundo de sus características. Una naturaleza que explota en una vegetación de contrastes y grandeza inimaginables, y unas gentes que parecen proceder del tiempo lejano de aquellas islas en que la sencillez y la vida familiar constituían la esencia de los quehaceres cotidianos. Se trata de la única isla en la que los indígenas, los indios caribes, cuentan todavía con un lugar en la sociedad, ocupan su propio territorio y mantienen viva su cultura.

Es una isla que diríase cubierta de comida natural. En casi todos sus rincones parece crecer algo comestible. Bosques y ríos aún proporcionan carne, pescado y crustáceos que hace tiempo desaparecieron de otras islas, gracias, en parte, a las estrictas vedas de caza y pesca que impuso su gobierno pero, sobre todo, porque sus habitantes respetan con orgullo estas leyes. Resulta inimaginable que un habitante de Trinidad, por ejemplo, no coma cangrejo todos lo días si así lo desea. Incluso el humilde cangrejo terrestre se encuentra legalmente protegido en este verdadero Jardín del Edén y sólo puede capturarse cuando se abre la temporada. Por eso no sorprende que esta isla se conozca como la "Isla Natural de las Antillas".

Dominica no tarda en sorprender. Según Bobby Fredericks, guía local y fervoroso nacionalista, es "la tierra de la imaginación". Enseguida descubrimos qué significa esa afirmación. Por ejemplo, imagínese sentado en una roca majestuosa en medio de la unión de dos ríos: uno que corre entre cantos rodados y piedras de distintos tamaños y formas, y el otro que forma una cascada en plena selva virgen, la cual cubre las montañas circundantes. Aire fresco mezclado con las agradables salpicaduras de una catarata cercana que parece manar del mismo cielo. El suave olor a cocina "ital" (fruta del pan y plátano macho con leche de coco, especias y pimientos) viene de una cabaña de bambú de un solitario y humilde rastafari, Moses, y su hijo Israel. Las hojas esmeraldas de los enormes helechos, que alcanzan los 4,6 metros de altura, parecen bailar de alegría.

O imagínese que ha ascendido a lo más alto de la Tierra y ve a niños de piel clara y oscura y caras con grandes ojos que le han seguido por una vereda, corriendo de un lado a otro –casi poniéndose en peligro cerca del borde del precipicio– por arbustos, flores y frutales, y el océano allá abajo como un lago de cristal.

Así que esto es en verdad la tierra de la imaginación.

La Commonwealth de Dominica, situada entre las islas de Martinica y Guadalupe y en cuyo escudo de armas se lee *Après Bondie, c'est la ter* (que en francés criollo significa "después de Dios, está la tierra") es una isla con un pasado turbulento, pues las batallas entre ingleses y franceses por el control de la isla no cesaron durante siglos. La matanza de los indígenas, arahuacos y caribes, todavía se recuerda en una pintura mural que describe los sucesos del pueblo de Massacre (pronunciado "masak"). Las numerosas sublevaciones de esclavos terminaron con la abolición de la esclavitud. Pero Dominica, pese a su pasado inestable y sus dificultades económicas actuales, es una isla con carácter propio en la que sus habitantes hablan el criollo con tanta facilidad como el inglés, donde el *reggae* forma parte de la vida cotidiana junto a los cadenciosos ritmos autóctonos, donde el amor al país se manifiesta en cualquier rincón de la calle y en casa, donde naturaleza y ser humano conviven en armonía y respeto mutuo, donde los alimentos naturales abundan y las artes culinarias no sólo se consideran un placer personal sino también el pasatiempo nacional.

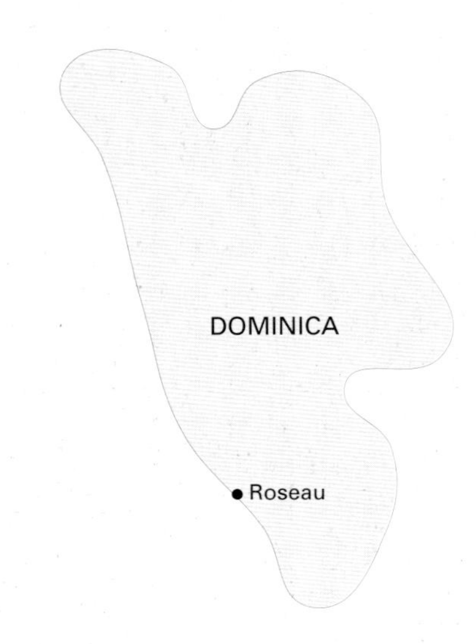

Una familia caribe descansa en el exterior de su casa.

OUT OF
FASHION

El Día Criollo

En Dominica, la Semana Criolla, la última del mes de octubre, es una parte muy especial de la celebración de la independencia. El punto culminante de estas fiestas es el Día Criollo o Kweyol Day, que se celebra el último viernes de dicho mes. En estas fechas, los isleños rebosan de nacionalismo y patriotismo, sentimientos poco comunes con tanta fuerza en otras islas antillanas.

El Día Criollo las emisoras de radio emiten sus programas y noticias en lengua criolla (una mezcla de francés e inglés conocido como *patois)* y los dominicanos de cualquier condición lucen el traje nacional. Las mujeres lucen *wob dwiyets* (vestidos) de una exquisitez multicolor y *jips* (tocados), mientras que los hombres llevan pantalones negros, camisas blancas y fajas rojas tradicionales, con chalecos o bandas por encima de los hombros. Los bancos y restaurantes, y en general todos los centros de negocios, se engalanan, incluso con magníficas flores y banderitas que decoran y unen toda la isla.

Es un día en que los habitantes de Dominica vuelven a sus raíces. Uno de los aspectos más importantes son las delicias culinarias que se pueden degustar, pues restaurantes y vendedores callejeros sólo sirven comida tradicional. Ésta es una mezcla francesa, caribeña y del África occidental, con una adaptación de ingredientes que evoca los productos básicos de las plantaciones de hace más de 200 años. Abundan platos como el *jel cochon* (cerdo salado), el *lamowee* (bacalao), el *hawansaw* (arenque), y *provisions* (tubérculos) malangas, ñames, tanias, boniatos y ñames morados. El *crapaud* (también llamado "pollo de montaña" debido a su sabor), el opósum o el agutí se encuentran en todos los menús. El pescado y los crustáceos de agua dulce como el *kwibish* (cangrejo de río) y el *bouk* se hierven y se sirven con salsa criolla. El *conk* o *lambie* (nombres distintos para cobo), otra gran especialidad, se suele servir al curry o en escabeche; incluso el *chatu* (pulpo) se sirve con salsas de ajo y mantequilla. Otras preparaciones como el *sankotch coco* (guiso con leche de coco), el *braff* o el *kou bouyon* (guiso de pescado con plátanos verdes), las *provisions,* la col y el *dombway (dumplings)* suministran a los hombres la fuerza necesaria, pues el Día Criollo puede suponer un romance y mucho trabajo una vez que el sol se ha puesto y comienza de verdad el baile y la fiesta.

El postre ocupa un lugar destacado, con nombres tan variopintos como *fwais tart* (tarta de fresas silvestres), *zabwico* (un tipo de albaricoque local), *pate aanane* (un plato de plátano macho), *tablet* (pasteles de azúcar y coco), *baignés* (buñuelos harinosos) y *Creole gateau* (pastel de frutas al ron). En esta fecha, Dominica se engalana y, como dicen allí, "se va a la ciudad a comer y beber". Por la noche, durante esta semana, se bailan danzas tradicionales, que incluyen el *bele,* el *quadrille,* el *flirtation,* el *heel and toe,* el *mazook* y el vals. La música *jing-ping,* que tocan conjuntos de acordeonistas con instrumentos de percusión, tiene nombres como *shak shak, tamboutwavai* y *bele* (tambores), *boom-boom* (flauta) y *gwaj* (una especie de rallador), y llena el ambiente de recuerdos históricos de los estrechos lazos que Dominica guarda en el corazón, no sólo con África sino con sus antepasados europeos.

Estas niñas se dirigen a la escuela el Día Criollo ataviadas con sus *wob dwiyets* (vestidos) multicolores y *jips* (tocados).

Productos Bello e infusiones Blows

Los productos Bello tuvieron un origen humilde en 1944, en la cocina de los fundadores de la empresa. En la actualidad es uno de los líderes del sector agroalimentario del Caribe y produce zumos de frutas tropicales, concentrados de fruta, compotas elaboradas con agua de la selva, condimentos de comidas, salsas, café, chocolate y el "remedio de la abuela": Caribbean Bay Rum, una loción corporal aromática preparada con hojas de laurel. Las infusiones de hierbas Blows se cultivan de forma natural en las verdes montañas de Dominica. Reciben el nombre de "Granny's Bush Teas" (hierbas de la abuela) y se utilizan para facilitar la digestión y aliviar catarros, fiebres y estrés. Entre las muchas que se comercializan destacan la menta verde, la manzanilla y el romero.

Lambie souse

125 g de carne de *lambie* (cobo o caracol de mar)
2 ó 3 chalotes cortados en rodajas finas
1/2 pepino pelado y cortado en rodajas finas
1/2 pimiento verde cortado en rodajas finas
1/4 guindilla roja despepitada y picada fina
1 pimiento para condimentar (no es imprescindible) despepitado y picado fino
el zumo de una lima grande y fresca
sal y pimienta al gusto
1 ramita pequeña de perejil

Golpee la carne de cobo con una maza de madera hasta que los tendones se suelten y la carne quede plana y doble su tamaño. Trocee la carne de cobo y cúbrala con agua fría en una cazuela. Hiérvala y rehóguela hasta que se ablande. Deje enfriar. Mezcle todos los ingredientes menos el perejil en un cuenco de cristal. Luego, añada el *lambie* junto con el perejil y deje reposar durante 1 hora antes de servir. Las tostadas son un buen acompañamiento. Para 2 personas.

El pollo de montaña

(Leptodactylus fallax)

Un cazador indaga en una mata de hierba de limón para encontrar el rastro del esquivo *crapaud*.

El *crapaud* o pollo de montaña sólo vivía en la isla de Dominica y aunque luego se introdujo en otras islas (Guadalupe, Martinica y Montserrat), esta rana continúa siendo aquí muy abundante. Se trata de una especie bastante grande, con una longitud corporal de unos 15 cm, que puede llegar a alcanzar 30 cm desde la punta de la boca hasta el extremo de la pata trasera extendida. A pesar de que el pollo de montaña no presenta la membrana típica entre las patas, sus largas patas traseras, que en ocasiones suponen más de la mitad de la longitud total de la rana, le permiten saltar casi dos metros en el aire. Además, se diferencia de otras especies en que, pese a su pertenencia a los anfibios, los adultos no pueden respirar en el agua y su fase de renacuajo se produce en el interior del huevo, una adaptación debida a la falta de zonas pantanosas en la isla de Dominica.

El *crapaud* sólo vive en la parte occidental de la isla, pues no soporta los vientos salinos que soplan del Atlántico, y se confina en áreas situadas a unos 350 m de altura. Su hábitat preferido son las colinas escarpadas junto a los ríos, y se suele ver en las extensas matas de hierba de limón que crecen por toda la parte occidental de la isla. El *crapaud* se alimenta de saltamontes, cucarachas, caracoles, miriópodos y todo tipo de insectos voladores. Aunque los cazadores de ranas reconocen su característico croar, su captura no resulta sencilla, pues tienen la habilidad de proyectar su cantar para dificultar su localización exacta. De todas formas, como parece que predicen la lluvia y vociferan el pronóstico, los cazadores obtienen buenas capturas en esos días.

En Dominica, la caza de *crapauds* es ilegal entre los meses de marzo y agosto, pero durante la temporada de caza, debido a su carne exquisita,

Estas ranas se caracterizan por sus largas patas traseras que les permiten saltar casi dos metros en el aire.

se convierte en el plato típico y se puede comprar casi a diario en el mercado local. Casi todas las casas tienen su propio cazarranas, y preparan la carne de *crapaud* de muchas maneras distintas. No es raro que en las casas de los pueblos la sirvan frita o guisada a la hora de comer, mientras que los restaurantes preparan el pollo de montaña como una exquisitez para *gourmets.*

Ancas de rana al estilo de Dominica

6 ancas de rana
1 cucharada de vinagre
1 cucharadita de ajo en polvo
1 cucharadita de cebolla en polvo
1 cucharadita de sal para aderezar
1 cucharadita de salsa de soja
1 huevo
125 g de harina
125 g de pan rallado ligero
aceite suficiente para freír en una sartén honda

Lave las ancas de rana con vinagre, sazónelas con todos los condimentos y déjelas reposar durante 10 minutos. Bata el huevo y reserve. Deposite la harina en un plato y el pan rallado en otro. Pase las ancas por harina, huevo y pan rallado en este orden, y fríalas en aceite abundante hasta que se doren. Sírvalas con patatas hervidas espolvoreadas con perejil troceado y aguacate cortado en rodajas.

Salsa: ponga tres cucharadas del aceite utilizado para freír las ancas en una sartén pequeña con una cucharadita de mantequilla. Añada tres cucharaditas de harina de maíz o harina común y revuelva hasta que quede suave. Agregue 1/2 vaso de vino blanco, 1/2 vaso de agua y una pequeña cantidad de los condimentos empleados para cocinar las ancas, y rehogue hasta que se espese. Vierta una pequeña cantidad junto a las ancas al servir el plato. Para 3 personas.

El opósum

(Didelphys marsupialis insularis)

Superior: un joven cazador trae a casa un opósum para cenar.

El opósum es un animal nocturno y tímido oriundo de Norteamérica y Centroamérica. Al igual que el canguro, se trata de un marsupial y lleva a sus crías en una bolsa bajo el estómago. Introducido en las Antillas por el hombre, se encuentra en casi todas las islas volcánicas: Montserrat, Santa Lucía, Guadalupe, Martinica, San Vicente y las Granadinas y en Trinidad y Tobago.

Los intentos de domesticación de este animal han sido en vano: hasta hace huelgas de hambre en cautividad o incluso, después de varios años enjaulado, ha llegado a morder a su cuidador. Su dieta incluye frutas y flores, pescado, crustáceos, ratas, ratones, serpientes, lagartos, pájaros e incluso carne en descomposición. Es una criatura muy agresiva que no duda en usar, sin miedo alguno, sus dientes y garras ante cualquier atacante, por lo que los cazadores deben actuar con sumo cuidado. Su astucia le lleva a estirarse, hacerse el muerto y emitir un olor que transforma toda esta comedia en algo muy real. Una vez pasado el peligro, se levanta en silencio y huye. Se trata de una de sus mejores armas. Es un rápido escalador y saca partido de la cola para desplazarse de rama en rama con gran agilidad. Aunque no le gusta el agua, uno de sus platos preferidos es el cangrejo de río. Atrapa a estos crustáceos sentándose en las piedras secas del río e introduciendo la cola en el agua por debajo de las piedras. Cuando un cangrejo le pellizca, realiza un rápido movimiento con la cola y lleva la presa hasta la orilla.

En las Antillas, el opósum se prepara de múltiples maneras. En Dominica, el modo preferido es ahumar su carne y guisarla con vino tinto; en Trinidad, en cambio, lo prefieren al curry. El opósum, al igual que otros animales salvajes de la isla, se ha cazado abusivamente por la exquisitez de su carne y se ha convertido en una especie en peligro de extinción; así pues, las autoridades de Dominica han aprobado leyes especiales para ayudar a la conservación de este marsupial.

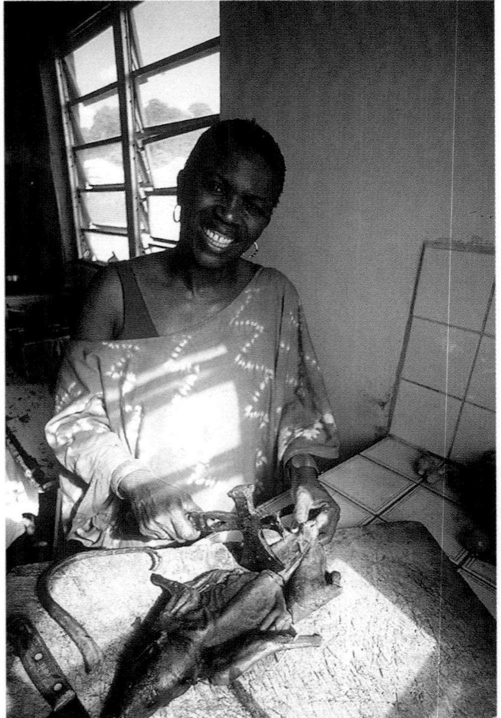

Madge comienza la preparación del opósum ahumado en su restaurante criollo, Callaloo, situado en el corazón de Roseau.

Agutí *(Dasyprocta antillensis)*

Roedor procedente de Sudamérica y Centroamérica con joroba, del tamaño de un conejo y con la cabeza parecida a la de la rata. Está cubierto de pelo áspero y brillante que, en su parte trasera, se pone de punta cuando está nervioso. Su cola mide sólo 2,5 cm y suele esconderse bajo los largos pelos posteriores. Es herbívoro y se alimenta a primeras horas de la mañana y por la noche. Se sienta erguido e ingiere la comida con delicadeza sosteniéndola entre sus dos dientes frontales. Es tímido, solitario, y casi nunca cohabita con otros miembros de su especie, con los que se muestra muy agresivo. Vive en pequeñas madrigueras poco profundas que suele excavar bajo las raíces de los árboles. En Dominica su hábitat es variado y se encuentra por casi toda la isla, aunque prefiere tener la selva cerca, pues su clima resulta perfecto para esta criatura.

Los agutíes son muy astutos y realizan todo tipo de maniobras para despistar a los perros de los cazadores. Como son buenos nadadores, se tiran al agua para no dejar rastro y pasan de una orilla a otra o corren siguiendo el curso fluvial. A veces, cuando los persiguen, dejan un olor –producido por unas glándulas secretoras especiales– en un lado de los árboles caídos y huecos, y corren por el otro lado del árbol para escaparse; de esta forma confunden a los perros que siguen su rastro. Los agutíes son animales muy nerviosos que se alarman con el menor ruido. Cuando escuchan un sonido, se quedan inmóviles, levantan los largos pelos del trasero y echan a correr emitiendo estridentes chillidos. Su carne blanca, tierna y consistente es muy apreciada y por eso se ha capturado de forma abusiva. Con todo, está muy bien protegido en Dominica gracias a las estrictas leyes de caza. No es el caso, por desgracia, de otras islas con volcanes y selvas, donde el agutí está prácticamente extinguido.

El agutí vive en madrigueras pequeñas y poco profundas que excava bajo las raíces de los árboles.

Receta especial de Madge para el opósum o el agutí

- 1 opósum o agutí entero y ahumado
- 2 cucharadas de vinagre
- 1/4 cucharadita de ajo fresco triturado
- 125 g de cebolla pelada y picada
- 1 cucharada de salsa de soja
- 1 cucharadita de tomillo
- 1 cucharadita de apio molido
- 1/2 cucharadita de jengibre fresco rallado o molido
- 3 pimientos para condimentar
- 1 rodaja de guindilla o 1/2 cucharadita de pimienta de Cayena
- 1 pimiento
- 1 cucharada de mantequilla
- 2 hojas de laurel
- 60 ml de vino tinto
- 1 cucharada de concentrado de tomate
- 250 g de harina fina de maíz
- 250 ml de agua

Corte el opósum o el agutí en trozos pequeños y lávelos con vinagre. Sazone con ajo, cebolla, salsa de soja, tomillo, apio molido, jengibre y pimiento. Derrita la mantequilla en una cazuela. Añada la carne, el laurel y el vino y revuelva. Sin dejar de remover, agregue el tomate y el agua. Tape y rehogue a fuego medio 15 minutos o hasta que la carne se ablande. En otro cuenco prepare una pasta con la harina de maíz y un poco de agua. Viértala en la cazuela y mantenga el hervor unos 30 segundos más. Sirva con arroz o rodajas de malanga hervida. Hierva un plátano macho con piel, pélelo y córtelo en rodajas para acompañar. Para 4 personas.

Los ingredientes de la receta especial de Madge para cocinar el opósum.

El opósum condimentado se fríe en mantequilla. Se añaden las hojas de laurel, el vino y el concentrado de tomate, se tapa la cazuela y se lleva todo a ebullición.

El opósum debe cocerse hasta que su carne se torne blanda. Sirva acompañado de arroz blanco y plátano macho.

Cangrejos

Un cangrejo terrestre curioso sale de su agujero para inspeccionar el terreno.

Aunque en Dominica existen unas 20 especies distintas de cangrejos terrestres o de agua dulce, sólo tres se utilizan como alimento. Los *ciriques* se encuentran en lugares de agua dulce (ríos, lagos o agujeros bajo las rocas) y presentan un color marrón y amarillo. El cangrejo negro vive en zonas costeras y como su nombre indica es de color negro. Ambas especies de cangrejos pueden alcanzar una longitud de 7 cm y resultar algo venenosos durante los meses de junio a agosto, cuando ingieren flores de cafeto y mahot y el fruto del *bois rivière.* El cangrejo blanco es uno de los más abundantes de la isla y vive en zonas cercanas a la costa y a los ríos. Su caparazón, que puede alcanzar los 9 cm de longitud, oscila entre tonos amarillo claro y grises. Ambas especies resultan exquisitas; el problema consiste en capturarlas. Grupos de chavales, o incluso familias enteras, provistos de linternas, bolsas de arpillera y un buen palo, salen por la noche cuando la luna está en la fase adecuada y si acaba de llover.

Cuando ven un cangrejo, la linterna sirve para inmovilizarlo, el palo lo mantiene en una posición y se captura con rapidez por el caparazón. Es importante mantener las manos bien apartadas de las enormes pinzas, que pueden incluso cortar el dedo meñique. El animal se introduce de inmediato en la bolsa de arpillera y la caza continúa entre gran camaradería y, por supuesto, la típica ostentación caribeña de ver quién atrapa el cangrejo más grande. En el mercado, los cangrejos se venden atados con un "cordel" de coco o mangle para mantener las pinzas y las patas a buen recaudo. En su preparación, este animal se introduce vivo en agua hirviendo y luego se limpia, o se retira el caparazón y se lava el interior y el resto del cangrejo con agua y lima. El cangrejo terrestre no es muy popular en las Antillas pero los que los toman muestran costumbres diversas. Por ejemplo, en Barbados los cangrejos se purgan antes de cocerlos, es decir, se dejan en una jaula alimentándolos con maíz o pan por lo menos durante una semana. En Trinidad, en cambio, no les sobra el tiempo como para perderlo de esta forma.

El cangrejo se sirve en calalú, al curry o guisado. Un plato favorito tradicional es el caparazón de cangrejo como aperitivo o primer plato.

Cómo atar los cangrejos

Sujete el cangrejo con fuerza por sus patas traseras. Con un "cordel" de coco o de mangle envuelva con cuidado las pinzas y las patas, desde las patas interiores hacia fuera. Cuando tenga seis u ocho cangrejos inmovilizados, átelos juntos con el mismo material dejando un asa en la parte superior para que el paquete sea fácil de transportar (¡una especie de bolsa de cangrejos!).

El cangrejo queda deslumbrado por la luz; permanece inmóvil y, amenazante, abre y cierra las pinzas.

El relleno bien condimentado se coloca en un caparazón de cangrejo listo para dorar al horno.

1. Carne de cangrejo fresca o enlatada, aceite de soja, ajo, cebolla, perejil, cebollino, vinagre de tomillo, concentrado de tomate, guindilla y pan rallado: ingredientes para unos deliciosos caparazones de cangrejo.

2. Saltee todos los ingredientes juntos; después añada el pan rallado y cueza.

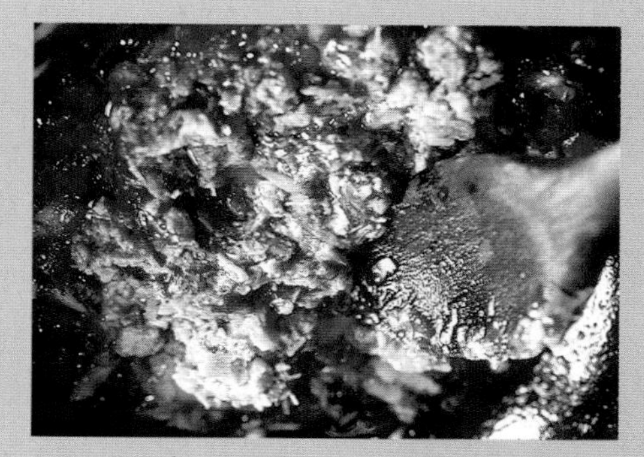

3. Remueva la mezcla hasta que esté bien cocida. Rellene los caparazones, espolvoree pan rallado por encima y áselos al horno hasta que se doren.

Caparazones de cangrejo del restaurante Callaloo

6 caparazones de cangrejo rascados y limpios

250 g de carne de cangrejo fresca (la envasada puede emplearse como sucedáneo). Lo normal es servir un par de caparazones por persona como entrante.

60 ml de aceite

una cucharada de salsa de soja

1 diente de ajo fresco triturado

1/4 cucharadita de apio molido

1 cebolla picada fina

1 ramita de perejil picada fina

4 ramitas de cebollino picadas finas

2 ramitas de tomillo picadas finas

1 cucharada de vinagre o zumo de lima

2 cucharadas de concentrado de tomate o 60 g de salsa de tomate

1 guindilla roja despepitada y picada fina

3 cucharadas de pan rallado

sal al gusto

Limpie y lleve a ebullición los cangrejos enteros. Extraiga la carne con cuidado asegurándose de no incluir trozos de caparazón. Caliente el aceite y añada salsa de soja, ajo, apio, cebolla, perejil, cebollino y tomillo. Revuelva y cueza durante varios segundos. Añada vinagre o zumo de lima. Vuelva a cocer durante 5 minutos y agregue el agua suficiente para cubrir todos los ingredientes. Incorpore la carne de cangrejo y remueva. Agregue el tomate, la guindilla y el pan rallado, y sale al gusto. Reduzca el fuego y cueza al vapor durante otros 2 minutos. Coloque la mezcla en los caparazones, espolvoree con pan rallado y dórelos al horno durante algunos segundos. Sirva con una ramita de perejil y una pinza de cangrejo que puede usarse como cuchara.

Jabalí

En Dominica, el jabalí está considerado una pieza de caza mayor. El hombre introdujo este animal en las Antillas y Sudamérica y, con el paso del tiempo, ha vuelto a su estado salvaje. Aunque la mayoría vive en el noroeste de la isla, se puede encontrar en todas las zonas boscosas. El jabalí prefiere vivir en las laderas de las altas montañas, donde se encuentra relativamente a salvo de la mano del hombre, y baja a las zonas más llanas en los meses de diciembre y enero, cuando el tiempo es "más frío". Los adultos pueden alcanzar 1,5 m de longitud, 90 cm de altura, y pesar más de 200 kg. Poseen largos colmillos que afilan en los troncos y las raíces de los árboles. De hecho, los cazadores buscan las marcas de los colmillos para encontrar la pista del animal.

Los jabalíes se alimentan de pan de especia, tabomico, balata y *bois buit,* y efectúan incursiones en los cultivos para hacerse con ñames, mandiocas, tanias, boniatos y otros tubérculos. Incluso comen lombrices, pues las consideran toda una delicia.

Los jabalíes son animales muy limpios y, si pueden, pasan mucho tiempo en el agua. Se desplazan en grupos y nunca permanecen largos períodos en un mismo sitio, aunque siempre regresen a los mismos lugares en función de las fases de la luna.

El hombre es su principal enemigo, por eso casi han desaparecido del resto de las islas caribeñas. Gracias a las estrictas leyes de caza de Dominica, el jabalí no corre peligro. Las trampas en agujeros que antaño eran las más utilizadas para su captura han sido prohibidas; con todo, los cazadores siguen usando escopetas, perros y trampas de lazo. Su carne es deliciosa y se prepara de modo muy similar al resto de la caza antillana. Una manera muy apreciada de cocinarlo es asado con fuego de leña, como hacían los indígenas.

Jabalí a la cerveza Guiness

- 500 g de carne de jabalí
- 1 botella de cerveza Guiness
- 1 mano de jabalí
- 1 cola de jabalí
- 3 dientes de ajo triturados
- 1 ramita de tomillo triturado
- una pizca de orégano
- 2 cebollas picadas finas
- 1/2 guindilla roja despepitada y picada fina
- 1 cucharadita de azúcar moreno
- 1 cucharada de vinagre de vino tinto
- 1 cucharadita de mostaza de Dijon
- 1/2 cucharadita de sal
- 1/2 cucharadita de pimienta negra
- 250 ml de caldo de carne (preferiblemente de carne de jabalí)
- 1 cucharada de aceite de oliva

Corte la carne de jabalí en dados y marínela en cerveza Guiness durante varias horas. En una cazuela grande caliente el aceite y rehogue la cebolla, el tomillo, el ajo y la guindilla. Añada la mano y la cola de jabalí (la cola puede salarse para que resulte más sabrosa) y los trozos de carne marinados en cerveza (séquelos antes). Agregue el caldo de carne, el orégano, el azúcar moreno, el vinagre de vino tinto, la mostaza de Dijon, la sal y la pimienta negra; deje que se cueza la preparación durante media hora a fuego lento y con la cazuela tapada. Vierta la cerveza utilizada para marinar y continúe cociendo otras 2 horas, o incluso más, hasta que la carne se torne blanda. Sirva con arroz blanco. Para 2 personas.

Jabalí asado

- 1 pierna o lomo de jabalí de 1 kg 750 g aproximadamente
- 1/2 botella de vino tinto
- 3 dientes de ajo picados
- 1 cebolla picada fina
- 2 ramitas de cebollino picadas finas
- 1 cucharada de jengibre fresco picado
- 1/4 cucharadita de sal
- 1/4 cucharadita de pimienta negra
- 1/4 cucharadita de guindilla despepitada y triturada
- 125 ml de caldo de jabalí
- 1 cucharada de mantequilla

Marine la pierna o el lomo en vino tinto durante toda una noche.

Precaliente el horno a 180°C. Triture el ajo, la cebolla, el cebollino, la sal, la pimienta y la guindilla con el mortero. Practique cortes en la pierna o el lomo y rellénelos con la mitad de esta mezcla de manera más o menos uniforme. Añada un poco más de sal y pimienta por fuera. Coloque la carne en una bandeja engrasada y hornéela durante media hora. Agregue el caldo bañándola por completo. Cúbrala con papel de aluminio y deje que se ase durante 75 minutos más, rociando, al menos dos veces, la carne con el líquido de la bandeja. Añada la mitad del vino y la cucharada de mantequilla una media hora antes de que la carne esté en su punto. Retírela del horno, rocíela y déjela reposar en su jugo. Manténgala cubierta durante 15 minutos antes de cortar y servir con arroz blanco. Para 6 personas.

Los jabalíes caribeños son muy limpios, se desplazan en grupos y nunca permanecen mucho tiempo en el mismo lugar.

Cómo triturar el plátano:

1. Se asa el plátano macho con piel sobre las brasas.

2. Se retira la piel quemada con cuidado y el plátano macho ya puede triturarse.

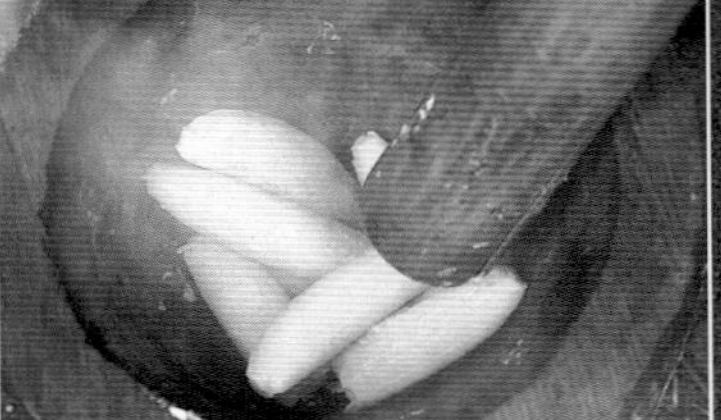

3. Los plátanos machos calientes se trituran contra las paredes del mortero.

4. El plátano macho está listo cuando presenta una textura suave y cremosa. Se puede añadir un poco de mantequilla con sal.

Cómo asar la fruta del pan:

1. Se coloca la fruta del pan con piel en las brasas para asarla.

2. Cuando está blanda y cocida, se retira y se raspan los residuos negros y la piel.

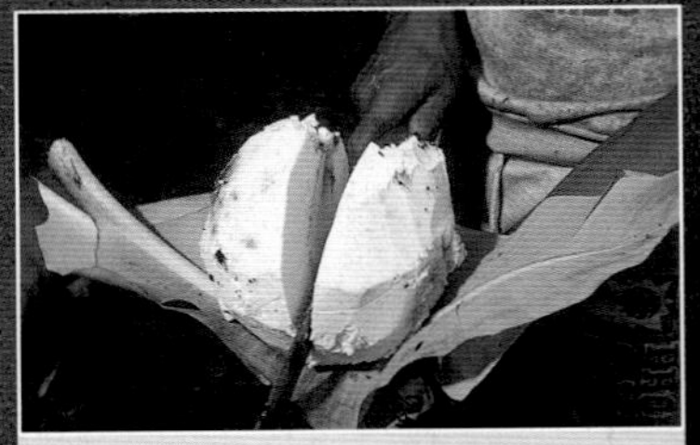

3. Se parte por la mitad y, después, en cuartos con un cuchillo afilado.

4. Retire el hueso interior antes de servir. Aderece con un poco de mantequilla y sal.

El territorio de los caribes

En las casas del Caribe la cocina y el comedor están separados de la vivienda principal. La cabaña se usa para asar al aire libre.

Cuando llegaron los indios caribes, ya hacía unos 1.000 años que los arahuacos, un grupo de amerindios pacífico y bien organizado, ocupaban las islas que se extendían entre Norteamérica y Sudamérica. Se cree que siguieron el mismo itinerario recorrido por sus predecesores cuenca del Orinoco abajo. Eran un pueblo guerrero e intrépido que enseguida sometieron a las comunidades arahuacas matando a los hombres y tomando a las mujeres como esposas y a los niños como hijos. El aspecto de los hombres y las mujeres caribes debía de ser fascinante, pues se pintaban el cuerpo con tinte de bija de color rojo vivo y lucían joyas de oro, plata y bronce decoradas con plumas que arrancaban de las colas de los loros. Las mujeres estaban consideradas como una casta inferior y los hombres disfrutaban de la compañía de cinco o seis esposas. Éstos preparaban las tierras pero eran las mujeres quienes las cultivaban y alimentaban a la familia. Su dieta se componía sobre todo de mandioca, ñame, boniatos, agutí y pescado. Los caribes eran expertos constructores de embarcaciones, que tallaban de un sólo tronco de madera sólida, un arte que han cultivado hasta nuestros días. El tabomico *(Dacryodes excelsa)*, cuya resina se usa en la actualidad para elaborar el incienso de las iglesias y con el que los caribes fabricaban antorchas y encendían el fuego, era (y sigue siendo) el árbol que preferían para construir sus canoas. Talaban el tabomico, ahuecaban el tronco con hachas de hierro y, mientras la madera estaba verde, se introducían ramas para ensanchar la embarcación. Luego se llenaba de agua para mantenerlo flexible a la vez que se ensanchaba. Los caribes empleaban la palabra "canoa" –embarcación hecha de un solo trozo de madera– para designar este medio de transporte tan importante, y se cree que es la primera palabra caribe que llegó a Europa. Otro árbol destacado que usaban estos indios era la ceiba *(Ceiba pentandra)*, palabra que significa lo mismo que canoa. Aparte de ser unos magníficos constructores navales, poseían grandes cualidades natatorias. Debido a su capacidad para permanecer bajo el agua durante largo tiempo y llegar a las profundidades, fueron utilizados por los españoles –a menudo en condiciones terribles– para buscar ostras que contuvieran las codiciadas perlas. Según documentos históricos se sabe que, además, su pericia con el arco era insuperable. Con la llegada de los europeos, las islas habitadas por los caribes sufrieron grandes cambios. Como pueblo tenaz, defendió su libertad con determinación y por eso fue sistemáticamente exterminado con guerras y enfermedades ante las que no poseía defensas inmunológicas. En algunas islas, antes que rendirse, los indios prefirieron suicidarse en masa arrojándose por los acantilados, un destino que creían más sensato que terminar como esclavos. Los caribes llamaban a Dominica *Wai tukubuli* ("alto es su cuerpo") y aunque en esta isla sufrieron el mismo destino que sus hermanos, el gobierno britán[illegible] 15 km² de tierra en el rincón [illegible] más [illegible] isla y lo llamó Terri[illegible]. Pe[illegible] 1978, con la Ley de la Reserva de l[illegible] se les dio formalmente la posesión de esta tierra. Hoy en día viven aquí unos 3.500 caribes y, si bien la mayoría lucha por su supervivencia, poco a poco están consiguiendo restablecer sus raíces, recoger la literatura oral, conservar las tradiciones y hacer revivir con orgullo su antigua cultura a través de la educación y el desarrollo. Hoy, sus encantadoras y pacíficas gentes acogen al visitante con la expresión *"¡mabrica!, ¡mabrica!"*, invitándolo a visitar su territorio y disfrutar de su cocina, artesanía y cultura.

Una descendiente de los audaces indios caribes.

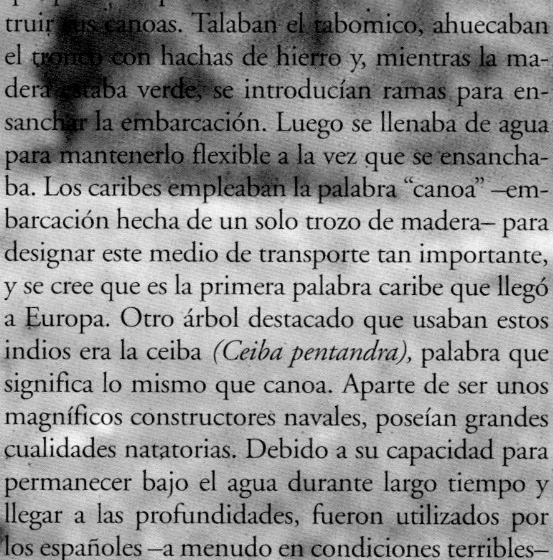

Leche de cacao caribe

1. Gerard comienza la ardua tarea de extraer el zumo de la caña de forma tradicional.

2. Su mujer prepara la leche de coco mientras él recolecta el jugo de caña para usarlo como almíbar. Asimismo hay que rallar el cacao casero.

3. El agua y el cacao rallado se hierven. Se añade la leche de coco con una ramita de canela, y se sirve la leche de cacao caliente en tazas de calabaza.

El plátano macho

Una comida caribeña sin plátano macho es casi un crimen. Se trata de una variedad de plátano para cocinar que, aunque puede tomarse crudo, suele cocerse para que gane en sabor y se digiera mejor. Tiene un alto contenido en vitamina A y un 60% de fécula, comparado con el 5% de los plátanos. Se cree que llegaron a las Antillas desde África occidental durante la colonización. En el Caribe hay unas 11 especies de plátano macho con nombres tan exóticos como *banane créolle, banane rouge, banane noire* y *banane cent livres* en las islas francesas, y *tiger plantain, giant, green* o *pink french* en Jamaica y Trinidad. El plátano macho abunda en casi todas las islas del Caribe y es una parte importante de la alimentación básica de los isleños.

Excepto algunas especies, el plátano macho común suele ser más largo que el plátano normal, al que se parece cuando está verde. A medida que va madurando, la piel del plátano macho se mantiene dura, primero amarilla, luego amarilla con motas marrones y, cuando ha madurado por completo, adquiere un color casi negro.

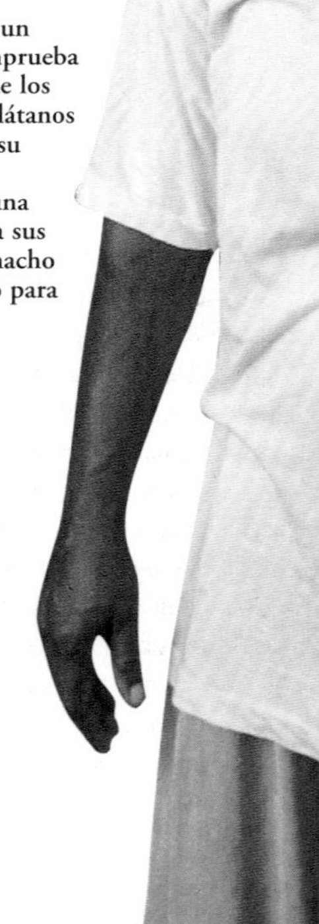

Izquierda: un caribe comprueba el estado de los enormes plátanos macho de su terreno. Derecha: una mujer lleva sus plátanos macho al mercado para venderlos.

Monstera *(Monstera deliciosa)*

Esta planta se utiliza, en general, como decoración de casas y oficinas por todas las Antillas. Produce un fruto que, al madurar, huele y sabe como una mezcla de plátano y piña. Este fruto recibe el mismo nombre que la planta y puede comerse crudo o utilizarse en postres.

El plátano macho se pela de forma distinta que el plátano. Tiene los dos extremos despuntados por lo que con un cuchillo afilado deben practicarse en la piel al menos tres cortes, de una punta a la otra, hasta llegar a la carne. Luego se retira la piel. El plátano macho se puede preparar de muchas maneras. La más apreciada es troceado y frito en aceite, para lo cual se aconseja que esté bien maduro, pues esta preparación "despierta" el sabor dulce de los azúcares. Algunos isleños lo golpean por todas partes antes de pelarlo si no está lo suficientemente maduro como para tener ese sabor dulce. Además, puede hervirse con la cáscara, que luego se retira, y servir el fruto con mantequilla o añadirlo a las sopas. El plátano macho al horno es otra especialidad muy apreciada. Se pela y se deposita en una bandeja de horno con mantequilla y azúcar, y se hornea hasta que se ablanda y adopta un color dorado. En algunas islas, el plátano macho se pela, se abre longitudinalmente y se rellena de queso rallado antes de hornear. Cuando está verde, se puede cortar muy fino, freírlo con mucho aceite y salarlo. El resultado es un producto parecido a las patatas fritas de bolsa pero con un sabor exquisito. Estas patatas de plátano macho se comercializan en las islas y se consumen mucho más que las patatas fritas importadas.

¿Sabía que…

…en el siglo XVII un sacerdote francés llamado De Rochefort escribió lo siguiente?: "Los caribes consideran a los franceses deliciosos, con diferencia los más sabrosos de los europeos. A continuación vienen los ingleses, seguidos de los holandeses, a quienes consideran malos e insípidos. Los españoles, por su parte, fibrosos y llenos de cartílagos son casi incomibles." Este mito caníbal sobre los caribes fue inventado por los colonos para asustar a sus esclavos y hacerles creer que serían engullidos por los indios si intentaban escaparse. Aunque es cierto que, de vez en cuando, este pueblo comía carne de sus enemigos, se trataba más de un gesto simbólico de victoria que de un acto caníbal.

El plátano macho constituye un acompañamiento exquisito para cualquier plato caribeño.

Freshwater Lake

Saliendo de la capital Roseau en dirección este y tomando en el pueblo de Laudat una pista llena de baches, se llega al Freshwater Lake ("lago de agua fresca") tras ascender una montaña de unos 850 m, con espléndidas vistas de otras montañas y valles cubiertos por la selva, rebosante de árboles magníficos, plantas floridas y fauna abundante. A ambos lados de esta empinada carretera aparecen múltiples arbustos llenos de *fwais* o *fraise*. La zarzamora de las montañas de Dominica se asemeja a la frambuesa pero se deshace en la boca y es todo azúcar. Procede del sudeste asiático pero se ha aclimatado a distintas islas de las Antillas. Este arbusto alcanza el metro y medio de altura y tiende a crecer a lo ancho; la flor es blanca y el fruto se vuelve de color escarlata cuando ya está listo para comer. Sólo se puede consumir en temporada y es muy apreciado. Se emplea, además, para preparar mermeladas, jaleas y las exquisitas tartitas de *fwais*. Las *fwais* no se cultivan para comercializarse y, por tanto, son consideradas un manjar por los valientes y sufridos que acuden a las zonas donde crece soportando los pequeños pinchos que cubren hojas y tallos. Las hojas del arbusto se emplean en infusiones para curar diarreas o dispepsias, y se añaden al agua del baño para traer buena suerte y expulsar a los malos espíritus.

Se cree que en las profundidades del Freshwater Lake vive un monstruo con un solo ojo.

El Freshwater Lake se halla en el centro de un antiguo volcán a los pies del Morne Macaque, la cuarta montaña más alta de la isla (la de mayor altitud es el Morne Diablotin, que se alza en el norte, a 1.364 m sobre el nivel del mar). En el lago nace el río Roseau, que desciende veloz atravesando parajes pintorescos hasta llegar a Roseau y, después, al océano. El lago, situado en el Morne Trois Pitons National Park es motivo de mitos y leyendas, pues cuentan que un monstruo de un solo ojo vive en las profundidades del lago acechando a posibles nadadores incautos que se atrevan a sumergirse en las oscuras aguas. Del camino (Freshwater Trail) parte un sendero que asciende a más de 900 m y transcurre por bosques mágicos hasta el Boeri Lake. Desde este lago, un arroyo se dirige al Freshwater Lake. Unos pequeños manantiales de agua caliente y sulfurosa –excelente, según dicen, para problemas dermatológicos– se unen al arroyo. Al igual que en otros lugares de agua dulce de Dominica, sus aguas rebosan de camarones y cangrejos de río.

En Dominica existen unas 11 especies de camarones de agua dulce, pero sólo tres se capturan para usos gastronómicos. El camarón cestillo *(Atya innecocous)* vive en todos los arroyos y ríos y alcanza una longitud máxima de 7 cm. El camarón camacuto *(Atya scabra)*, en cambio, es menos abundante, alcanza unos 6 cm de longitud y se ha llegado a encontrar en altitudes que superan los 600 m. El camarón pintado *(Macrobranchium carcinus)* es el mayor de los camarones de agua dulce y puede superar los 17 cm de longitud. Se identifica fácilmente por las rayas claras y oscuras de su caparazón; los machos, además, poseen un segundo par de patas desiguales que terminan en pinzas. Vive en distintos hábitats: aguas tranquilas, rápidos o bajo las piedras en el fondo de los lagos. Todas estas especies son migratorias y emprenden el camino hacia el mar desde finales de febrero hasta agosto. Las hembras expulsan las huevas al océano donde se abrirán. Las crías subirán después río arriba, en grupo, junto con otras crías de peces, aunque muchas son atrapadas por los isleños que están al acecho. Y es que no hay nada mejor que un buen plato de camarones de agua dulce preparados con leche de coco y arroz.

La zarzamora, en criollo *fwais* o *fraise (Robus vosifolius Sm.)*.

Izquierda: los cangrejos de río abundan en las aguas dulces de Dominica.

Cangrejo de río con jengibre

12 cangrejos de río limpios y lavados en lima sin pelar
sal
60 g de mantequilla
1 cucharada de jengibre fresco rallado fino
3 dientes de ajo rallados finos
1 cucharadita de pimienta negra en grano
el zumo de 1 lima

Sale los cangrejos. En una cazuela caliente mantequilla a fuego lento hasta que hierva. Deposite los cangrejos y fríalos hasta que estén crujientes. Añada rápidamente el jengibre y el ajo y, a continuación, los granos de pimienta negra. Justo antes de extraer la mezcla de la cazuela, añada el zumo de lima. Sirva con arroz condimentado con azafrán o arroz con bija hervida y una ramita de canela. Para 2 personas.

Cangrejo de río con arroz al coco

500 ml de agua
250 g de nata de coco
500 g de arroz
1 ramita de eneldo fresco o berros
1/2 guindilla roja despepitada y picada fina
1 pimiento para condimentar picado fino
12 cangrejos pelados limpios y lavados en lima
sal y pimienta al gusto

Lleve el agua a ebullición. Añada la nata de coco, el arroz, el eneldo o los berros, el pimiento y la sal. Cueza a fuego lento durante unos minutos antes de añadir los cangrejos. Deje hervir hasta que el arroz esté bien cocido. Sírvalo caliente en un cuenco de calabaza. Para 6 personas.

Tartitas de fwais al estilo de Dominica

Masa suficiente para 12 tartitas (*véase* la receta de la página 233)
1 kg de *fwais*
750 g de azúcar
125 ml de agua

Precaliente el horno a 180°C. Cueza las *fwais*, el azúcar y el agua a fuego lento hasta que la mezcla forme una masa espesa. Deje enfriar. Extienda la pasta con el rodillo y córtela en discos. Forme tiras de unos 6 cm x 1,3 cm y colóquelas en un recipiente para varias tartitas bien engrasado y con harina. Adhiera la pasta al molde y aplaste los bordes con un tenedor. Después llene los moldes con la mezcla de *fwais* y, como decoración, entrecruce en la parte superior tiras de pasta. Hornee unos 20 minutos hasta que la pasta esté crujiente y presente un color dorado. Sirva tal cual o con crema. Para 12 tartitas.

El coco

Los cocos que maduran en los cocoteros están repletos de un agua deliciosa.

Al cocotero o *Cocus nucifera* también se le ha llamado "el árbol de la vida". El nombre de su fruto, el coco, no apareció en Europa hasta principios del siglo XVI y deriva de una palabra portuguesa que significa "cara de mono" (en la base de la cáscara interior hay tres muescas que recuerdan tal apelativo). Durante más de un siglo, el origen del coco ha sido tema de apasionadas discusiones, pero hoy en día se sabe por los exploradores europeos que en 1492 no existía en las islas caribeñas. Los cocos germinan incluso después de flotar en el mar durante unos 100 días, tiempo en el que pueden recorrer casi 5.000 km con corrientes favorables. No queda claro, sin embargo, si el hombre los introdujo en las Antillas o si llegó de forma natural. Sea como fuere, el coco continúa desempeñando un papel importante en la vida de los habitantes de esta región.

En muchas islas, el comercio del plátano hizo que los terrenos dedicados a los cocoteros se abandonaran. No obstante, algunos todavía se cultivan en la actualidad, aunque a menor escala. La copra sigue produciéndose en la isla de Dominica y se exporta casi toda a Belfast, en Irlanda del Norte. En el Caribe, los cocos se adaptan a una gran variedad de suelos, incluso a las arenas de la costa, a los suelos volcánicos y arcillosos y a los huertos de las casas. En estas islas existen dos tipos comunes de cocoteros: la palmera alta y la palmera enana. La primera se utiliza sobre todo para la producción comercial y, pese a que pueden tardar unos ocho años en dar fruto, viven más de 100 años. La palmera enana ya produce la primera cosecha al tercer año pero no vive más de 35 años. La nueva planta nace en el mismo fruto y aparece por la parte superior del coco seco. Las raíces llegan al suelo con una enorme fuerza y el tronco no se hace visible como tal hasta que transcurren varios años. Cuando madura, el fruto se emplea de diversas formas. El agua del coco "verde", que requiere un período de maduración de unos siete meses, se consume como bebida. Transcurrido ese tiempo, la pulpa del interior es limpia y blanda y se suele tomar como tentempié entre comidas. Cuando el coco sigue madurando, la capa exterior se dora y la carne blanca del interior del coco

De los cocos abandonados en el suelo nacen árboles. Derecha: las mujeres recogen los cocos viejos y duros en las cestas y los llevan al lugar donde se secan y se envasan.

El agua rancia del coco oscuro y peludo no se bebe en el Caribe; sí se come la pulpa blanca y dura. Se ralla para elaborar postres y leche de coco, y es la base del coco seco.

Cómo elaborar leche de coco de manera tradicional:

1. Se necesita un rallador, dos cuencos de calabaza (o normales) y un trozo de estopilla.

2. Extraiga la carne blanca y dura de la cáscara marrón y rállela dentro de la calabaza.

3. Añada agua hirviendo y deje reposar unos minutos o hasta que se enfríe lo necesario para proseguir.

4. Tome puñados de coco rallado y exprímalos para extraer la leche.

5. Cubra otro cuenco con estopilla y vierta poco a poco la mezcla con leche sobre la tela.

6. Recoja la estopilla con la mezcla en su interior y retuérzala como se muestra en la fotografía para extraer la leche de coco que caerá dentro del cuenco.

Cómo elaborar aceite de coco:

1. La carne dura, oscura y envejecida del coco se seca en grandes cámaras destinadas a tal efecto.

2. La carne seca, o copra, se envasa. La mayor parte de la cosecha se envía a Belfast, en Irlanda del Norte.

3. Los productores locales extraen el aceite para usos comestibles o para otros usos sin necesidad de refinar.

4. El aceite sin refinar se emplea en la elaboración de cosméticos, jabones y cremas de belleza.

empieza a endurecerse. La pulpa blanca se ralla y se emplea para elaborar leche de coco, postres y dulces. Cuando se seca, se transforma en el coco rallado que se emplea en todo el mundo para elaborar postres y decorar pasteles.

Los europeos en particular se sorprenden cuando se enteran de que la corteza oscura y peluda no crece en el árbol, una falsa concepción producto de la publicidad. Los anuncios de productos que contienen coco presentan a menudo un fruto peludo, de color marrón oscuro que cae misteriosamente de un cocotero y se parte por la mitad a medio camino mientras el agua de coco mana sobre el producto que se está promocionando. Otro "pecado" para los isleños que viven en el extranjero es ver cómo la gente bebe de ese coco oscuro lo que ellos consideran como agua rancia.

Los cocos que se dejan en los árboles para que se sequen y caigan también son recogidos para fabricar copra, la base del aceite de coco que, en las Antillas, se utiliza para cocinar –una vez purificada– o como acondicionador del cabello y la piel. El aceite de coco sin refinar se suele usar en la actualidad como elemento principal de jabones y cremas de belleza.

El aceite de coco comestible, que se usa en las cocinas caribeñas, se destina también a acondicionar el pelo y la piel.

El cocotero tiene otros usos en el Caribe. Los filamentos oscuros del interior situados bajo la cáscara exterior del fruto maduro se utilizan para rellenar colchones, aunque no siempre resultan los más cómodos. Los troncos de los árboles viejos se descortezan y se emplean para plantar orquídeas. Cuando se talan los cocoteros, los isleños usan el corazón de la palma. Las hojas sirven para construir tejados de cabañas y, una vez secas, los haces se entretejen para fabricar bolsos, cestas, alfombrillas y sombreros. Es famoso el uso que dan los expertos y los rastafaris a las hojas más finas para elaborar pipas, y en la isla de El Coche, en Margarita, el delgado pedúnculo de la hoja se separa en varias partes y se hacen mondadientes, los cuales, a su vez, se emplean para sostener las huevas de pescado que se están secando (una especialidad muy cara llamada "caviar de Margarita"). La cáscara que rodea la pulpa y el agua se emplean para fabricar utensilios como cucharas, vasos e incluso copas de vino. Asimismo, los artesanos caribeños realizan joyas muy hermosas con el coco. Pero de todos los usos de esta fruta los isleños, en general, prefieren el agua refrescante del interior, mucho mejor, claro está, si se añade un chorrito de ron o del licor tan apreciado en la época colonial: la ginebra.

Fudge o queso de coco

2 cocos rallados y la leche extraída (se obtienen unos 300 ml de leche de coco)

500 g de azúcar

600 ml de leche condensada

Disponga la leche de coco en la cazuela. Añada el azúcar y lleve a ebullición sin dejar de remover. Cuando esté muy espesa, agregue leche condensada. Bata la mezcla con una cuchara de madera o con una batidora hasta que una gota se endurezca en la superficie de la masa. Colóquela en una fuente o una cazuela engrasadas de unos 2,5 cm de grosor. Deje que se endurezca. Para servir córtela en cuadrados o triángulos.

Cómo cortar y beber de un coco:

1. El vendedor corta la parte superior del coco con un machete afilado.

2. Abre el coco perforando esa carne tan blanda e introduce una cuchara en el lateral.

3. Se coloca una pajita en el agujero y se sorbe la deliciosa agua. El coco se corta por la mitad, se retira la cuchara y se come la pulpa.

Pastel o tableta de azúcar y coco

- 250 g de azúcar
- 250 ml de agua
- 1 kg de coco pelado y rallado
- 1/2 cucharadita de crémor tártaro
- 1 cucharadita de esencia de almendra
- 1/4 cucharadita de nuez moscada
- 1/4 cucharadita de canela
- unas gotas de colorantes de distintos colores

Hierva el azúcar y el agua hasta que el azúcar se disuelva y se forme un almíbar claro. Cuando empiece a burbujear, añada el coco y el crémor tártaro. Cueza a fuego medio removiendo hasta que la mezcla comience a espesarse. Cuando ésta se despegue de los lados de la cazuela, retírela del fuego y bata con una cuchara de 3 a 5 minutos. Agregue la esencia de almendra y las especias y remueva bien. Si desea diferentes colores, separe la masa en distintos cuencos y añada el colorante que desee. Con una cuchara vierta pequeñas cantidades en papel parafinado engrasado. Deje que se enfríen y se endurezcan. Consérvelas en un recipiente hermético. Para 12-18 pasteles.

El agua de coco fresco se emplea en estas islas para evitar la deshidratación en adultos y niños que padecen gastroenteritis. El agua también se emplea para depurar los riñones.

Tartitas de coco de Dominica

Masa:

- 500 g de harina tamizada
- 125 g de grasa
- 125 g de margarina
- 60 ml de agua fría

Mezcle la harina, la grasa y la margarina con los dedos. Añada agua poco a poco hasta que la pasta se torne consistente y extiéndala con el rodillo hasta que quede fina. Córtela entonces con un cortador de pasta de 10 cm y coloque las piezas resultantes en moldes de magdalena de aluminio ligeramente engrasados y enharinados. Con los dedos adapte la pasta a la forma de los moldes. Con la pasta sobrante corte tiras de unos 10 cm de longitud y 2,5 cm de anchura (2 tiras por tartita). Precaliente el horno a 180ºC.

Relleno:

- 500 g de coco pelado y rallado
- 125 g de azúcar
- 30 ml de agua
- 1 hoja de laurel
- 1 rama de canela
- 1/2 cucharadita de nuez moscada
- 1/2 cucharadita de mezcla de especias
- 1 corteza de lima o de limón
- 1 cucharada de esencia de almendra
- 1 huevo
- unas gotas de colorantes de distintos colores
- 2 cucharadas de almendras picadas

Mezcle en una cazuela el coco, el azúcar y el agua. Añada la hoja de laurel, la rama de canela, la nuez moscada, la mezcla de especias y la corteza de lima o de limón. Cueza la preparación hasta que el coco adquiera un tono translúcido. Deje enfriar ligeramente y agregue la esencia de almendra. Bata el huevo en la mezcla de coco. Si desea distintos colores, separe la mezcla en varios recipientes y añada el colorante de su elección. Coloque una cucharada de masa en los moldes preparados anteriormente y espolvoree con almendra. Cruce las tiras de masa en la parte superior de la tartita y una los finales con un tenedor y agua. Espolvoree con azúcar y píntelos ligeramente con leche. Hornee las tartitas hasta que se doren. Para unas 24 tartitas.

Surtido de dulces antillanos:
1. Tableta de coco 2. *Fudge* de jengibre 3. Hielo de coco 4. *Fudge* de coco 5. Bolitas de tamarindo 6. Bolas de tamarindo grandes 7. Pastel de azúcar moreno 8. Queso de guayaba 9. Pasteles de azúcar coloreado 10. Trozos de coco 11. Crocante de cacahuetes 12. Cuadrados de café 13. *Fudge* de caramelo 14. *Fudge* de mazapán

El primer plato de buñuelos de *titiri* es para la novia de Boydie.

Titiri

Son las cuatro y media de la madrugada tres días después del cuarto creciente o menguante. Dos o tres pescadores se hallan cerca de la desembocadura del río Layou y parecen fijar su mirada perdida en el mar. A veces, hacia las seis de la mañana, cabizbajos y con la decepción grabada en el rostro vuelven a casa sabiendo que al día siguiente les tocará pasar por el mismo proceso. Diríase que estos hombres no ven lo que buscan. El sol todavía no ha salido y el cielo está aún oscuro. Sin embargo, en esta mañana, pueden oírse a través de las sombras unos susurros que se convierten de repente en gritos: "¡Viene el *titiri!*" En cuestión de momentos toda la playa se llena de nerviosismo. Hombres, mujeres y niños empiezan a aparecer de todas partes y todos con una misión concreta. Los hombres, de dos en dos, sostienen las redes en la desembocadura del río; las mujeres y los niños, por su parte, preparan los cubos, las latas, los barreños, cualquier recipiente adecuado para depositar la captura. Cuando los primeros rayos del sol iluminan el mar y la playa, se aprecia y se oye con nitidez la razón de tanto alboroto. El trozo de mar junto al río se ha transformado en un auténtico hervidero. Los hombres con las redes repletas de pececillos que se retuercen con violencia corren a la playa para vaciar la carga en los recipientes de las mujeres, las cuales limpian y seleccionan con rapidez la captura en otros cubos. Empiezan a llegar coches cargados de gente, dinero en mano, para comprar el pescado lo más rápido posible antes de que los hombres se dirijan al mercado. Todo el pueblo ya está despierto y la playa rebosa de color y animación. Y es que el tan esperado *titiri* por fin ha llegado. "Maná del mar –explica un pescador a los espectadores

Derecha: los pescadores armados con largas redes tiran del *titiri* en la desembocadura del río Layou.

curiosos–, llevo treinta años en esto y de verdad que es maná del mar."

Titiri es el nombre con que se denomina a los millones de peces y crustáceos de agua dulce que acaban de desovar. Miden aproximadamente 1,25 cm de longitud y son transparentes. Parecen copias exactas unos de otros, con ojos negros no del todo formados y ganchos diminutos en la parte anterior de la superficie inferior de sus cuerpos que les ayudan a aferrarse a las piedras en su largo viaje de unos 80 km río arriba.

En Dominica, el *titiri* constituye toda una exquisitez. También se encuentra en otros lugares como San Vicente y Puerto Rico, islas cuyos ríos todavía se hallan poco contaminados.

Boydie Laurent, del pueblo de Layou, está considerado como el único hombre que sabe preparar verdaderos buñuelos de *titiri*. Cuando el olor de esta fritura llega a la nariz de los sibaritas, el pequeño bar-restaurante de Boydie se llena de clientes que rivalizan por ser los primeros en obtener su ración recordando a Boydie su condición de mejor cliente. No se marcha ni un alma hasta que el último buñuelo sale de la cocina y una boca hecha agua lo ingiere, regado con cerveza Kubuli fría, la cerveza de Dominica.

Buñuelos de titiri de Boydie

500 g de *titiri* (lavado y secado con sumo cuidado)
45 g de ajo fresco picado
3 guindillas rojas
2 cucharaditas de sal
375 g de harina

Coloque todos los ingredientes en un cuenco y mézclelos a fondo. Caliente a temperatura elevada el aceite suficiente para freír en una sartén honda. Deposite cucharadas de la mezcla y fríalas. Retírelas cuando adquieran un color dorado y escurra sobre papel de cocina el exceso de aceite. Sirva tal cual o con más salsa de guindilla. Para 12 buñuelos.

En este suculento buñuelo se aprecia el *titiri*, listo para comer.

1. El agua con sal se emplea para lavar a fondo el *titiri*. El ajo y las guindillas se pican muy finos.

2. Se mezcla la harina, la sal, el *titiri*, el ajo y la guindilla hasta formar una masa.

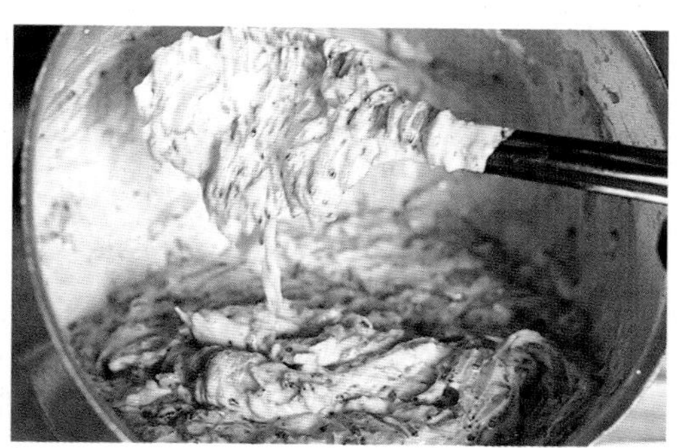

3. Se depositan cucharadas de masa en aceite vegetal muy caliente.

4. Cuando adquieren un color dorado, los buñuelos de *titiri* se retiran de la sartén, se escurre el exceso de aceite y se sirven con salsa de guindilla.

El ron aromático

Melvina Boyer nació en Dominica y siempre ha vivido en ella, al igual que otras tantas mujeres de la isla. Trabajadora, fuerte, chillona, de constitución y corazón grandes, es una mujer sensata, madre de cuatro hijos y esposa de Vincent. Se encarga del bar y el restaurante de la planta baja de su vivienda y cocina para todos los que allí van a parar, tanto familiares como clientes. Melvina conoce por el nombre a todo el pueblo. Nunca se olvida de un nombre aunque sólo haya estado una vez con aquella persona. Lo que importa al pueblo, a ella le importa, y cuando emite su parecer sobre un tema en concreto, los demás no pueden sino escucharla.

Casi todos los martes, Melvina se dirige al mercado de Antigua con cajas que contienen todo tipo de frutas y hortalizas. Regresa al día siguiente con los bolsillos llenos de dinero tras un trabajo agotador. Para cualquier acontecimiento o fiesta de Dominica, desde el Día Nacional hasta un partido de baloncesto local, Melvina tiene su mesa preparada con platos deliciosos y su especialidad: el ron aromático. Como

Melvina Boyer, mujer de Vincent y propietaria del Clouds Bar and Restaurant del pueblo Point Michel.
Inferior: los rones medicinales de Melvina en maduración.

ella misma confiesa, "soy móvil", queriendo decir que va allá donde puede ganar un dólar.

El Clouds Bar and Restaurant, en el pueblo de Point Michel, es un lugar excepcional. Se halla a la derecha de la carretera principal, con el nombre pintado a mano en la pared exterior. Dentro, la música calipso de Sparrows suena por unos enormes altavoces negros. Un gran televisor muestra imágenes mudas mientras el golpeteo de las fichas del dominó contra la mesa, acompañado por los gritos acalorados del juego, impide que se oiga la música. El pequeño patio interior siempre está lleno de parroquianos y de gente que espera que los turistas les inviten a tomar algo.

De vez en cuando entra "McGyver", una persona respetada en el pueblo, para explicar su último "invento" a Melvina. Nadie sabe cuando llegó la isla, sólo que es alemán. Le apodaron McGyver porque "aunque habla de forma muy rara, ese hombre puede arreglar cualquier cosa; ¡incluso puede fabricar un miembro viril de madera y satisfacer a una mujer! ¿Electricidad? Facilísimo, ¡McGyver la produce con agua!". Melvina lo respeta porque fue el primero hombre que le dio a probar un brebaje para aliviar el dolor preparado con una poción local que no acierta a descifrar; a ella, la experta en hierbas

del pueblo. "¡Es un hombre muy especial, sí!", es la opinión de Melvina mientras hace un gesto con la cabeza y sonríe de oreja a oreja.

El ron aromático constituye la especialidad de Melvina. Todas las semanas se sienta rodeada de todo tipo de arbustos y flores y, con paciencia, llena las botellas con sus hierbas y su orgullo: ron de barril sin diluir y un ron sin purificar que es lo que más se acerca al alcohol metilado. Cada botella tiene un empleo "medicinal" diferente y cuando el licor ha "reposado" durante una semana aproximadamente, se lleva a cabo un ritual para beberlo. La primera vez que se abre una botella, y antes de servirla, hay que echar un poquito al suelo detrás del bar, pues así se ahuyentan los malos espíritus. Si usted es un cliente de confianza, le dejará la botella con un vaso de chupito y una botella de agua con otro vaso. El camarero le vigilará pero la cuenta dependerá en última instancia de su propio control de la cantidad ingerida. Gástele una broma y equivóquese en la cuenta; a partir de ese momento sólo le servirán de chupito en chupito. Los chupitos se beben de un trago y se tiran las últimas gotas al suelo para los amigos espirituales. El primer vaso de agua sirve para enjuagarse la boca y luego escupirlo; el segundo se traga: un refresco necesario tras ese ron aromático y "medicinal" tan fuerte. Si tiene resaca al día siguiente, la cura es un chupito de ron Lapsent. Y es que Melvina tiene un remedio para todo.

1. Lapsent 2. Albahaca 3. Anís
4. Hibisco 5. Romero 6. Limas frescas 7. Jengibre fresco
8. *Bois bandé* 9. Canela

¿Qué ron aromático necesita?

Anís: calienta el estómago. Se usa para perfumar el cacao, las infusiones, los pasteles y los dulces.
Canela: alivia el reumatismo de estómago y los síntomas del resfriado.
Jengibre: alivia los dolores de estómago.
Bois bandé: refuerza la próstata de los hombres mayores. Afrodisíaco.
Albahaca: baja la fiebre.
Romero: purificador de la sangre. Efectivo contra la fiebre y los resfriados.
Hibisco: purifica el estómago.
Lapsent: alivia la resaca que producen los anteriores.

Los cultivos acuáticos

Los cultivos acuáticos no son nada nuevo. Se dice que los antiguos griegos ya los utilizaban, así que hay que agradecerles esta solución para los problemas de alimentación mundiales. Esta técnica se ha convertido en parte de la vida de muchas islas caribeñas y sirve para conservar una población marina amenazada por el exceso de capturas, así como para ayudar a satisfacer la demanda creciente de especies exóticas tan apreciadas en la gastronomía antillana por isleños y turistas. Los cultivos acuáticos no solo constituyen un sólido proyecto medioambiental sino que también resultan interesantes desde el punto de vista económico.

Hay que seguir unas reglas para lograr producciones altas. Se debe encontrar una ubicación que no esté sometida a inundaciones continuas y los estanques tienen que contar con un buen suministro de agua dulce y ocupar una superficie de cultivo de entre 2.000 m² y 20.000 m². Deben tener forma rectangular y un fondo liso y sin obstáculos para no entorpecer el movimiento de las redes. La parte más superficial debe superar el medio metro de profundidad y la más profunda (en el centro) no debe rebasar el metro y medio. El fondo tiene que ser inclinado para facilitar el drenaje.

Un vivero o criadero es vital para que la piscifactoría esté siempre bien abastecida y sea productiva todo el año. Al llenar los estanques, se añade fertilizante para que crezcan los organismos naturales que sirven de alimento a las gambas jóvenes. En los viveros se usan cubas llenas con una mezcla de agua dulce y salada para incubar las huevas. Éstas pasan por distintos estadios y colores y suelen tardar 25 días en abrirse. Las gambas jóvenes se alimentan con huevas especiales en salmuera hasta que alcanzan un tamaño mayor. Entonces el agua en que vivían se sustituye progresivamente por agua del estanque en el que tendrán que seguir desarrollándose. Cuando ya están en el estanque, el período de desarrollo es de tres meses. Aunque al principio el estanque contiene suficientes organismos para alimentar a las diminutas larvas, después se les proporciona comida para peces dos veces al día incluyendo espadines triturados, que en las islas suelen emplearse como anzuelo.

La recolección se efectúa mediante jábegas: se extienden las grandes redes por el estanque, que se ha vaciado hasta la mitad. Las redes se recogen y los trabajadores, provistos de cubos, las vacían en grandes contenedores. Después, las gambas se seleccionan según el peso y las que ya tienen huevas se destinan al vivero. Una gamba debe llevar unas 30.000 huevas para que el ciclo vital continúe.

Las gambas jóvenes se alimentan de huevas especiales en salmuera dentro de cubas interiores.

La Dominica Prawn Farm es una piscifactoría de gambas de la Taiwanese ROC Technical Mission y el gobierno de Dominica. Gracias a los proyectos de investigación se forma al personal local en los lucrativos métodos de los cultivos acuáticos. Se requieren 20 gambas para alcanzar 500 g. Las grandes recogidas que se desarrollan en un período corto de tiempo resultan muy rentables y convierten este negocio en la solución perfecta para conservar el ecosistema marino del Caribe y seguir suministrando platos exóticos a isleños y turistas.

Un trabajador de la piscifactoría de gambas Dominica Prawn Farm extrae del estanque una red llena de tilapia.

En los viveros, las gambas jóvenes se alimentan de huevas en salmuera hasta que alcanzan un tamaño mayor.

Tras quedar atrapadas en las redes, las gambas se limpian de residuos.

Las gambas se miden, se pesan y se seleccionan para sacarlas al mercado.

Un trabajador de la Dominica Prawn Farm sostiene una red llena de tilapia y gambas procedentes del estanque.

Martinica, Guadalupe y María Galante

"Esta tierra es la mejor, la más fértil, dulce y encantadora del mundo. Es lo más hermoso que he visto en mi vida. Mis ojos no se cansan de contemplar tanta vegetación." De esta manera describió Colón la isla de Martinica en 1502 que, en la actualidad, pertenece a Francia. Llamada "Madine" ("isla de flores") por los caribes, los rascacielos, las carreteras y los hoteles de lujo rivalizan ahora con la vegetación exuberante, el accidentado interior y las bellas playas. Con 1.089 km^2, esta isla es la mayor de las Barlovento y en ella viven unas 400.000 personas, un tercio de las cuales reside en la capital, Fort-de-France. Sus habitantes hablan francés y criollo, lengua que se enseña en la escuela, y no les gusta hablar otros idiomas.

La antigua capital, Saint-Pierre, se conocía antaño como "el París de las Antillas". El 2 de mayo de 1902, el volcán Mont Pelée entró en erupción con una fuerza tal que en tres minutos murieron los 30.000 habitantes de la ciudad. Quedó un superviviente que no se vio alcanzado por los gases mortales y las toneladas de lava: un isleño llamado Cyparis que se encontraba en la más profunda de las mazmorras por repetidas borracheras y comportamiento alborotador. En la actualidad se halla en la lista de "ciudadanos insignes de Martinica" junto con la emperatriz Josefina, esposa de Napoleón, que nació aquí en el año 1763.

El nombre amerindio de Guadalupe era "Karukera" o "isla de las bellas aguas". Es un departamento de Francia desde 1946 con jurisdicción sobre tres islas cercanas –La Deseada, María Galante y Las Santas– y dos islas situadas al norte por encima de Antigua –San Martín y San Bartolomé–.

Guadalupe presenta dos zonas diferenciadas separadas por el canal llamado Rivière Salée y que salva un puente levadizo. La zona del nordeste, llamada Grande-Terre, es la cuna de una industria turística en expansión y presenta amplias extensiones de campos de cultivo y un litoral pintoresco. Protegidas por las profundidades de los valles, viven las familias "Blancs-Matignon", descendientes de las antiguas familias aristocráticas empobrecidas por la Revolución Francesa y la abolición de la esclavitud.

En el sudoeste se encuentra la zona de Basse-Terre. Es más accidentada, más verde y montañosa. Su vegetación exuberante hace del turismo ecológico la principal atracción. En la costa oriental de Basse-Terre se cultiva azúcar y plátanos y se alza un santuario hindú (la mezcla de razas de Guadalupe incluye una numerosa comunidad del este de la India que emigró hasta aquí para trabajar en las plantaciones al abolirse la esclavitud). En la ciudad de Basse-Terre destacan el hermoso puerto, las históricas murallas, los cañones, los fosos y los restaurantes antiguos que sirven platos tradicionales como colombo y sopa de caballo.

Las Santas comprende dos islas: Las Santas y María Galante. La primera, colonizada en 1648 por artesanos y agricultores de las regiones francesas de Normandía y Vendée, se conserva en su estado original con 3.000 habitantes (incluso el alquiler de coches está prohibido). En cambio, María Galante, con 13.000 habitantes, fomenta la producción de azúcar y ron pese a contar con acantilados y playas espectaculares. Para muchos, el ron de esta isla es el mejor del mundo.

Cementerio del pueblo de Morne-a-L'Eau, en Grand Terre (Guadalupe).

JOSAPHA LOUVES
ICI Repose
Famille
JABOL et
LARDY

El pulpo

Aristóteles escribió: "Los pulpos utilizan los tentáculos como pies y manos (...). El último, que es muy afilado y el único de color blanquecino con el extremo bifurcado (...) lo emplea en el acto de la cópula. Algunos sostienen que el pulpo macho posee una especie de pene en uno de sus tentáculos (...) y que todo él está unido hasta la mitad del tentáculo, que penetra en la 'nariz' (en otros lugares llamada 'embudo') de la hembra."

Las investigaciones del siglo XIX confirmaron las ideas de Aristóteles. Aparte del estudio científico, el pulpo ha sido centro de atención de la mitología griega y de las películas de Hollywood, en las que aparece como una criatura submarina, gigante y vil, devoradora de hombres.

Los pulpos recién capturados se llevan en cestas al mercado.

Hay unos 50 tipos de pulpos, la mayoría del tamaño de una mano humana, aunque algunos pueden superar los 9 m desde la punta de un tentáculo a la otra. La especie más común del Caribe es *Octopus briareus.* Tanto los pulpos como sus parientes, los calamares y las sepias, pueden cambiar la coloración y decoración de su piel casi de forma inmediata gracias a unas celdillas de pigmentación especiales de la epidermis. Los pulpos usan la vista, muy desarrollada, y uno de los cerebros más complejos de las criaturas marinas para estudiar el entorno y seleccionar el color que van a imitar. Además pueden ver en la oscuridad. Su sentido del tacto es asombroso, pues cada uno de los ocho tentáculos puede atrapar el menor de los objetos; y si pierden uno, se regenera. Los tentáculos están cubiertos con ventosas que permiten al pulpo aferrarse a rocas y piedras o atrapar a su presa. Otro rasgo nada habitual: posee tres corazones.

Los pulpos suelen vivir escondidos entre la arena y las rocas de los arrecifes de coral. Se alimentan de cangrejos, langostas, todo tipo de marisco y algunos peces. En caso de peligro, pueden proyectar un chorro de tinta en el agua para impedir la visión del atacante. Entonces se impulsan a una velocidad increíble tomando agua por una abertura situada en la cabeza y expulsándola con rapidez por otras distintas. En el Caribe, el pulpo es un manjar muy apreciado que se ofrece en la mayoría de restaurantes como plato exótico.

Cómo preparar el pulpo:
Si desea carne tierna, compre un pulpo pequeño. Para eviscerarlo, extraiga los intestinos, la bolsa de tinta, los ojos y la boca. Lávelo a fondo. Blanquee durante unos segundos la "piel" exterior y los tentáculos en agua hirviendo. Desóllelo (las ventosas se desprenderán con la piel) y golpee los brazos o tentáculos hasta que la carne se ablande.

Los niños pasan el rato contemplando el pulpo. Les encanta dejar que el animal se mueva por sus cuerpos ¡para que les realice un masaje!

Pulpo criollo

1 cucharada de mantequilla
500 g de carne de pulpo
2 cebollas picadas
3 dientes de ajo picados
1 lata de tomates pelados
1 cucharadita de zumo de lima fresco
1/2 pimiento naranja
1/2 pimiento rojo
1/2 pimiento verde
1/2 cucharadita de guindilla roja despepitada y picada fina
1 ramita de tomillo fresco picada fina
1 ramita de perejil picada fina
4 ramitas de cebollino picadas finas
3 hojas de orégano fresco picadas finas
3 hojas de cilantro fresco picadas finas
sal y pimienta al gusto
una pizca de comino
1 cucharada de ron

Derrita la mantequilla a fuego medio en una cazuela grande. Después, a fuego lento, añada el pulpo para que se dore. Incorpore la cebolla y el ajo y rehogue hasta que todo quede tierno. Agregue el resto de los ingredientes (excepto el ron, la sal y la pimienta) y rehogue durante cinco minutos más. Añada el ron y salpimiente al gusto. Si el jugo resulta demasiado espeso, incorpore agua. Mantenga la preparación a fuego lento hasta que la carne esté blanda. Sirva con arroz blanco y plátano macho frito. Para 4 personas.

Ceviche de pulpo

1 kg de pulpo cortado en dados de 2,5 cm
250 ml de aceite de oliva
250 ml de vinagre de vino tinto
4 dientes de ajo
1 ramita de perejil
2 cucharadas de zumo de lima fresca
2 ramitas de tomillo fresco
1 guindilla roja despepitada y picada fina
sal y pimienta negra al gusto

Cueza el pulpo en agua con sal hasta que se ablande. Póngalo junto con todos los ingredientes (excepto el aceite de oliva y el vinagre) en un recipiente con cierre hermético. Añada el aceite y el vinagre hasta cubrir todos los ingredientes. Cierre el recipiente y manténgalo en el frigorífico 4 ó 5 días antes de servirlo. Se puede tomar como entrante decorado con trozos de lima fresca sobre un lecho de lechuga. Acompañe con cebollino y perejil picados.

Bija en el árbol.

Bija

(Bixa orellana)

Esta planta de Sudamérica, donde se denomina urucú, ya era utilizada por los indios caribes para pintarse el cuerpo y como repelente de insectos. Su piel pintada con esta hierba fue lo que llevó a los exploradores españoles a llamar a los nativos "indios rojos".

Los africanos del Caribe fueron los primeros en usar la bija como colorante de alimentos. Hoy en día, en Jamaica, por ejemplo, se emplea para dar color al *oil dong* y a los pasteles de pescado, que se conocen popularmente como "*stamp and go*".

Las infusiones que se preparan con los brotes tiernos de bija se emplean como afrodisíacos, astringentes y para curar enfermedades de la piel, fiebres y hepatitis. Las hojas de la planta también se utilizan para tratar la hepatitis, además de otras enfermedades hepáticas, problemas digestivos y como antidisentérico y antipirético. Por otra parte, las infusiones se recomiendan para las lombrices intestinales en casos infantiles y como antiséptico vaginal para las mujeres. La infusión de las flores se emplea como purgativo y reductor de flemas en los recién nacidos. Las semillas se emplean como expectorante y dicen que las raíces sirven para calmar el ardor de estómago tras ingerir preparaciones picantes. Las infusiones se elaboran con hojas hervidas en azúcar, y deben tomarse tres veces al día durante tres días seguidos para tratar inflamaciones, cólicos o, como dicen aquí, para *cooling* (aplacar o enfriar), una palabra caribeña que denomina el efecto ambiguo de múltiples hierbas medicinales. Por ejemplo, una función de la infusión de bija es "enfriar" la vagina.

La bija alcanza una altura de entre 4,6 m y 10,7 m. Su fruto pincha, tiene forma acorazonada y es de un vivo color naranja rojizo. Cada fruto contiene unas 50 semillas cubiertas por un arilo rojo y de su pulpa se obtiene el tinte amarillo anaranjado. Una bija de tamaño pequeño puede producir hasta unos 275 kg de semillas.

Las semillas se suelen triturar, poner en remojo y dejar evaporar hasta que queda una pasta de un color vivo, que se añade a la sopa y a otros platos tradicionales antillanos. La bija también se exporta a Norteamérica y Europa, donde se utiliza como colorante de margarinas, quesos y otros alimentos con una tonalidad amarilla o naranja. Esta pasta se emplea, en ocasiones, como tinte natural de ropa, laca, barniz, cosméticos e, incluso, jabón.

Cómo preparar aceite de bija:

Caliente 500 ml de aceite de oliva o vegetal en una cazuela a fuego lento. Añada una cucharada de semillas de bija. Rehogue hasta que el aceite adquiera un color amarillo vivo. Embotéllelo y utilícelo cuando lo necesite. Las semillas secas se pueden emplear en sopas y guisos para proporcionarles un fino sabor aromático y un hermoso color naranja.

***Bois bandé*, canela en rama y jengibre son ingredientes que se emplean para elaborar el licor al que los caribeños recurren para obtener "¡más vigor!".**

La mandioca abunda en la mayoría de las islas del Caribe.

La historia de la mandioca

(Manihot esculenta)

Existen pruebas arqueológicas de que la mandioca ya se cultivaba hace 2.000 años en México y hace 4.000 años en Perú, y constituía el alimento básico de los pueblos amerindios cuando llegaron los europeos. Los portugueses la llevaron, más tarde, a África, donde en la actualidad se cultiva más que en cualquier otra parte del mundo.

La mandioca constituye una fuente importante de hidratos de carbono y contiene glucósido de hidrocianuro (HCN), un veneno que los amerindios extraían para untar con él las puntas de lanzas y flechas. Existen dos tipos comunes de mandioca: la amarga y la dulce. Esta última se pela y se come cruda. La mandioca amarga, en cambio, tiene que lavarse y cocerse para eliminar el HCN.

La mandioca fresca no se conserva durante largo tiempo, pero si se trocea y se seca al sol, cruda o sancochada, se puede guardar durante varios meses. La mandioca resulta deliciosa simplemente pelada, cocida en agua con sal y servida con mantequilla. Sin embargo, existen otros muchos usos para este tubérculo tan sabroso. La harina de mandioca se prepara con los trozos secados al sol. La fécula, por su parte, se elabora rallando y moliendo la mandioca pelada y lavada, y enjuagando la preparación con cambios de agua repetidos. La tapioca se obtiene calentando a fuego lento en planchas de hierro caliente la fécula lavada y seca, lo que produce unas bolitas pegajosas.

En Guadalupe, al igual que en otras islas del Caribe y en el nordeste de Sudamérica, se produce la fariña, rallando la mandioca pelada y lavada y escurriendo la mezcla con la ayuda de unas cestas largas llamadas *tipitis*, un invento de los amerindios. En la actualidad, sin embargo, casi todos los lugares disponen de máquinas especiales que han sustituido a las cestas. Mediante el proceso de prensado se exprime el jugo del tubérculo y la pulpa comprimida sobrante se tuesta a fuego lento.

La fariña se emplea para preparar la famosa fariña con aguacate. El jugo que se extrae se emplea para elaborar *cassareep*, un conservante de carne, utilizado para preparar el *pepperpot*, un plato típico amerindio. Este guiso delicioso se elabora sólo con carne, condimentos y *cassareep*. La preparación del *pepperpot* puede alargarse durante años hirviéndolo una hora todos los días, y añadiendo la carne y el *cassareep* necesarios. ¡Y no hay que conservarlo en el frigorífico!

La fécula de mandioca se usa en la fabricación de cosméticos, pegamentos, detergentes e incluso papel. La tapioca se emplea en *puddings*, dulces y galletas. También puede obtenerse cerveza fuerte a partir del líquido de mandioca fermentado que, aún hoy, beben los indios sudamericanos. Cuando las provisiones de alcohol de los primeros españoles disminuyeron, tomaron la delantera a los indios y empezaron a prepararla para su propio consumo.

La mandioca ya se cultivaba hace más de 2.000 años en México y hace 4.000 en Perú.

1. Los tubérculos de mandioca se extraen a mano de la tierra.

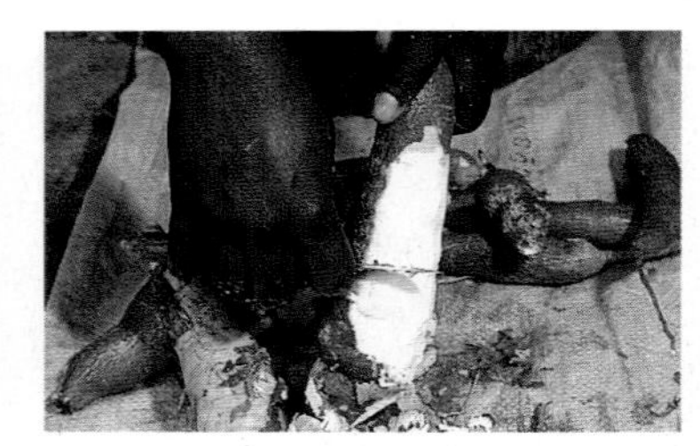

2. El tubérculo se pela y se lava a fondo.

3. La mandioca se ralla y se tritura.

4. Se guarda el zumo y la pulpa de la mandioca.

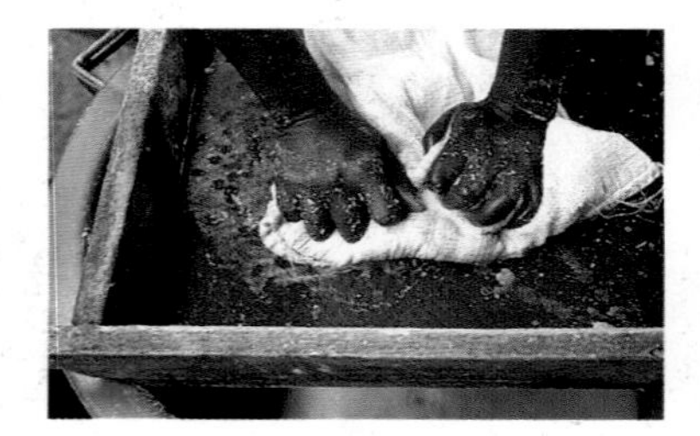

5. El zumo y la pulpa se pasan por una estopilla o un *tipitis* para extraer el agua.

6. La pulpa comprimida resultante se endurece en bloques al secarse.

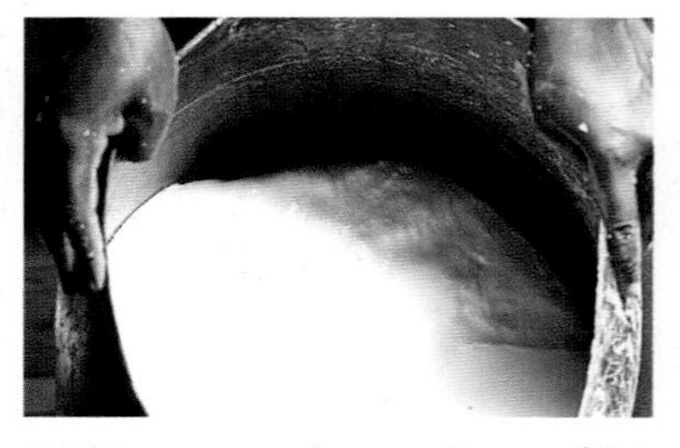

7. El jugo que queda se emplea para fabricar *cassareep*, un conservante de carne.

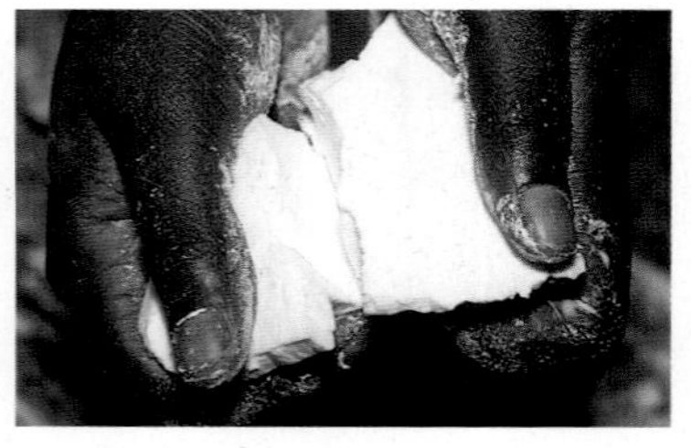

8. La harina de mandioca o fariña es el resultado de un trozo rallado y tostado en grandes planchas calientes.

Pescado salado, fariña y aguacate

1 cucharada de aceite de bija
2 cebollas picadas
3 dientes de ajo picados
1 ramita de tomillo picada fina
1 ramita de perejil picada fina
1 tallo de apio picado fino
1 kg de pescado salado en remojo durante una noche y, luego, desmigado
2 latas de tomate pelado
1/2 lata pequeña de concentrado de tomate
1 pimiento rojo grande despepitado y picado
1 pimiento verde grande despepitado y picado
1/2 cucharadita de guindilla roja despepitada y picada
una pizca de cilantro en polvo
500 g de fariña
2 aguacates maduros triturados con un tenedor
sal y pimienta al gusto

Caliente a fuego lento el aceite de bija en una sartén grande. Saltee la cebolla, el ajo, el tomillo, el perejil y el apio hasta que se ablanden. Añada el pescado, los tomates de lata, el concentrado de tomate, los pimientos y, si lo considera necesario, el agua. Lleve a ebullición. Cueza a fuego lento hasta que el pescado se torne blando (agregue agua si es preciso pero cerciórese de que la salsa se mantenga espesa). Cuando esté listo, reserve. Prepare una capa de fariña de 1 cm de espesor en un plato ancho. Añada el pescado, vierta la salsa y adórnelo con aguacate en la parte superior. Deje reposar hasta que la fariña se impregne por completo de la salsa. Salpimiente al gusto. Sirva caliente con salsa adicional de carne o pimientos.

El trozo de mandioca rallada se coloca sobre la plancha caliente para que se tueste. Al mezclarlo con un poco de agua, se forma una masa a la que se puede agregar queso o carne picada de vaca y así elaborar una exquisita empanada.

Pescado salado, fariña y aguacate: una especialidad de las islas francófonas.

Las peleas de gallos

Según algunas fuentes, las peleas de gallos empezaron en la antigua China o en la India. Otros defienden que antes de Temístocles (528-462 a.C.), este deporte ya había arraigado en Asia Menor. Cualesquiera que fueran el lugar y la época en que surgieron, lo cierto es que las peleas de gallos forman parte de la cultura de muchas islas caribeñas de habla francesa o española. Desde reyes y presidentes hasta agricultores, los hombres han disfrutado con ellas desde tiempos remotos. Este deporte rural, asociado con el machismo y las apuestas, consiste en enfrentar hasta la muerte a unas aves bien alimentadas y entrenadas, y adoradas por sus dueños. Las discusiones sobre las características de los gallos y los gritos de ánimo se mezclan con la tristeza porque el ave favorita acabe encontrando la muerte. Además de competición, este deporte fomenta la camaradería, pues se crean unos vínculos muy fuertes al compartir la pasión y soportar a los que lo condenan. Los aficionados a las peleas de gallos aseguran a sus críticos que sencillamente no pueden entenderlo.

Las peleas se desarrollan en un espacio circular llamado cancha. En Martinica hay varias muy conocidas en las que las peleas se realizan gratis para divertir a turistas e isleños. Antes de la pelea tiene lugar todo un ritual, relacionado con la tradición y el folclore de la isla, pero el combate en sí no suele durar mucho, pues enseguida surge un vencedor.

Peleas de serpientes y mangostas

En Martinica sólo vive un tipo de serpiente llamada *fer de lance* o trigonocéfala perteneciente a la familia de las serpientes de cascabel. Puede medir 2,4 m de longitud y su mordedura resulta mortal si en las horas siguientes no se administra un antídoto. Prefiere lugares alejados, los cultivos de caña y los bosques. Se alimenta de ratas, lagartos y ranas. En Martinica, una *fer de lance* muerta vale dinero, pues la policía ofrece una recompensa (el gobierno intenta controlar el número de ejemplares de este reptil ya que se reproduce con rapidez).

Otro animal que se reproduce con facilidad y llega a constituir una plaga para el ecosistema de la isla es el depredador natural de la serpiente: la mangosta. Se introdujeron varias en el Caribe, procedentes de la India, durante la segunda mitad del siglo XIX para limpiar los campos de *fer de lances*, que impedían recolectar a mano el azúcar de caña. Por desgracia, estos mamíferos prefirieron los pájaros, incluso los loros y los pollos, a las serpientes. El resultado es que varias especies de loros ya han desaparecido de la isla.

La mangosta de la familia de los herpestinos que vive en las Antillas se asemeja a una comadreja. Mide unos 45 cm desde el hocico hasta la cola y se caracteriza por su cuerpo largo y delgado, cabeza pequeña y alargada y orejas diminutas que le permiten introducirse en los agujeros más pequeños. Sus cortas patas cuentan con cuatro o cinco dedos cuyas garras no pueden replegarse. La mangosta caza durante el día. Es muy rápida esquivando y atacando, cualidades que la ayudan a evitar los colmillos mortales de las *fer de lances.*

Al igual que los gallos, las peleas entre serpientes y mangostas se consideran un deporte en Martinica. Se celebran los sábados o domingos en un ambiente de diversión, charloteo y discusiones alimentadas por buen ron isleño. El entusiasmo de la multitud revela que este deporte es un acontecimiento social además de una competición.

Izquierda: los gallos se encierran en jaulas antes de la pelea. Inferior: los gallos se miman y entrenan con regularidad.

Cancioncilla popular inglesa

El juego que aquí les canto son las peleas de gallos,
dignas del mejor capitán y del mejor rey.
Este pasatiempo es el que prefiero
pues entrena al hombre para la paz y la guerra.
Las peleas alientan la valentía donde antes ni existía,
y hacen al hombre fuerte y llevan al cobarde a la muerte.
Las peleas alientan la astucia y la habilidad,
y ponen al hombre en situación de vivir y prosperar.
Y si los piadosos indios están en lo cierto,
también hacen al hombre ocurrente,
misericordioso y bueno.

Comidas tradicionales de las islas francesas

Guadalupe, María Galante, La Deseada, Las Santas y Martinica ofrecen una gastronomía exquisita, en la que la influencia francesa se halla manifiesta. Lo que un francés puede comprar en Francia, puede adquirirlo también en estas islas. Puede encontrar sin dificultad los mejores vinos, quesos, patés y salchichas importados. Asimismo están las especialidades propias: rones, zumos de frutas, dulces y productos cárnicos. Además, los mercados se hallan repletos de magníficos productos locales: piñas (que los españoles vieron por primera vez en Guadalupe durante su primer viaje al Nuevo Mundo), naranjas, pomelos, ciruelas dulces, plátanos, tomates, lechugas grandes, pepinos, condimentos y especias de todo tipo, boniatos, mandioca, fruta del pan, pescado fresco y marisco. El olor a barras de pan recién hechas –y a otros tipos de pan y productos de pastelería– que flota en el aire puede, en ocasiones, engañar a la mente y hacerle creer que se encuentra en París. Por eso, lo que proporciona a estas islas su toque culinario especial es la unión de influencias francesa y criolla. Los restaurantes con nombres tan franceses como L'Ambassade de Bretagne, Chez Hugo, Le Bistro de La Marne y La Cave du Roi coexisten con otros de nombres criollos como Cocur Creole, Le Torgileo, Couleurs Locales y Le Cyparis-Station.

Banane celeste (1)
(Plátano al horno con requesón)

750 g de requesón blando
3 cucharadas de azúcar refinado
1/2 cucharadita de canela molida
2 cucharadas de mantequilla
6 plátanos duros pelados y partidos por la mitad
3 cucharadas de nata doble

Precaliente el horno a 180ºC. Mezcle el queso, el azúcar y la canela en un recipiente hondo hasta que se forme una pasta diluida y esponjosa. Reserve. Dore los plátanos en una sartén con mantequilla removiendo de vez en cuando. Retírelos del fuego. Coloque 6 trozos (la parte cortada hacia abajo), uno junto a otro, en una bandeja de horno poco honda. Extienda la mitad del requesón por encima. Coloque los otros 6 trozos de plátano y cúbralos con el resto del requesón. Vierta la nata. Hornee hasta que el requesón adquiera un tono dorado. Espolvoree con canela y sirva como postre. Para 3 personas.

Court bouillon à la créole (2)
(Pescado marinado y rehogado)

500 g de pescado fresco cortado en filetes
2 cucharaditas de sal
500-750 ml de agua
7 cucharadas de zumo de lima fresco
3 cucharadas de aceite vegetal con bija
60 g de cebollino picado fino
60 g de chalote picado fino
4 dientes de ajo picados finos
1 cucharadita de guindilla despepitada y picada fina
4 tomates pelados y picados finos
4 ramitas de perejil y 1 hoja de laurel atados en forma de ramillete
1/8 cucharadita de tomillo fresco picado
1 1/2 cucharadas de aceite de oliva
pimienta negra fresca y molida

Disponga el pescado lavado en un recipiente grande con sal, 375 ml de agua y 6 cucharadas de zumo de lima. El líquido debe cubrir el pescado; añada más agua si le parece necesario y marine durante una hora. Caliente el aceite con la bija a fuego medio en una sartén grande. Añada el cebollino, el chalote, la mitad del ajo y las guindillas. Cueza durante 5 minutos removiendo para evitar que se queme. Agregue el tomate, el ramillete, el tomillo y una pizca de pimienta negra. Rehogue durante 5 minutos removiendo con frecuencia. Vierta el resto del agua y añada el pescado. Lleve a ebullición a fuego fuerte; después, reduzca el fuego, tape la sartén y cueza durante 10 minutos más. Retire el pescado y colóquelo en un plato caliente. Añada el aceite de oliva, el resto del zumo de lima y el ajo a los ingredientes de la sartén. Lleve a ebullición a fuego medio y espolvoree con pimienta al gusto. Vierta la salsa final sobre el pescado antes de servir. Para 2 ó 3 personas.

Sauce piquante (3)
(Salsa picante)

3 cucharadas de aceite de oliva
3 cucharadas de vinagre
1 cucharada de chalote picado fino
2 cucharadas de cebolla picada fina
2 dientes de ajo picados finos
2 guindillas rojas frescas despepitadas y picadas finas
1/2 cucharadita de sal
1/2 cucharadita de pimienta negra recién molida

Mezcle el aceite de oliva y el vinagre en un cuenco. Agregue el resto de los ingredientes y deje reposar durante una hora antes de utilizar. Esta salsa se suele servir con pescado o langosta.

Brochette antillaise (4)
(Broqueta de pollo)

6 tomates "cherry"
2 mazorcas de maíz tierno hervidas y cortadas en trozos de 2,5 cm
1 pimiento verde sin pepitas y cortado en 8 tiras
2 cebollas cortadas en cuartos
4 dientes de ajo partidos por la mitad
4 trozos de pollo rehogados y cortados en dados de unos 4 cm
1 pimiento verde despepitado y cortado en 8 tiras
1 cucharadita de zumo de lima fresco
2 cucharadas de aceite de oliva
sal y pimienta al gusto

Disponga los ingredientes en 2 broquetas; empiece con el tomate "cherry" y siga con un trozo de maíz, pimiento verde, cebolla, ajo, pollo y guindilla roja. Repita este orden y acabe con otro tomate "cherry". Marine las broquetas en zumo de lima, aceite de oliva, sal y pimienta 30 minutos. Luego áselas en una parrilla a fuego lento, dándoles la vuelta para evitar que se quemen. Sirva sobre un lecho de lechuga, con arroz y acompañe con un cuenco de *sauce piquante*. Adorne con cebollino o perejil picados. Para 1 ó 2 personas.

Metete de crabes (5)

4 dientes de ajo triturados
125 g de chalote picado fino
2 cucharadas de cebollino fresco picado fino
250 g de arroz de grano largo o de arroz basmati
750 ml de agua
1 cucharadita de guindilla fresca despepitada y picada fina
1 hoja de laurel
1/4 cucharadita de tomillo fresco picado fino
1 1/2 cucharaditas de sal
pimienta negra recién molida
1 kg de carne fresca de cangrejo
2 cucharadas de perejil fresco picado fino
1 cucharadita de zumo de lima fresco

Caliente el aceite en una cazuela a fuego medio. Saltee el ajo hasta que se dore y deséchelo. Añada el chalote y el cebollino y rehóguelos 5 minutos. Incorpore el arroz y revuelva hasta que los granos empiecen a tomar un color lechoso. Añada el agua, la guindilla, la hoja de laurel, el tomillo, la sal y la pimienta negra. Lleve todo a ebullición a fuego vivo. Luego reduzca la temperatura y cueza 15 minutos. Agregue la carne de cangrejo, el perejil y el zumo de lima. Tape el recipiente y cueza otros 5 minutos o hasta que se evapore todo el líquido. Rectifique el punto de sazonamiento y sirva de inmediato.

Los erizos de mar blancos de las Antillas

(Tripneustes ventricosus)

Los erizos de mar blancos de las Antillas pertenecen al grupo de los equinodermos y abundan en los arrecifes batidos por las olas y en los lechos marinos de hierba de manatí. Como su nombre indica, son de color blanco, de unos 13 cm de diámetro y están cubiertos por pequeñas espinas de 1,25 cm muy hermosas que no son peligrosas. El caparazón esférico y plano, por lo general más oscuro que el resto del animal, se denomina "testa". La abertura de la parte superior del erizo constituye su ano y en la parte inferior se encuentra la boca. Posee cinco dientes que usa para arrancar las algas del arrecife, cortar la hierba de manatí (su comida preferida) e impedir que el coral lo asfixie.

Los erizos de mar blancos no deben confundirse con los erizos de mar negros *(Diadema antillarum)*. Estos erizos son muy hermosos al resaltar con los arrecifes caribeños multicolores, pero no son comestibles y sus espinas largas y negras (cada una constituye un cristal de carbonato de calcio) son tan punzantes como una aguja. Al tocarlas, las espinas se introducen en la carne, se rompen y quedan allí atrapadas mientras emiten una toxina en pequeña cantidad pero que produce un dolor atroz. Los remedios son de lo más gracioso: cera caliente extendida por la zona para extraer la espina, o mojar el pinchazo con zumo de lima (y si no se dispone de zumo ¡con orina fresca!). Mucha gente descubre por las malas que estas criaturas no son tan dóciles como sus parientes blancos.

De aquí, la gran proliferación del erizo negro y la captura indiscriminada del erizo blanco, que ha llevado a numerosos gobiernos caribeños a imponer restricciones de pesca para salvaguardar este exquisito manjar. En Barbados y Santa Lucía, por ejemplo, el erizo blanco, plato delicioso y tradicional, prácticamente ha desaparecido y ahora ha entrado en vigor una legislación muy severa de forma indefinida para detener esta situación, al menos hasta que su población se recupere. En Martinica, esta criatura disfruta de un período de "veda respetada", por lo que sus habitantes aún pueden disfrutar de esta criatura tan sabrosa.

Las huevas del erizo de mar blanco constituyen otro manjar. Crudas y frescas con un chorrito de lima se consideran un afrodisíaco divino. También pueden asarse con las huevas de otros erizos de mar colocándolas en valvas vacías directamente sobre el fuego. En Barbados, cuando las huevas abundaban, se vendían en pámpanas enrolladas en forma de cono que se mantenían unidas con una ramita pequeña de la parra. Durante la temporada de los erizos de mar, las mujeres y los niños esperaban en las playas a que regresaran los hombres de los arrecifes de coral con cubos o redes cargados de estos animales. Junto a ellos también se encontraban los clientes que ya hacían cola, con la boca hecha agua, esperando a que las mujeres abrieran el caparazón, extrajeran las huevas, las lavaran y rellenaran las valvas vacías o las pámpanas. En los últimos años se llenaban recipientes para los que deseaban viajar con su recompensa.

Los erizos de mar frescos se llevan al mercado en grandes cestas para ser vendidos.

¿Sabía que...

...la isla de Guadalupe es famosa por su producción de *philibon?* Este melón de calidad superior suele pesar aproximadamente de 1,5 kg y se exporta a todas las regiones de Francia.

Ceviche de erizo de mar

250 g de erizo de mar crudo
6 limas
1 diente de ajo triturado
1 cebolla picada fina
1/4 guindilla despepitada y picada fina
1 chorrito de ron

Coloque el erizo de mar en un plato de vidrio. Exprima las limas y vierta el zumo por encima. Páselo por el ajo, la cebolla, la guindilla y el ron. Sale al gusto.
Deje reposar durante una media hora antes de servir.

Erizo de mar criollo

1 cucharada de mantequilla
1 cebolla picada fina
1 diente de ajo picado fino
2 ramitas de cebollino picadas finas
4 tomates frescos pelados y cortados en dados
1/4 cucharadita de guindilla fresca despepitada y picada fina
500 g de huevas de erizo de mar blanco
perejil
sal y pimienta al gusto

Derrita la mantequilla en una sartén. Saltee la cebolla, el ajo y el cebollino a fuego lento. Añada los tomates y la guindilla. Una vez cocidos, agregue las huevas y revuelva como si fuera huevo. Retire las huevas cuando adquieran un color amarillo vivo y una textura esponjosa. Espolvoree con perejil y salpimiente al gusto. Sirva con panecillos recién salidos del horno o pan francés.

Shrubb

Coloque las cortezas de 3 naranjas en 1 litro de ron y deje macerar 15 días. Retire las cortezas. Prepare un jarabe hirviendo un poco de agua con azúcar de caña, vainilla, canela y nuez moscada. Incorpore el jarabe al ron y ponga un grano de café para aromatizar.

Ti-Punch

Ponga una cucharadita de jarabe de caña en un vaso corto sobre una rodaja de lima fresca. Añada el ron blanco hasta llenar una cuarta parte del vaso. Deje macerar durante unos minutos antes de beberlo. Sirva con un vaso de agua.

¿Sabía que…

…en las islas francesas el ritual de tomar ron tiene un nombre para cada momento del día en que se bebe? Al amanecer el ron se llama la *mise a feu* o *decollage.* Hacia las 10 de la mañana, un chupito de ron se llama *la gazez*; a las 11, un *ti-goutte;* y al mediodía, antes de comer, *ti-punch.* Hacia las 3 de la tarde se bebe *l'heure du Christ*; a las 5 *le ti-pape pape*; y antes de que anochezca, a la hora del cóctel, se vuelve al *ti-punch.* Otro ritual del ron pero sin hora fija: tras una sesión de dominó, por ejemplo, se toma el *bien frappés.* Quizá por eso en el Caribe se lo tomen todo con calma: ¡siempre ron a las horas en punto!

Superior: el ron y el jarabe de caña constituyen los ingredientes de la bebida nacional: el *ti-punch.*
Izquierda: los bueyes tiran de carretas de madera cargadas de caña de azúcar en la Distillerie Poisson, en la isla de María Galante.

Ron y jarabe de caña

El ron de estas islas recibe varios nombres: *rhum, guildive, flibuste, paille* y *tafia.* Hay tres variedades oficiales: agrícola, industrial y tradicional.

El ron agrícola se elabora directamente con jugo de azúcar de caña fresco e incluye dos subgrupos: los aperitivos y los estomacales. Los primeros se suelen servir en forma de ponche, como el *ti-punch,* que consiste en ron blanco, zumo de lima fresco, jarabe de caña y un chorrito de agua; los segundos son más oscuros y se sirven después de una comida, solos o diluidos con un poco de agua.

Los rones industriales y tradicionales se elaboran directamente a partir de melazas fermentadas. El industrial se exporta a Europa, donde se embotella con distintas etiquetas. Según las leyes isleñas, la mayoría de los rones añejos deben tener, al menos, tres años, aunque algunos superan la veintena. El ron *paille* constituye la excepción: un ron oscuro y suave que no llega a los tres años.

Los rones de las islas francesas presentan gran variedad de sabores, colores de etiquetas y trasfondo histórico. María Galante alberga una antigua destilería muy atractiva, Distillerie Poisson, donde pueden verse yuntas de bueyes que tiran de carretas de madera rebosantes de caña cortada a mano. El ron blanco más conocido de la destilería tiene ¡entre 50 y 59 grados! María Galante es la única isla del Caribe que posee un permiso especial para producir ron con un contenido de alcohol tan elevado.

El ron de la Distillerie Poisson se llama Rhum du Père Labat, en memoria del monje dominico Père Labat que inventó los alambiques de cobre en Guadalupe y que constituyen la base de la producción del ron de calidad. No se puede entrar en una destilería de estas islas sin oír hablar de esta figura del siglo XVII. Se elogian sus facetas de religioso, explorador, historiador, luchador, amante de la arquitectura y botánico. Y pese a ser tan apreciado en las destilerías, los niños de estas islas le tienen verdadero pánico: los adultos les amenazan diciendo que si no se portan bien, Père Labat vendrá y se los llevará.

Las destilerías de Martinica, Guadalupe y María Galante se encuentran abiertas a los visitantes. Algunas son tan pequeñas que sólo emplean a 15 personas; otras son grandes empresas que envían sus productos a Francia en depósitos.

Un producto isleño relacionado y también muy conocido es el jarabe de caña. Las islas francesas producen uno de los más puros, extraído directamente del jugo de la caña. Se suele emplear en la producción de distintos cócteles de ron, entre ellos la bebida nacional: el *ti-punch.*

Santa Lucía

En la isla de Santa Lucía pasaba sus vacaciones la emperatriz Josefina de Francia, mujer de Napoleón Bonaparte. Situada entre San Vicente al sur y Martinica al norte, Santa Lucía posee 616 km² de paisaje accidentado y volcánico, con vistas de montañas muy bellas, vegetación exuberante, fauna exótica y costas magníficas. Desde los majestuosos Pitons, dos picos gemelos que parecen emerger de las profundas aguas azules, hasta los manantiales de aguas sulfurosas y calientes de Soufrière, esta isla es en extremo hermosa. Desde poblaciones como Vieux Fort hasta Castries, la capital, o Gros Islet, presenta un modo de vida que va del desarrollo y la sofisticación a la vida rural y relajada.

Aunque no siempre fue así. Los primeros en establecerse fueron los arahuacos. Más tarde, hacia el año 800 d.C., los indios caribes los sometieron y llamaron a la isla Iouanalao y Hewannora que significa "allí donde se encontró la iguana". En 1502 llegaron los primeros europeos conocidos: un intrépido pirata francés llamado Jambo de Bois (Pata de Palo) se estableció en Pigeon Island para saquear los galeones españoles que pasaban frente a la isla. En el siglo XVII, los holandeses se asentaron en la parte meridional, en la actual Vieux Fort. Los ingleses llegaron en 1605, pero se vieron obligados a huir de los terribles caribes. El primer asentamiento real lo realizaron los franceses en 1651. Ocho años más tarde las reclamaciones de propiedad entre Francia e Inglaterra llevaron a una serie de batallas que duraron 150 años. Santa Lucía cambió de manos al menos ¡14 veces!

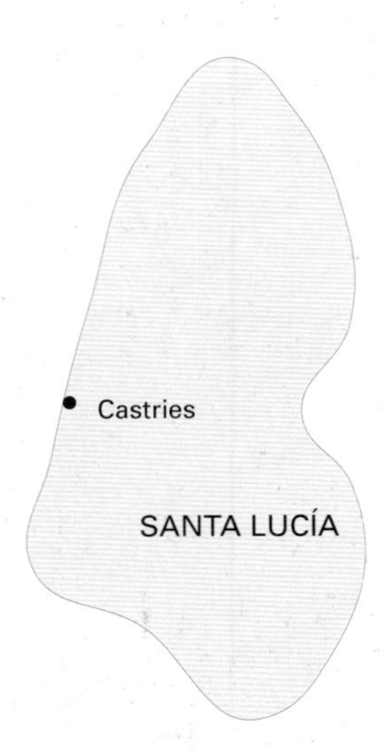

En 1746, los franceses fundaron la primera ciudad, Soufrière, y hacia 1780 habían aparecido doce poblaciones y propiedades francesas que florecían gracias a la mano de obra esclava. Sin embargo, las continuas luchas entre franceses e ingleses (estos últimos terminaron por ganar en 1796), el huracán de 1780 y la abolición de la esclavitud en 1838 condujeron a la industria azucarera a un estado de penuria que concluyó en los años sesenta con un final repentino. El plátano empezó a extenderse y se convirtió en el principal cultivo para la exportación, a pesar de que distintos tipos de agricultura ya se habían establecido desde 1882 con la llegada de trabajadores de la India.

Al igual que en otras islas, las tradiciones se enfrentan al progreso, pero todavía se bailan las danzas folclóricas como el *konte*, la *katumba*, el *solo* y el *belair* –todas herencia del tiempo de la esclavitud–. El *kele*, una ceremonia de tipo vudú que se remonta a más de 100 años atrás y que incluye el sacrificio de una oveja, vuelve a tomar auge pese a que la Iglesia Católica lo desapruebe. Entre las fiestas destacan Jounen Kweyol (Día Criollo), Carnaval, La Rose, La Marguerite, y Market Feast (la fiesta del mercado). El festival de *jazz* de Santa Lucía atrae a artistas de todo el mundo para experimentar la mezcla de música de la isla con sus ritmos africanos y el *jazz*. Se dice que en Santa Lucía sólo hay dos semanas en todo el año en las que no se celebra una fiesta u otra. Los nombres de estas celebraciones demuestran el orgullo que sienten los habitantes por su isla y entre ellos cabe señalar Annou Tjuit Sent Lisi (concurso de jefes de cocina), Jounen Kweyol Etenasyonal (Día Criollo Internacional), Soleil Leve (Día Internacional de la Tierra) o La Rose Festival (festival floral).

De Santa Lucía proceden algunos músicos y dramaturgos excepcionales, entre los que se incluyen dos premios Nobel: Sir Arthur Lewis, el primer antillano en recibir el premio de economía, y Derek Walcott, el dramaturgo y poeta elogiado mundialmente, que ganó el Nobel de literatura de 1992. Llewellyn Xavier, un artista de esta isla de renombre internacional, posee su grandioso estudio en Cap Estate, que puede verse concertando visita con antelación.

La belleza natural de Santa Lucía incluye las Mary Islands, unas islas habitadas por la serpiente *kouwe*, la más pequeña del mundo, y las Frigate Islands, que emergen frente a la costa oriental de Santa Lucía y donde las fragatas y otros pájaros poco habituales anidan en verano.

Los Gros y Petit Pitons son los puntos de referencia de Santa Lucía. Estos dos majestuosos picos ascienden desde el agua hasta una altura que supera los 800 m.

El mercado de Castries

El mercado de Castries abre todos los días pero cobra vida especialmente los sábados por la mañana. Las mujeres, vestidas con prendas multicolores y a menudo envueltas con ropa de estilo africano, llegan a la ciudad desde poblaciones alejadas para vender diversos productos: cestería, cerámica y todo tipo de artesanía. Los sonidos del Kweyol, el dialecto local, se escuchan en cualquier puesto: *"Bon ju* –tararean las mujeres al pasar delante de ellas–, ¿no quiere nada? *...non? ...ni on bon ju"* (¿no? Bueno, que pase un buen día de todas formas). No hay presión para comprar, ni de los vendedores que están fuera del recinto, sentados bajo parasoles de todos los colores, ni de los que se hallan en el interior de la zona cubierta con filas y más filas de todo tipo de frutas, hortalizas, especias, hierbas medicinales y brebajes, utensilios de cocina y recipientes de arcilla de todos los tamaños.

Todos hablan y gesticulan como sólo saben hacerlo los isleños. Uno se entera de todos los cotilleos en un momento: forma parte de este mercado. No hay diferencias de condición social, color o religión, sólo gente y productos de todas las formas y tamaños entre los que destacan mangos, plátanos, piñas, naranjas, pomelos, guanábanas, pomarrosas, taros, ñames, boniatos, mandioca, chayotes, berenjenas, tomates, lechugas, pepinos, pimientos verdes y rojos, pimientos de bonete *(Capsicum annum)* y ramilletes de hierbas –las mezclas caribeñas de ramitas largas y espesas de cebollino, tomillo, albahaca, perejil y, con suerte, una hoja de laurel.

Las cocinas, situadas en un extremo del mercado, son puro bullicio. Desde el alba, las mujeres han estado pelando, cortando, charlando, cantando y cocinando. Los hombres sirven los platos de cocina casera a los comensales hambrientos e impacientes que están sentados en mesas estrechas cubiertas por hules brillantes. De vez en cuando, estos camareros interrumpen su apretado horario para echar un trago de ron y bromear con la mujer que pasea por su lado: "Chiquilla, ¡qué guapa te veo hoy!" o "¡me has roto el corazón!".

Agradables olores llenan el aire: guisos de pollo o vaca, pescado frito, empanadas de macarrones, guisantes y arroz, malangas y plátanos macho, y todo tipo de ensaladas. Sólo hay que ver esos cuencos de caldo de pescado o sopa de manos de vaca, llenos de *dumplings* (bolas de masa), devorados por unos hombres con esperanzas de grandes proezas sexuales (para risa y disgusto de las mujeres el resultado suele ser un sueño reparador).

Este mercado se celebra desde hace 100 años y, como en todos los mercados caribeños, sus tradiciones están arraigadas en el alma de la gente. Sus raíces provienen de los días de la esclavitud, cuando los señores, que no querían importar más alimentos para sus trabajadores, les proporcionaron terrenos para que se cultivaran su propia comida. Solían tener permiso para vender los excedentes en las cunetas de las carreteras o en los mercados. El domingo, único día libre, se convirtió en el día de mercado para los esclavos, que llegaban a pie o en *battoes* (canoas talladas por ellos mismos) con cestas de productos agrícolas y animales vivos.

En los días de mercado se ponían en el fuego ollas con una mezcla de alimentos para los que pasaban hambre. Un plato típico era el sancocho, un ejemplo delicioso del modo africano de cocer todo en una sola olla. Rica en leche de coco y cargada de guindillas rojas, su preparación y degustación iba acompañada de gran camaradería, cotilleos y risas.

En cualquier caso, el ingrediente más importante del mercado son los sonidos rítmicos y melodiosos del dialecto de los vendedores: "¡Ven aquí, hermosa! Tengo mangos jugosos, papayas maduras y melones, guayabas para hacer mermelada; y para el estómago de este caballero, malangas, quingomboes, tanias y ñames...¡Venga mujer, anímese!"

Una vendedora de ascendientes hindúes sonríe a todos los clientes del mercado. Su puesto resplandece con todo tipo de objetos domésticos, incluso remedios para los catarros más comunes. Cestas, cacharros de hierro, virutas de cacao, especias, escobas, morteros, cubos, cucharas de madera... Pida lo que desee; seguro que lo tiene.

Las tiendas ambulantes se encuentran bien cuidadas por sus dueños, los cuales no cesan de ordenar los productos agrícolas y asegurarse de que todo va bien. Ñames, taros, frutos del pan, pomarrosas, calabazas, berenjenas, coles y piñas, todos tienen su lugar particular.

Estas hojas de cocotero forman magníficas escobas para limpiar el exterior de las casas.

Sancocho tradicional

- 170 g de carne de vaca salada cortada en dados
- 1 cebolla cortada en dados
- 2 cebollas tiernas picadas finas
- 2 dientes de ajo picados finos
- aceite de coco para freír
- 375 g de pescado salado, cubierto con agua hirviendo y dejado en remojo una noche
- 375 g de plátanos verdes pelados y picados
- 1/2 cucharadita de pimienta negra
- 2 cucharadas de perejil triturado
- 3 pimientos para condimentar (o en su defecto 1/2 pimiento verde y 1/2 guindilla) despepitados y picados finos
- 3 hojas de hicaco (una variedad de tomillo de hoja ancha) o 2 ramitas de tomillo
- 1 boniato pelado y cortado en dados
- 1 patata pelada y cortada en dados
- 500 g de calabaza pelada sin pepitas y troceada
- 1 plátano macho maduro pelado y cortado en rodajas de unos 5 cm
- 6 quingomboes enteros
- 3 tomates grandes cada uno cortado en 6 trozos
- 750 ml de leche de coco
- 1 guindilla envuelta en estopilla

Saltee en aceite de coco la carne de vaca con las cebollas y el ajo. Cuando las cebollas y el ajo estén cocidos, agregue el pescado salado, los plátanos verdes y todas las especias. Remueva bien. Pele y corte en dados todas las hortalizas restantes. Añada las patatas y cueza durante 5 minutos. Incorpore la calabaza y siga cociendo 5 minutos más. Agruegue el plátano macho, el quingombó y el tomate, y no deje de remover. Vierta la leche de coco y agregue la guindilla. Tape el recipiente y cueza durante 20 minutos a fuego lento. Rectifique de sal si le parece necesario. Para 4 personas.

Las hierbas medicinales

Aunque en la mayor parte de las Antillas no faltan excelentes médicos e instalaciones sanitarias, el "herbolario" local *(bush doctor)* sigue ocupando un puesto preferente en la salud de la comunidad. Esta figura, hombre o mujer, siempre se halla rodeada de extraños arbustos, cortezas, cenizas plateadas y sales sin refinar. Frasquitos con brebajes, algunos de aspecto poco apetecible, aparecen junto a bolsas de plástico llenas de innumerables objetos extravagantes. Pero todo tiene una finalidad y el herbolario es el experto. Con sólo una mirada comunicará al paciente si, en su opinión, su cuerpo requiere una limpieza o si el sistema necesita una revisión.

El herbolario puede ser hombre o mujer, normalmente entrado en años, con unos ojos que poseen esa expresión de sabiduría que analizan al paciente con sólo una mirada.

Al herbolario le llegan pacientes con dolencias de lo más irrisorio: molestias como "un resfriado en el trasero", "fiebre de estómago" o "dolor de cintura" acompañados por mal de amores como el *tabanka* (el dolor provocado por la pérdida de la persona amada) o "llevar los cuernos" (la persona amada se entiende con otro).

La vertiente seria de las hierbas medicinales es de origen ancestral. Cuando los europeos pisaron suelo caribeño, los amerindios ya se curaban

1. Vicaria dominica
(Catharanthus roseus)
La infusión de sus hojas alivia la diarrea, la diabetes, la hipertensión, el dolor de muelas, el nerviosismo, los espasmos, la hemorragia nasal y bucal y el exceso de flujos menstruales.

2. Piñón de costa, madre de cacao
(Gliricida sepium)
Las hojas trituradas en un baño son ideales para infecciones dermatológicas.

3. Hierba de bruja
(Kalanchoe pinnata)
Las hojas calientes situadas en la zona afectada del cuerpo alivian las migrañas, las lombrices o el reumatismo. El jugo que se extrae al machacar sus hojas alivia las picaduras infectadas de mosquito y el pie de atleta.

4. Wedelia
(Wedelia trilobata)
Sus hojas trituradas, mezcladas con hojas de búcare espinoso *(Erythrina corallodendron* var. *bicolor)* y quina *(Exostenna sanctae-luciae)* y preparadas como infusión, eran empleadas por los indios caribes para retirar la placenta del útero tras el parto.

5. Hedionda, brusca hembra
(Kaf zpyant)
La infusión de sus hojas y una cucharadita de aceite de oliva facilita el vómito para así expulsar las flemas en pacientes asmáticos. De sus granos tostados se obtiene una especie de café excelente para la salud en general que, además, calma la artritis.

6. Culantro cimarrón, culantro de monte
(Eryngium foetidum)
La infusión realizada con hojas o raíces de esta planta sirve para mitigar problemas estomacales, curar resfriados y tos, y bajar la fiebre.

7. Coralita
(Antigonon leptopus)
La infusión de sus flores y hojas se recomienda para la tos y el dolor de garganta.

8. Yuca
(Yucca elephantipes)
La infusión de sus raíces se utiliza para aliviar dolencias nerviosas.

9. Cardo santo
(Argemone mexicana L.)
Se usa en infusiones para facilitar la micción. Su sabia cáustica elimina las verrugas. Contiene alcaloides con posibles propiedades narcóticas.

recurriendo a plantas autóctonas. Los esclavos africanos aportaron más conocimientos al respecto, transmitidos de generación en generación, y adaptaron su sabiduría médica a los elementos que encontraron en el Nuevo Mundo. Resulta difícil detallar las preparaciones tradicionales de los herbolarios debido al misterio que envuelve su elaboración (sólo se comunica la receta a los sucesores elegidos). Algunas magníficas obras de referencia proporcionan información sobre plantas tropicales y sus usos medicinales, pero las recetas específicas son difíciles de conseguir. Además, no sólo importa la receta; en ocasiones, factores externos como los enemigos, si se ha comido algo frío al sol, la posición mientras se duerme con relación a la luna, e incluso el momento del día en que uno nació, pueden tener serias influencias.

Las plantas del Caribe se emplean para preparar infusiones calientes y frías, baños, cataplasmas, masajes y prácticas religiosas como el fetichismo y el vudú. También se usan para encantamientos de buena suerte, para alejar a los malos espíritus o hechizos nocivos o incluso para proteger las embarcaciones que salen a alta mar.

Muchos isleños le aconsejarán, aún hoy, que lo mejor para gozar de buena salud, buena suerte o mantener alejados a los malos espíritus, el cansancio u otras dolencias es un baño con hierbas. Por ejemplo, si se coloca en una bañera una mezcla de cojitre, *caapi doux, caapi marron, bouton blanc,* filanto, té de México, *pois angol, kudjuruk* y lavanda y se sumerge en la preparación, protege de todos los problemas cotidianos. Ya sólo el hermoso nombre de algunos de los componentes (intraducibles) basta para curar. Y para los que estén familiarizados con los nombres científicos, *Aristolochia tribolata, Commelina elegans, Ipomoea tiliacea, Pes-caprae* y *Rubus rosifolius* le mantendrán a buen recaudo de cualquier espíritu maligno. Parece fácil pero tenga en cuenta que los baños deben tomarse en momentos concretos de maneras específicas como mirar al este, antes o después de la luna llena, el primer viernes tras el cuarto creciente o menguante, etc. Consulte a un herbolario especialista para encontrar el remedio personal.

10. Coleo, manto de la virgen
(Coleus blumeri)
Las hojas calientes, frotadas con aceite de coco y aplicadas como una cataplasma durante diez minutos tres veces al día, curan chichones y torceduras de tobillos y muñecas. También se emplean como cataplasma en la frente y las mejillas para aliviar los dolores de cabeza producidos por la sinusitis.

11. Molinillo
(Leonotis nepenthifolia)
La infusión de sus hojas se usa contra la fiebre o en baños para aliviar los calores. El jugo que se extrae de las hojas machacadas, mezcladas con una cucharada de sal, cura el estreñimiento.

12. Ricino
(Ricinus communis)
El aceite de ricino comercial, derivado de sus semillas tóxicas, constituye un buen purgativo. Las hojas calientes empleadas como compresas calman el dolor interno. Las hojas trituradas y colocadas en la cabeza alivian los dolores de cabeza y el nerviosismo.

13. Consuelda
(Symphytum officinale L.)
Las hojas se trituran y se aplican en la piel en casos de dermatitis. Además, se emplean en rones aromáticos para depurar la sangre.

14. Cinconegritos
(Lantana camara)
La infusión preparada con sus hojas aclara la orina de los diabéticos y calma los síntomas de fiebre amarilla.

15. Hierba de limón
(Cymbopogon citratus)
Una infusión con sus hojas reduce la fiebre y se usa en baños para tratar envenenamientos.

16. Jengibre malayo
(Costus speciosus)
Las hojas se preparan en infusión para calmar las flatulencias.

17. Hierba del papagayo
(Justicia secunda)
La infusión de las hojas evita un nuevo embarazo tras un parto; se emplea, además, para realizar lavados en los ojos con infecciones.

18. Pera espinosa, tuna de España, tuna mansa
(Opuntia tuna)
Los tallos se pelan y se hierven en agua del mar para cortar la menstruación y curar dolencias y úlceras. Las hojas se aplican en las heridas para acelerar su curación. Tanto las hojas como los tallos pueden hornearse, trocearse y usar como cataplasma para calmar inflamaciones y dolores de cabeza.

1. Tras recolectar los manojos, se transportan al lugar de empaquetado.

2. Se examina cada mano y se pega con orgullo el sello de "5 isles" (5 islas).

3. Las manos se empaquetan en cajas especiales y se conducen al puerto.

4. En el puerto de Castries se cargan los grandes "buques bananeros".

La industria bananera

Teófrates, en su viaje por la India con Alejandro Magno en el año 336 a.C., describió los plátanos como "miel producida por carrizos". La familia de los plátanos, llamada musáceas, incluye grandes plantas, en realidad hierbas gigantes, que oscilan entre 1 y 9 metros de altura. El tronco es un pseudotallo y está compuesto por capas de hojas concéntricas, superpuestas de forma muy apretada. El verdadero tallo está bajo tierra. Un pecíolo brota del centro del pseudotallo y da lugar a un racimo de flores que se hallan dentro de gráciles cálices, de color violeta y en forma de vaina. Cuando se abren, las flores presentan pétalos tubulares de color amarillo vivo. Los plátanos se desarrollarán al final del cáliz. El banano florece y da fruto una vez en su vida; después muere. Entonces un brote, llamado vástago, surge de la base del árbol y el tallo subterráneo saca la cabeza a la superficie.

Los plátanos comestibles del género *Musa* proceden de Malaisia. Se cree que hace unos 2.000 años, algunos exploradores trajeron plátanos desde el Pacífico por el océano Índico hasta África. Desde este continente y las islas Canarias, los europeos trajeron bananos a las Antillas, donde proliferaron con las altas temperaturas durante todo el año, las precipitaciones regulares y los suelos profundos y bien drenados.

En el Caribe se puede encontrar un banano en casi todos los jardines, incluso en las ciudades, lugares en los que no requiere muchas atenciones; en cambio, las producciones a gran escala para la exportación exigen un control riguroso: los fertilizantes artificiales se emplean para mantener los niveles de nutrientes, la poda y la escarda son básicas, y se debe fumigar las plantas con regularidad para protegerlas de las plagas. Cuando aparece el fruto, se colocan bolsas para proteger los plátanos de pájaros, roedores y otros agentes agresores. Además, aceleran su proceso de maduración. En numerosos casos se necesitan algunos materiales para evitar daños causados por el viento. La poda y la limpieza de los terrenos adyacentes desempeñan un papel importante en el crecimiento del árbol.

Los manojos de esta fruta listos para recolectar suelen estar llenos pero verdes. Un manojo medio contiene de 8 a 14 manos, las cuales se componen de 13 a 18 plátanos. Las bolsas protectoras que los cubren se levantan por encima del fruto; se corta el manojo entero por el tallo de forma que todavía cuelguen y entonces se recogen una a una las manos y se lavan a fondo en

Izquierda: una extensa plantación de bananos rodeada de montañas con sus instalaciones de almacenamiento casi cubiertas por el verdor exuberante de las plantas.

recipientes con fungicidas y agua para matar los posibles organismos. El primer plátano de cada lado de la mano se retira para dar más uniformidad a la hora del empaquetado –efectuado en el mismo lugar de cultivo–. Por último, los camiones rebosantes de plátanos transportan las cajas hasta el puerto, donde se pesan y se embarcan en las bodegas por medio de plataformas de carga.

Durante el viaje, los plátanos se conservan a una temperatura de 13,5ºC controlando cuidadosamente la ventilación. Deben llegar a su destino en 20 días. Después, se suelen depositar en contenedores y se llevan a almacenes para que maduren antes de ser distribuidos.

En el Caribe, Santa Lucía se ha convertido en el segundo exportador de plátanos. También se exportan de San Vicente, Granada, Trinidad, Dominica, Martinica y Guadalupe en el sur, y de Cuba, República Dominicana, Haití y Jamaica en el norte. Las islas caribeñas anglohablantes, miembros de la Commonwealth, se especializan en proveer a una pequeña parte del mercado mundial: el Reino Unido. La Geest Company compra la mayor parte de esta fruta y la lleva a Gran Bretaña para distribuirla. Los agricultores de Santa Lucía son propietarios de sus tierras y venden sus productos a Geest de forma directa. En otras islas, en cambio, continúa la tradición de que la Banana Grower's Association compre la fruta a los agricultores para luego venderla a los compradores extranjeros.

La exportación de plátanos es una de las principales fuentes de ingresos de las Antillas. En Santa Lucía, los beneficios por las exportaciones de este producto ocupan el segundo lugar tras el turismo. No obstante, las islas están notando la competencia de otros países que producen más barato, así como los siniestros nubarrones de los nuevos programas de la Unión Europea. Quizá, en el futuro, los plátanos no ocupen un lugar tan importante en las exportaciones caribeñas y queden relegados a cultivarse sólo para el consumo local.

En el pasado, los plátanos se denominaban "oro verde", pues constituían una mercancía cara y exótica. En nuestros días existen tantos países productores a gran escala, entre ellos algunos de Centroamérica y Sudamérica, que se han convertido en una fruta tan común como la manzana o la uva. Sólo en Alemania se consume la increíble cantidad de 18 kg de plátanos por persona y año.

Aparte de ser apreciados por su sabor aromático, los plátanos ocupan un lugar especial en las dietas por su bajo contenido en grasa, colesterol y sal. Se recomiendan sobre todo para pacientes obesos y ancianos, y para tratar la diarrea infantil y las úlceras pépticas en adultos. Son ricos en potasio, ácido ascórbico y vitamina B6.

En el Caribe, los plátanos se venden en casi todas las esquinas y es normal ver un manojo de plátanos colgando en el jardín para que madure o, al menos, una o dos manos de un vivo color amarillo en la cocina. Los manojos maduros se cuelgan boca abajo al llegar a casa o al mercado y pesan entre 26 y 46 kg.

Los plátanos más conocidos proceden de dos variedades básicas: el Gros Michel o Martinique y el Cavendish. Las mutaciones Enana o Semienana de la Cavendish son importantes, pues se pueden plantar en gran cantidad y son más resistentes a los daños producidos por los fuertes vientos. Existen diversas variedades de plátanos aparte de las dedicadas a la exportación, con nombres tan exóticos como Governor, Robusta, Valery, Sucrier (pronunciado "siquiyé"), Silk, Manicou Fig, Figue Rouge y Figue Cochon. Algunos son tan pequeños como un dedo meñique y otros tan gordos como toda la mano; pero todos resultan dulces, como la tierra en la que crecen.

El plátano posee tantas utilidades que podría considerarse la fruta típica de todas las islas. Se encuentra en las ensaladas de frutas, pasteles, panes, empanadas, flambeados, batidos, helados, bebidas dulces, cócteles y vinos. En las islas, el plátano verde ocupa un lugar importante en la alimentación local. Se puede cortar en pequeños trozos, freír, salar y comerlo como entrante. Asimismo, se puede preparar cocido como si fuera una verdura. Llamado "higo verde" en la mayoría de las islas, se puede cocer con piel, que luego se retira. Este higo puede partirse y servirse *po'nged* (triturado, por lo general a mano en un mortero), *soused* (preparado con lima) o caliente con mantequilla fundida y guindillas picadas finas.

Hoy en día, los innovadores de la nueva cocina caribeña emplean los plátanos verdes cocidos en distintos tipos de salsas frías y, a veces, los mezclan con frijoles, frijoles enanos y garbanzos. Las hojas de banano, que se hierven hasta que se ablandan y oscurecen, se usan en varias islas para envolver *conkies*, *pastelles* y otras exquisiteces locales.

En Trinidad, el pan tradicional del desayuno –*hops* recién cocidos, una especie de bollo con sal de corteza crujiente– siempre lleva un trozo de hoja de banano de unos 4 cm de longitud por 13 cm de anchura incrustada en la parte superior. Hoy no suele ser así, pero antaño la ausencia de esta hoja de banano en los *hops* significaba que no eran los genuinos. Resulta alentador que todavía existan panaderías, sobre todo en los pueblos, que no quieran elaborar este bollo delicioso de otra manera.

Plátanos que acaban de aparecer en el árbol.

Los habitantes de muchas islas siguen usando las hojas de banano secas para liar el tabaco cultivado en casa. Los rastafaris lo emplean para fumar "la marihuana espiritual". Como planta medicinal, sus hojas se machacan y el jugo obtenido se aplica sobre heridas que no sangren en exceso, y luego se vendan de forma que el vendaje quede ajustado para que se coagule la sangre.

En otras zonas del mundo, los plátanos se emplean para elaborar vinagre, puré de plátano, esencia de plátano, fécula de harina, piensos, cuerdas y recipientes de fibra. En algunas partes de África se usan para producir una cerveza con bajo contenido en alcohol. De hecho, en Uganda, la bebida típica (el *waragi*), que se exporta a Estados Unidos y otros lugares, se elabora en las destilerías a partir de cerveza de plátano. El mundo tiene que agradecer a aquellos primeros señores de los mares el hecho de haber extendido este magnífico cultivo por distintos países, pues hoy en día ocupa un lugar especial en los paladares de muchas personas.

1. Plátanos verdes con salsa de lima 2. Pastel de ron y plátano 3. Ensalada de plátano verde con frijoles

Plátanos verdes con salsa de lima

5 plátanos verdes hervidos con piel hasta que se ablanden (añada 1 cucharadita de vinagre al agua para evitar que la cazuela se ponga negra)
1 cebolla pequeña picada
2 pepinos pelados despepitados y picados
60 g de perejil picado
1/2 guindilla despepitada y picada
2 cucharadas de zumo de lima fresco

Pele y trocee los plátanos en mitades longitudinales. Colóquelos en una fuente y añada el resto de los ingredientes. Vierta el agua necesaria hasta cubrirlos y sale al gusto. Sirva como guarnición. Para 4 personas.

Ensalada de plátano verde con frijoles

1 diente de ajo pelado
1 cogollo de lechuga pequeño
3 tomates picados
2 cebollas cortadas en aros finos
1 zanahoria cortada en juliana
1 pimiento rojo cortado en rodajas finas
1 pimiento amarillo cortado en rodajas finas
1 pimiento verde cortado en rodajas finas
1 lata de frijoles escurridos y lavados en agua fría
6 plátanos verdes hervidos con piel hasta que se ablanden (añada 1 cucharadita de vinagre al agua para evitar que la cazuela se ponga negra)
10 aceitunas verdes
10 aceitunas negras
queso parmesano rallado

Frote con medio diente de ajo el cuenco de madera para la ensalada. Ralle el resto del ajo y deposítelo en el recipiente. Corte la lechuga y agréguela. Añada el tomate, una cebolla, la zanahoria, los pimientos y los frijoles. Coloque los plátanos por encima de la ensalada, agregue la segunda cebolla y las aceitunas, y espolvoree con queso parmesano rallado. Sirva con queso azul o aceite de oliva y vinagre. Se puede añadir un chorrito de ron para darle un sabor más caribeño. Para 4 personas.

Primer plano de unos plátanos de Santa Lucía. Según los isleños, no hay nada como el sabor dulce y exquisito de los plátanos cultivados en la tierra del Caribe.

El delicioso daiquiri de plátano es una bebida muy refrescante, ideal para comenzar el día.

Daiquiri de plátano

6 cl de ron blanco
1 cl de almíbar
1 chorrito de Cointreau
1 chorrito de licor de plátano
1 plátano entero maduro
1 chorrito de bíter aromático
de 6 a 8 cubitos de hielo

Mezcle todos los ingredientes en la batidora hasta que la preparación adquiera una textura uniforme. Viértala en un vaso de cóctel. Adorne con rodajas de plátano y una guinda. Para 1 daiquiri.

Pastel de ron y plátano

2 plátanos grandes muy maduros
4 cucharadas de nata agria
2 cucharadas de ron
3 huevos
90 g de azúcar granulado
250 g de harina
60 g de mantequilla fundida

Jarabe de ron

125 ml de agua
4 cucharaditas de zumo de lima
125 g de azúcar granulado
2 cucharadas de ron

Precaliente el horno a 200°C.
Para elaborar la masa, mezcle los plátanos, la nata agria y el ron. Bata los huevos y el azúcar durante 5 minutos. Añada la harina, la mantequilla y la mezcla de plátano. Vierta todo en un molde bien engrasado de unos 23 cm de diámetro y hornee entre 40 y 45 minutos (o hasta que el pastel esté listo).
Para preparar el jarabe de ron hierva el agua, el zumo de lima y el azúcar en una cazuela. Reduzca el fuego y rehogue durante 10 minutos. Remueva de vez en cuando para que se disuelva el azúcar. Retírelo del fuego y añada el ron sin dejar de remover. Cuando el pastel esté listo, deposítelo en un plato. Pínchelo con una broqueta y con la ayuda de una cuchara vierta el jarabe de ron.

Un día con la familia Louis

La familia Louis de Santa Lucía es excepcional. Charles y Una Louis viven en una casa que se alza sobre un terreno llamado La Couflarie, cerca de Canelle, rodeado de huertos, árboles frutales y caña de azúcar. Su principal fuente de ingresos es el vino, que elaboran con las frutas que recogen. Son padres de cuatro hijos a los que han educado según las antiguas tradiciones de la vida familiar del Caribe. Todos han abandonado ya sus casas para vivir sus propias vidas, menos el más joven que todavía va a la escuela y que responde al impresionante nombre de Gian Alastra Charleston Louis. La familia nuclear todavía abunda en el Caribe y los domingos se reservan para los encuentros familiares.

El domingo, como cualquier otro día, comienza yendo a buscar agua, pues por decisión de la familia no disponen de agua corriente. El gasto que supondría instalarla no les parece necesario y lo mismo sucede con la electricidad. Toda el agua que se emplea en las tareas del hogar y para beber procede de la lluvia y se recoge a través de un sistema de tuberías que la conducen a dos grandes depósitos de cemento situados delante de la casa. Las vasijas de arcilla se llenan por la mañana pronto y se colocan cerca de la cocina donde cada una tiene un uso distinto. La siguiente tarea del día es recoger trozos de madera seca y hacer un montón cerca de la zona de la cocina. Poco a poco se irán añadiendo al fuego que calienta la parrilla. Allí se encuentran tres cantos rodados *(twa woche)* que forman una capa permanente de brasas calientes. En esa parrilla es donde se prepara la mayor parte de las comidas.

4

1

2

3

En este domingo cualquiera de la familia Louis, Markie y su madre se protegen del fuerte sol con un parasol fabricado con una rama del árbol *guan fey* (grandes hojas). Un ejemplo de cómo en las Antillas todo parece tener su propia utilidad. Los tallos se emplean para fabricar esteras y la madera como leña y carbón vegetales. Además de hacer parasoles, Una usa las hojas para cubrir las ollas y Gian las convierte en velas para sus barcos de juguete.

Markie regresa a casa con una carretilla llena de caña cortada. La coloca en un molino para extraer el jugo, un invento de su padre por el que recibió el reconocimiento nacional. Después, enciende el fuego de leña bajo los dos enormes

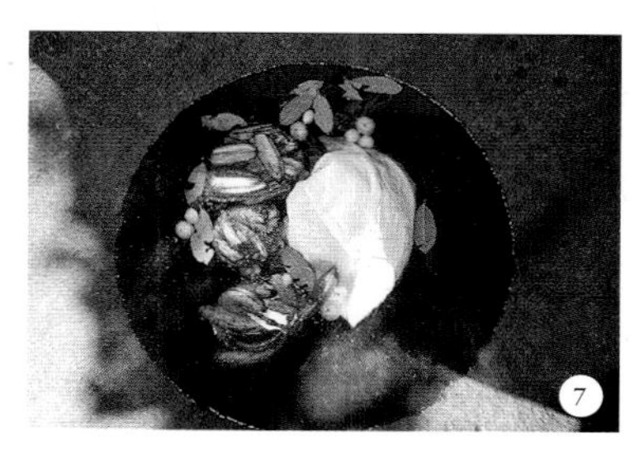

calderos de hierro donde se elabora el vino y va alimentando el fuego hasta que obtiene la temperatura deseada. Añade agua y plátanos maduros pelados atados con viejos sacos de azúcar y, mientras agrega el resto de los ingredientes, vigila que la olla no alcance una temperatura muy alta.

El desayuno de hoy es el tradicional pescado salado con pan. El ingrediente principal es, por supuesto, el pescado que Una compró hace varios días, y que limpió, saló y puso a curar. Amasa el pan hasta formar unos panecillos que coloca en la parrilla, sobre las brasas. En 20 minutos presentan un apetitoso color dorado y el pescado está listo para servir. La infusión de hoja de laurel en vasos de calabaza y jugo de caña fresco se colocan asimismo en la mesa.

Una, que lleva desde las cinco de la mañana realizando tareas domésticas, continúa alegre y charlatana. Empieza a explicar historias de su vida: un pariente blanco del que hablaba su madre, quizás un francés –el color negro claro de su piel lo prueba–, el noviazgo con su marido, el nacimiento de sus hijos, los problemas que supone la venta de vino casero... Simples anécdotas familiares con aportaciones esporádicas de uno de los hijos que se ven salpicadas por carcajadas y bromas, algo muy típico del Caribe. Mientras tanto Una no descansa: recoge hierbas aromáticas, malanga, tania y hojas de calabaza; corta una mano de "higos" verdes del banano; o arranca quingomboes o papayas verdes de sus respectivos árboles. Entre las hojas divisa una gran calabaza y la muestra con orgullo: toda una belleza cultivada con sus propias manos.

Las historias continúan durante toda la mañana siguiendo la tradición de la vida de la isla. La sabiduría ha pasado de generación en generación, historias de los antepasados sobre la esclavitud, el "descubrimiento" de las islas y los días de los amerindios. Se suelen contar en reuniones familiares o a la hora de acostarse, y cada uno añade un poco de broma, animación y gestos.

En Santa Lucía, las historias familiares se basan normalmente en animales como Compère Tigre (el señor Tigre), Compère Chien (el señor Perro) y Compère Lapin (el señor Conejo). Estos personajes pasan por aventuras fascinantes que se pueden aplicar a la vida diaria y en las que el bien triunfa sobre el mal usando el ingenio y el sentido común. Hoy Una no cuenta ninguna fábula, pero casi todas sus historias poseen, de todas formas, una moraleja que induce a sus hijos a pensar sin mostrar voluntad de meterse en sus vidas.

Markie empieza a cortar la carne con un alfanje muy afilado. Los trozos se lavan a fondo en agua y lima y se condimentan a conciencia para el plato del día: calalú de Santa Lucía. Se sirve como almuerzo acompañado de un arroz especial llamado *chattnee* y papaya verde gratinada. El pan de plátano se reserva para el té de la tarde.

El vino que Markie ha estado preparando ya está listo y se ha enfriado lo suficiente como para poder almacenarlo. Lleva un gran recipiente de plástico junto al caldero y lo va llenando despacio con el caldo. Lo cierra y lo lleva al almacén. Dentro de tres meses, colará el exceso de residuos precipitados y lo dejará reposar otros tres meses. Por último, lo embotellará, cerrará las botellas con corcho y cera, y volverá a dejarlo madurar. Markie tiene vino guardado desde 1982 de diversos tipos: pepino, mango, acedera y pomelo, pero para hoy ha seleccionado uno de plátano. Su sabor es más bien dulce sin llegar a ser excesivo, y sólo unos sorbos bastan para revelar su fuerza.

En muy poco tiempo, el almuerzo está preparado. Se sacan vasos multicolores para el jugo de caña fresco o los vinos. Los platos y los cuencos se llenan hasta arriba. La familia y los amigos se sientan bajo los árboles, en el suelo o donde se esté cómodo.

Después, con el calor de la tarde y los estómagos llenos, todos encuentran una hamaca entre dos árboles, una tumbona en la sombra, una cama o incluso una pared fresca. En cuestión de segundos reina el silencio, excepto el susurro ocasional del viento entre los árboles, el canto de un pájaro o el concierto de los grillos. Se trata de ese momento tan especial después del almuerzo en que todo está tranquilo.

Cuando el sol comienza a ponerse tras la montaña, es la hora de la infusión. Se saca el pan de plátano junto con recipientes con distintas infusiones de hierbas. También hay infusión de cacao para los chocolateros. La conversación de la familia se llena de consejos para la semana siguiente. Una empieza a ir de una habitación a otra y a guardar las sobras. Las naranjas y los pomelos del huerto se conservan en grandes bolsas de malla y las manos de plátanos maduros se almacenan con cuidado en cajas. Las botellas de vino se cierran con cera adicional y se envuelven en papel de periódico. Hay bastante bullicio de la casa al minibús, cuyo propietario mira sorprendido, ya que el vehículo se encuentra lleno por completo. Pero los domingos todo esto es normal para las familias de la isla y sabe que también él conseguirá algo para su mujer.

Tras muchos abrazos, besos, despedidas, advertencias e incluso lágrimas, la familia se separa durante una semana más.

1. Karen recoge el agua de lluvia.
2. Una enciende el fuego a la manera india.
3. Markie y Una dejan de trabajar.
4. Markie y Una extraen el jugo de caña.
5. Karen alimenta el fuego.
6. Markie añade los ingredientes para elaborar vino.
7. Los plátanos y otros ingredientes se llevan a ebullición.
8. Karen coloca el pan sobre las brasas.
9. Beber una infusión de hojas de laurel es una forma refrescante de empezar el día.
10. La cúrcuma se muele entre cantos rodados para preparar el *chattnee*.

Pescado salado

Limpie a fondo un pescado fresco. Practique un corte longitudinal en el vientre desde la cabeza hasta la cola. Machaque 1 guindilla despepitada, 1 hoja de laurel y 3 cucharadas de sal. Frote todo el interior y el exterior del pescado con esta mezcla. Deje el pescado al sol o sobre un fuego de leña para que se cure durante unos días.

Prepare una hoguera con leña bien seca y deje que se vaya consumiendo. Disponga el pescado en la capa de brasas. Déle la vuelta de vez en cuando hasta que esté asado. Retírelo. Lávelo con lima, hoja de laurel y agua hasta que se hayan eliminado todos los restos de las brasas y la sal. Caliente un poco de aceite en una sartén grande. Saltee dos dientes de ajo y dos cebollas picados. Añada, luego, los siguientes ingredientes:

3 pimientos para condimentar (o, en su defecto, 1/2 guindilla despepitada y 2 pimientos)
2 pimientos
1 guindilla despepitada
1 ramillete de hierbas aromáticas (cebollino, albahaca, perejil, tomillo y 1/2 hoja de laurel) picado
125 ml de vino de plátano (ron o vino)
125 ml de agua

Deje rehogar toda la preparación. Sirva en cuencos acompañado de un panecillo para desayunar. Para 4 personas.

Panecillos

1 kg de harina
2 cucharadas de levadura
1 cucharada de levadura en polvo
2 cucharadas de mantequilla reblandecida
1 cucharada de aceite de coco (o, en su defecto, aceite vegetal)
2 cucharadas de azúcar
1 cucharadita de sal

Mezcle todos los ingredientes en un recipiente grande. Pinche las pequeñas burbujas que se formen en la masa. Aplástela y ásela a la brasa. Sirva con mantequilla. Para 4 personas.

El desayuno a base de pescado salado se cuece sobre las brasas.

Calalú de Santa Lucía

500 g de carne de cordero
500 g de carne de pollo
500 g de carne de vaca
250 ml de vino blanco
250 ml de agua

Limpie y lave la carne con sal y lima. Córtela en trozos pequeños y sazónela con sal, pimienta, cebolla, ajo, cebollino, tomillo y perejil. Caliente 1 cucharada de aceite con otra de azúcar moreno en una cazuela honda. Cuando el azúcar comience a humear, añada la carne y dórela en el caramelo. Añada el vino blanco y el agua, tape la cazuela y deje que se cueza hasta que la carne se torne blanda. Reservar.

8 hojas de malanga
8 hojas de tania
8 hojas de calabaza
8 hojas de boniato
1 papaya verde
500 g de ñame
1,5 kg de calabaza
6 higos (o plátanos) verdes con piel
15 quingomboes cortados en trozos pequeños
250 ml de leche de coco

Trocee todas las hojas. Corte en dados la papaya y el ñame y sancóchelos. Cueza la calabaza de forma separada; luego séquela y tritúrela. Lleve a ebullición los higos verdes hasta que se ablanden. Retírelos del calor, deje que se enfríen y pélelos. Disponga todos los ingredientes en la cazuela junto con la carne. Añada la leche de coco (debe haber una cuarta parte de líquido en la cazuela). Tápela y cueza a fuego lento hasta que todos los ingredientes estén blandos. Remueva y agregue agua si lo considera necesario. El calalú no debe salir aguado sino que debe tener la consistencia de un guiso espeso. Sirva con *chattnee* y papaya verde gratinada. Para 6 personas.

Izquierda: el desayuno perfecto se compone de pescado salado, pan, ensalada e infusión de hojas de laurel servida en la tradicional calabaza.

Pan de plátano

6 plátanos muy maduros

750 g de harina

250 g de azúcar moreno

1 cucharada de bicarbonato de sosa

250 g de pasas

125 g de almendras partidas

125 g de mantequilla reblandecida

1 cucharadita de esencia de vainilla

1/2 cucharadita de nuez moscada fresca rallada

la ralladura de 1 lima fresca

1/2 cucharadita de jengibre fresco rallado

60 cl de vino de plátano (o, en su defecto, ron, brandy o vino)

Triture los plátanos. Añada el resto de los ingredientes y bátalos (puede utilizar la batidora). Precaliente el horno a 150ºC. Coloque la preparación en dos bandejas espolvoreadas con harina y hornee durante 30 minutos o hasta que el cuchillo salga limpio al pinchar la masa. El pan de plátano se cocina tradicionalmente en fuego de leña, en un recipiente esmaltado y engrasado dentro de una cazuela grande tapada.

Papaya verde gratinada

1 papaya verde entera

1 cucharada de aceite

1 cebolla picada fina

1 diente de ajo picado fino

pimentón, pimienta negra y sal al gusto

1 cucharada de harina

1 cucharada de mantequilla para cocinar

Pele la papaya. Retire las pepitas y rállela. En una sartén saltee la cebolla y el ajo con aceite. Añada el pimentón, la pimienta negra y la sal al gusto. Cuando se ablande todo, agregue la papaya rallada, la harina y la mantequilla. Cueza al vapor a fuego muy lento. Coloque la preparación en una fuente untada de mantequilla (espolvoree con pan rallado si lo desea) y hornéela hasta que se dore. Para 2 personas.

Cómo preparar el aceite de coco:

Se enciende el fuego para luego preparar la comida.

Se raspa el coco y, una vez mezclado con agua hirviendo, se pasa por la estopilla para extraer la leche.

Llegados al punto de ebullición, la leche y el aceite empezarán a separarse.

La capa de nata que se forma se retira seguidamente. El resultado es el aceite de coco que puede usarse para freír.

Chattnee

Lleve a ebullición una cazuela con arroz. Mezcle con la batidora (o a mano en un mortero) 1 cúrcuma fresca rallada, 4 ó 5 trozos de cebollino, orégano francés (o 1 ramita de tomillo), 3 guindillas despepitadas y 2 pimientos para condimentar. Cuando el arroz esté cocido y muy caliente, agréguelo al resto de los ingredientes. Remueva tan rápido como pueda y sirva de inmediato.

La familia Louis posa para el fotógrafo. Su reunión dominical vuelve a ser todo un éxito, al igual que la deliciosa comida que aparece en la mesa.

Los mangos pueden alcanzar los 18 m de altura y son muy apreciados por su abundante sombra y su fruta exquisita.

Mango

(Mangifera indica)

El mango, árbol de hoja perenne, de 15 a 18 m de altura, cuya existencia se remonta a unos 4.000 años, es muy apreciado por su abundante sombra y sus frutos deliciosos. La floración se produce en la estación seca y las frutas están maduras en la estación húmeda. Los portugueses llevaron este árbol al Caribe hace más de 300 años y sus frutos no cesan de evolucionar, pues cada semilla de mango transporta el género de más de una variedad. Esta fruta se ha extendido de tal manera que hoy en día coexisten en las islas cientos de variedades.

Sólo en Santa Lucía existen 100 tipos identificados y otros tantos carecen de nombre. La variedad Pa Louis es el mango "nacional", pues se inventó en esta isla. El mango Imperial, que se introdujo en Santa Lucía en 1907, es un monstruo que puede alimentar fácilmente a dos personas. Uno de los más apreciados del Caribe es el Julie, que alcanza los precios más altos del mercado y cuyos árboles se protegen con la vida.

El pasatiempo favorito durante la estación del mango es el tiro al mango. Este juego requiere capacidad para robar y destreza y sus reglas son: 1.° Nunca te comas un mango de tu propio árbol, el del vecino siempre es mejor, y 2.° nunca elijas un vecino que permita coger mangos de su árbol. Por supuesto, hay que saber trepar por muros y vallas, esquivar a los perros con malas pulgas, tirar piedras unos 5 metros en el aire para romper el tallo de 2,5 centímetros y que el fruto caiga directamente a las manos, y salir sin que se percate el dueño. Y todo en cuestión de minutos. La *lime* o reunión de los participantes tras el juego provoca acaloradas discusiones sobre las preferencias de cada uno por la variedad, la maduración, formas de comerlo y, por supuesto, la explicación de anécdotas en sus intentos de coger los mangos. Todos hablan mientras engullen la pulpa de esta fruta.

Aunque para muchos el mango es el rey de la fruta, se ha descrito en relatos históricos como "una pelota de estopa mojada en trementina y melaza que debe comerse en la bañera". En las Antillas no encontrará un isleño que esté de acuerdo con la primera parte de la frase, pues el mango es una fruta adorada y tan común como la manzana en Norteamérica o Europa. Las madres, en cambio, sí darían la razón a la segunda parte.

Los mangos se suelen comer maduros y crudos como postre. En el desayuno, un trozo de esta fruta, extraído de uno de los dos lados del hueso, se corta en dados con piel y se come con una cuchara. Cuando se venden por la calle, se arranca con los dientes la parte superior y se estrujan hasta la saciedad para ablandar la pulpa, que se succiona sin que uno se manche demasiado. En Cuba,

Los isleños tienen sus preferencias sobre la variedad de mango que más les gusta. Este vendedor muestra el producto de una forma singular.

la pulpa se transforma en polvo y se mezcla con leche: el resultado es una bebida muy refrescante. En Margarita, el zumo de mango se mezcla con mucho hielo y se vende por las calles. En casi todas las islas se produce mermelada y diversos ingredientes de mango. Los chinos del Caribe preparan "mango con pimienta", una elaboración de un color rojo vivo, que a los niños les encanta. En las islas con descendientes de hindúes, el mango se sirve cortado, secado al sol y condimentado con una salsa de cúrcuma y pimienta, y se denomina *amchar*. También se prepara al curry y se utiliza para elaborar *chutneys* y adobos. En cualquier caso, no hay nada mejor que sentarse en la rama de un mango mojando los dedos pegajosos en un cuenco de *mango chow* (mango verde en vinagre, ajo, salsa Perrin's, sal y guindillas rojas al gusto).

Los expertos notan si un mango está listo para ser recolectado. Mango troceado para desayunar. Este niño sí sabe succionar un mango.

Chutney de mango

25 mangos verdes grandes y pelados
500 g de pasas de Corinto lavadas y secas
125 g de dátiles sin hueso
125 g de jengibre fresco
1/4 de diente de ajo
3 guindillas rojas
3 botellas de vinagre
250 g de pasas
125 g de sal
2,5 kg de azúcar

Triture y mezcle las frutas con el jengibre, el ajo, las guindillas y media botella de vinagre. Deje reposar 24 horas. Mezcle todos los ingredientes y cuézalos entre 2 horas o 2 horas y media a fuego lento. Remueva cada media hora para evitar que se pegue. Vierta el *chutney* en recipientes con cierre hermético y úselo cuando lo necesite.

Helado de mango

8 huevos con las claras y las yemas separadas
250 g de azúcar extrafino
250 ml de nata para montar
500 g de pulpa de mango fresco maduro
1/2 cucharadita de zumo de lima

Bata las claras a punto de nieve. Añada el azúcar extrafino y siga batiendo hasta que tenga un aspecto esponjoso. En otro cuenco, monte la nata. Bata las yemas y mézclelas con las claras. Agregue la nata y los zumos de mango y lima. Vierta la mezcla en un recipiente para helados y guárdela en el congelador. Retírelas al cabo de 2 horas. Mezcle con una batidora o a mano. Vierta en el recipiente del helado y congele.

Quizá el *chutney* se inventó en la India pero en el Caribe se ha perfeccionado.

Adobo de mango

1 mango verde grande
1 cebolla
1 diente de ajo pequeño
el zumo de una lima
1/4 cucharadita de sal
1 cucharadita de vinagre de sidra
unas gotas de salsa de guindilla
1 cucharada de aceite de oliva
1 trozo de culantro de monte (o una cucharadita de cilantro fresco) picado fino

Pele el mango y rállelo junto con la cebolla y el ajo. Añada el resto de los ingredientes. Deje reposar durante dos horas. El adobo de mango constituye una excelente guarnición para currys pero puede combinarse con otras comidas.

Cómo comer un mango al estilo caribeño

Escoja un trozo de cemento plano y quítele el polvo. Triture el mango en el cemento dándole la vuelta despacio para obtener una misma consistencia. De un mordisco arranque la punta del mango y succione todo el zumo de su interior. Límpiese la boca en el hombro de la camisa y vaya en busca de otro jugoso mango.

El chef Harry

Una visita a Santa Lucía sin pasar por The Green Parrot Restaurant y conocer a su propietario el chef Harry es como ir a Londres y no molestarse en visitar el palacio de Buckingham y ver a la reina. Él mismo se lo confirmará: "Santa Lucía posee tres cosas que la convierten en la mejor isla del Caribe: los Pitons, el volcán de Soufrière y, por supuesto, yo, el chef Harry."

Edward Harry viajó de Santa Lucía a Inglaterra, se estableció en Londres y tuvo la suerte de encontrar trabajo en Claridges, donde estuvo de aprendiz y trabajó durante unos diez años. Con el tiempo, se compró una casa y la vida parecía ir viento en popa hasta su vuelta a Santa Lucía de vacaciones ocho años después. La economía de la isla empezaba a expandirse y el turismo comenzaba a producir ingresos con visitantes procedentes de todo el mundo. Harry, que vio la oportunidad, se embarcó en la difícil empresa –sobre todo para un negro– de conseguir un préstamo de un banco local y abrir un restaurante. Después de moverse mucho y tras largas negociaciones, utilizando su casa de Inglaterra como garantía y unas nóminas falsas que le envió un amigo del extranjero (una historia que cuenta con un destello de travesura en los ojos), logró conseguir la financiación de su proyecto. Desoyendo los consejos de su familia y sus amigos, compró un restaurante que en el pasado había cambiado de manos demasiadas veces. "Ese lugar, el Green Parrot, arruina a todos, Harry" era lo que le advertían.

Harry lo tenía claro. "No es el nombre sino el carácter del propietario lo que importa, y aquí está ¡el chef Harry!" Y, desde luego, es verdaderamente todo un carácter. Este hombre, regordete, de escasa estatura, con la energía de un ejército, vaso de vino siempre en mano y pulsera de oro en la muñeca, rezuma gran cordialidad al recibir a todos los clientes. Verlo en la cocina es todo un placer. Se encuentra como en casa, dando órdenes a sus ayudantes con una voz fuerte y convincente. Sus órdenes sólo se ven interrumpidas por las cacajadas tras un chiste o un comentario *pikong* (picante), casi siempre explicados por él mismo, mientras prepara un plato tras otro, todos de su creación particular, con nombres que hacen que algunos clientes se sonrojen y otros se rían tras la servilleta.

Harry no tiene ningún inconveniente en explicar el significado de estos nombres un tanto atrevidos. "Por ejemplo, he creado una sopa, la sopa Jookfoyer; de hecho, se trata de dos sopas que se mezclan de la misma forma que un hombre y una mujer cuando hacen el amor. Otro ejemplo es el *stuffed pussy* (conejito relleno)... No creo que requiera explicación alguna." El chef Harry espera una reacción antes de mostrar su regocijo y estallar en esa risa suya tan vigorosa y especial.

En 15 años, Harry ha transformado el Green Parrot: de un pequeño restaurante ha pasado a ser un gran complejo formado por un bar, una zona de diversión (donde sigue cantando y actuando) y un hotel con una de las mejores vistas panorámicas sobre Castries. Su vida personal, seguramente el único tema del que habla con humildad, rebosa de la satisfacción de ayudar a los niños de los hogares subdesarrollados de Santa Lucía. Paga su educación y enseña, por ejemplo, el imperioso deseo de triunfar sin que importen los retos. Tienen suerte: no existe mejor modelo. El chef Harry es, en verdad, una persona muy especial y, sin duda, toda una institución en Santa Lucía.

Sopa Jookfoyer (especialidad del chef Harry)

500 g de hojas de calalú
500 g de calabaza
250 g de quingombó
250 g de espinacas
1,25 l de caldo de carne de vaca
60 g de mantequilla
1 cebolla grande dorada en aceite
2 cucharadas de harina
1 cucharadita de pimienta blanca
2 chorritos de salsa Perrin's

Cueza el calalú, la calabaza, el quingombó y las espinacas en el caldo de carne de vaca. Añada la mantequilla y la cebolla. Sin dejar de remover agregue la harina. Seguidamente, incorpore la pimienta, la salsa Perrin's y sale al gusto. Sirva con un poco de nata.

El chef Harry, como siempre charlatán, muestra orgulloso su preparación.

El chef Harry, en todo su esplendor y con un retrato suyo de fondo, desea a sus clientes una gran noche en su restaurante.

Gibier roti avec sauce pitcan nigeritta (especialidad del chef Harry)

1 gallina de caza lavada y cortada en cuartos
sal
2 dientes de ajo triturados
vinagre
4 cucharadas de aceite vegetal
1 cebolla picada fina
1 pimiento picado fino
2 ó 3 pimientos para condimentar picados finos
1 tallo de apio picado fino
1 ramita de tomillo picada fina
1 ramita de cebollino picada fina
1 zanahoria rallada
1 tomate
1 cucharadita de salsa de guindilla
perejil

Condimente la gallina con sal, ajo y vinagre. A continuación, ásela a las brasa hasta que esté bien cocida. Saltee las hortalizas y las hierbas en aceite. Reduzca el fuego y rehogue durante tres minutos. Añada la salsa de guindilla. Disponga la mezcla sobre la gallina y condimente con perejil. Para 1 ó 2 personas.

Conejito relleno (especialidad del chef Harry)

125 g de bacalao
1 cebolla picada
1 pimiento despepitado y picado
1 tallo de apio picado
perejil machacado
60 ml de aceite de maíz
1/2 aguacate
125 g de fariña (harina de mandioca)
mayonesa con concentrado de tomate y pepinillos

Deje en remojo el bacalao durante 2 ó 3 horas. Escúrralo y cuézalo en agua. Vuélvalo a escurrir y lave el bacalao con agua fría. Extraiga las espinas y desmigue la carne. Guísela con las hortalizas cortadas y el aceite e introdúzcala en el medio aguacate. Espolvoree con harina y sirva con la mayonesa. Para 1 persona.

Con tanta simplicidad como la noche sigue al día, el *chef* chamusca esta gallina de caza en el fuego. El resultado es *gibier roti.*

Gros Islet: noche del viernes en Santa Lucía

La primera vez que se entra en Gros Islet un viernes por la noche, el dulce aroma de la comida y el sonido de la música se entremezclan y parecen envolver el cálido ambiente nocturno. Los isleños de todas las edades, algunos cogidos de las manos, y vestidos como para dejar boquiabierto a cualquiera, con peinados de todos los estilos caribeños, y embargados por la sorpresa que puede deparar la noche, vagan de calle en calle. La mejor hora para llegar a Dauphin Street, la arteria principal de esta zona, es sobre las diez y media de la noche. A esa hora, el restaurante de la señora Jariah, The Golden Apple, empieza a llenarse y sus cervezas Pitons ya están listas para servirlas muy frías. En el cruce situado justo encima del lugar, unos altavoces colosales emiten un ritmo machacón, mientras algunos isleños pululan en grupo, tomando el pulso al ambiente y esperando a que empiece la noche. Enfrente, los bebedores ya han comenzado a invadir las mesas de The Village Gate.

Las célebres albóndigas de pescado de la señora Hector suelen ser las primeras en desaparecer de su puesto. La salsa picante que acompaña a las broquetas hace la boca agua a cualquiera.

Conforme se acerca la medianoche, todos empiezan a competir por el lugar que disponga de la mejor vista. No hay ningún "tío bueno" que quiera perderse a esa chica guapa que desea bailar y "animarse". Y no crea que las mujeres no piensan lo mismo. La parte más importante de Gros Islet es la oportunidad de bailar de forma desenfadada, pero tan cerca unos de otros que los cuerpos sean difíciles de distinguir y cueste respirar, o con las manos en el aire, dando vueltas, bajando y subiendo, retorciéndose o saltando en loco frenesí.

La plaza que forma el cruce donde están los altavoces se convierte en una enorme pista de baile en cuestión de minutos, extendiéndose por los lados de las calles adyacentes. Calipso, *reggae*, *dub*, baile de salón y, de vez en cuando "lentos" suenan gracias a la maestría del pinchadiscos. La intensidad de la diversión se encuentra en sus manos y sabe que un pinchadiscos que no consigue poner en movimiento a la multitud un viernes por la noche en Gros Islet debe replantearse su trabajo.

Mientras tanto, por la calle principal y las avenidas laterales, las parrillas preparadas sobre las brasas rebosan de pollo, pescado o carne de vaca bañados con salsas muy fuertes preparadas con pimientos, zumo de lima, aceite y especias secretas. En cuanto están bien asados, llegan a las manos de los hambrientos juerguistas. Todos tienen su vendedor preferido. El pequeño puesto de la señora Hector siempre está lleno de clientes. Su especialidad son las albóndigas de pescado: trozos de cobo marinados de una forma especial, ensartados en una broqueta y asados a la parrilla.

Hacia las dos de la mañana, Gros Islet es un frenesí de cuerpos bailando de modo salvaje. Los contoneos alcanzan proporciones imposibles. Los traseros parecen dar giros de 360º siguiendo el ritmo. Los turistas hacen lo imposible para sentir el ritmo; aunque están a gusto, no dejan de sentirse atrapados en la "jungla", y con el calor en la cabeza sin que nada les importe, siguen a la masa lo mejor que pueden. A estas horas, todos luchan entre sí para comprar una bebida. Los perros callejeros aparecen para comer los sabrosos restos que han caído al suelo, imperturbables por las multitudes y la confusión. Las gallinas de los patios se pavonean entre las piernas de la gente, cloqueando y picoteando, como si tuvieran su propia fiesta. Los niños, que al principio participan de la juerga, ya duermen en los brazos de sus madres, sentadas en los extremos de las escaleras o en los portales. Incluso la policía parece pasarlo bien. La multitud sólo quiere disfrutar de cada minuto hasta que la luz del alba empiece a despuntar y señale el final de otra noche de viernes en Gros Islet.

Las brasas están calientes y el aroma de las parrilladas llena el ambiente. Y es que vuelve a ser viernes por la noche en Gros Islet y los clientes tienen hambre.

Alas de pollo con salsa barbacoa

30 alas de pollo

1 cebolla picada fina

1 ramita de cebollino

1 diente de ajo fresco rallado

1/4 de guindilla roja despepitada y picada

salsa Perrin's

1 cucharada de aceite vegetal

Coloque las alas de pollo en un cuenco. Mezcle todos los ingredientes y deje reposar durante una hora.

Salsa barbacoa

1 cebolla rallada

2 dientes de ajo rallados

1 trozo de jengibre fresco rallado

1 botella de ketchup (o una lata de salsa de tomate)

60 ml de zumo de lima fresco

2 cucharadas de aceite de oliva

1 cucharada de salsa Perrin's

1 cucharadita de salsa de tamarindo

1 cucharadita de mostaza

1/4 de guindilla roja despepitada y picada fina

60 ml de ron brandy o vino

sal al gusto

Mezcle todos los ingredientes en la batidora hasta que presenten una textura uniforme. Disponga la mezcla en una cazuela y hiérvala. Retírela del fuego y deje enfriar. Ponga las alas de pollo en la barbacoa y báñelas con abundante salsa. Dé la vuelta a las alas y añádales más salsa hasta que estén cocidas del todo. Para resultados rápidos, las alas se pueden sancochar antes de condimentar. Esta receta también se puede preparar en el horno. Coloque las alas de pollo condimentadas en una bandeja de horno.
Vierta salsa barbacoa por encima y hornee durante 30 minutos a 190°C.

Los manantiales sulfúricos y el volcán Soufrière

Soufrière posee el único volcán del mundo al que se puede llegar en coche. El cráter, de unos 30.000 m², se formó hace 40.000 años cuando las últimas grandes explosiones de energía de las entrañas de la tierra volaron toda la parte superior de la montaña, que cayó al mar. Se trata de un volcán inactivo, con aspecto casi lunar, que presenta unos 24 cráteres de barro burbujeante a 170ºC de los que emana vapor sulfúrico ardiendo. Una corriente de agua se abre paso entre las rocas y desciende por el cráter enfriándose cuanto más abajo está.

Los isleños recogen este barro que se halla entre los manantiales y lo amasan para fabricar jabones terapéuticos. Dicen que alivian los dolores y la piel afectada por psoriasis. Los curanderos utilizan el azufre en polvo y lo mezclan con vaselina para tratar problemas dermatológicos.

Aunque el aire está impregnado de un olor repugnante a azufre, unos 80 valientes habitantes de la población se ganan la vida cultivando zonas del cráter cubiertas de exuberante vegetación.

En las cercanías se encuentra la famosa propiedad de Soufrière Estate. Forma parte de las 800 hectáreas que en 1713 el rey Luis XIV concedió a los tres hermanos Devaux en reconocimiento por sus servicios a la Corona y a Francia. Junto con otras 100 propiedades en las que se cultivaba azúcar y café, fundaron la ciudad costera de Soufrière, la primera población francesa de la isla. Soufrière era conocida como "la panera de Santa Lucía".

Esta ciudad también es famosa por haber visto nacer a Marie-Josephe-Rose de Tascher de la Pagerie, más conocida como la emperatriz Josefina, mujer de Napoleón Bonaparte. La casa donde vivió

siendo ya adulta se llamaba Morne Paix Bouche, ubicada en la parte septentrional de Santa Lucía, pero pasó gran parte de su niñez en la propiedad de su padre, llamada Mal Maison, en las afueras de la ciudad. De niña, jugaba con los niños de Soufrière y se bañaba en los manantiales de agua mineral de la propiedad, por la que fluye un río muy hermoso.

En 1765, se construyó en la propiedad Soufrière Estate un molino y una fábrica azucareros que funcionaban con energía animal. De Inglaterra se importó una noria impresionante para triturar el azúcar de caña y destilar el aceite de lima. En sus últimos años de funcionamiento, incluso produjo por primera vez electricidad para la ciudad por medios hidráulicos. En 1780, la propiedad sufrió los daños de un devastador huracán y en 1789, los estragos de la sangrienta Revolución Francesa. El Consejo Revolucionario de París ordenó que Soufrière pasara a llamarse La Convention, y se levantó una guillotina en la plaza mayor. Muchos plantadores monárquicos fueron guillotinados; otros lograron huir a las montañas. Cuando los esclavos fueron liberados por orden de París, muchos se unieron a los desertores del ejército francés. Durante tres años, se produjeron enfrentamientos constantes con las autoridades que causaron estragos en la isla y las propiedades.

En la actualidad, Soufrière Estate es un tesoro natural que ha vuelto, a través del matrimonio, a la familia Devaux. La magnífica cascada de Diamond Waterfall, que cae sobre lo que parecen rocas con incrustaciones de oro y esmeraldas (un truco de la naturaleza combinando azufre y otros minerales), fluye después por las termas terapéuticas de Diamond Mineral Baths. Éstas son obra del barón De Laborie, que ordenó construirlas en 1784 con fondos que le mandó el rey Luis XVI para que sus tropas aprovecharan las propiedades medicinales de los manantiales naturales. Hoy se han restaurado y continúa su uso para fines medicinales.

El volcán Soufrière, al que se puede acceder con coche, es de visita obligada. El olor a azufre procedente de los cráteres de barro humeante domina el ambiente.

El estruendo del cañonazo señala la llegada de la Navidad.

Estruendos de bambú: las tradiciones navideñas de Santa Lucía

En el mes de noviembre, los cañonazos de bambú empiezan a retumbar por toda la isla. Los sonidos de las explosiones de estos cañones en miniatura resuenan en el silencio de la noche anunciando la llegada de la Navidad. Hacerlos explotar no es cosa de cualquiera, sino que exige jóvenes con experiencia para que la operación salga con éxito.

Los aprendices y ayudantes recogen el bambú. No es una tarea difícil porque esta planta arbustiva y resistente abunda por toda Santa Lucía. Los expertos, mientras tanto, buscan el tallo perfecto. El bambú se corta en trozos de 1 a 3 m; en los extremos se realiza un corte limpio y las juntas a lo largo del tallo, excepto la última, se rellenan. En ésta junta se abre un orificio cuadrado de unos 2,5 cm^2. El extremo delantero del bambú se coloca en un montículo de rocas. Con meticulosidad, se escoge un palo que haga las veces de mecha, uno que no arda muy deprisa. Se emplea una antorcha para prender la mecha con una botella de queroseno y un trozo de tela atado al cuello de la botella. El queroseno se vierte por el orificio del final del tallo de bambú. Se enciende la mecha y se tira de inmediato por el agujero del bambú, bajo el cual se almacena el queroseno. Se produce la explosión que provoca un resplandor deslumbrante de fuego en el extremo superior del cañón y un estruendo que se oye a kilómetros de distancia, seguidos por una nube de humo llena de queroseno.

Los niños asocian rápidamente este sonido con la llegada de la Navidad. Conforme se acercan estas fiestas, las casas de Santa Lucía se llenan de actividad. Menos mal que las "brisas navideñas" cruzan el Atlántico y hacen que la temperatura descienda a niveles más acordes con las fechas. Todos se preparan para esta época del año. Las fiestas de Navidad se celebran noche tras noche, y restaurantes, bares, tiendas de ron y vendedores callejeros hacen su agosto. El interior y el exterior de los comercios se decora con adornos navideños que, a su vez, se venden en grandes cantidades. En algunas islas incluso se venden árboles de Navidad verdaderos procedentes de tierras lejanas, pero en las islas que no tienen esa oportunidad, la compra de un árbol de plástico o de algún objeto artístico para decorar una rama de guayaba u otro elemento vegetal del jardín resulta igual de digna.

La publicidad en televisión y radio, que incluye los numerosos concursos navideños que ofrecen los comercios, alcanza cotas frenéticas. Todo tipo de artículos del hogar parece salir de las tiendas de muebles, la mayoría alquilados, en una procesión interminable. De camino a casa, las telas de colores vivos se venden como rosquillas: se cortarán, se coserán y se colgarán con orgullo. Y es que las cortinas nuevas son un elemento obligado en Navidad, así como los nuevos vestidos para ir a la iglesia. La pintura también va que vuela. En Navidad, no encontrará ningún isleño que deje la casa sin pintar. Las mujeres van de tienda en tienda buscando lo que más puede impresionar, mientras que sus maridos se lamentan de que sus carteras vayan a quedarse vacías. En casa se elabora y se embotella la cerveza de jengibre y la acedera. Los pasteles y los *puddings* de Navidad, cuyos ingredientes se han dejado en remojo con ron, jerez y brandy durante meses, se preparan con orgullo.

Aunque muchas tradiciones se están perdiendo en las zonas urbanas, las poblaciones rurales aún celebran estas fiestas a la antigua usanza, como por ejemplo, la antigua costumbre de dar serenatas. Los grupos, dirigidos por un hombre que toca el banjo y que incluye gente con *shak-shaks* y expertos en "botellas y cucharas", van de casa en casa por las noches cantando villancicos criollos desde mediados de diciembre. Esta tradición culmina el día de Nochebuena con el *abwe*, cantos sencillos sin acompañamiento. Casi todas las islas poseen su propia cultura musical navideña. En Trinidad, por ejemplo, las serenatas producen mucho jaleo y por toda la isla se organizan concursos para encontrar el mejor grupo "Parang".

Cuando en cualquier isla del Caribe empieza la época de las serenatas y su recorrido nocturno, las mujeres ya han limpiado a fondo las casas, y da gloria ver las cortinas y mosquiteras lavadas. Los hombres, entretanto, descansan orgullosos de sus proezas con martillos, clavos y pintura, que han logrado embellecer el exterior. En los jardines destacan la flor de Pascua, de un rojo vivo, y la hermosa leche vana.

Las cocinas de toda Santa Lucía, y también de otras islas, se llenan de frutas y hortalizas para la comida de Navidad, entre las que están el ñame morado, los gandules, las malangas, las tanias, los plátanos macho y un tipo de ñame de Navidad llamado *banja*. La morcilla *(black pudding)*, un embutido delicioso elaborado con sangre animal, especias y guindillas, también se prepara para la ocasión. En los pueblos se sacrifica un cochinillo, un cerdo lechal, un cabrito o un cordero el día de Nochebuena, y su carne se prepara sobre las brasas. Las sobras se ponen en salmuera y se almacenan en recipientes de barro llamados *kanwani* para comerlas en enero o febrero, cuando las familias empiezan a notar los efectos de los gastos de Navidad. En las casas que pueden permitírselo, rellenan el pavo, lo doran en el horno y se añade a la mesa, ya repleta de otros platos tradicionales. La misma mesa se halla decorada con todos los adornos imaginables propios de la celebración.

San Vicente y las Granadinas

Hughes. Así se inició la Segunda Guerra del Caribe. Los seguidores del jefe Chatoyer lo consideraban invencible, y su caída fue consecuencia, justamente, de esa arrogancia. Desafió a un mayor británico, magnífico espadachín, a batirse en duelo, y en él murió. Tras su muerte, la insurrección perdió fuerza. En 1797, unos 5.000 caribes "problemáticos" se rindieron a los ingleses y fueron deportados de inmediato a otras islas para que no causaran más problemas en San Vicente.

Los que lograron quedarse huyeron a Trinidad justo antes de la erupción volcánica de 1812. Hacia 1838, los portugueses se establecieron en la isla y se apropiaron de la mayoría de los negocios. En 1861, llevaron hindúes para sustituir a los esclavos africanos que habían sido liberados. Otros inmigrantes eran ingleses de las Barbados que huían de las condiciones extremas de aquella isla.

El terreno de este archipiélago resulta sobrecogedor. El campo de San Vicente se halla cubierto de vegetación exuberante. Los cultivos ocupan unas 4.850 ha con todo tipo de hierbas aromáticas y hortalizas. La fruta del pan es el "orgullo nacional", y los espárragos y la uva –introducidos por los chinos– se han adaptado a la perfección. La horticultura ocupa un lugar destacado en el esfuerzo que realiza la isla por exportar; en dicha actividad destacan las lucrativas orquídeas exóticas y los anturios.

Las islas Granadinas están formadas por Bequia, Mustique, Canouan, Mayreau, Tobago Cays, Palm Island y Petit Saint Vincent y se caracterizan por sus aguas cristalinas y la abundancia de vida marina. Estas islas están poco pobladas y constituyen un lugar de ocio internacional para los amantes de los yates y otros visitantes.

El árbol de la fruta del pan es una especie que se encuentra en todas las Antillas.

La fruta del pan

(Artocarpus Altilis Foberg)

Joseph Banks, un botánico de Gran Bretaña que viajaba con el capitán Cook a finales del siglo XVIII por las islas del Pacífico, descubrió que la fruta del pan era una prolífica fuente de alimento. Al enterarse de esta noticia, los gobernadores de San Vicente y Jamaica consideraron oportuno introducir esta planta en las Antillas con el propósito de que suministrara "alimento barato" para los esclavos.

El 4 de abril de 1789, el HMS Bounty, a las órdenes del capitán Bligh zarpó de Tahití hacia las Indias Occidentales cargado con 1.805 brotes de esta preciada mercancía. Parece ser que el capitán Bligh se preocupó más de la carga que de su tripulación y usaba la poca agua fresca disponible a bordo para regar esos "salvadores de la economía" botánicos. El resultado fue que el 17 de abril, los marineros provocaron el motín del Bounty, sobre el que se han escrito libros y se han rodado películas.

Al volver a Inglaterra, el resuelto Bligh organizó otra expedición. En 1792, con el beneplácito de Jorge III, zarpó hacia Tahití, volvió a embarcar el preciado cargamento y esta vez consiguió llevar cientos de brotes de fruta del pan al puerto de Kingstown, en San Vicente. En enero de 1793 ya se habían repartido por toda la isla y hasta nuestros días la fruta del pan reina triunfante en casi todas las islas del Caribe.

En San Vicente existen tres tipos de fruta del pan. Los más comunes, el bayahonda y el *coco-bread*, se diferencian poco en el sabor aunque depende de las condiciones climáticas. Los árboles adultos pueden alcanzar alturas de 7 m y producir entre 300 y 600 frutos anuales, que se recolectan dos veces al año. Recibe el nombre de fruta del pan porque presenta el mismo contenido de hidratos de carbono que una rebanada de pan y su sabor es muy parecido. Qué duda cabe que la tozudez del capitán Bligh proporcionó a los isleños uno de los alimentos más privilegiados, ya que hay tantos árboles en algunas islas que la gente se ríe

Este cartel, que recuerda el origen de la fruta del pan, aparece en la entrada de los jardines botánicos de Kingstown.

cuando alguien compra la fruta del pan en el supermercado. Se puede comer hervida, en puré, asada al horno o frita como las patatas. Si a la fruta del pan hervida y cortada en dados se añade cebolla, pimientos y gran cantidad de zumo de lima, obtendrá una salsa exquisita. Es el principal ingrediente del plato típico de San Vicente: *oil dong (véase* Granada). En Barbados un *CouCou* de fruta del pan significa "¡dulzura durante días!".

Cómo pelar la fruta del pan:

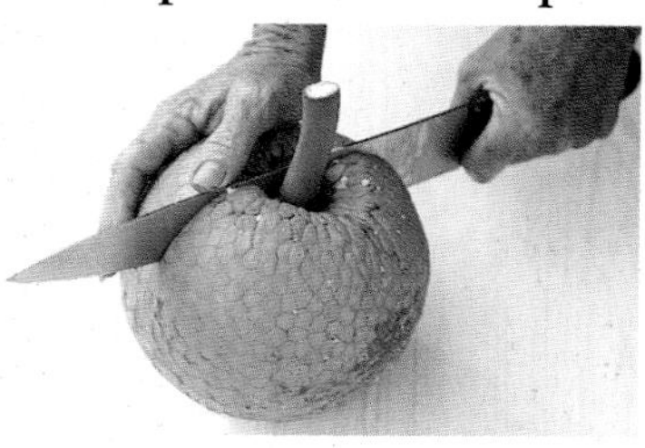

1. Sosténgala con fuerza y córtela por la mitad.

2. Repita la operación en cada mitad.

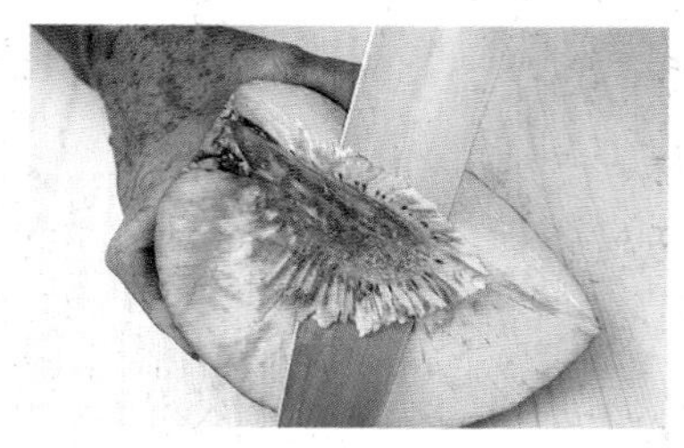

3. Extraiga por completo la parte central.

4. Retire la piel de cada trozo.

Fruta del pan rellena

1 fruta del pan madura
una pizca de nuez moscada
una pizca de cilantro
aceite
1 cebolla picada fina
1 diente de ajo picado fino
1/4 guindilla roja despepitada y picada fina
1 tomate picado fino
1/2 cucharadita de perejil picado fino
500 g de carne picada de vaca o pollo, o de pescado desmigado
1/2 cucharadita de ron o 2 chorritos de bíter
sal y pimienta al gusto
mantequilla para cocinar
1 huevo bien batido
125 g de queso *cheddar* rallado

Corte la fruta del pan longitudinalmente en dos trozos. Añada sal, nuez moscada y cilantro en una cazuela con agua y cueza el fruto con piel hasta que se ablande. Deseche el agua y extraiga la parte central de la fruta del pan. Con una cuchara retire la carne de la cáscara y conserve esta última. Caliente el aceite en una cazuela, saltee ligeramente la cebolla, el ajo, la guindilla roja, el tomate y el perejil. Agregue la carne picada a su gusto, el ron o bíter aromático, y salpimiente al gusto. Añada otra pizca de nuez moscada recién molida. Fría todo hasta que se dore. Extraiga el aceite sobrante. Triture la carne de la fruta del pan con un poco de mantequilla para cocinar. Mézclelo con el huevo batido. Añada la mezcla de carne y remueva hasta que se mezcle bien. Coloque el producto resultante en las cáscaras y espolvoree con queso *cheddar* rallado. Hornee a baja temperatura durante media hora. Sirva caliente sobre un lecho de lechuga verde acompañada de trozos de pimiento rojos. Como toque final, espolvoree con un poco de queso parmesano. Para 1 persona.

Fruta del pan frita

1 fruta del pan
aceite
sal

Corte la fruta del pan por la mitad y repita la operación en ambas mitades. Pélelas y sancoche en agua con sal. Retírelas de la cazuela y séquelas. Corte cada una por la mitad longitudinalmente y luego en rodajas. Caliente el aceite y fría los trozos hasta que se doren. Colóquelos en servilletas de papel para extraer el exceso de aceite y sale. Sirva caliente.

Las guindillas del Caribe *(Capsicum sp.)*

Cuando los europeos llegaron al Caribe, los amerindios utilizaban la guindilla para casi todo lo que guisaban. Los isleños, hoy en día, hacen más o menos lo mismo. La guindilla más común en las islas es la llamada congo, habanero o pimiento de bonete, *(C. annum);* otras favoritas son la guindilla de primavera *(C. frutescens)* y la *wiri-wiri*, originaria de Guyana, muy buscada por los expertos por su sabor incomparable.

Las mismas especies de guindillas caribeñas saben distintas en una isla u otra, pues depende de las condiciones del suelo. Por ejemplo, el habanero que crece en Trinidad o San Vicente es más sabroso que el de Barbados. De entre las guindillas, las rojas y las verdes no resultan tan fuertes como las amarillas. Los habaneros amarillos, sobre todo los de Tobago, son un verdadero combustible. Para tocar guindillas muy picantes, se recomienda llevar guantes y así se evita la sensación de quemazón en las manos o en cualquier parte del cuerpo.

La guindilla fresca, debido a su picante, es rica en vitamina C, ayuda a digerir los alimentos con alto contenido de fécula y es curativa si se prepara como tónico. Por ejemplo, el ron blanco aromatizado con guindilla despeja los senos craneales y faciales. Algunos estudios, todavía inconclusos, prueban que puede haber una relación entre la capsicina y la prevención del cáncer.

En el Caribe se ha efectuado un cruce entre el pimiento y la guindilla cuyo resultado es el pimiento para condimentar. Posee el delicioso sabor de las guindillas pero no pica. Los isleños lo emplean para condimentar y para platos que han de servirse a los europeos. Los norteamericanos, en cambio, están más acostumbrados al picante por su familiaridad con las gastronomías mexicana, puertorriqueña y haitiana.

Los cocineros de la isla utilizan las guindillas en casi todas las preparaciones menos en los postres. Las salsas de guindilla se hallan en todas las mesas. Los isleños se jactan de sus mezclas particulares, pero la base siempre es la misma: la guindilla. En San Vicente y las Granadinas le resultará muy difícil encontrar un restaurante o un hogar en el que no dispongan de la salsa de guindilla Erica. Esta marca familiar lleva ya muchos años en el mercado. Sus salsas y otros productos se exportan hoy en día a otras islas. Erica mezcla las mejores guindillas en grandes cubas a las que se añaden unos ingredientes secretos antes de envasarlas. En las Antillas es casi imposible sonsacar las recetas de negocios familiares de este tipo (los secretos culinarios no son motivo de cotilleo en estas islas, a diferencia de otros temas). De todos formas, le proponemos a continuación una receta básica que puede mejorar con creatividad para elaborar su propia salsa de guindillas caribeña.

Salsa de guindillas caribeña

10 guindillas rojas y amarillas enteras y frescas o 30 guindillas de primavera rojas pequeñas o guindillas *wiri-wiri*

1 cucharadita de aceite de oliva

1 cucharadita de zumo de lima fresco

1/2 cucharadita de sal

vinagre

Mezcle los ingredientes, excepto el vinagre, con una batidora. Cuando se hayan mezclado (no debe quedar demasiado líquido), deje de batir y añada el vinagre necesario para que resulte una mezcla fácil de verter con una botella o de extraer de un tarro con una cuchara (use siempre cucharas de plástico para extraer la salsa de guindilla de cualquier recipiente). Guarde la mezcla en un recipiente bien cerrado y no la guarde en el frigorífico hasta que pasen uno o dos días. Aunque en el Caribe no suele refrigerarse, se recomienda hacerlo para que se conserve en buen estado durante más tiempo. A esta receta se puede añadir ajo, cebolla, cebollino, tomillo y otras especias para crear una mezcla personal. Y un chorrito de buen ron añejo antillano o de jerez realzará el sabor.

Guindillas al ron

1 litro de ron blanco

4 clavos de especia frescos

1/4 canela en rama

1/2 tallo de apio

6 guindillas rojas enteras

Vacíe la botella de ron hasta la mitad e introduzca el clavo, la canela y el apio. Agregue tantas guindillas como quepan en la botella y complete con el resto del ron. Tápela y deje reposar, como mínimo, durante 1 semana. Tanto el líquido como las propias guindillas se pueden utilizar para cocinar. Un chupito de este brebaje es un buen remedio para despejar los senos craneales y faciales, pero cuidado con el ardor.

Una vez se han triturado las guindillas, la mezcla condimentada se embotella.

Salsa de guindillas rosa

12 guindillas rojas despepitadas y picadas finas
1 zanahoria pelada y picada fina
2 cebollas picadas finas
2 ramitas de cebollino picadas finas
3 dientes de ajo picados finos
1/2 hoja de culantro de monte o
1/2 cucharadita de cilantro fresco picado fino
1 ramita de perejil picado fino
1 ramita de tomillo picado fino
1/4 cucharadita de pimienta de Jamaica molida
1/2 cucharadita de azúcar
1/2 cucharadita de sal
1 cucharada de aceite vegetal
1 chorrito de angostura o 1 cucharadita de ron
vinagre de malta o destilado

Mezcle todos los ingredientes en un tarro grande. Tápelo y deje reposar una semana antes de emplearlo.

Salsa de guindilla y cundeamor

12 guindillas despepitadas
3 cundeamores picados finos
2 cebollas picadas finas
1 hoja de culantro de monte
1 zanahoria pelada y cortada en rodajas finas
3 ramitas de cebollino picadas finas
1 ramita de perejil picada fina
4 dientes de ajo picados finos
125 ml de vinagre
1 cucharada de zumo de lima
125 ml de aceite
1 cucharadita de azúcar
1/2 cucharadita de sal

Corte las guindillas en aros finos. Ponga el cundeamor en agua con sal y lleve a ebullición. Retire del fuego. Corte longitudinalmente, extraiga las semillas y trocee fino. Mezcle los ingredientes y rehogue 5 minutos. Retire del fuego y deje enfriar. Embotelle y tape bien. Practique un corte longitudinal en las empanadas de pescado y vierta la salsa en el interior.

Las guindillas pueden cocerse un poco antes de elaborar la salsa de guindilla: aumenta el sabor y facilita su conservación.

Empanadas de pescado

500 g de harina blanca
2 cucharaditas de levadura en polvo
1 cucharadita de sal
8 cucharadas de mantequilla o margarina aprox.
1/2 cucharadita de azúcar
el agua necesaria
pescado hervido y condimentado
aceite para freír

Tamice a la vez la harina, la levadura en polvo y la sal. Disponga la mezcla en un recipiente y poco a poco aplaste, con la mano, la mantequilla sobre la harina (se puede usar un tenedor). Añada el azúcar y mezcle bien. Luego, agregue el agua necesaria para empezar a amasar. Corte la masa en cuatro trozos y forme una bola con cada uno de ellos. Deje reposar unos minutos. Con las manos, dé forma de plátano y córtelos longitudinalmente. Disponga en el interior el pescado hervido condimentado. Ciérrelos presionando la masa y fría en aceite hasta que se doren. Retire del aceite y deposite las empanadas en papel de cocina. Vuelva a abrirlas longitudinalmente y añada pimienta y salsa de cundeamor en el interior. Sirva caliente.

¿Sabía que…

…el cundeamor, una "hortaliza" verde de aspecto extraño, es realmente una fruta de sabor amargo? Pero cuando está maduro, las pepitas de color rojo tienen un sabor dulce. Además es un buen aperitivo para las serpientes. Hay muchas sugerencias para conseguir que sea menos amargo, si bien ninguna parece resultar efectiva. Una consiste en hervirlo ligeramente en agua con sal. Las hojas del arbusto de esta fruta se secan, se preparan y se prescriben como remedio para enfermedades como la cistitis, los problemas de estómago y las dolencias intestinales. Se usa en currys, salsas de guindilla y empanadas de pescado.

Las plantas de arrurruz crecen de forma pintoresca en las colinas de San Vicente.

El arrurruz

(Maranta arundinacea)

El arrurruz es una planta herbácea, perenne, y tropical que procede del norte de Sudamérica. San Vicente es uno de los pocos lugares del mundo en que se cultiva con objetivos comerciales. En realidad, es el mayor exportador de este cultivo.

Al final del proceso de tratamiento, los abultados rizomas del arrurruz producen una fécula de grano fino muy digestiva y, por tanto, muy recomendada para alimentación de inválidos y niños. Otro aspecto interesante es que esta fécula es la base de una capa especial para papel de impresora.

Cuando las fábricas han pasado la inspección de la cosecha anterior y están listas para recibir los rizomas, las plantaciones se convierten en un hervidero. A mediados de febrero, los pueblos alrededor de Union, Colonarie, Biabou, Wallibou y Bellevue esperan la orden de "adelante". A finales de marzo, los trabajadores ascienden por las laderas y comienzan la recolección. Luego vendrá el transporte hasta las fábricas. La extracción de la fécula se realiza igual en todas las fábricas y, una vez blanqueada y seca, se empaqueta y se envía a Kingstown para exportarla y distribuirla por la isla.

El arrurruz se recolecta en las empinadas laderas a principios de marzo.

En el patio de la fábrica, los trabajadores limpian los rizomas y los colocan en cestas individuales listas para empaquetar.

Las cestas con los rizomas se llevan hasta una cinta transportadora que los conduce a un barril-lavadora.

Una vez los rizomas han pasado por el barril-lavadora, se conducen a una instalación de lavado con pala.

Los rizomas pasan por una mesa donde la raíz se limpia a mano de cualquier residuo que haya quedado.

Entonces se transportan al primer molino, donde se trituran, y después al segundo molino. Allí se diluyen en el agua procedente de la criba de aclarado.

A continuación, la disolución fluye hasta una agitadora y se vuelve a lavar con un filtrado antes del lavado final en la instalación preparada a tal efecto con agua clara.

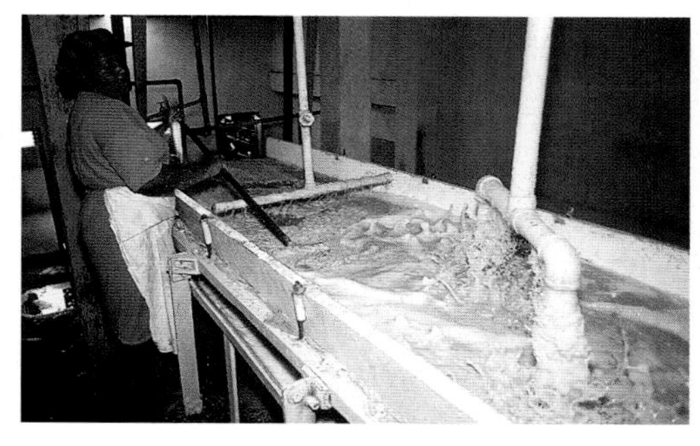

El líquido viscoso llega a las mesas para fécula, donde precipita. Cuando concluye el día, se retira el agua sobrante de esas mesas y la fécula se lava con cubos de agua clara. Después se retira y se diluye en un crisol.

Desde aquí pasa por una rejilla a los grandes tubos de cemento que se aprecian en la página siguiente, donde se remueve con fuerza y se deja reposar durante la noche. Al día siguiente, el agua se retira de la parte superior de la fécula, el mandongo o parte oscura se extrae con cuidado y el resto de la fécula se vuelve a lavar. Se deja blanquear durante 40 minutos cubierta con 1,25 cm de agua.

Esta agua se extrae con sacos y la fécula se lleva desde los tubos hasta la zona de secado, donde se coloca en rejillas *(véase* la fotografía inferior). El mandongo no se desperdicia. Se vuelve a diluir, se lleva a las pequeñas mesas para fécula donde ésta precipita y se transporta a la zona de secado.

Natillas de arrurruz

30 g de arrurruz
500 ml de leche
30 g de azúcar
2 yemas de huevo batidas
una pizca de esencia de vainilla o almendra

Mezcle el arrurruz con un poco de leche fría hasta formar una pasta homogénea. Añada el resto de los ingredientes y llévelos a ebullición. Cuando hierva la leche, mezcle la preparación con la pasta de arrurruz. Agregue azúcar, vuelva a poner la cazuela en el fuego y cueza durante tres minutos. Retire del fuego y añada las yemas sin dejar de remover. Incorpore la esencia de vainilla o almendra. Vierta en recipientes individuales y deje enfriar.

Gachas de arrurruz

30 g de arrurruz
30 g de azúcar
250 ml de leche
una pizca de esencia de vainilla

Mezcle el arrurruz, el azúcar y un poco de leche. Mientras remueve, añada poco a poco el resto de la leche. Lleve a ebullición sin dejar de revolver hasta que se espese. Agregue la esencia de vainilla y sirva con mermelada, azúcar, melaza o un jarabe dulce. Para 1 persona.

Bizcocho de arrurruz

250 g de margarina
375 g de azúcar granulado
2 yemas de huevo
125 ml de leche
1 cucharadita de esencia de vainilla
500 g de arrurruz
250 g de harina
1 cucharadita de levadura en polvo

Bata la margarina y el azúcar. Añada cada yema por separado, la leche y la vainilla y mezcle hasta formar una pasta homogénea. Añada el arrurruz, la harina y la levadura. Mezcle bien. Hornee a temperatura media en un molde no muy hondo y engrasado. Corte en cuadrados y decore mediante un glaseado si lo desea (o espolvoree con azúcar). Para 4 personas.

HYBRID
SEEDS

Pescado ahumado al estilo de un rasta italiano

(Bequia)

Fabio, el rasta italiano de Bequia, vive de la pesca. Llegó de Italia hace 25 años, cuando era un jovencito *playboy* europeo, y quedó tan fascinado con la isla y su modo de vida que ya no se marchó. Hoy en día se encuentra totalmente integrado en esa sociedad y todos lo reconocen como "hijo de la tierra". De tez oscura y largos rizos de rasta, el único rasgo que quizá lo delata es su extraño acento de Bequia.

Fabio trabaja en el balcón de su casa.

Fabio ha aprendido toda la sabiduría de épocas pasadas sobre el tradicional arte de la pesca y sabe cuándo es mejor pescar en un lugar u otro de cada isla. Constituye una grata experiencia verlo eviscerar el pescado con suma paciencia y cariño y luego cortarlo en filetes en compañía de Boti, su "hijo de la isla". Recuerda los buenos tiempos de Bequia, como si él mismo fuera un viejo isleño, feliz de compartir su ciencia con los que deseen escucharlo.

Fabio ha traído a Bequia el modo italiano de ahumar el pescado. Experimenta con distintos tipos de madera y especias frescas de la isla para revolucionar el método de ahumado. De nuevo, y al igual que todos los buenos cocineros de una especialidad, resulta muy difícil que revele sus secretos. Todas las preguntas que parecen acercarse a la verdad se topan con una amplia sonrisa, un brillo de sus ojos y un cambio de tema (por ejemplo, ofrece un bocado de una nueva receta). El tiburón, el bonito, el atún y el perite lucio ahumados constituyen un bocado exquisito digno de servirse en el Harrod's londinense junto a su famoso salmón. Muchos de los restauradores de los yates de lujo que pasan por Bequia de camino a las otras islas del archipiélago de las Granadinas saben, sin duda, que un trozo de tiburón ahumado de Fabio con pan casero de Bequia es una delicia de *gourmet* en todos los sentidos, ¡menos en el precio!

Fabio y su hijo Boti preparan el pescado recién capturado para ahumarlo.

Pescado ahumado en salsa criolla

1 cucharada de aceite de sésamo
1 cebolla picada fina
1 diente de ajo picado fino
2 ramitas de cebollino picadas
1 pimiento para condimentar picado fino
1 cucharada de nueces machacadas (almendras o cacahuetes)
2 cucharaditas de ron
1 guindilla roja despepitada y picada fina
1 cucharada de pasas
250 g de arroz hervido y escurrido
1 lata de guisantes y zanahorias
100 g de tiburón ahumado cortado en tiras
sal al gusto
una pizca de nuez moscada recién molida
perejil y tomates "cherry" para la guarnición
3 espárragos finos ligeramente cocidos al vapor

Caliente el aceite de sésamo en un wok grande. Añada la cebolla, el ajo, el cebollino y el pimiento para condimentar. Rehogue ligeramente. Añada las nueces, el ron, la guindilla, las pasas, el arroz, los guisantes, las zanahorias y, en los últimos minutos, las tiras de tiburón ahumado, sin dejar de agitar con fuerza el wok. Incorpore la sal al gusto (o salsa de soja). Sirva en una fuente grande, espolvoree con la nuez moscada y acompañe con el perejil picado y los tomates "cherry" enteros. En la parte superior deposite en forma de cruz los 3 espárragos finos. Para 1 persona.

Pescado ahumado rasta paso a paso:

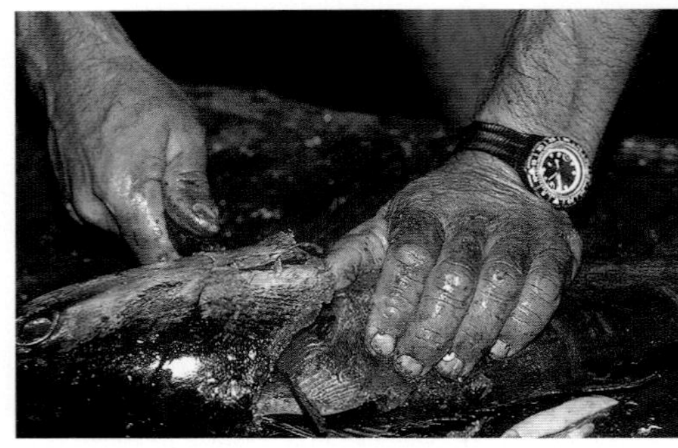

1. En el mismo muelle, el pescado fresco se eviscera, se desolla y se corta en filetes.

2. Los filetes gordos se condimentan con los ingredientes secretos especiales de Fabio.

3. Los filetes condimentados se colocan en parrillas y se ahúman sobre brasas de madera de guayabo.

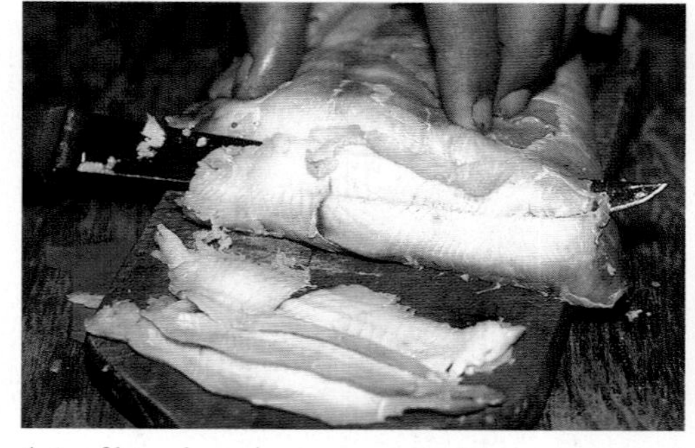

4. Los filetes ahumados se cortan, se colocan en pan y se comen con deleite. En la actualidad, Fabio ofrece pescado ahumado envasado al vacío a los yates y a los visitantes.

Espárrago rasta

Al mercado rasta de Bequia, Dread llevó el espárrago más elegante que se ha visto en este rincón del mundo y "a buen precio para las señoras blancas". La mayoría de los isleños creían que el espárrago siempre había sido "algo europeo" hasta que la misión agrícola de Taiwán lo introdujo hace varios años en la explotación Cane Grove Diversification Farm como experimento. El rico suelo volcánico de San Vicente, unido a las atenciones de dos rastafaris, Zebi y Brother Roots, ha creado un ejemplar alargado, fino y delicado, más verde que sus homólogos de otras latitudes. Brother Roots y Zebi, gracias a su enorme paciencia y comprensión, su apego a la isla y su pasión por los productos naturales, han conseguido cultivar un espárrago de excelente sabor que ahora se consume en las mesas de todo San Vicente y las Granadinas. Con gran orgullo, estos rastafaris han llamado a esta variedad "espárrago rasta".

Espárragos rastas

1 manojo de espárragos ligeramente cocidos al vapor
1 cucharada de mantequilla
1/2 diente de ajo picado fino
1/4 cucharadita de guindilla picada fina
1 cucharada de harina
250 ml de leche
250 g de queso *cheddar* o de cabra rallado
1 cucharadita de ron
sal al gusto
nuez moscada fresca o canela

Derrita la mantequilla a fuego lento en una cazuela o en un wok. Añada el ajo y la mitad de la guindilla revolviendo con fuerza durante varios segundos. Agregue la harina y remueva hasta formar una masa homogénea. Vierta la leche poco a poco removiendo la masa con una cuchara de madera. Cuando la mezcla presente una textura cremosa y suave, incorpore el queso y el ron, y sale al gusto. Disponga los espárragos por encima. Espolvoree con nuez moscada o canela (incluso pimentón) y decore con perejil picado fino y una pizca de guindilla (opcional).

La base dura de los espárragos se corta después de cosecharlos.

Zebi ata a mano los manojos de espárragos.

Al igual que muchos isleños, Zebi habla a sus plantas y reza a Dios por su buen crecimiento mientras se mueve entre ellas podándolas con sumo cuidado.

NORTH SAILS
USA

La comida de los yates

Dabulamanzi & *Samurang:* yates de paseo

Por todo el Caribe, los recorridos en yate se han convertido en el pasatiempo favorito de los turistas. No importa el tamaño ni la clase social. El barco puede ser propio o de pasajeros. Lo único esencial es que ame y respete el mar y la tranquilidad que éste aportara a su alma.

San Vicente y las Granadinas, al igual que el resto de las islas antillanas, han atraído a los yates desde hace tiempo, aunque esta actividad haya evolucionado. Las infraestructuras –puertos deportivos, construcciones e instalaciones de reparación de embarcaciones– han supuesto mejores amarres y más comodidades en los puertos y, lo que es más importante, mejor comida.

Los habitantes de Bequia en especial, con una gran tradición marinera a sus espaldas, tratan muy bien a los yates que atracan en sus puertos. Los servicios incluyen lavandería, hielo, combustible, alimentos de primera necesidad y ropa de la isla, todo conducido a su embarcación por pequeños botes de motor multicolores (una especie de taxis acuáticos) con nombres como Music Man, Irie Joe y Rootsman, tripulados por emprendedores isleños. En la actualidad, incluso algunos ex patrones que han hecho de Bequia su hogar se han embarcado en este pequeño negocio marítimo. Todos están dispuestos a proporcionar lo que se necesite y el trueque está a la orden del día. En Navidad, los niños reman hasta los yates y van de uno a otro cantando villancicos por uno o dos dólares. Es todo un espectáculo escuchar villancicos europeos con voz desafinada y acento caribeño en este escenario flotante.

Izquierda: el Dabulamanzi se desliza por las límpidas aguas de las islas Granadinas.

Menú

Ponche de Peter
Sopa de gambas y coco
Atún con especias y carambola
Espárragos
Col china o pak-choi
Arroz a la albahaca
Ensalada Dabulamanzi
Postre

Gareth, el capitán del Dabulamanzi, se asegura de que sus clientes a bordo estén bien alimentados.

Las hermosas islas de San Vicente y las Granadinas proporcionan vistas sobrecogedoras al alba y con el crepúsculo a los que prefieren viajar en yate. En las costas se abren playas apartadas, cascadas naturales y selvas ricas en fauna, además de mercados multicolores y atracciones históricas. La industria de los yates de pasajeros no puede pedir más.

En los yates, la cocina es un arte en sí misma. Las comidas de *gourmet* se tienen que preparar en el fondo de una diminuta cocina. Pero las aguas rebosan de exquisiteces: pescado, langosta, pulpo y anguilas; y lo que no puede ofrecer el mar, lo suministran los mercados y los taxis acuáticos.

Las islas Granadinas son la delicia de un chef y el sueño de un pasajero: tire el ancla o atraque en las Tobago Cays y, cóctel en mano, con la tierra y el cielo satisfaciendo la vista, prepárese para saborear pausadamente la gastronomía caribeña.

Fiona, una chef *cordon bleu*, termina la preparación de sus platos en la cocina del Dabulamanzi.

Ponche de Peter

(del yate Samurang)

90 ml de ron negro
30 ml de tequila
el zumo de 1/2 lima o limón
el zumo de 1 naranja
el zumo de 1 fruta de la pasión
1 rodaja de piña
1/2 plátano
almíbar al gusto
1 chorrito de bíter aromático
125 ml de hielo
una pizca de nuez moscada (para decorar)
4 clavos de especia (para decorar)
2 guindas (para decorar)
una rodaja de naranja (para decorar)

En una batidora mezcle todos los ingredientes (excepto los que sirven para decorar). Vierta la mezcla en un vaso de cóctel grande. Añada la nuez moscada y los clavos de especia. Decore con guindas clavadas en un mondadientes y una rodaja de naranja, una sombrilla de cóctel y una pajita de colores vivos.

Sopa de gambas y coco

3 dientes de ajo
1/2 cucharadita de semillas de cilantro tostadas
1 pastilla de caldo de pollo
1 dado de 4 cm de jengibre fresco rallado
500 ml de leche de coco
60 ml de agua
1 corteza de 1/2 lima o 5 ó 6 hojas de lima
1 ramita de hierba de limón
2 aros finos de guindilla roja despepitada
250 g de gambas peladas
un puñado de albahaca picada fina

Lleve todos los ingredientes a ebullición y cueza durante 15 minutos.
Añada las gambas a la sopa, continúe la cocción durante 2 ó 3 minutos y sirva decorada con albahaca. Para 2 personas.

Arroz a la albahaca

Arroz: hierva la cantidad necesaria en agua
con sal y un poquito de perejil
250 g de papaya cortada en dados
1 cebolla pequeña picada fina
2 ramitas de cebollino picadas finas
1 ramita de albahaca picada fina
el zumo de 1/2 lima
1 cucharada de jerez
1 chorrito de salsa picante
1/2 mango picado fino

Añada todos los ingredientes al arroz justo cuando se haya terminado la cocción y tápelo hasta servirlo. Para 2 personas.

Ensalada Dabulamanzi

1/2 cucharadita de aceite de sésamo
1 zanahoria picada fina
1 cucharadita de jengibre fresco rallado
1/2 col cortada en rodajas finas
1 diente de ajo picado fino
1 cogollo de lechuga lavado
2 aguacates picados

En un wok caliente el aceite de sésamo y saltee rápidamente la zanahoria, el jengibre, la col y el ajo. Coloque la lechuga en una ensaladera. Añada la mezcla de hortalizas sobre la lechuga y agregue los aguacates picados. Para 2 personas.

Espárragos

1 cucharadita de aceite

1 manojo de espárragos

Caliente el aceite en un wok. Incorpore los espárragos enteros. Tape durante 2 ó 3 minutos moviendo el recipiente con ímpetu. Retire del fuego cuando estén crujientes. Para 2 personas.

Col china o pak-choi

1 col china

1 cucharadita de aceite de sésamo

una pizca de sal

una pizca de pimienta

una pizca de azúcar

Corte la col china en trozos pequeños. Caliente el aceite de sésamo en un wok y añada la col china, la sal, la pimienta y el azúcar. Retire del fuego cuando todavía esté crujiente. Para 4 personas.

Atún con especias y carambola

1 atún fresco limpio

2 dientes de ajo

1 1/2 cucharadas de jengibre rallado

2 cebollas pequeñas picadas finas

1 cucharada de semillas de cilantro trituradas

1 corteza de 1/2 naranja o 1 lima entera

3 cucharadas de zumo de lima

160 ml de zumo de naranja

60 ml de Grand Marnier

1 carambola

3 cucharadas de jarabe de nuez moscada

sal y pimienta al gusto

Retire las espinas del atún y desmíguelo.
En una cazuela mezcle el ajo, el jengibre, las cebollas y el cilantro y rehogue durante 10 minutos. Vierta la mezcla sobre el atún crudo. Caliente en un wok el aceite vegetal, incorpore la mezcla de atún y el resto de los ingredientes, y saltee durante unos 10 minutos. Para 4 o más personas.

Ensalada de pomelo de Fiona

2 pomelos rosas grandes cortados por la mitad y sin pepitas

1 badiana (anís estrellado) macerada en zumo de naranja durante media hora

1 mango grande pelado y cortado en tiras alargadas (como patatas fritas)

1 plátano grande pelado y cortado en rodajas

1 chupito de ron

azúcar al gusto (opcional)

coco rallado y tostado

Corte los pomelos por la mitad y pele la fruta (resérvela para servir más tarde). Disponga todas las frutas en un cuenco. Añada ron y deje reposar durante unos 15 minutos. Rellene las cáscaras del pomelo con la mezcla. Espolvoree con el coco rallado y decore con una guinda o flores. Para 3 personas.

Las maquetas de embarcaciones de Bequia

Durante siglos, los habitantes de Bequia se han ganado la vida gracias al mar, como marineros, pescadores, balleneros y constructores de barcos. Si por el paseo marítimo de Port Elizabeth se dirige al norte, llegará a la exposición de maquetas de barcos, donde los artesanos conservan el patrimonio de la isla a través de estas obras de arte multicolores, laboriosas y muy logradas. Una especialidad, sólo posible si se paga una comisión, son las reproducciones de embarcaciones existentes en la actualidad y de los barcos balleneros por los que Bequia es famosa. Si habla con estos artistas tan hábiles le abrirán las puertas a la maravillosa historia de las embarcaciones y las goletas pesqueras, y otros barcos de Bequia.

Gingerbread House (Bequia)

Según Pat Mitchell, la propietaria de la Gingerbread House, los mirlos –que parecen estar por todas partes– cantan "¡dulce, dulce, Bequia!"; y ése es precisamente el título que dio a un libro con fotografías suyas. Esta mujer emprendedora, hábil y, sin embargo, modesta llegó a Bequia en 1966 y estuvo casada con el actual primer ministro de San Vicente y las Granadinas, James Mitchell. Pat se enorgullece de su isla y se pone nostálgica al pensar en los tranquilos días de antaño.

Recuerda que hubo una época en que si querías hielo para las bebidas tenías que ir corriendo para llevar una arpillera al transbordador de las 6:30 que unía Bequia con la isla principal y pedir a la tripulación que la trajeran llena con una barra de hielo de 50 kg. Los pescadores siempre usaban el hielo en el viaje de vuelta para conservar el pescado. Además, solía llegar con la mitad de peso y, desde luego, no en las mejores condiciones, pues se cogían trozos para las bebidas de los pasajeros.

La electricidad no llegó a Bequia hasta 1969. La conexión con el resto del mundo se realizaba a través de la BBC con un transistor de onda corta. Los pedidos de las mercancías necesarias se pasaban en notas a los comerciantes de Kingstown gracias a los empleados de los transbordadores. En aquella época, Bequia era una isla tranquila y pacífica, que diríase estaba aislada del resto del mundo.

Aunque Bequia ha conservado este sello de tranquilidad, se ha convertido en una isla bulliciosa durante los meses de invierno. La bahía de Admiralty Bay se atesta de yates de todos los tipos y tamaños procedentes de cualquier rincón del mundo, y las pocas pensiones y hoteles se llenan hasta la bandera. Y entonces Pat deja de ser escritora y fotógrafa y se transforma en restauradora y patrona de su pensión: la Gingerbread House. Ofrece un ambiente acogedor, una estupenda cocina casera, fiesta a más no poder con grupos locales y, por encima de todo, una bienvenida amistosa. En la cafetería al aire libre, junto al almendro, se sirven pasteles, empanadas o *puddings* del día tradicionales de la isla acompañados con zumos de frutas recién exprimidas, café acabado de moler o infusiones de todo tipo. Los niños corretean alegres entre las mesas, incluso quizá vea al último nieto del primer ministro entre ellos, mientras las mariposas revolotean en los jardines. Por eso, la Gingerbread House es toda una institución en Bequia… tan seguro como que los mirlos que dan saltitos de mesa en mesa y casi con una mirada de expertos no cesan de cantar: "¡Dulce, dulce, Bequia!"

Con sumo cuidado y una sonrisa se mezclan los ingredientes del *pudding* de boniato.

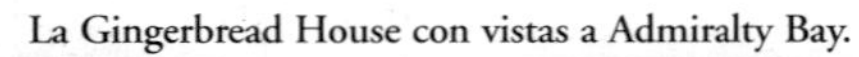

La Gingerbread House con vistas a Admiralty Bay.

¿Sabía que…

…el pájaro llamado mirlo en todo el Caribe es en realidad el quiscal del Caribe *(Quiscallis lugubris)*? Los quiscales del Caribe no son comestibles pero se encuentran en cualquier sitio donde haya alimento, en especial basuras y restos de comida. Les encantan los restaurantes al aire libre. En Mustique, el Cotton House Hotel es famoso por disponer de pistolas de agua en cada mesa para ahuyentar a estos pájaros alborotadores que no cesan de incordiar. Les encanta la hora del té, otra costumbre antillana producto de la herencia colonial.

La calabaza, la tania, los plátanos verdes y el coco se rallan y se mezclan en un recipiente grande.

La tania, la calabaza y los plátanos verdes están preparados para ser rallados.

La mezcla resultante, junto con las pasas, el jengibre, la canela y otros ingredientes se colocan en una fuente engrasada.

Pudding de boniato de la Gingerbread House

1 kg de boniatos rallados

375 g de tania rallada

500 g de calabaza rallada

500 g de plátanos verdes rallados

250 g de coco rallado muy fino mezclado con un poco de agua en la batidora

Ponga todos los ingredientes anteriores en un recipiente grande y añada los siguientes:

500 g de azúcar blanquilla

2 cucharadas de VelvoCriss

2 cucharadas de mantequilla

125 g de pasas

2 cucharaditas de levadura en polvo

2 cucharaditas de jengibre fresco rallado

1 1/2 cucharaditas de canela

500 g de harina

Mezcle bien todos los ingredientes. Engrase una fuente de cristal de unos 23 x 28 cm y espolvoréela con harina. Vierta la mezcla y hornee a 180°C durante 1 hora y media. Unos 10 minutos antes de retirarla del horno rocíe la masa con agua azucarada para mantener húmedo el *pudding.* Córtelo en cuadrados y sirva. Para 4 personas.

El producto final es un apetitoso trozo de *pudding* de boniato.

Los habitantes de Bequia

La palabra Bequia (pronunciado “becuai” en el inglés de la isla) procede de una antigua palabra caribeña, “Becouya”, que significa “islas de las nubes”. Situada a unos 15 km al sur de San Vicente, la isla posee unos 6.000 habitantes, la mayoría de los cuales descienden de colonos africanos, ingleses, irlandeses, franceses, portugueses y escoceses mezclados con algunos indígenas arahuacos y caribes.

Los primeros colonos africanos y europeos llegaron durante los siglos XVI y XVII. Los africanos eran esclavos que escaparon de los barcos donde habían sido abandonados en los peligrosos arrecifes que rodean Bequia u otras islas vecinas. Los franceses arribaron durante la colonización, al igual que los ingleses. Los escoceses y los irlandeses eran trabajadores que huyeron de otras islas, como Barbados, buscando una vida mejor.

Nombres como Ollivierre, Simmons, Wallace, King Quashie y Hazell forman parte de la historia de la isla como el mismo mar. Los habitantes de Bequia se han integrado de tal forma que en una misma familia, se pueden encontrar colores que van del negro al blanco más puro pasando por los tonos intermedios. Es un fenómeno que en Bequia parece normal, una lección no sólo para el Caribe sino para el mundo entero. Alegra ver cómo estas gentes han sabido vivir en armonía, de forma tan natural igual que las distintas flores conviven en los jardines y en la misma isla.

Queso de guayaba

guayabas muy maduras
zumo de lima
azúcar extrafino

Pele las guayabas y tamícelas. Utilice 250 g de azúcar por la misma cantidad de pulpa de guayaba. Hierva hasta que la mezcla quede muy espesa y se separe de los bordes de la cazuela. Remueva de vez en cuando. Pruebe la preparación con agua fría. Vierta la mezcla en un recipiente no muy hondo (de 1,3 cm aprox.). Cuando se haya enfriado, córtela en cuadrados y espolvoree cada trozo con azúcar extrafino. El queso de mango puede prepararse también con 180 g de azúcar por 250 g de pulpa de guayaba.

Jalea de guayaba

guayabas poco maduras
zumo de lima
azúcar granulado

Lave y pele las guayabas y pártalas por la mitad. Dispóngalas en una cazuela, cúbralas con agua y cuézalas hasta que se ablanden (unos 10 minutos). Retire el agua y pase las frutas por un tamiz fino. Utilice 250 g de azúcar por 250 ml de zumo de lima. Caliente el zumo. Añada el azúcar poco a poco dejando que se disuelva antes de que hierva la preparación. Agregue una cucharadita de zumo de lima por cada 250 ml de líquido. Deje hervir a borbotones retirando con una cuchara de madera la sustancia pegajosa que se forma, hasta que la mezcla cuaje en el recipiente. Pruébela introduciendo el tenedor durante 1 minuto y, si presenta una textura consistente, es indicio de que la jalea está lista. Viértala en tarros calientes esterilizados, ciérrelos y almacénelos.

La bisabuela se halla rodeada, con gran orgullo, de su hija, su nieta y su biznieto. Los habitantes de Bequia no tienen problemas con las mezclas raciales que se han producido a lo largo de las generaciones.

Las guayabas poseen un alto contenido en vitamina C y son muy apreciadas por los isleños.

En muchas recetas, las guayabas se cortan en dados antes de pasar a la preparación.

Guayava *(Psidium guajava)*

El guayabo es un árbol tropical oriundo de Estados Unidos aunque también crece en estado silvestre por todo el Caribe. En Bequia es muy abundante. Apenas supera los 7,5 m de altura y sus flores, antes de transformarse en lo que aquí se considera uno de los frutos con más utilidades, son pequeñas y blancas. La guayaba tiene forma redondeada, con una piel fina de un tono entre verdoso, rosado y amarillo, según su estado de maduración. La pulpa puede ser amarilla, rosa o roja en función de la variedad, con pepitas pequeñas y un fuerte sabor aromático.

Aunque todo el fruto puede comerse verde o maduro, los padres suelen advertir a sus hijos –que prácticamente viven en los guayabos cuando es temporada–: "Las semillas se te van a pegar en la tripa y te saldrá un árbol por las orejas."

El fruto tiene un alto contenido en vitamina A y, a veces, la misma cantidad de vitamina C que los cítricos. Cuando están verdes, las guayabas se comen cortadas en rodajas y marinadas en zumo de lima, vinagre, salsa Perrin's, sal y guindillas, o sólo mojadas en sal. Si ya están maduras, se comen del árbol, como postre o en tartas. Además se usan para dar sabor a helados, quesos, zumos, jaleas y mermeladas; algunos de estos productos se fabrican con fines comerciales para exportar. Las hojas y la corteza del guayabo se usan para preparar infusiones que constituyen un remedio contra la diarrea y las lombrices intestinales. La madera de este árbol es muy apreciada para ahumar o asar a la parrilla, pues aporta su especial aroma a carnes y hortalizas. Las madres que tienen un guayabo en el jardín suelen gritar: "¡Mira guapo, voy a coger un buen palo de esa rama del guayabo y ya te voy a enseñar!"

Sonia Pierre

Una persona representativa de los habitantes de Bequia es Sonia Pierre. Vive en una casa modesta en lo alto de una calle empinada y sin asfaltar, con una magnífica vista de Port Elizabeth y Admiralty Bay. Durante el día trabaja de portera, cocinera y "de todo en general" en un chalé de la isla; y a todas horas es esposa, madre y abuela. Esta mujer tan espiritual y trabajadora también envasa algunas de las mejores mermeladas y jaleas de Bequia utilizando la fruta que su marido cultiva en el jardín. Su hijo, Junior, un muchacho muy atractivo, trabaja en The Gingerbread House y con su mujer Sabrina han dado a Sonia un precioso nieto... un niño que también resulta ser nieto de Pat y James Mitchell, el primer ministro de San Vicente y las Granadinas. Es el orgullo y la alegría de ambas familias. Así es Bequia: una mezcla acogedora donde las haya. Las recetas de guayaba que presentamos proceden de la cocina de Sonia.

Compota de guayaba

guayabas

azúcar

canela en rama

corteza de lima

Pele las guayabas, pártalas por la mitad y extraiga las pepitas. Ponga las pieles, las semillas y la cáscara en una cazuela con agua y cuézalas hasta que las guayabas estén un poco hechas. Retire las cáscaras de la cazuela y resérvelas. Pase el resto de la mezcla por un tamiz presionando ligeramente con una cuchara de madera para extraer todo el zumo. Por cada 250 g de zumo, emplee 180 g de azúcar. Coloque la preparación en una nueva cazuela con la canela en rama y un trozo pequeño de corteza de lima y llévelo a ebullición. Cuando se disuelva el azúcar, añada las cáscaras de guayaba y rehogue durante 30 minutos. Conserve en tarros esterilizados (la compota de guayaba constituye un complemento excelente para helados y nata montada).

Pele la guayaba de abajo a arriba con un cuchillo pequeño y afilado.

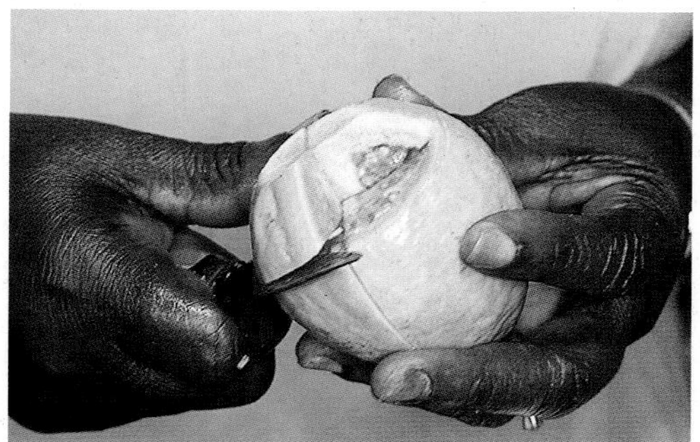

Mermelada de guayaba

Siga las indicaciones para elaborar queso de guayaba y hierva hasta que se espese. Cuando una gota de la mezcla se cuaje al caer en un cuenco poco profundo con agua fría, significa que la mermelada ya puede retirarse del fuego. Introdúzcala en tarros esterilizados y ciérrelos herméticamente.

Guarde el líquido en tarros esterilizados todavía calientes. Ciérrelos y almacénelos para usarlos cuando se necesiten.

Pequeños peces, quedan atrapados en las redes y se emplean como cebo para peces más grandes.

Tradiciones pesqueras

(San Vicente y las Granadinas)

En las islas Granadinas, centenares de familias todavía viven del mar. Con métodos de hace varios siglos, los hábiles pescadores "cosechan" esas aguas limpias, transparentes y generosas. Venden las capturas de atún, delfín, perite lucio, caballa, bonito, tiburón, pargo colorado y muchas otras especies; pero, por supuesto, siempre guardan lo suficiente para casa.

Echar las redes es una práctica común en las costas de todas las islas. Los pescadores utilizan este método para capturar peces diminutos que luego emplean para pescar ejemplares mayores.

Las **jábegas** constituyen un método comunitario y una de las tradiciones más pintorescas de las islas. Los pescadores observan el mar desde sus embarcaciones. Cuando dan con un banco de peces, los hombres de la costa tiran las largas jábegas rodeando todo el banco. Mientras se tira de ellas reina una gran animación, pues participan las gentes del pueblo, a veces cantando mientras arrastran las

La estela de la embarcación atrae a los peces mientras se pesca al curricán. Inferior izquierda: los pescadores, protegidos de las inclemencias, preparan el cebo. Inferior derecha: el experto nunca deja escapar una buena pieza.

redes. Cuando se ha atrapado el botín, las vendedoras van a toda prisa de un lado a otro bromeando y negociando entre ellas y con los pescadores para conseguir la mejor parte de la captura.

Se recurre al ***philleting*** para capturar balajú. Según la mitología isleña este diminuto pez vive del viento, seguramente por su gran vejiga natatoria. El método consiste en tirar piedras al agua para atraer el banco y echar las redes sobre los peces.

En la **pesca de arrastre**, las redes se sumergen para capturar los peces que se hallan en el fondo del mar. Los pescadores con barcas pequeñas no suelen emplear esta técnica, en cambio, algunas embarcaciones más grandes arrastran las redes durante tres o cuatro días y transportan sus capturas a Kingstown en bodegas frigoríficas.

La **pesca del curricán** comienza hacia las 3 de la mañana. No más de dos pescadores juntos salen en embarcaciones de motor o vela y colocan por el agua largos sedales con cebo. Supuestamente, la estela de la barca atrae a los peces, que quedan enganchados en los anzuelos. Este método exige que los pescadores conozcan la isla a la perfección, porque las condiciones del mar pueden ser muy duras.

La **pesca con nasas** se realiza mediante una especie de jaula de alambre trenzado –que puede presentar distintas formas según la isla– en la que los peces pueden entrar pero no salir. Se sujetan con un peso, se deja el cebo y se introduce en aguas poco profundas. Todos los días (o cada dos) los pescadores verifican las jaulas, extraen las capturas y las vuelven a bajar. Alguno posee hasta 50 nasas sumergidas al mismo tiempo. Aunque suele dejarse flotando algún tipo de boya para encontrarlas con facilidad, algunos pescadores aún confían en su memoria para encontrarlas. Entre las capturas más comunes con este método están el mero, el pargo colorado y la langosta.

La **pesca con cebo y sedal** son los elementos que usan los más jóvenes y los ancianos para pescar peces de pequeño tamaño y poco frecuentes que viven cerca de la costa. Se sientan durante horas, por la mañana temprano, armados con sus cañas

Los pescadores encuentran su nasa y la suben a la embarcación.

Un descanso para hablar con otra embarcación sobre cómo van las capturas.

Cada isla cuenta con su propia fabricación de nasas, incluso el material puede diferir de un lugar a otro de las Antillas.

La pesca con jábegas es un método pintoresco, por lo que suele aparecer en documentales sobre el Caribe.

e intentando atrapar peces a los que prácticamente ven acercarse en dirección al cebo.

El *mashing* ("trituración") es otra forma pintoresca de pescar. Un anzuelo galvanizado se coloca con bramante y unos 30 cm de alambre en una vara de bambú con 23 ó 24 juntas como mínimo. Esta técnica se emplea desde hace siglos y requiere dar con el lugar adecuado. El sitio ideal es una roca que entre al mar, donde el agua sea de un azul intenso, haya una profundidad de 12 brazas y la marea suba y baje. Un puñado de pececillos se tritura en la roca por completo y se tira al agua. Se pone el cebo en el anzuelo y se echa la caña. Rápidamente acudirán rabirrubias, jureles negros, jureles ojones e incluso meros.

La pesca con cebo y sedal se efectúa durante las primeras horas de la madrugada, cuando todavía no ha amanecido.

Los pequeños cangrejos capturados en la orilla se perforan con el anzuelo.

El anzuelo debe atravesar el lomo del cangrejo de abajo arriba.

El *mashing* ("trituración") es una técnica de pesca peligrosa pero apasionante. Se requiere una larga vara de bambú fabricada por uno mismo con sedal y anzuelo.

La caza de ballenas

"¡Venga, venga! gritan
cuando divisan el chorro de la ballena.
La mirada de todos se centra en el mar,
Sin poder dejar de chillar ¡Venga, venga!"
De un calipso escrito por Eldon Hazell

Desde finales del siglo XIX, las gentes de Bequia han participado en las tradiciones de la caza de ballenas. Todo empezó con un tal William Thomas Wallace (al que llamaban Old Bill), hijo de un oficial naval escocés retirado que llegó a la isla para trabajar como administrador de la propiedad Friendship Estate, y que al final terminó por comprar. Bill la heredó de su padre pero hacia 1860 la dejó en manos de su hermano y se hizo a la mar, en uno de tantos balleneros estadounidenses que frecuentaban las aguas de las Granadinas en busca de rorcuales y cachalotes. En 1870 regresó para crear su propio negocio ballenero. Hacia 1875, Old Bill ya había comprado dos balleneros de segunda mano a los norteamericanos y había construido en su propiedad la primera estación ballenera de la costa oeste de Friendship Bay.

Por desgracia, la inexperiencia y el hecho de que la caza se efectuara por un sistema de salarios que no era viable económicamente, condujeron al cierre de la estación. Old Bill volvió a marcharse de Bequia en un ballenero de Estados Unidos para ir a aguas lejanas. En estos viajes aprendió el sistema de pago basado en participaciones. Hacia 1885 volvió a la isla para abrir de nuevo la estación ballenera siguiendo aquel sistema. Su socio fue esta vez Joseph "Pa" Ollivierre, propietario del Paget Farm Estate. Pa abrió una segunda estación ballenera en Petit Nevis, uno de los islotes que pertenecían a su propiedad y que estaba situado frente a la costa del sudeste de Bequia. Esta nueva empresa pretendía transformar Bequia en una potencia económica basada en el mar.

El resultado fue que muchos isleños encontraron trabajo estable, aunque también tuvo su lado negativo: las comunidades de otras islas del archipiélago de las Granadinas y Granada se dieron cuenta de los beneficios de la caza de ballenas y construyeron sus estaciones. La competencia entre los balleneros se convirtió en una pesadilla. Se tuvo que poner en marcha la Ordenanza de Balleneros para mantener el orden en el mar durante la temporada de caza. Además, la intensidad de las capturas llevó a que escasearan las ballenas, sobre todo después de que los noruegos crearan una estación frente a la costa meridional de Granada. Lo inevitable sucedió: las estaciones balleneras empezaron a cerrar y una de las víctimas fue la de Old Bill. La familia Ollivierre de la estación de Petit Nevi logró sobrevivir. Hoy en día es la única pesquera abierta en la época de caza.

La estación de Petit Nevis espera en silencio la señal de una captura.

Para la extracción de aceite de la grasa de ballena se utilizan grandes cubas.

Athneal Ollivierre capturó su última ballena con 72 años.

En 1988, el establecimiento de un nuevo límite de captura de ballenas significó una nueva época para la industria ballenera de la zona. La Comisión Internacional de las Ballenas otorgó a Bequia "la captura de dos rorcuales por temporada (…) y los productos de estas ballenas [debían] usarse sólo para el consumo local de San Vicente y las Granadinas". Las organizaciones opuestas a la caza de estos cetáceos piden la abolición de esta concesión y que se prohíba su captura definitivamente, pero las gentes de Bequia se empeñan en que el mundo exterior respete sus tradiciones. Y según éstas, una ballena es "una bendición del cielo para nuestro pueblo".

Athneal Ollivierre, el biznieto de Pa (convertido en Bequia en héroe popular) construyó su famosa embarcación *Why Ask* en 1983. Ballenero desde los años 50, capturó su última ballena con 72 años saltando sobre su lomo para darle el golpe de gracia. Athneal sigue muy vinculado a las tradiciones de la caza de ballenas en todos los aspectos de su vida y en las historias que cuenta. Una de ellas, el orgullo de Bequia, narra cómo salvó a su tripulación cuando una ballena ya arponeada tiró al agua a sus hombres y a la embarcación. Con una valentía de leyenda, Athneal, aún aferrado a su arpón bajo el agua, cortó la cuerda que unía la ballena con el barco. Milagrosamente la embarcación y la tripulación volvieron a flotar y, sanos y salvos, tras ellos emergió Athneal.

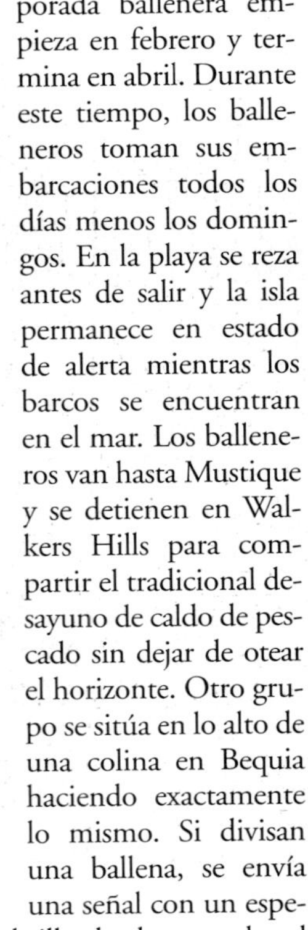

En Bequia, la temporada ballenera empieza en febrero y termina en abril. Durante este tiempo, los balleneros toman sus embarcaciones todos los días menos los domingos. En la playa se reza antes de salir y la isla permanece en estado de alerta mientras los barcos se encuentran en el mar. Los balleneros van hasta Mustique y se detienen en Walkers Hills para compartir el tradicional desayuno de caldo de pescado sin dejar de otear el horizonte. Otro grupo se sitúa en lo alto de una colina en Bequia haciendo exactamente lo mismo. Si divisan una ballena, se envía una señal con un espejo a la otra colina y si no brilla el sol, se emplea el humo. Sólo entonces se usarán las altas frecuencias y los medios de comunicación modernos. La ballena debe capturarse de manera tradicional: primero se lanza el arpón y, después, se recurre a la pistola o la lanza para ballenas. Aunque no se capturen ballenas todos los años, las preparaciones se realizan según la misma tradición año tras año. Si se consigue acorralar un cetáceo cerca de la costa, toda Bequia se entera en cuestión de minutos. Incluso los isleños del archipiélago de las Granadinas parecen barruntarlo en el aire. Los niños salen antes de la escuela, los hombres dejan sus trabajos y las mujeres abandonan sus casas. Todos buscan un lugar con buena visibilidad para contemplar la acción. La población llena el ambiente de "¡venga, venga!" para incitar a los balleneros a que entren en acción. La música, las canciones y el baile forman parte tanto del ritual como de la misma caza.

Cuando la ballena se transporta a la costa de Petit Nevis, se comparte entre los balleneros, se da a los que están más necesitados, se vende la carne

Esta pintura de Sam McDowell representa una historia de heroísmo que puede explicar con deleite y orgullo el propio Athneal o cualquier habitante de Bequia.

y se elabora el aceite en un ambiente de jarana. No se desaprovecha nada del cetáceo. La carne se prepara de dos formas: se sala de inmediato y se entrega al cabo de unos días o se sancocha "y ya verá ¡qué buena sabe!". El aceite de la grasa de la ballena se extrae de enormes cazuelas de cobre situadas sobre fuegos de leña. Este aceite se emplea en Bequia para cocinar y como medicamento muy apreciado para tratar los resfriados comunes.

Athneal Ollivierre ha transmitido todo su saber sobre la caza de estos cetáceos a su sobrino Orson, el cual ha construido un ballenero "mejor y más grande" y sigue los pasos de Athneal mostrando su orgullo por las tradiciones balleneras de la isla. Los habitantes de Bequia lucharán por conservarlas, pues las ballenas no sólo les proporcionan comida para casi un año, sino que establecen un fuerte vínculo con el pasado, lleno de historias memorables para contar a los más jóvenes y de canciones para todos los que deseen escucharlas.

¿Sabía que…

…los balleneros de Bequia fueron los primeros en descubrir el canto del rorcual? Los machos cantan para atraer a las hembras y todos los años entonan una canción distinta. Los rorcuales tienen el oído muy fino, por lo que los balleneros usan las velas y no los motores. Las ballenas pueden oírse entre ellas a una distancia de 80 km. Las señales en la cola de cada ballena son como las huellas dactilares: no hay dos iguales. Los ballenatos tienen un surco en la lengua y en el labio inferior que actúa como un embudo para que la leche entre en el estómago. A veces, los recién nacidos son transportados por la madre en la cabeza. La ballena que suele acompañar a la madre y al ballenato es un ejemplar menor de dos años. Los rorcuales no se alimentan en los trópicos.

Ballena "sumergida"

1 kg de carne de ballena

2 cebollas picadas finas

2 dientes de ajo picados finos

1 ramita de tomillo entera

1 pimiento para condimentar picado fino

1/4 de guindilla despepitada y picada fina

1 cucharadita de sal

pimienta negra al gusto

Triture todos los ingredientes juntos. Extraiga la grasa de la carne y lave esta última a fondo. Corte en dados de unos 5 cm. Perfore los dados y rellénelos con la mezcla de los condimentos. Reserve en el frigorífico toda una noche. Trocee la grasa y cuézala en una cazuela a fuego lento hasta que empiece a aparecer el aceite. Dore la carne en el aceite caliente. Cuando la carne comience a soltar agua y se haga visible la espuma, significa que ya está listo. Sirva sobre un lecho de arroz. Para 4 personas.

Basil's Bar en Mustique

Basil's Bar, el lugar para alternar con los ricos y los famosos.

En un principio, Colin Tenant, Lord Glenconner, compró las 546 ha de la isla de Mustique para su uso privado. El mundo se enteró de la existencia de esta roca situada en medio del archipiélago de las Granadinas cuando este hombre excéntrico, aunque interesante, regaló a la princesa Margarita un trozo muy hermoso de la isla como obsequio de boda, y ordenó construirle una casa impresionante (como su "hogar lejos de casa") con vistas espectaculares a las islas Granadinas meridionales.

El sueño de Lord Glenconner era que Mustique se convirtiera en un refugio retirado de ricos y famosos. No se recibía a la prensa con buenos ojos; a veces era conducida sin contemplaciones al diminuto aeropuerto para que se marchara de inmediato. Las propiedades se vendían a unos pocos elegidos y se construyeron chalés con estilos arquitectónicos personalizados por el famoso Oliver Messel. Los que podían permitírselo, pagaban caros los placeres del Caribe sin los agobios de la gente y los medios de comunicación.

En esa época, un tal Basil Charles llegó a Mustique desde San Vicente. Conoció a la atractiva Lady Virginia Royston, que pasaba las vacaciones en la isla invitada por Rex Harrison, el famoso actor inglés, a su vez invitado de Colin. Entre Basil y Virginia surgió el amor a primera vista y nació otro sueño, un punto de referencia que se ha convertido en uno de los bares de playa más famosos del mundo: el Basil's Bar.

Aunque Virginia ya murió, su espíritu continúa vivo en los que la conocieron y la amaron, entre ellos, sus hijos, Lady Jemima de Yorke y Joey, conde de Hardwick, el miembro más joven de la Cámara de los Lores, que vuelve varias veces al año a su casa "real" y al Basil's.

Este bar sigue siendo el lugar de encuentro más encantador. Aquí la nobleza europea se codea con ricos empresarios y famosos diseñadores. Mustique aún es un refugio exclusivo, propiedad ahora de la Mustique Company; los chalés pertenecen todavía a famosos internacionalmente conocidos, como Mick Jagger y la familia Guinness entre otros.

El bar se alza sobre las aguas azul turquesa, límpidas y tranquilas de Mustique, que por cierto acaba de ser declarado parque marino. Es un lugar de amaneceres sorprendentes, puestas de sol increíbles, manjares de los dioses, una barra bien servida, noches de baile caribeño, y, todos los años, dos semanas de *blues* y *jazz* donde personas como Phil Collins improvisan con artistas locales. Y allí está Basil, de un lado para otro con su caftán asiático o sus pantalones cortos asegurándose de que todos sin excepción estén a gusto y luciendo su impresionante figura. Su enorme personalidad, que sólo iguala su sonrisa natural, hace del Basil's Bar ese lugar especial que todo el mundo quiere frecuentar.

Basil sonríe con orgullo. Sus deliciosos platos, una vez concluidos, esperan a ser servidos.

Basil en su estanque de langostas eligiendo las que cocinará en el día de hoy.

La broqueta de langosta es una de las especialidades del Basil's Bar.

1. Basil coloca los trozos de langosta, cebolla, tomate y pimiento en las broquetas.

2. Las broquetas se asan con carbón y se sirven sobre un lecho de arroz.

3. Basil añade los toques finales a su plato favorito: el cobo al coco.

Cobo al coco

1 cobo
1 cebolla
1 ramita de cebollino
1 ramita de perejil
1 vaso de leche de coco fresca y espesa
1 chorrito de curry

Corte la carne de cobo en trozos de 2,5 cm. Coloque la cazuela al fuego con un poco de mantequilla. Añada todos los condimentos excepto el curry y rehogue. Incorpore el cobo y saltee hasta que adopte un tono dorado. Agregue despacio la leche de coco. Cuando la salsa de leche de coco se espese, agregue un chorrito de curry y rehogue durante 10 minutos antes de servir. Para 1 persona.

Broquetas de marisco

2 trozos de pescado
2 trozos de langosta
2 gambas
2 trozos de tomate
3 trozos de pimiento verde
2 trozos de pimiento amarillo

Alterne los ingredientes anteriores en una broqueta. Ásela en una parrilla y úntela constantemente con salsa de mantequilla. Vaya dándole la vuelta hasta que se ase el marisco. Sirva sobre un lecho de arroz blanco adornado con perejil. Para 2 personas.

Bizcocho de Mustique

500 g de bizcocho o pastel de vainilla
125 ml de ron negro
1 cucharada de jerez
1 cucharada de licor de naranja
125 g de mango fresco picado
125 g de naranja fresca picada
125 g de piña cortada en dados
1/2 lata de macedonia de frutas
2 cucharadas de cerezas maceradas en marrasquino
500 g de natillas
375 g de nata doble
virutas de canela
virutas de nuez moscada
1 cucharada de azúcar glas

Corte el pastel y disponga los trozos en un cuenco de cristal. Añada el ron, el jerez y el licor de naranja. Deje reposar una media hora. Agregue el mango, la naranja, la piña, la mezcla de frutas y 1 cucharada de cerezas. Incorpore las natillas y la mitad de la nata. Espolvoree con canela y nuez moscada. Guarde el bizcocho ya decorado en el frigorífico. En un cuenco frío, bata el resto de la nata con el azúcar. Introduzca esta mezcla en una bolsa de pastelería y dibuje espirales en el bizcocho (ya frío). Decórelo con 1 cucharada de cerezas maceradas en marrasquino. Vuélvalo a meter en el frigorífico un par de horas antes de servir. Para 4 personas.

Barbados

Barbados se encuentra situada fuera de la curva principal que describen las islas caribeñas. Mientras que el océano Atlántico rompe contra su magnífica costa oriental, las aguas tranquilas y límpidas del Caribe favorecen a la costa occidental o "dorada". Además, en Barbados tienen casa muchos famosos de todo el mundo. Presenta una de las densidades de población más elevada del mundo (unos 255.000 habitantes en 265 km²) aunque resulte difícil de imaginar cuando se recorre su pacífico interior.

Barbados estuvo habitada en un principio por pueblos amerindios. Aquí los arqueólogos han descubierto hace poco uno de los esqueletos más antiguos del Caribe. La capital y su único puerto es Bridgetown. Los comerciantes españoles y portugueses pasaron por Barbados en el siglo XVII, pero fue John Powell quien declaró la isla propiedad de la Corona británica en 1625. Los primeros colonos llegaron en 1627 a Holetown, en la costa occidental. En esa época, la isla estaba cubierta de vegetación, pero los ingleses empezaron a destruir los bosques y plantar cultivos, entre los que destacaban las especias, el tabaco, el algodón y, más tarde, el azúcar. En poco tiempo, Barbados se convirtió en una de las islas más ricas del Caribe, "la joya más brillante de la Corona inglesa". Llegaron a la isla plantadores adinerados y otros colonizadores, algunos fueron enviados como castigo (la reina Victoria decía que eran "barbadosados") por su papel en la guerra civil inglesa, en la revuelta del duque de Monmouth o en las rebeliones jacobinas. Los esclavos africanos se importaban a través de holandeses y portugueses y se empleaban para trabajar en las plantaciones junto con algunos "blancos pobres", la mayoría procedentes de Inglaterra, Irlanda y Escocia. Las plantaciones se extendieron, se construyeron grandes mansiones y el azúcar se convirtió en el rey de los cultivos.

Aunque la esclavitud se abolió en 1834, todavía se practicaba en Barbados en 1838 y no se consiguió la verdadera emancipación hasta un siglo más tarde. El azúcar continuó ocupando un papel primordial en la economía de la isla durante muchos años, hasta que se introdujo el azúcar de remolacha procedente de Europa. Aunque hoy en día el azúcar de caña mantiene su posición en el esquema económico general de la isla, el turismo constituye el mayor ingreso de moneda extranjera. Barbados accedió a la independencia en 1966 y en la actualidad dispone de parlamento democrático. Es miembro de la Commonwealth y la reina de Inglaterra, como jefe de Estado, se halla representada en la isla por un gobernador general.

Debido a la gran influencia británica, el inglés es la única lengua que hablan los isleños (aunque

los anglohablantes de otras latitudes tienen problemas para entender su dialecto). Barbados ha sido llamada la Pequeña Inglaterra o Bimshire, pues muchas zonas de la isla recuerdan a las colinas inglesas o a los extensos páramos escoceses. De hecho, hay una parte montañosa en la costa nordeste llamada Scotland District (Distrito de Escocia).

En los últimos 30 años, los habitantes de esta isla han tomado consciencia de su pasado. Ahora incluyen danzas, arte y música africana junto con sus fuertes vínculos con todo lo británico. Las principales influencias estadounidenses son los escasos establecimientos de comida rápida que se han establecido en la isla y la ropa que llevan, sobre todo, los jóvenes. Tanto blancos como negros, descendientes de europeos y africanos, se toman la frase "soy de Barbados" muy en serio y, por lo que a ellos respecta, su isla es "la isla de Dios".

En realidad, parece que siempre haya existido la intervención divina. Barbados se ha librado en numerosas ocasiones de los desastres naturales que azotan sin cesar al resto de las islas, y la situación siempre ha sido relativamente estable. Por otra parte, nunca ha faltado la comida en la isla, un hecho demostrado por la talla "saludable" de una mujer de Barbados. Sus mesas siempre han tenido fama de disponer de todo un surtido de alimentos básicos, y el pescado ocupa un papel importante. Durante mucho tiempo, la cocina de Barbados se reducía a la de los hogares (y los isleños comentan divertidos que "Barbados es el único lugar del mundo en que McDonald's no ha tenido éxito").

Hoy en día, en cambio, su excelente gastronomía se halla disponible en el mercado, en las esquinas e incluso en restaurantes de lujo especializados. Sin embargo, todavía hay gente de esta isla, en especial los hombres, que no comería fuera de casa ni aunque los invitara a cenar el primer ministro. Las mujeres comentan que "tienen miedo de lo que puedan echar en la comida para hechizarlos".

Una vista impresionante de la costa oriental de Barbados. Bathsheba y Cattlewash, un paraíso para los surfistas, permanecen intactas y constituyen un refugio para los isleños, muchos de los cuales poseen aquí casas con playa privada.

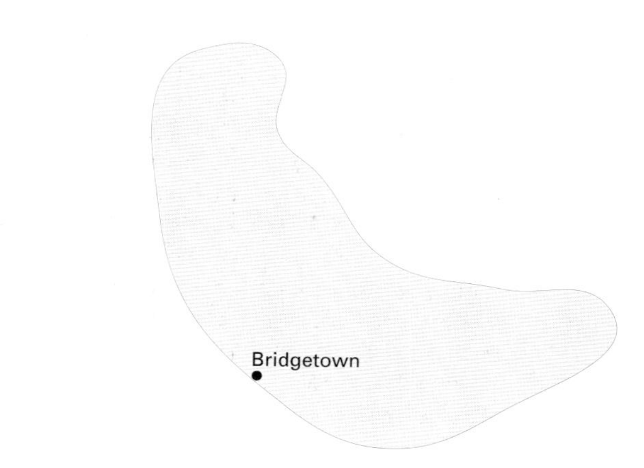

El mercado de pescado de Oistins

La ciudad pesquera de Oistins, situada en la costa meridional, lleva el nombre de uno de los primeros colonos llamado Austin, que en el dialecto local se pronuncia "Oistin". Históricamente, esta población es de gran importancia, pues fue aquí donde se firmó la Carta de Barbados, en la Mermaid Tavern. Esta "carta" era en realidad una serie de artículos redactados por monárquicos de Barbados y la Fuerza Naval de la Commonwealth que se encontraba anclada en la bahía y que solicitaban "obediencia leal" por parte de los isleños a Cromwell y al Parlamento de la Commonwealth.

Los habitantes de Barbados han pasado de llegar a Oistins a pie o en carreta tirada por burros a venir a diario en autobús o en coche para comprar pescado fresco y relacionarse con gente de todo tipo. Antaño también constituía un foco de vida social. Las mujeres se sentaban en las aceras gritando "¡pescado, pescado!" y añadían el precio del día. Las tiendas de ron situadas enfrente hacían su agosto. Cuando la gente se había tomado un traguito de ron, comía un trozo de pescado frito para que el licor les sentara bien. Hoy en día, Oistins es una terminal pesquera que fomenta la industria tradicional con instalaciones modernizadas.

Sin embargo, el olor a pescado frito aún llena el ambiente de las tiendas de ron adyacentes. Las embarcaciones pesqueras que faenan en alta mar, o incluso las lanchas más pequeñas, ya pueden descargar las capturas y llevarlas a la terminal para venderlas. Existen instalaciones de conservación y el pescado se puede comprar a granel. También se vende directamente a los vendedores, que usan las instalaciones del complejo para eviscerar, pesar y vender el pescado. Los viernes por la noche, Oistins rebosa de vendedoras, recipientes en el fuego llenos de pescado fresco, y tiendas de ron que aprovechan la ocasión. En la fiesta anual del pescado de Oistins, pescadores y vendedores son

Los pescadores se hacen a la mar y regresan todos los días con capturas de perite lucio, delfín, atún y aguja.

Inferior: los pescaderos suelen ser mujeres que se toman su trabajo muy en serio. Por muy ancianas que sean, son capaces de trocear el más grande de los pescados.

elogiados por su trabajo durante todo el año y su contribución a las vidas de las gentes de Barbados.

El mar sigue ocupando el centro de la vida de estas personas. Son los únicos que de verdad entienden los peligros del Caribe en alta mar. Y, sin embargo, tras una dura jornada y después de que los pescadores descarguen sus capturas, aún se reúnen bajo un almendro en la playa en torno al caldo de pescado que se prepara en un fuego de leña permanente. Cuando el sol se pone lentamente, todos echan una partida de dominó, beben lo suyo y hablan sobre cómo ha ido el día. Las mujeres, mientras tanto, charlan, chismorrean y se ríen efusivamente vendiendo todo tipo de pescado. Sus gritos resuenan por todo el mercado: "¡Delfín, barracuda, pargo!, ¡vean el perite lucio, el tiburón y el atún! ¡Y no se olviden del pez volador! ¡No hay mucho pero está tan rico como siempre!"

Caldo de pescado de Barbados

3 cabezas de pescado: de delfín, perite lucio y atún
sal y pimienta al gusto
el zumo de 2 limas
2 cebollas
condimentos varios (perejil, tomillo, albahaca, mejorana, hoja de laurel y cebollino)
1/2 pimiento rojo despepitado y picado fino
3 dientes de ajo picados finos
2 zanahorias cortadas en rodajas
4 taros pelados y cortados
2 boniatos pelados y cortados en rodajas
6 plátanos verdes pelados y cortados en rodajas
250 g de calabaza pelada y cortada en rodajas
1 cucharada de mantequilla
agua hasta la mitad de la cazuela

Hierva las cabezas de pescado en agua con sal, pimienta y zumo de lima. Cueza durante 30 minutos. Añada el resto de los ingredientes. Cubra con agua. Cueza a fuego lento hasta que la verdura se ablande y las cabezas de pescado casi se hayan deshecho. Si es necesario, añada más agua. Para 4-6 personas.

Derecha: la pesca con redes se efectúa frente al malecón de Oistins. Estos pescados se usarán como cebo para capturas de mayor tamaño. Inferior: tras un buen día de pesca, una partida de dominó resulta muy relajante.

El pez volador

Son las cuatro de la mañana y los pescadores ya han zarpado. Cuando alcanzan su destino, entre 32 y 40 km al oeste de Barbados, apagan motores y se preparan para el largo día que les queda por delante. Colocan una gran olla sobre un quemador de gas y echan arroz, carne o pescado y, si hay suerte, algunos restos de hortalizas. Será el almuerzo en alta mar. Para desayunar, estos hombres comerán pan y queso regado con té de un termo. Cuando se ha comprobado todo el material, empieza la jornada de trabajo. Con cuidado se tira al agua una red de 45 a 55 m de longitud cubierta con hojas de cocotero en los extremos. Otra más corta, de unos 22 m, se sitúa cerca de la embarcación. En un lado de la barca, casi tocando el agua, se cuelga un cubo con aceite y pescado troceado. Todo esto atrae a los peces voladores *(Hirundictys affins)*, el orgullo y la alegría de Barbados.

Una vez echadas las redes, los pescadores no pierden el tiempo. Colocan cañas con cebos vivos con la esperanza de pescar algo grande, una sorpresa añadida a la larga jornada y que supone un dinero adicional. El oleaje, que balancea la embarcación y alcanza en ocasiones una altura de 1,5 m, no parece en absoluto molestar a estos hombres. De repente, a lo lejos, se aprecia un banco de lo que parecen miles de peces brillantes volando por la superficie del agua. Centellean por encima de las olas con sus alas extendidas, a veces rozando el agua a lo largo de casi 20 m. Los pescadores se animan y en cuestión de minutos suben la red más corta llena de estas criaturas de aspecto llamativo. Se extraen los peces y se repite la operación. La otra red se deja en el agua hasta el final de la jornada. La radio habla de forma monótona y los pescadores escuchan el parte meteorológico; a veces se escucha a otros pescadores de la zona que cuentan un par de chistes. Es la hora del almuerzo y, a la vez, se discute de política y de la vida en general (todo esto bajo el sol) hasta que la red grande se sube a bordo al final del día. Entonces ponen rumbo a la costa.

Si el día es bueno (sobre todo de diciembre a junio), se pueden capturar 2.000 ó 3.000 peces voladores. Tanto da el pueblo pesquero al que arriben con su captura: saben que todo el pescado estará vendido al final de la tarde. Cuando llegan, se extrae el pescado del cubo y se vende por unidades a los vendedores que esperan en la playa. Si los que esperan desean peces voladores ya limpios y preparados, deberán tener paciencia. De todas formas, un verdadero habitante de Barbados sabe exactamente todo lo que entraña el procedimiento y por eso espera en el lugar y el momento adecuados y sabe cuándo los vendedores ya dispondrán de algunos paquetes (diez peces voladores en cada uno) listos para vender.

El exquisito paté de pez volador preparado por Gail en la Round House de Bathsheba.

Paté de pez volador de la Round House

5 peces voladores eviscerados
70 g de requesón
1 cucharada de mayonesa
2 cucharaditas de salsa de guindilla
el zumo de 1/2 lima
sal al gusto
una pizca de pimienta negra
1/2 pimiento de bonete rojo despepitado y picado fino
1/2 cebolla picada fina

Escalfe el pescado durante 5 minutos. Desmíguelo dentro de un cuenco. Reserve la cebolla y 1/4 de pimiento para decorar. Añada los otros ingredientes al cuenco y mezcle bien. Colóquelo en un pequeño molde de cristal y refrigérelo. Vuélquelo en un plato y sirva con pan tostado y una ensalada. Decore el plato en un lado con la cebolla y el pimiento rojo.

1. Los pescadores que buscan peces voladores deben adentrarse en el mar unos 50 km.

2. Los vendedores esperan la llegada de las embarcaciones.

3. Los peces voladores abundan de diciembre a junio y son especialidad de Barbados.

4. El vendedor comienza la limpieza especial de los peces voladores.

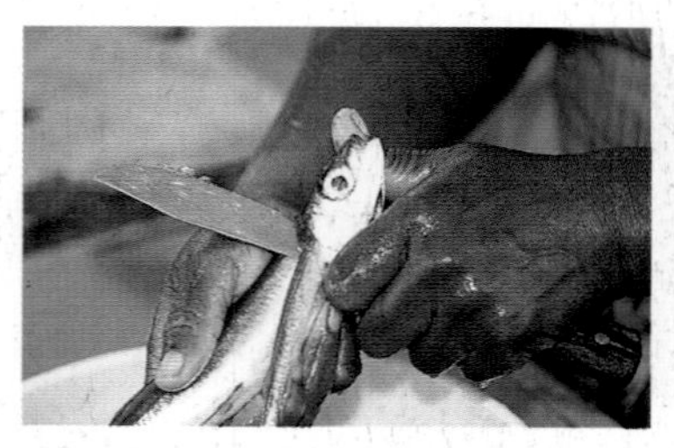

5. Se extraen la cabeza y las aletas, se abre el pescado y se eviscera.

6. Una vez limpios, los peces voladores se aplastan para el siguiente paso.

7. El vendedor reserva los testículos y las huevas, toda una exquisitez.

8. Se retiran las espinas centrales y laterales con rapidez y destreza.

1. Llene los surcos con condimento especial de Barbados.

2. El pescado se baña en leche, harina, pan rallado y otras especias, y se fríe rápidamente con mucho aceite.

3. En pocos minutos, el pez volador, crujiente y a la vez tierno, pasa de la sartén al plato.

Pez volador frito

Condimento:

1 cebolla picada fina
1/2 manojo de cebollinos o
cebollas tiernas picados finos
1/2 ramita de perejil picado fino
4 ramitas de albahaca picadas finas
1 ramita de tomillo picado fino
1/2 guindilla despepitada y picada fina
1 diente de ajo picado fino
una pizca de nuez moscada
una pizca de pimentón
una pizca de sal y pimienta negra

Mezcle a mano todos los ingredientes hasta que quede una especie de papilla o con la batidora hasta que adquiera una textura homogénea.

Pescado:

6 peces voladores
el zumo de 1 lima
250 g de harina
250 ml de leche evaporada o 2 huevos batidos
500 g de pan rallado
1/4 cucharadita de sal y pimienta negra
aceite vegetal para freír

Macere el pescado en una fuente no muy honda llena de agua con un poco de sal y zumo de lima. Extráigalo y dispóngalo plano con la piel boca abajo. Rellene la parte superior con el condimento. Primero pase el pescado por harina; luego, por huevo; y por último, por pan rallado. En una sartén, caliente el aceite suficiente para cubrir el pescado. Cuando el aceite esté muy caliente, incorpore el pescado con la piel hacia abajo hasta que se dore. Entonces déle la vuelta y fría el otro lado. Para 6 personas.

Testículos y huevas

1 bolsa grande de testículos y huevas
el zumo de 2 limas
125 g de pan rallado
una pizca de sal para aderezar
pimienta negra al gusto
aceite vegetal para freír

Marine los testículos y las huevas en zumo de lima. En una bolsa de plástico mezcle la harina, el pan rallado, los condimentos, la sal y la pimienta. Retire los testículos y las huevas del zumo de lima, introdúzcalos en la bolsa y ciérrela. Agite hasta cubrirlos por completo. Caliente a fuego fuerte el aceite vegetal. Retire los testículos y las huevas de la bolsa y fríalos hasta que se doren. Sáquelos de la sartén y quíteles el aceite sobrante con papel de cocina. Sirva con un chorrito de lima como entrante. Para 4-6 personas.

Un pescador sujeta un pez volador de manera que puedan verse sus alas con claridad. Como su nombre indica, estos peces pueden volar rozando el agua a lo largo de unos 20 m.

Pescado paso a paso:

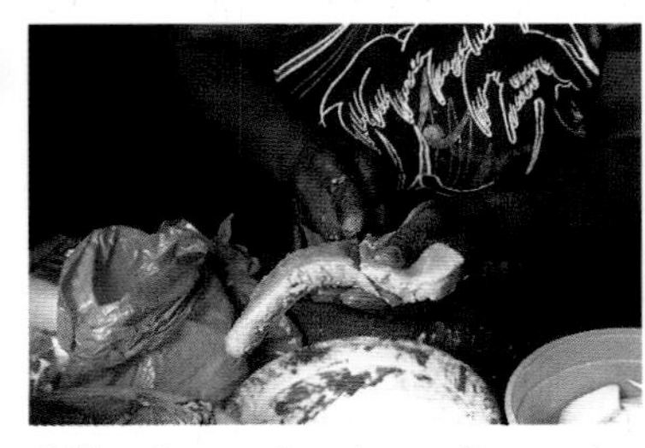

El filete de pescado se lava en lima y sal, se marca y se rellena con condimento de Barbados.

Sazone la harina con sal, pimienta, canela y tomillo picado. Agregue un poco de pan rallado.

Pase el pescado por la harina condimentada asegurándose de que se extiende de manera uniforme por ambos lados.

A continuación, fría el pescado en aceite vegetal hasta que se dore, adquiera una textura crujiente por fuera y esté cocido por dentro.

Sirva con trozos de fruta del pan hervidos o fritos y ensalada. No olvide agregar una cantidad generosa de salsa de guindilla.

Tiny, amigo de todos, comprueba que los clientes estén contentos en el Pink Star de Baster's Road.

Baxter's Road

Baxter's Road se conoce como "la calle que nunca duerme". Toda una institución en Bridgetown, se despierta a la caída de la tarde y su fiesta no tiene igual. Debido a su estrechez, los coches casi se rozan si pasan a la vez. En los laterales se abren unas cunetas de entre 90 cm y 1,2 m de profundidad, lo que forma un tipo de alcantarillado muy poco frecuente que obliga a construir pequeños puentes para entrar a las tiendas –que están en edificios de madera adosados–. No es raro ver un autocar de turistas medio volcado en estas cunetas, a la vez que muchos juerguistas desaparecen de la calle sin contemplaciones. Sin embargo, los habitantes de Barbados han aprendido dónde vender sus productos, incluso en los lugares más oscuros. Las tiendas de ron y los restaurantes con nombres como Pink Star, Castro's y Colin's están repletos con clientes habituales y algún turista. En cada lugar domina un tipo de música que va del *country* al calipso; y todos afirman vender los mejores *cutters* (una especie de tapas) o los más sabrosos trozos de pollo frito de la calle. Los clientes se hablan a gritos con alegría jugando al dominó o a algún juego de cartas; entretanto, las parejas bailan en rincones oscuros con los cuerpos tan enroscados que parece difícil que puedan separarse.

Cerca de la parte más alta de la calle, los vendedores con viejos recipientes de hierro fundido encienden las brasas para hacer su agosto con los transeúntes o los coches. El olor a pollo y pescado fritos se mezcla con los gritos alborotadores y el bullicio de los hambrientos clientes de todo tipo. Aquí es posible estar junto a todos los Mick Jaggers de este mundo, un profesor de universidad o un miembro del Parlamento mientras charlan sobre nada en particular con un travestido que va a por todas. Mujeres y hombres de la noche vagan por las calles. Aquí no hay lugar para la vergüenza, ni el comportamiento "correcto"; sólo están haciendo su trabajo y ofreciendo los mejores precios. Los patos vagabundean por las calles mirando el suelo con la esperanza de encontrar la comida que se haya caído. Los borrachos yacen o están sentados en las aceras, algunos tan fuera de sí que no saben ni dónde están, y esperan que alguien les ofrezca gratis una bebida de una fuente que conocen bien. Los perros y los pollos baten las calles y las aceras para hacerse con las sobras.

A veces, Baxter's Road está llena de movimiento hasta las seis de la mañana. Pero por muy concurrida y caótica que parezca, esta calle fascinante es el lugar para ver a casi todos los elementos de la sociedad de Barbados conviviendo de un modo natural, humano y atrayente. Por desgracia, algunos de los establecimientos pioneros han desaparecido, como Enid's Bar, donde todos sin excepción se reunían tras pasar por las discotecas más elegantes. Enid se preocupaba de que todos estuvieran contentos y no hubiera problemas. De todas formas era una mujer con la que uno no deseaba pelearse y, pese a que ya no lleva el cotarro, ha dejado un legado que ha servido a otros para fijar las normas. Aunque con el paso de los años ha experimentado muchos cambios, Baxter's Road siempre permanecerá, en esencia, igual.

e siempre, Ernie Small ha entretenido a todos con sus dedos magis- tocando "el ébano y el marfil". Desde los tiempos de los clubes de el pianista ha inspirado a todos los amantes de esta música en la isla.

Conkies

Extraído del libro de Rita G. Springer *Caribbean Cookbook*. A pesar de que se desconoce el origen de esta costumbre, todos los años el 5 de noviembre (Guy Fawkes Day), las amas de casa de Barbados elaboran *conkies*. Este nombre procede de la palabra kenky, un término de Africa occidental que designa platos de maíz preparados de forma similar.

- 750 g de coco rallado
- 375 g de calabaza rallada
- 250 g de boniato rallado
- 375 g de azúcar moreno
- 250 ml de leche
- 1 cucharadita de canela en polvo
- 1 cucharadita de nuez moscada rallada
- 1 cucharadita de esencia de almendra
- 1 cucharadita de sal
- 125 g de pasas
- 500 g de harina de maíz fresca
- 125 g de harina de trigo
- 180 g de grasa
- hojas de plátano macho o banano cocidas al vapor

Mezcle el coco, la calabaza y los boniatos con el azúcar, la leche y las especias. Añada las pasas, la harina y la sal. Remueva. Derrita la grasa y agréguelo. Corte las hojas de banano cocidas al vapor en cuadrados de unos 20 cm. Disponga varias cucharadas de la mezcla en cada hoja y dóblela formando un rectángulo. Átela con un cordel en posición longitudinal y cruzada. Cueza al vapor los *conkies* en una parrilla sobre una gran olla con agua hirviendo hasta que estén completamente cocidos. Sirva caliente o frío. Para 4-6 personas.

Los piratas como Barbanegra, Henry Morgan, Anne Bonney y Mary Read saqueaban todo tipo de barcos en alta mar o cerca de las costas de las islas desiertas. Su botín era siempre abundante.

Tiempos pasados

Rachel Pringle

Rachel Pringel, una mulata hija de un maestro escocés y su esclava africana, fue la primera mujer negra que ostentó un hotel en el corazón de Bridgetown. Su belleza era legendaria y un tal capitán Thomas Pringle se la compró a su padre por un precio exorbitante y le puso una casa en el barrio bajo de Bridgetown. Cuando la relación perdió chispa, decidió hacer algo para mantener las atenciones del capitán: Rachel tomó prestado un niño e hizo público que el capitán era el padre cuando éste estaba en alta mar. Al descubrirse la artimaña, el caballero la abandonó, pero encontró un nuevo protector llamado Polgree. En 1780 Rachel abrió el hotel y tuvo mucho éxito desde el primer momento con la Marina Real británica. Se cuenta que en 1789, un grupo de oficiales navales que llegaron de visita ebrios, encabezados por el príncipe Guillermo Enrique (que subió al trono como Guillermo IV), atacaron a la gente indiscriminadamente y destrozaron el interior. En lo mejor de la diversión, el príncipe volcó la silla de Rachel y la tiró al suelo. La mulata no dijo nada, pero al día siguiente, antes de que zarparan, envió al príncipe una factura detallada de 700 libras, una fortuna en aquel entonces. El noble la pagó a tocateja para que no se extendiera una imagen negativa sobre él. Con el dinero, Rachel restauró su hotel con gran pompa y lo llamó The Royal Naval Hotel. En 1821 un incendio destruyó el hotel. Rachel murió muy mayor, aunque su leyenda pervive y ha servido de inspiración a muchas mujeres de Barbados.

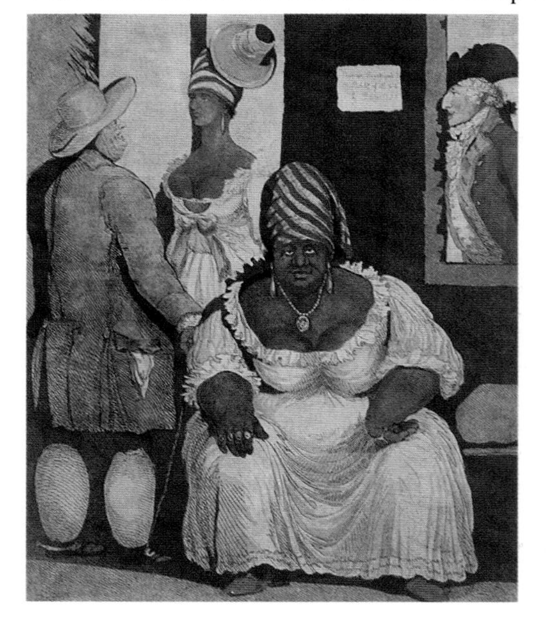

Rachel Pringle, una mulata de armas tomar, hija de un maestro escocés, fue la primera mujer negra que ostentó un hotel en Bridgetown.

Los piratas

La piratería, en el verdadero sentido de la palabra, empezó en el Caribe cuando Francia e Inglaterra comenzaron a establecer asentamientos en las Pequeñas Antillas durante el siglo XVII. En 1684 constituía una amenaza tal que se aprobó una ley en Barbados estableciendo "cómo se debía juzgar y castigar a los piratas y sus delitos marítimos". Con el tiempo, la piratería se convirtió en un pasatiempo caribeño no solo para los hombres rudos y deshonestos, sino también para la alta burguesía aburrida que tomó esta "profesión" únicamente por la emoción que provocaba. Estos bucaneros (palabra francesa que significa "ahumadores de carne") atacaban cualquier tipo de barco que se dirigiera a Europa y saqueaban de forma sistemática la mercancía, que podía comprender desde oro hasta comida para los esclavos.

Las islas Bahamas resultaron ser el lugar perfecto para que los piratas se reunieran, y repararan y limpiaran sus barcos. Aquí el peligro de que les atraparan era mínimo porque las islas se encontraban prácticamente deshabitadas y había toda una serie de islotes y cayos que servían de escondite. De hecho, el archipiélago constituía un refugio tan perfecto que parecía que hubiera más piratas aquí que en el resto del mundo.

Los piratas caribeños paralizaron el comercio casi por completo, lo que causó verdadera preocupación entre los gobernadores de las islas, quienes no cesaban de escribir a la metrópoli quejándose y solicitando ayuda para contrarrestar los horrores que se sucedían en el mar. No se trataba sólo de preocupación por los saqueos, sino también por las atrocidades que padecían los prisioneros, especialmente serias para los habitantes de Barbados, pues muchos de los barcos que sufrían el pillaje se dirigían a esa isla.

Los piratas se extendieron por las Antillas haciendo estragos, paralizando el comercio y atemorizando los corazones de los viajeros europeos. Hasta 1715 el rey de Inglaterra no consiguió obligarles a rendirse y dejar la mala vida.

Aunque muchos de los piratas más famosos fueron hombres, entre los que destacaron Barbanegra, Calico Jack, Henry Morgan, y Steve Bonnet (un caballero pirata ¡de Barbados!), se dice que algunos de los más duros fueron mujeres, como Anne Bonney y Mary Read, que aterrorizaron a los viajeros por mar. Un dato que conocemos con seguridad es que hasta la Proclamación de Supresión de la Piratería, decretada por el rey de Inglaterra en 1715 –que condujo a la rendición de cientos de piratas– estos merodeadores de alta mar se permitían toda clase de carnes ahumadas acompañadas con los mejores rones y las mejores copas llenas de excelente oporto.

Receta de jamón

375 g de jamón ahumado

60 g de azúcar moreno

1 1/2 cucharadas de mostaza seca

2 cucharadas de mermelada de naranja amarga

2 cucharadas de ron

1 chorrito de bíter aromático

clavos de especia y rodajas de piña para decorar

Precaliente el horno a 180ºC. Para elaborar la marinada mezcle el azúcar moreno, la mostaza, la mermelada, el ron, el bíter y reserve. Retire la piel del jamón y practique cortes en la grasa que quede. Hornee unos 35 minutos. Vierta la marinada sobre el jamón. Hornee 20 minutos más. Coloque unas rodajas de piña con mondadientes por todo el jamón. Rocíe con el resto de la marinada. Vuelva a hornear otros 25 minutos o hasta que esté cocido. Retire la piña y sirva el jamón cortado en lonchas finas. Los jugos que resten en el recipiente pueden emplearse como base para una salsa. Deposite parte del jugo en una cazuela. Disuelva 2 cucharadas de harina en agua y añada esta mezcla al jugo. Remueva y agregue el agua necesaria para diluir la salsa. Salpimiente al gusto. Para 4 personas.

Hucksters

El origen de la palabra "hucksters" con la que se denomina a los vendedores ambulantes que venden alimentos o baratijas en los laterales de las calles, se remonta a los días de la esclavitud. Los primeros fueron mujeres africanas que llegaban a las poblaciones con bandejas llenas de diferentes artículos –que transportaban en la cabeza– y un taburete bajo el brazo. Estas mujeres, fuertes y dignas, tenían que continuar el negocio a las duras y a las maduras, enfrentándose a leyes vigentes durante 100 años que fueron pensadas para detener "este comercio de objetos robados".

La mayoría de las quejas relativas a estos vendedores procedían de los comerciantes de Bridgetown. Los ciudadanos y las autoridades que intentaron aplicar esas leyes terribles, no pensaron que quizá la mercancía fuese adquirida legalmente. En algunos casos, los señores proporcionaban a las mujeres un dinero para aumentar la producción de la plantación y, además, les daban un porcentaje de las ventas. Otras esclavas cultivaban tubérculos o frutas en el terruño que les concedían sus "propietarios", y tenían autorización para hacer lo que gustaran con sus productos.

Los comerciantes se apocaron ante el éxito de estas mujeres audaces. Fueron sometidas a múltiples torturas: azotadas, enjauladas en la plaza mayor de las poblaciones con collares alrededor del cuello y los tobillos atados con grilletes. Pero nada disuadió a estas mujeres obstinadas y continuaron yendo a Fairchild Street desobedeciendo todas las leyes hasta ser definitivamente derogadas.

En la actualidad, los vendedores ambulantes siguen con su actividad por todo Barbados. En lugar de vender sólo los domingos ofrecen su mercancía toda la semana. Sus bandejas rebosan, en especial los sábados, de los artículos más selectos. Venden malangas, boniatos y quingomboes, especias, limas, papayas, naranjas y plátanos en portales, aceras, y en cualquier población. Tanto los jóvenes como los ancianos pregonan sus artículos con el mismo valor que sus "antepasados". Las gentes de otras islas consideran que las vendedoras ambulantes del pasado son las precursoras de las mujeres de Barbados de hoy en día y afirman: "Barbados cuenta con muchas mujeronas… Salta a la vista. ¡Sí señor!"

Una mulata libre negocia con un vendedor ambulante el precio de frutas o verduras frescas.

Tres generaciones posan delante de su casa en Saint Joseph.

Ponsigués *(Ziziphus mauritiana)*

Durante los meses de octubre y noviembre, los ponsigués constituyen la comida preferida de niños y adultos por igual. Tras una olorosa floración que dura meses, los árboles se llenan de frutos a rebosar. Su aspecto es similar a las cerezas pero de color amarillo verdoso (pese a que en ocasiones se vuelvan totalmente rojos cuando maduran mucho). Aunque casi todos los habitantes de Barbados comen ponsigués, no se puede decir que resulten muy sabrosos. La carne amarga, que tiende a "hacerse una bola en la boca", se retira del hueso con rapidez y éste se escupe a la calle o a la hierba. De todas formas, en Barbados lo consideran como un bocado exquisito.

La vida rural

La vida rural de Barbados siempre ha sido sencilla. Existen aldeas diseminadas por toda la isla, compuestas normalmente de 25 a 100 casas, algunas de las cuales penden de forma peligrosa de los acantilados de las zonas accidentadas. La mayoría de los edificios parecen asentarse en fragmentos de piedra de coral o de cemento irregulares. Aunque las llamadas casas móviles pueden ser pequeñas, viven en ellas 12 ó 13 personas. Casi todos los hogares disponen de agua corriente, pero el lavabo suele encontrarse en construcciones situadas en el jardín. La mayoría de los pueblos poseen surtidores de agua comunes donde todavía hoy mucha gente (sobre todo los hombres y los niños) prefiere lavarse por las mañanas.

Los habitantes de Barbados suelen mantener cerradas las puertas de sus casas para que "nadie escuche lo que se dice" o vea "de lo que disponen". Los niños que juegan en la calle y, a veces, los adultos reunidos bajo un árbol constituyen los únicos indicios de vida.

El ama de casa suele ser el centro del círculo familiar pese a que los más ancianos, en especial las abuelas, ocupen un papel también fundamental en la educación de los niños. Las mujeres intentan hacer "un nueve de un seis", es decir, se esfuerzan para que el dinero llegue a alimentar a sus familias extendidas.

La mayoría de los habitantes rurales producen parte de su alimento. Poseen pequeños huertos en el jardín, una pocilga para un cerdo, un buen gallinero, ovejas, cabras y, si son afortunados, una vaca. A pesar de que estos medios suponen un trabajo adicional, proporcionan a la familia comida suficiente para "tener la tripa llena". Aunque todos los pueblos parecen tranquilos, lo que sucede entre bastidores no siempre lo es tanto. Los vecinos o son buenos amigos o enemigos declarados. A menudo se oyen frases del tipo: "no nos hablamos desde hace mucho", aunque estas palabras suelen decirlas las mujeres. Sin embargo, cuando llega el domingo, los aldeanos van a su iglesia, todos vestidos con sus mejores "galas dominicales". Sonríen al sacerdote y a los demás, sin que nadie les importe y con el Señor en sus corazones.

La oveja de Barbados

Los archivos afirman que la oveja ya existía en Barbados en 1687. Se supone que estos animales llegaron de África occidental hace unos 300 años con el comercio de esclavos. En todo este tiempo, esta especie africana se cruzó con ejemplares europeos y dio lugar a la oveja de Barbados, exclusiva de la isla. Estos animales no tienen lana, pues en los trópicos constituiría una carga. Barbados ha comenzado a desarrollar un programa de cría y producción de la oveja, no sólo para fomentar el consumo local de esta carne sino también para exportarla. Este animal posee unas cualidades muy ventajosas. Paren varias crías a la vez, lo que puede suponer cuatro o cinco corderos cada seis meses y medio. Las ovejas deben sacrificarse antes de que superen los siete meses. En ese momento pesan unos 50 kg y es cuando la carne presenta sus mejores cualidades. El contenido en grasa es mínimo y sabe a una mezcla de cordero y carne de venado. En la actualidad se enseña a los carniceros locales a matar a estos animales correctamente y la carne se vende a los mejores restaurantes de la isla.

CouCou

- 500 ml de agua
- 10 quingomboes pequeños picados finos
- 1/4 pimiento rojo despepitado y picado fino
- 1 cucharadita de sal
- pimienta al gusto
- 60 g de mantequilla
- 250 g de harina fina de maíz
- 2 cucharadas de aceite vegetal

En una cazuela honda con agua, cueza los quingomboes, el pimiento rojo, la sal y la pimienta. Cuando el quingombó esté cocido y la mezcla se espese, retire la mitad de la misma y reserve. Agregue 30 g de mantequilla al quingombó que está al fuego. Reduzca a fuego muy lento. Espolvoree poco a poco con la harina de maíz mientras remueve con la cuchara de madera. Es importante revolver continuamente para que no se formen grumos. Continúe añadiendo harina de maíz y removiendo. Cuando la mezcla se espese incorpore los quingomboes que tenía en reserva. La mezcla final debe presentar la suavidad del puré de patatas. Con la mantequilla sobrante, unte un molde de vidrio que sea suficientemente grande como para que quepa el *CouCou,* aunque puede utilizar moldes pequeños para servir de forma individual. Introduzca el *CouCou* en el molde. Vuelque en una fuente para servir. Tradicionalmente, la parte superior del *CouCou* moldeado se presiona con una cuchara y se cubre con salsa. Para 4 personas.

Pescado salado guisado

- 250 g de pescado salado sin espinas
- 1 cucharada de mantequilla o aceite vegetal
- 2 cebollas grandes cortadas en aros
- 2 dientes de ajo rallados
- 1 cucharada de condimentos picados finos (cebollino, perejil, tomillo, mejorana y albahaca)
- 1 hoja de laurel
- 1 tallo de apio picado fino
- 1/2 pimiento rojo despepitado
- 2 tomates grandes cortados en rodajas (o 1 lata de tomate)
- sal y pimienta

Deje en remojo en agua fría el pescado salado y sin espinas durante toda la noche. Cueza el pescado en una cazuela con agua fría. Retire el agua. Añada de nuevo agua fría y vuélvalo a cocer. Tire el agua y pruebe el pescado. Si está salado, hiérvalo otra vez. Derrita la mantequilla en una sartén, agregue la cebolla, el ajo, los condimentos y el apio. Desmigue el pescado e incorpórelo junto con los tomates y el pimiento rojo. Salpimiente al gusto. Añada agua hasta cubrir el pescado. Cueza durante 1 hora. Vigile con frecuencia el nivel del agua. Para aumentar el sabor, añada media lata de concentrado de tomate. Para 4 personas.

La fruta del pan adobada es un plato delicioso, sobre todo caliente y picante, y si no se ha escatimado el zumo de lima.

Fruta del pan adobada

- 1 fruta del pan
- sal y pimienta al gusto
- 3 cebollas picadas finas
- 1/2 pimiento rojo despepitado y cortado en dados pequeños
- 1 ramita de cebollino cortada en dados pequeños
- el zumo de 2 limas
- 1/2 ramita de perejil picado fino

Pele la fruta del pan, extraiga el núcleo central y córtela en 4 trozos. Hiérvala en agua con sal hasta que se ablande. Retire del fuego y deje enfriar. Corte la fruta en trozos de unos 10 cm. Añada los demás ingredientes con un poco de agua y tape. Deje reposar.

El baku

¿Ha visto alguna vez un *baku*? Un *baku* es un hombrecillo que vive en una botella. Se importa de Guayana o de Tobago y los habitantes de Barbados parecen saber mucho sobre él. Un *baku* debe alimentarse con todo tipo de hortalizas frescas varias veces al día. De lo contrario, puede saltar de la botella y dejarle la casa patas arriba. Se dice que los vendedores indios que van de pueblo en pueblo vendiendo sus artículos y a los cuales se les paga más tarde, llevan *bakus* para que se "ensañen con las casas de la gente" cuando ha vencido la semana y "todavía no han pagado". Si mantiene al *baku* bien alimentado, le traerá buena suerte a usted y a toda su familia.

¿Sabía que…

… al parecer el pomelo ya crecía en Barbados hacia 1750? En esa época se conocía como "el fruto prohibido". El término "pomelo" no se empezó a utilizar hasta 1814. El fruto parece ser originario del propio Barbados pero fue bautizado en Jamaica. Se desconocía en Europa o en Oriente hasta su descubrimiento en el Nuevo Mundo. En 1823, el conde Odette Philippe introdujo los pomelos en Florida, hoy el máximo productor mundial.

Un trabajador de la Pine Hill Diary comprueba que los cartones de leche de vainilla estén cerrados herméticamente para ser comercializados.

Pine Hill Dairy

La empresa Barbados Dairy Industries S.L. empezó a funcionar en 1966 procesando leche fresca y productos lácteos. Todos los días compra unos 17.000 litros de leche a 26 ganaderos y es una de las pocas empresas lácteas del Caribe que producen leche fresca. En la actualidad, los habitantes de Barbados, al igual que los europeos y los norteamericanos, pueden adquirir leche fresca entera o desnatada: todo un logro para los caribeños, pues muchas de las islas no pueden mantener granjas a gran escala debido a las duras condiciones climáticas. Los habitantes de las zonas rurales suelen criar algunas vacas entre otros animales. En algunas islas existen grandes granjas de producción de leche pero se emplea para elaborar leche UHT enlatada o en polvo. Con su empresa de leche fresca, Barbados constituye la excepción.

En la actualidad, la Pine Hill Dairy distribuye sus productos por todo el Caribe. Además de esta leche, produce leche evaporada, leche condensada y nata doble. La leche condensada del Caribe resulta espesa y muy dulce. Aparte de emplearse para endulzar el té o el café (leche y azúcar en uno), se utiliza a menudo para elaborar bebidas derivadas de la leche, entre las que se incluyen ponche crema, musgo marino y guanábana. Mientras que algunos la prefieren con pan caliente, otros la toman a cucharadas tal cual. Sabe deliciosa y constituye un alimento básico en muchos hogares de las Antillas.

La leche no es el único producto de Pine Hill Diary. También produce zumos envasados y pasteurizados empleando frutas caribeñas, y productos de la región como queso *cottage*, nata agria y yogur.

En 1966, Pine Hill Dairy ya utilizaba métodos publicitarios innovadores. Superior: dos niñas beben leche de las primeras botellas con la mirada inocente que sólo los niños de la isla tienen.

Tarta de yogur

- una base de 20 cm de diámetro
- 2 plátanos cortados en rodajas
- 125 g de piña fresca triturada
- 125 g de guayabas cocidas al vapor (opcional)
- 1 cucharada de ron, brandy o licor de frutas
- 250 g de yogur de frutas tropicales
- 250 g de queso *cottage*
- 1 cucharadita de vainilla
- 1 cucharada de miel
- un poco de azúcar
- nata montada fresca

Introduzca en el horno la base de 20 cm de diámetro. Alinee en la superficie las frutas y báñelas con el licor. Mezcle el yogur, el queso *cottage,* la vainilla y la miel. Añada esta mezcla a la base y espolvoree con azúcar. Refrigere durante varias horas. Antes de servir, cubra la tarta entera con nata montada fresca. Adorne con una guinda en el centro y hojas de hierbabuena y guindas alrededor.

En la actualidad, Pine Hill Dairy cuenta con múltiples productos de gran calidad, entre los que destacan el ponche de cacahuete, la bebida de cereza de Barbados, la leche malteada, la nata doble, el zumo de piña, la leche de vainilla, el ponche de frutas, la leche tratada, el zumo de fruta de la pasión y, por supuesto, la deliciosa leche entera fresca.

Los productos Windmill

En 1965 la familia Miller empezó a elaborar de forma masiva una salsa de guindilla en el sótano de su casa. Fueron, quizá, los primeros de la isla en hacerlo. Comenzaron produciendo unos 1.136 litros por semana y hoy en día la cantidad asciende a 7.547 litros y otros tantos de productos varios –todos se exportan a lugares tan lejanos como el Reino Unido, Alemania y Estados Unidos–. La salsa de guindilla de Windmill se ha convertido en la salsa tradicional de Barbados y, aunque existen otras marcas en el mercado, Windmill mantiene la reputación de ser la mejor (cabe señalar, en cualquier caso, que todas las islas caribeñas afirman que poseen la mejor salsa de guindilla y todas las amas de casas creen que la suya es la mejor). Sin embargo, Windmill es única por basarse más en la mostaza que otras salsas de guindilla caribeñas.

Aparte de estas salsas, Windmill también elabora condimentos envasados que se emplean para preparar el pescado y la carne de Barbados. Incluso existe un condimento llamado Baxter's Road que contiene un poco más de pimienta que lo habitual, aportando un toque más picante a las preparaciones.

Además de otras salsas, como la de guindilla roja, el ketchup picante de Barbados y la salsa barbacoa, Windmill produce jarabes que constituyen la base de bebidas muy sanas. Es el caso del jarabe de *mauby*, elaborado con la corteza del abeyuelo, oriundo de África; el jarabe de cerveza de jengibre, que procede de la raíz del jengibre; y el jarabe de cereza. Estos brebajes no se destinan sólo a calmar la sed sino que también presentan usos medicinales. Windmill produce además jalea y mermelada de guayaba, y jalea de cereza, piña y frutas variadas, muy comunes en los desayunos de Barbados, junto con las esencias utilizadas para realzar el sabor de los postres y los platos tradicionales de

Los productos Windmill no han cesado de mejorar y su variedad ha aumentado desde 1965.

Flan de cereza de L.A. de Barbados

3 cucharadas de jarabe de cereza
120 g de azúcar
3 huevos
1 cucharada de mermelada de cereza
375 ml de leche evaporada caliente

Precaliente el horno a 180ºC. En una cazuela mezcle el jarabe de cereza y 60 g de azúcar. Cueza a fuego lento durante 5 minutos removiendo de vez en cuando. Vierta en una bandeja de cristal para hornear o en un molde decorativo de unos 750 ml. Guárdelo en el frigorífico y refrigere hasta que se endurezca. Bata los huevos y 60 g de azúcar en un cuenco grande hasta que la preparación quede diluida. Añada la mermelada de cereza. Agregue, después, la leche evaporada caliente batiendo poco a poco. Viértala en una bandeja o un molde vidriados. Coloque el molde en un recipiente grande de horno con 2/3 de agua caliente. Hornee durante 1 hora. Extraiga del horno y deje enfriar. Déjelo en el frigorífico al menos durante 5 horas, preferiblemente por la noche. Extraiga del molde y decore con cerezas.

Cereza de Barbados
(Malpighia glabra)

El cerezo de Barbados, también llamado cerezo de las Antillas o acerolo, abunda en la isla. Es un árbol de pequeñas dimensiones cuyo fruto madura y se recolecta entre abril y junio, época en la que adquiere un color rojizo. Posee un alto contenido en ácido ascórbico (vitamina C), más que cualquier cítrico, y además, esta sustancia resiste mejor la cocción que en otros frutos. En Barbados, estas cerezas se emplean para preparar excelentes mermeladas, jaleas y *puddings*. Los productos Windmill originaron el jarabe de cereza, que se emplea para preparar bebidas refrescantes y ponches, además de helados y muchos otros postres.

Los trabajadores tapan los envases de salsa de guindilla a mano para asegurarse de que todos están bien cerrados antes de que lleguen a los comercios.

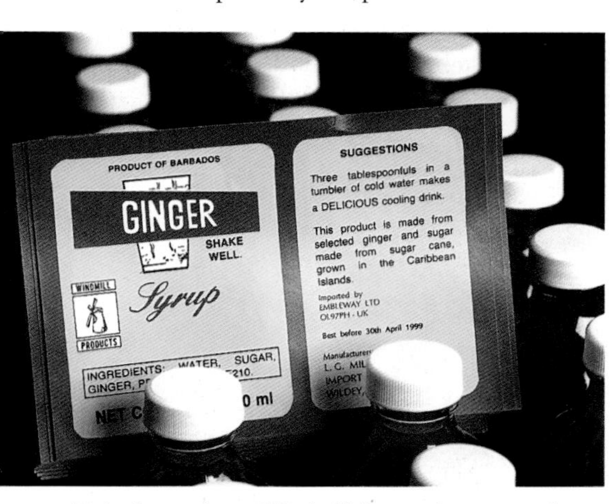

Todos los productos Windmill llevan etiquetas que dan consejos sobre mezclas para preparar sus jarabes. La cerveza de jengibre y el *mauby* son dos de los más conocidos. Derecha: las guindillas se trituran junto a condimentos "secretos" en grandes cubas de acero inoxidable antes de ser embotelladas.

Los ingredientes básicos de una buena salsa de guindillas de Barbados son: vinagre, sal, guindillas, ajo en polvo, especias, cebolla en polvo, cúrcuma y mostaza en polvo.

La Fiesta del Final de la Cosecha

La Fiesta del Final de la Cosecha (Crop Over Festival) procede de los primeros días de las plantaciones. Era un momento de celebración, pues toda la caña estaba cortada y un año más la cosecha se daba por concluida. En los años setenta, la Fundación para la Cultura Nacional recuperó la fiesta y actualmente es uno de los acontecimientos más importantes de Barbados, al que llegan gentes de otras islas y turistas del mundo entero.

La fiesta se celebra en julio y agosto y principia con la ceremonia de entrega de las "últimas cañas" y de aclamación al ganador de los cortadores y apiladores de la última cosecha. Los puestos de calipso quedan abiertos y da comienzo la carrera por la corona del rey del calipso. La isla se llena de vida, con bares, salas de fiesta y restaurantes que hacen su agosto. El espectáculo Cohobblopot, que se celebra en el estadio nacional, se compone de una sucesión de música, baile y teatro, y el mercado de Bridgetown se convierte en un verdadero escaparate de arte, manualidades y gastronomía.

El punto álgido de las fiestas es el día de Kadooment, cuando los componentes de las bandas disfrazados toman las calles en un frenesí de ritmos, baile y color. Varias cabañas erigidas en la calle Spring Garden Highway dominan los actos y en ellas se ofrecen las delicias gastronómicas de la isla acompañadas de bebidas alcohólicas para "regarlas a conciencia". Es difícil elegir el plato y el lugar, pues todos los olores que proceden de estos puestos son muy apetecibles. Es comida al aire libre en su máximo exponente. Todo se prepara ante el cliente y tanto hombres como mujeres trabajan codo a codo para cerciorarse de que todos reciban lo mejor. Las barbacoas chisporrotean con colas de cerdo, pollo, pescado y chuletas de cerdo, y se sirven todo tipo de guisos con guisantes y arroz, *cou cou*, empanada de macarrones y ensalada. El *pudding* con *souse* (un plato tradicional que se sirve los domingos) se ofrece con orgullo y deleite. Abundan, además, los *cutters* o aperitivos de todo tipo. La mayoría baila con un plato en una mano y la bebida en la otra. Y es que este día se realizan hazañas increíbles. Sostienen el plato en una mano y el vaso en la otra, bailan como locos al son del calipso y cantan al compás de la música, a la vez que vigilan a su pareja, quien posiblemente baile contoneándose con alguien del sexo opuesto. Todos lo hacen todo al mismo tiempo, con una energía que no se aprecia en otra época del año. Y sus rostros manifiestan ¡puro éxtasis!

Las costillas, las chuletas y las colas de cerdo, el pollo y el pescado (asados a la parrilla) están a la orden del día.

Los rastafaris acuden a vender su comida vegetariana: frutas y hortalizas para el que quiera probar algo saludable.

Los hombres con zancos contrastan con el cielo raso mientras cruzan el escenario de la competición.

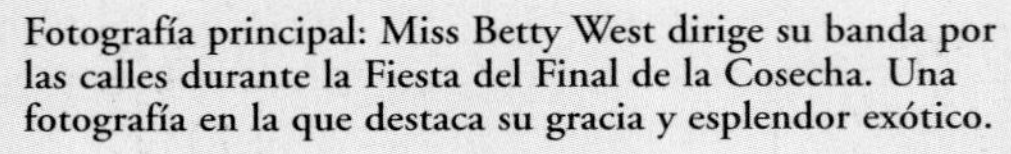

Fotografía principal: Miss Betty West dirige su banda por las calles durante la Fiesta del Final de la Cosecha. Una fotografía en la que destaca su gracia y esplendor exótico.

La tradicional banda Tuk sale a tocar para isleños y turistas.

Los participantes de la fiesta saltan como locos por las calles al ritmo de sus calipsos preferidos.

Las niñas con tocados multicolores y vestidas de la misma forma observan a los participantes.

Miss Shepherd, una participante habitual de la fiesta, encabeza su banda por la calle. Originaria de Trinidad, lleva la fiesta en la sangre.

La industria del azúcar

"En esta isla se ha producido un gran cambio de peor a mejor, a Dios gracias", escribía un habitante de Barbados en 1646. Se refería a la riqueza y al prestigio que la caña de azúcar había aportado a la isla. En 1637 Pieter Blower trajo el azúcar de caña de Brasil a Barbados. Al principio se producía sólo para fabricar ron, pero en 1642 el jugo cristalizado y refinado de la caña de azúcar reportaba enormes beneficios y Barbados se estaba transformando en una de las islas más ricas del Caribe.

De no ser por el trabajo de los esclavos, las plantaciones de azúcar no hubieran prosperado. El comercio de esclavos con holandeses y portugueses se expandió. Hacia 1684, había en la isla tres veces más esclavos negros que blancos. Los plantadores blancos trataban de forma inhumana a estos africanos, los cuales habían sido llevados a propósito desde distintas zonas y tribus de África para asegurarse de que no formaran una cultura cohesionada y de que hablasen distintas lenguas. En 1834 se abolió la esclavitud. En esa época, el obispo anglicano de Barbados escribió: "800.000 seres humanos se acostaron anoche como esclavos y se han levantado esta mañana libres como nosotros… ¡Cuál fue mi gozo en este día memorable al dirigirme a casi 4.000 personas de las cuales 3.000 eran negros emancipados!" En otra ocasión, sin embargo, les dirigió el siguiente mensaje: "Vuestros señores son hombres buenos que continuarán cuidándoos cuando llegue el día de la libertad. Debéis obedecerles, como asistentes de Dios, aunque ya no seáis sus esclavos." El obispo se refería al período de "aprendizaje" que los negros tenían que pasar antes de conseguir la libertad definitiva. Los plantadores necesitaban a estos trabajadores, por lo que esta medida se puso en práctica para asegurarse la producción. El aprendizaje se abolió en 1838, pero pasó más de un siglo hasta que se solucionaron todos los problemas al respecto. Los plantadores, de todas formas, continuaban obteniendo beneficios del azúcar y enriqueciéndose. Inglaterra, por supuesto, también se aprovechaba cada vez más de las colonias.

En la actualidad, la industria azucarera empieza a perder esta imagen tan oscura. Muchas plantaciones se han vendido y sus mansiones principales se hallan en ruinas. Algunas se han restaurado como viviendas particulares, mientras que otras todavía son plantaciones en activo. Barbados cuenta con tres empresas y entre febrero y junio el campo es un centro de actividad, al igual que en todas las zonas del Caribe donde crece la caña. Las que han madurado durante un período de 12 a 18 meses, se cortan a diario, siguiendo el modo tradicional (a mano con un alfanje) o con máquinas recientemente importadas.

De la caña al azúcar

En el patio de la fábrica, las grúas alimentan poco a poco el molino con enormes montones de caña de azúcar. Dentro de las instalaciones, la caña se corta para romper las celdas portadoras del jugo y exprimirlas varias veces entre rodillos de hierro macizo para extraer hasta la última gota. A este jugo se añade hidróxido de calcio y agua o "leche de lima", que pasa por un decantador para limpiar todas las impurezas. Las de mayor tamaño precipitan debido a la leche de lima, y el jugo limpio se canaliza por una serie de evaporadores que extraen el agua y dejan un líquido espeso y dulce, de color marrón, que cristalizará en los depósitos al vacío. Cuanto mayores son los cristales, más sencillo resultará el siguiente paso. El encargado debe controlar con regularidad estos depósitos y decidir cuándo los cristales y la mezcla de licor base o *massecuite* se envía a las centrifugadoras –contenedores de metal que giran a gran velocidad–. La melaza es arrojada por los orificios laterales mientras que la mezcla se rocía con agua para que los cristales presenten la mayor limpieza posible.

El producto final es azúcar moreno, que se exporta o se distribuye por la isla. La melaza se emplea para elaborar ron, para cocinar o en "medicina natural" para mejorar la salud del organismo.

Algunos de los residuos se usan para producir energía para la fábrica, mientras que los excedentes, mezclados con todas las impurezas del jugo tratado y otros residuos, sirven como abono orgánico, que fertilizará los campos de caña. La industria azucarera es de las más apreciadas por los ecologistas, ya que todos sus productos y sus residuos se reciclan. A pesar de que antaño la mayor parte de la melaza producida en Barbados se exportaba, la isla importa en la actualidad melaza adicional para satisfacer las necesidades de una industria del ron en clara expansión.

Falernum

Falernum es un licor a base de lima, azúcar granulado, ron y agua, y perfumado con esencia de almendra. Una bebida popular en las tiendas de ron es el *corn and oil* (maíz y aceite): *falernum* y ron en partes iguales que se bebe de un trago. Cuenta la tradición que tiempo atrás un caballero que visitaba la isla preguntó a un isleño el nombre de la bebida que tomaban en una tienda de ron, bastante bulliciosa por cierto. Los clientes se dieron la vuelta y en dialecto de Barbados le respondieron: *"It will tek' yu' long fuh' learn 'um"* (tardará en conocer el ron). Desde ese día el licor pasó a llamarse *falernum*.

La mansión de la plantación Fisher Pond, restaurada por John Chandler para devolverle su gloria de antaño, vigila orgullosa los campos de caña. Unos días aquí hacen revivir la época de supremacía de este cultivo.

La caña se cosecha en febrero o marzo, en función de las condiciones climáticas y la disponibilidad de las fábricas. La cosecha termina en julio o agosto y constituye el motivo de la Fiesta del Final de la Cosecha.

Antaño la industria azucarera floreció en Barbados.

Los trabajadores, vestidos con ropas multicolores para protegerse de los pinchos y del calor, cortan la caña con machetes como lo hacían antaño sus antepasados.

Otro método para cosechar la caña es con una cortadora mecánica. Esta máquina corta la caña en trozos pequeños y facilita la extracción del jugo.

La caña, una vez cortada –a mano o mecánicamente–, se lleva al patio de la fábrica, donde la grúa descarga los remolques. Montones de cañas esperan ser cortadas antes de comenzar la extracción del jugo.

En la actualidad, la mayoría de las industrias azucareras están controladas por ordenador, aunque el personal encargado debe vigilar constantemente todo el proceso de transformación.

Todos los trabajadores de la fábrica desempeñan un papel primordial.

Los trozos de caña se exprimen varias veces con rodillos de hierro macizo para asegurarse de que se extrae hasta la última gota del líquido.

Se extrae hasta la última gota de jugo y se añade la "leche de lima".

Las impurezas de mayor tamaño precipitan y el jugo limpio se canaliza por una serie de evaporadores que extraen el agua y dejan un líquido dulce y espeso.

En los depósitos al vacío cristaliza el jugo azucarado y marrón.

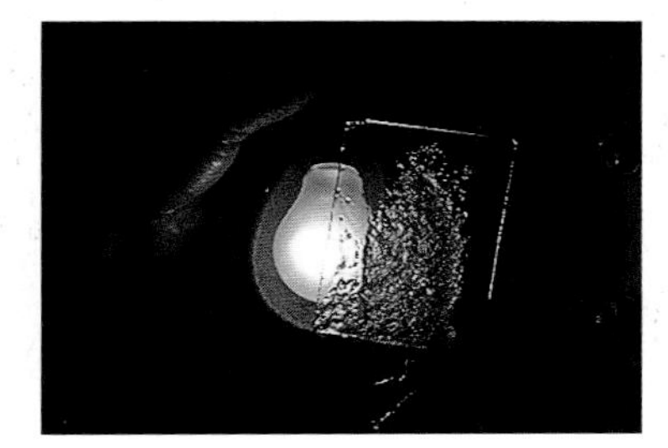

Unas luces especiales muestran cómo se forman los cristales en el depósito al vacío.

El encargado tiene que estar siempre alerta para que el proceso llegue a buen fin.

Se deben realizar varias comprobaciones para asegurarse de que el licor base o *massecuite* se envía a las centrifugadoras en el momento adecuado.

De las centrifugadoras se extrae el azúcar para la venta local y la exportación.

Los residuos se utilizan para fertilizar los campos de caña o producir energía.

La industria del ron

En un principio, la melaza se almacena en depósitos y cisternas; después se transporta a centrales donde se diluye en agua y elementos nutritivos. Se guarda en enormes cubas con forma de tubo para que fermente. Una vez finalizado este proceso, el líquido se conduce a las sofisticadas columnas de destilación continua o, en su defecto, a los tradicionales alambiques. En el primer caso se produce ron destilado y en el segundo ron común. El ron común se vuelve a destilar en otro alambique y el alcohol aromático que se produce se mezcla con el alcohol del alambique continuo. Los rones blancos o claros sólo se elaboran con alcohol producido por alambiques continuos; en cambio, los rones oscuros y de gran sabor están formados por una mezcla de alcoholes continuos y predestilados. Tras la destilación, el licor se almacena en la bodega, dentro de barriles de roble, para que se añeje. Este proceso de maduración puede durar entre dos o más de diez años. Cuando finaliza esta etapa, el jefe de mezclas armoniza el ron con gran meticulosidad. Esta persona tiene la responsabilidad de crear el sabor y aroma únicos del producto final.

Mientras que en el Caribe las instalaciones para la producción de ron se han modernizado, hay algunas islas (incluyendo Guadalupe y Haití) que todavía producen ron de forma tradicional. La destilería más antigua que aún funciona en Barbados es Mount Gay. Produce ron desde 1703 y ha alcanzado fama en todo el mundo. Su marca Sugar Cane Brandy es el ron de mayor calidad producido por la destilería; sabe casi como un brandy suave, de aquí el nombre. En la sala de alambiques de Mount Gay pueden verse alambiques de cobre antiguos que se han utilizado durante siglos en la producción de ron. Recuerde la siguiente regla de oro: cuanto más añejo es un ron (con independencia de su lugar de procedencia), mejor es su sabor. De todas formas, por todas las Antillas se vive una polémica discusión sobre el ron y la marca mejor. Con un producto final que posee entre un 40% y un 45% de alcohol, no parece que tengan que existir diferencias significativas entre los rones y, sin embargo, debido a la mezcla meticulosa y hábil de numerosas destilerías de toda la región, cada ron posee una finura particular.

Fotografía principal: la melaza de las industrias azucareras se guarda en depósitos y cisternas. Después se envía a las centrales, donde se diluye con agua y elementos nutritivos y se almacena en cubas en la parte superior de la destilería.

Licor de pobre

Cuentan que esta receta se remonta a la época de las plantaciones coloniales cuando a los esclavos se les daba su ración de ron en días señalados. Los esclavos inventaron esta exquisitez de Barbados en un intento de imitar a los licores que degustaban sus señores tras una copiosa cena.

3 limas peladas con una sola mondadura
500 ml de ron blanco o dorado
125 g de azúcar moreno

Ponga la lima en una fuente refractaria. En una cazuela pequeña caliente el ron y el azúcar moreno a fuego lento. Vierta el ron en la fuente con la lima y flambee la preparación. Avive las llamas con una cuchara de mango largo durante 2 ó 3 minutos. Apague el fuego y sirva frío en vasos de licor.

Ponche de ron de Dickie

2 cl de zumo de lima
4 cl de almíbar
6 cl de ron negro
32 cl de hielo picado
1 chorrito de bíter aromático
nuez moscada

Vierta todos los ingredientes en un vaso largo y espolvoree con nuez moscada. La cantidad puede aumentarse, embotellarse y conservarse en el frigorífico toda la noche antes de servir. Para 1 ponche de ron.

Ponche de ron tradicional

una de amargo
dos de dulce
tres de fuerte
cuatro de flojo
cinco gotas de bíter y nuez moscada
sirva bien frío con mucho hielo y brío

Este poema lo saben de memoria todos los habitantes de Barbados y constituye la receta para un ponche de ron perfecto. Se ha probado infinidad de veces y, en general, se considera la mejor.

La fermentación se produce de forma lenta en grandes cubas fermentadoras.

Después, el líquido se introduce en columnas de destilación o alambiques.

Tras varios procesos de destilación, el alcohol se almacena en barriles de roble.

El jefe de mezclas comprueba con meticulosidad que el aroma sea perfecto.

El ron se embotella, se cierra y se distribuye para su consumo.

La marca Sugar Cane Brandy se elabora con el ron de máxima calidad.

Estos jóvenes juegan a las cartas en el interior de la tienda de ron de Horse Hill, en Bathsheba. Fíjese en que llevan puestas las gafas de sol para llamar más la atención.

Tiendas y bares de ron

El ron es dulce, el ron es dulce, no dejes que este licor se pasee por tus pies.

Dicen que en Barbados hay más de 1.000 tiendas de ron. La frase "vamos a quemar uno" se oye en cualquier esquina desde la que se divisa uno de estos establecimientos. Siempre hay una razón para beber uno de estos "chupitos": el momento del día, el anuncio por parte de un amigo o un transeúnte cualquiera de una noticia importante, una boda, un nacimiento o una muerte. Para las gentes de Barbados, un trago de ron lo arregla todo.

Antaño se conocía a Barbados por sus tabernas donde se servía el brebaje "que mata al mismo diablo". Ya hacia 1640, cuando se destilaba de forma primitiva, el ron tenía fama de dejar a los visitantes inmóviles. Parece ser que la palabra ron es una apócope de *rumbullion*, aunque algunos se preguntan si no tendrá más relación con *rumbustious* (bullicioso), por cómo se transformaban los hombres al beberlo. Se sabe que la palabra se acuñó en Barbados, el primer lugar que exportó ron.

Aunque hay tiendas de ron en casi todas las islas del Caribe, las de Barbados son únicas. Tradicionalmente estos establecimientos sólo eran frecuentados por hombres, aunque ahora las mujeres también entran y, de vez en cuando, se toman uno de un trago. Además, las tiendas de ron de Barbados son "todo en uno": un colmado –donde a muchos clientes se les fía– en el que se vende todo tipo de comida, incluso pan y aperitivos recién hechos, periódicos, lotería, gas u otro tipo de combustible para cocinar. Estas tiendas, que están en pequeños edificios de madera, disponen de pequeñas habitaciones laterales donde se reúnen algunos clientes (es importante que desde estas habitaciones se vea la parte del colmado, ya que a la mayoría de los hombres les gusta curiosear quién entra o sale, sobre todo si son mujeres). En estas tiendas, la creencia de que las mujeres son las mayores cotillas pierde fuerza. Los hombres aquí no cesan de hablar y quien escuche atentamente su conversación, se enterará del estado en que se halla el gobierno, de la estratagema que va a seguir tal político, del caballo que va a ganar en la siguiente Gold Cup, de qué le hizo Boysie a Maizie, de quién se ha muerto y por qué, y de quién ha nacido y en qué familia. Mientras tanto, las fichas de dominó golpean la mesa con comentarios alborotadores sobre las trampas de los otros jugadores, la

Los clientes de Pink Star, en Baxter's Road (Bridgetown), disfrutan de su tienda de ron favorita hasta altas horas de la madrugada.

música suena en un altavoz y se oyen los sonidos apagados de alguna serie popular en la televisión. Aunque se suele beber una cerveza fría o una Guinness, la tradicional petaca o botella de ron en la barra es obligatoria. Unas veces, cada uno lleva la suya; otras, se comparte. Si alguien compra una botella primero, cuando se termina, le toca a otro "soltar la pasta". El ron se suele tomar en vaso de chupito, de un trago, seguido de una copita de licor. Las tiendas de ron son un mundo aparte y, sin duda, estos núcleos tradicionales de actividad formarán parte de la vida de Barbados hasta el fin de los tiempos.

Cómo "succionar" caña:

1. Busque una zona del campo de caña donde no puedan ver que se ha metido en la plantación.
2. Rápidamente corte un trozo de caña con un machete o un cuchillo; si no dispone de utensilios, rompa la caña y retuérzala hasta extraerla de su base. Vigile que el vello diminuto y punzante de la planta de caña no le toque la piel.
3. Corra rápidamente con la caña en la mano hasta un lugar escondido.
4. Corte la parte superior de la caña y, con un cuchillo o los dientes y hacia abajo, pele la dura cáscara de la caña.
5. Comience a masticar y succionar la pulpa interior de la caña, cortando los trozos secos con los dientes y escupiéndolos. Prosiga de la misma manera hasta que extraiga todo el jugo.
6. Recuerde que en el Caribe no hay nada como sentarse a la sombra de un árbol y "succionar caña", dejando que el dulce jugo resbale por la barbilla, el cual, por supuesto, debe limpiarse con la manga de la camiseta o con la parte exterior de la mano. De todas formas se le quedará la piel pegajosa, pero su paladar se lo agradecerá.
7. Por raro que suene, se afirma que la succión de la caña refuerza la dentadura, o al menos es lo que le dirán los isleños más ancianos con una sonrisa que deja entrever ¡sus encías desdentadas!

Este rasta succiona caña con la habilidad de un experto.

Los feligreses lucen sombreros y vestidos especiales que resplandecen en las mañanas soleadas.

La Pascua en Barbados

La Pascua se celebra en el Caribe con tanto fervor como Navidad, y cada isla es famosa por su festejo particular.

La gente va a la iglesia el Domingo de Resurrección con sus mejores galas. Llevan sombreros impresionantes y todo tipo de atuendos de colores vivos. Muchos compran ropa nueva para la festividad. Las chicas y las mujeres mayores, los chicos y los ancianos, los ministros del gobierno y el pueblo en general van a las iglesias repartidas por toda la isla. Entonan cánticos de alabanza y el sermón del sacerdote trata sobre la resurrección de Cristo. Tras el servicio, la plaza de la iglesia se llena de feligreses que comentan con entusiasmo "el vestido de Charlene" o "la voz alta y ronca de Clementine", y sólo dejan de chismorrear para saludar a los demás con una inocente mirada y una amplia sonrisa.

Para entonces, los pasteles decorados ya están listos en un lugar bien visible, junto con los huevos de Pascua de los niños y los tradicionales bollitos, para que la gente pueda hablar de ellos y felicitar a los cocineros. La mayor parte de la comida de este día se prepara con antelación. Las mesas se llenan de todo tipo de platos tradicionales y rebosan de carne de cerdo, vaca, pollo o cordero. Los taros con salsa de mantequilla, la tarta de boniato, la fruta del pan en adobo, la empanada de macarrones y el arroz con guisantes forman una combinación estupenda, en compañía de plátanos macho fritos y buñuelos de calabaza suficientes para alimentar a un pueblo entero. Se trata, en efecto, de un día de celebración en el que la familia y los amigos aportan su plato preferido a la comida. Y por supuesto, no falta el alcohol. Los que pueden permitírselo, toman ginebra con agua de coco; el resto, "el ron de siempre". Pero sin importar lo que beban, los hombres se empapan con deleite, mientras que las mujeres toman a escondidas una copita de vez en cuando.

El mayo engrasado es una de las atracciones preferidas para los asistentes a la Fiesta del Pescado de Oistins el Domingo de Resurrección.

Para los que prefieren salir, los restaurantes de la isla y los hoteles ofrecen comidas de Pascua. La más famosa y tradicional la sirve el Atlantis Hotel, cuya propietaria, Enid Maxwell, controla el surtido de suculentos platos tradicionales de Barbados que salen de la cocina. Su menú y sus clientes suelen ser isleños. Todo lo que se sirve para la ocasión es "lo auténtico". Uno de los platos por el que es famoso el Atlantic es el *jug jug*. Este plato sólo se encuentra en Barbados y suele cocinarse en Navidad, cuando es la época de los gandules. Según cuentan, esta preparación fue introducida en la isla por exiliados de escocia. De hecho, presenta un parecido sorprendente al *haggis* escocés.

Pero tanto si las gentes de Barbados preparan la comida como si salen a comer, el Domingo de Resurrección siempre rebosa de camaradería y diversión, con la invariable siesta con la que termina la juerga del día. El Lunes de Pascua, muchos se van a comer a la playa o a los parques: ponen las sobras del domingo en las cestas y llenan las neveras portátiles de hielo y bebida. Unos van en coche y otros se unen a las diferentes "excursiones".

En la Garrison Savannah, hay una carrera de cometas. Los entusiastas de este pasatiempo –que vienen de toda la isla– han estado muy entretenidos las últimas dos semanas construyendo cometas especiales o entrenándose con ellas. También hay abundancia de comida y bebida, y lo que muchos hacen es preparar a la sombra todo lo que han traído y contemplar el alarde de color y fantasía.

En la Fiesta del Pescado de Oistins se celebra el día de los pescadores (hombres y mujeres) y se organiza una serie de competiciones. Y, por supuesto, la comida está en todas partes. Los puestos en hilera ofrecen pescado o pollo fritos, pasteles de pescado, aperitivos de todo tipo y cocina casera. El mayo engrasado es muy popular. El "hombre de la grasa", con una escalera, unta los 3,5 m del mayo de arriba abajo, y pone la señal de ganador en la cúspide. Empieza la carrera para ver quién logra el codiciado premio. Muchos jóvenes, con el cuerpo y el pelo cubiertos de grasa, se suben uno encima de otro y se abren camino hacia arriba entre gritos de aliento de los seguidores.

Bollitos de Pascua

750 g de harina
3 cucharaditas de levadura en polvo
2 huevos
375 g de azúcar moreno
1 cucharada de colorante
250 ml de leche
1 cucharada de canela
250 g de pasas
60 g de corteza de naranja y limón
azúcar glas

Precaliente el horno a 180ºC. Coloque todos los ingredientes excepto el azúcar glas en un cuenco y mezcle bien. Vierta la preparación en moldes para bollos engrasados y enharinados. Hornee hasta que suban, se doren y estén bien cocidos por dentro. Rocíe con un poco de azúcar glas mezclado con agua. Una vez fríos, mezcle azúcar glas y agua hasta que adquiera consistencia. Cor una bolsita para glasear, dibuje el signo de la cruz en la parte superior de cada bollito.

Buñuelos de calabaza

500 g de calabaza cocida y triturada
1 huevo
60 g de azúcar
1 cucharadita de canela
1/4 de cucharadita de nuez moscada
1 cucharadita de levadura en polvo
125 g de harina
aceite vegetal para freír
azúcar granulado para decorar

Mezcle todos los ingredientes excepto la harina. Añada el azúcar y las especias al gusto. Después, incorpore poco a poco la harina a la mezcla hasta que la pasta presente una textura apropiada para freír. Caliente el aceite y deposite cucharadas de la pasta hasta que se doren. Escurra el aceite sobrante de los buñuelos sobre papel de cocina. Antes de servir, espolvoree con azúcar granulado y canela. Para 4 personas.

Jug jug

(servido en Pascua pero típico, sobre todo, en Navidad)

500 g de carne de vaca salada
500 g de carne o cola de cerdo saladas
4 kg de gandules
1 ramillete de tomillo, mejorana y cebollino
250 g de cebolla picada
625 g de mijo
1 cucharada de mantequilla

Deje en remojo la carne salada durante toda la noche.
Hiérvala en una cazuela con agua. Cambie el agua y repita el proceso hasta que se haya extraído la mayor parte de la sal. Añada los gandules, el ramillete de hierbas y la cebolla. Cueza hasta que la carne y los gandules estén tiernos. Retírelos de la cazuela y dispóngalos en un cuenco aparte. Deshuese la carne y píquela. Triture los gandules y mézclelos con la carne. Bata el mijo en un poco de agua hasta que no queden grumos. En una cazuela vierta parte del agua de los gandules y la carne salada y cueza a fuego medio. Incorpore poco a poco, y sin dejar de remover, el mijo y no deje de dar vuelta hasta que esté cocido y presente la consistencia de una papilla. Agregue los gandules triturados, la carne picada y la mantequilla. Este plato puede prepararse con antelación y congelarse. Sirva caliente.
Para 4-6 personas.

Carne de cerdo asada al estilo de Barbados

2 cucharadas de mantequilla fundida
1 cucharada de nuez moscada
1 pierna de cerdo (de unos 5 kg)
1 lima
sal y pimienta

Condimento: perejil picado fino, mejorana, tomillo, cebollino, 1/2 pimiento rojo (despepitado), cebolla y ajo. Añada sal, pimienta y 1 cucharada de ron o 1 cucharadita de bíter aromático; mezcle bien.

Lave la pierna a fondo. Sale la piel y frótela con lima. Seque con un trapo sin quitar del todo la sal y la lima. Marque la piel para que quede crujiente. Con una broqueta, practique orificios profundos en la carne y rellénelos hasta arriba con el condimento. Envuelva la pierna en papel de aluminio. Una vez condimentada, se puede dejar en el frigorífico toda una noche. Precaliente el horno a 190ºC. Coloque la pierna en una bandeja y hornee durante 30 minutos. Reduzca la temperatura a 125ºC y mantenga en el horno durante 2 horas y media. Retire el papel de aluminio y vuelva a introducir la bandeja en el horno a temperatura alta durante 30 minutos. Hornee hasta que la piel esté crujiente. Si no se logra que la piel alcance ese punto, colóquela en una parrilla durante unos minutos. Extraiga la pierna del horno y deje enfriar antes de trincharla.

Para elaborar la salsa: vierta los jugos sobrantes en una cazuela y caliéntelos a fuego lento. Añada 1 cucharada de harina de trigo, harina de maíz o arrurruz, y remueva hasta que se forme una pasta. Añada agua para diluir su consistencia. Salpimiente al gusto. Si la salsa no queda suficientemente dorada, se puede añadir colorante.
Para 8 personas.

A la iglesia se acude con las mejores galas.

Granada

Los granadenses llaman a su isla "el país de Dios". Con 311 km² y cubierta de exuberante selva, también se conoce como "la isla de las especias". Ya los primeros colonizadores europeos descubrieron su valor y lucharon de forma implacable para hacerse con el control de la isla. En realidad, Granada es el único estado caribeño de habla inglesa entre cuyas luchas políticas se incluye un intento, en los años ochenta, de establecer un régimen socialista-comunista vinculado a Cuba y, en última estancia, a Rusia.

Durante su tercer viaje, Colón fue el primer europeo en avistar Granada. La bautizó con el nombre de Concepción, pero nunca llegó a desembarcar en la isla. Algún tiempo después, el intento de los británicos por establecerse en Granada se vio truncado por la presencia de los "caníbales" indios caribes que habitaban en la isla. En 1650, unos intrépidos franceses llegaron cargados de baratijas y alcohol con la esperanza de calmarlos y persuadirlos. Pero los "salvajes" sólo fueron apaciguados de forma temporal y se sucedieron feroces batallas por el control de la isla. En 1651, los caribes, dándose cuenta de la derrota a manos del hombre blanco, que disponía de pistolas, rechazaron entregarse a los sospechosos beneficios de la civilización europea y se tiraron desde lo alto de un acantilado. En lo que en la actualidad es Leaper's Hill murieron muchos hombres, mujeres y niños. En 1783, el Tratado de Versalles entregó Granada a Gran Bretaña.

El actual estado de Granada comprende tres islas –Granada, Carriacou y Petit Martinique–, que son las más meridionales de las islas de Barlovento. El Mount St. Catherine, el punto más elevado, se alza a 840 m. Otro pico, el Mount Qua Qua, se eleva a 700 m y en su cumbre se abre un cráter ocupado por el Grand Étang ("gran lago"), donde los granadenses disfrutan de la pesca, las meriendas y los paseos en barca. La isla dispone de selvas, manglares, ríos, playas de arena blanca, aguas azules y límpidas, y hermosos arrecifes de coral.

En Granada abundan las fincas y las elegantes mansiones, algunas derruidas y otras inalterables al paso del tiempo. Westerhall Estate, por ejemplo, es un edificio atemporal donde desde 1800 se destila ron empleando métodos tradicionales. Allí se elaboran múltiples mezclas, desde las más suaves hasta el casi bruto Jack Iron, un elixir que no se recomienda a los remilgados. La destilería más antigua del Caribe es la River Antoine Rum Distillery, en la propiedad Antoine Estate, de unas 200 ha, cuyo propietario francés pagó 200 libras en 1785 para adquirirla. Esta destilería tiene fama de producir el ron más fuerte de la isla.

La capital de Granada, St. George's, constituye uno de los puertos más pintorescos del Caribe. Se halla situado en las laderas que rodean dos conocidos barrios –Carenage y Harbor Area (la zona portuaria)– separados por una colina y unidos por un túnel: el Sendall Tunnel, una maravilla de la ingeniería cuando se construyó en 1895. Las casas con vistas al puerto y las calles simulan pender peligrosamente de los acantilados y algunas cuestas adoquinadas parecen hacer imposibles las ascensiones de 90º.

Un policía situado en el cruce de tres calles empinadas constituye una visión interesante: intenta parecer lo más británico posible vestido con su uniforme caribeño, de pie en una especie de estrado, y trata de ordenar un enjambre ruidoso y rebelde de coches, taxis, camiones y furgonetas, e imponer en vano un aparente orden en la isla.

Todavía hoy, la herencia francesa de Granada se aprecia en muchos topónimos y los isleños prefieren hablar un dialecto francés africano, sobre todo cuando se hallan con turistas, pues así pueden hacer bromas subrepticias esbozando una amplia sonrisa. En el mercado, las conversaciones se desarrollan con grandes aspavientos (influencia francesa) sobre la familia, los amigos, los vecinos y los enemigos. "¿Ves aquella chica? Se llama Mary; ¿sabes que va con todos y tiene un niño que se llama James Smith pero que se hace pasar por Peter Small?" "Pues sí, *oui*" es una respuesta común a tales preguntas. ¿No lo entiende? Resulta sencillo para los granadenses: Mary vive con un hombre sin estar casada, tiene un niño al que han puesto James Smith pero suelen llamarlo Peter Small para que los malos espíritus no sepan su verdadero nombre.

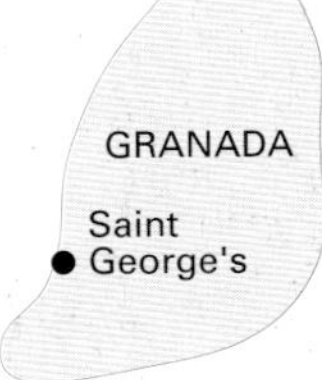

La señora Mascoll descansa en el porche de su antigua mansión de Morne Fendue.

Las especias

En la Edad Media y hasta bien entrada la época victoriana, las especias se colocaban, a veces, sobre una persona para protegerla de los malos espíritus, curar o dar una sensación de bienestar. Algunas especias servían como estimulantes, otras se empleaban con objetivos farmacéuticos y otras en perfumes, incienso, aceites aromáticos y jabones.

Cuando Colón llegó al Nuevo Mundo, descubrió que los amerindios conocían bien las especias y las hierbas aromáticas indígenas. Con el comercio de esclavos y la influencia de los colonizadores extranjeros, los que deseaban "sentirse unidos" en cierta manera al pasado trajeron otras plantas muy útiles (además de cultivos) que se convirtieron en parte de la vida de las islas. Antes de que los médicos estuvieran al alcance de todos con tanta rapidez, la gente confiaba enormemente en estas hierbas y especias medicinales.

En Dominica, San Vicente, Trinidad y las islas de habla francesa se cultivan hierbas y especias para exportar, aparte de destinarse al consumo local. Granada, por su rico suelo volcánico, sus zonas montañosas y su clima moderado, es muy apropiada para esos cultivos, sobre todo de especias, de ahí el sobrenombre de "isla de las especias".

Nuez moscada y macis

(Myristica fragrans)

La mirística llegó a Granada en 1843, aunque ya hacía 20 años que crecía en el Caribe. La tradición popular cuenta que un médico que vivía en la India importó por primera vez la nuez moscada para mejorar el sabor del ponche llamado Planter's Punch. En la actualidad se cultiva en Granada una nuez moscada de gran calidad. La isla suministra el 40% de la nuez moscada y la macis de la producción mundial; sólo Indonesia constituye un rival serio.

Cuando el fruto se abre, se ve el núcleo envuelto en la macis roja.

La nuez moscada recién rallada constituye el toque perfecto para el Planter's Punch.

La mirística puede medir 15 m de altura. Una de sus particularidades es que las malas hierbas nunca crecen a sus pies. Los agricultores afirman que a este árbol le gusta el suelo rico y abundante agua; según la tradición, le encanta el olor a mar. La discreta flor de la mirística produce un fruto redondo, amarillo y con forma de melocotón. Cuando madura, se parte en dos y aparece una corteza marrón oscura cubierta por un arilo en forma de red y con un color rojo vivo. El fruto exterior se deja fermentar y produce una bebida parecida al brandy. La cáscara dura contiene una semilla que es lo que se conoce en el mercado como nuez moscada. El arilo o membrana roja se llama macis, que se emplea como especia y además es muy apreciada en la industria farmacéutica.

La mirística puede alcanzar los 15 m y una de sus peculiaridades es que las malas hierbas nunca crecen a sus pies.

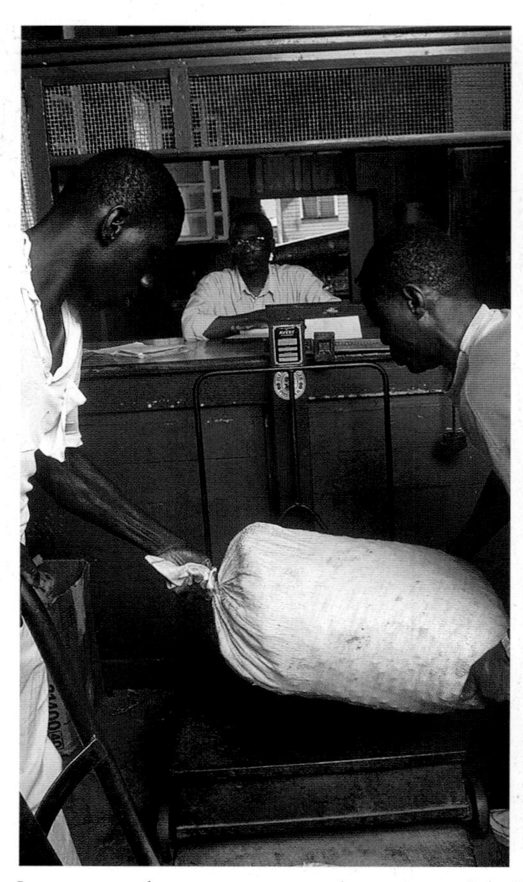

La nuez moscada, una vez empaquetada, se pesa y se lleva al piso superior gracias a un sistema de poleas.

La macis se retira de la cáscara exterior de la nuez moscada y se deja secar. Cuando adquiere un tono amarillo pálido, se empaqueta como la nuez moscada. Los agricultores, ayudados por toda la familia, transportan el producto a la Grenada Co-operative Nutmeg Association, el único organismo que negocia entre el mercado mundial y los productores de macis y nuez moscada, que tiene fábricas en toda la isla. El ambiente se llena de un fuerte aroma mientras se empaqueta la nuez moscada –entera o partida para elaborar nuez moscada en polvo o triturarla y producir aceite–. Las cáscaras se usan en los jardines para proteger las plantas jóvenes o marcar los senderos. La macis es similar a la nuez moscada pero, posee un aroma y un sabor más refinados y mejora las salsas, las sopas, los *soufflés* y los postres. La nuez moscada se usa en medicina natural, mermeladas, jaleas, pasteles, galletas, jarabes y bebidas, o se añade al recipiente para que las comidas sean más sabrosas. Mezclada con vaselina y aplicada en el pecho antes de tomar un "ponche caliente" (lima, miel, un chorro de ron y nuez moscada), "cura" algún resfriado que otro. Otra bebida apreciada en la isla se prepara con leche caliente, cacao y nuez moscada; atempera el estómago en el desayuno y ayuda a dormir. El aceite de nuez moscada se mezcla con miel y aceite de girasol y, a juzgar por la piel suave y brillante de los isleños, su nombre de "milagro de los milagros" es muy apropiado.

La nuez moscada seca y sin cáscara se pone en remojo para comprobar su calidad.

La mirística con su preciado fruto.

Puñados de macis aromática se muelen y se emplean por todo el mundo para realzar el sabor de sopas, *soufflés* y postres. Se utilizan, además, para conservar la carne de vaca salada y varios tipos de embutido, y en la fabricación de cosméticos.

La macis se seca en grandes depósitos durante cuatro meses. Tras este proceso, cae al piso inferior donde se seleccionan las diversas calidades y la empaquetan para su exportación.

La nuez moscada llega a grandes bandejas para que se seque, proceso que puede durar hasta ocho semanas.

Las mujeres de la nave central inspeccionan y limpian la nuez moscada que, una vez retirada de las bandejas de secado y partida, es conducida hasta ellas.

Después de secar y seleccionar la nuez moscada, se vuelve a pesar para establecer los salarios antes de determinar la calidad de la nuez moscada con la prueba del agua.

Determinada la calidad, la nuez moscada entera se deja secar entre 18 y 20 horas, se vuelve a clasificar y la que presenta un perfecto estado se pone en sacos para comercializarla.

El fruto entero aparece en la fotografía entre los productos aromáticos que se extraen de él: la nuez moscada y la macis.

Canela

(Cinnamomum verum y *zeylanicum)*

El canelo es un árbol perennifolio que alcanza los 10 m de altura en estado silvestre pero que en los cultivos se reduce a un tamaño menor y más denso, así la recolección resulta más sencilla. Al igual que la mirística, vive en los trópicos y le agrada la brisa marina. Procede de Sri Lanka pero los primeros exploradores ya lo trajeron al Caribe y, hoy en día, crece en la mayoría de las islas volcánicas. La especia se obtiene de la corteza seca, que se extrae, sobre todo, de los vástagos delgados del centro del árbol. En las islas, la canela se vende en forma de largos cañones de pluma que se unen liando a mano y diariamente los extremos finales hasta que se secan. El resultado es una rama uniforme, suave y frágil. Los trozos de esta rama se llaman *quillings* y se usan para elaborar canela molida. La canela se suele usar casi igual que la nuez moscada, a menudo en los rones aromáticos para elaborar una "bebida medicinal" con especias.

Cúrcuma

(Curcuma longa)

Esta hierba forma parte de la familia del jengibre y se cultiva en Granada, Jamaica, Dominica, Trinidad y en las islas hispanohablantes. Su sabor a almizcle y su color dorado la convierten en un magnífico sustituto del azafrán, que resulta muy caro para muchos isleños. La cúrcuma es aromática con un poco de pimienta, naranjas y jengibre. La planta, perenne, alcanza el metro de altura. Sus rizomas se extienden como dedos y aparecen en la parte que ha crecido previamente. Todos los grupos de rizomas se extraen de la tierra con cuidado para no causar daño alguno. Los dedos que surgen en los rizomas más grandes suelen desecharse. En el Caribe, la cúrcuma se usa como ingrediente especial del curry molido y para dar al arroz un tono amarillo vivo.

Pimienta

(Piper nigrum)

Durante siglos, la pimienta se utilizó como moneda tanto en Oriente como Occidente, y con ella se pagaban los impuestos sobre tierras, los alquileres e incluso las dotes. La planta se asemeja a una parra perenne que tarda entre siete y ocho años en madurar y produce fruto durante unos 15 años. Las flores se forman en pequeñas puntas blancas y se transforman en grupos de bayas verdes que, al madurar, se tornan rojas. Una vez recolectadas y secas, estas bayas se denominan "granos de pimienta" y en el Caribe se utilizan en infusiones para aliviar las flatulencias y como diurético. Cuando se muelen, se obtiene la pimienta negra, un producto que no requiere ningún tipo de explicación, pues es esencial en las mesas de todo el mundo.

Clavo de especia

(Eugenia caryophyllus o *Syzygium aromaticum)*

Granada es el mayor productor caribeño de esta especia, que se dedica a la exportación y al uso local. Los árboles alcanzan su madurez a los 20 años y viven unos 50 años más. Los brotes de clavo de especia se forman en grupos al final de las ramas. Al alcanzar su tamaño máximo, antes de que se abran los pétalos, se recolectan y se secan al sol durante varios días. Tras este proceso, adoptan un color marrón oscuro y su tamaño se reduce unos dos tercios. Los clavos de especia poseen un sabor amargo, picante e intenso que puede tener efectos anestésicos, por eso un remedio de Granada para el dolor de muelas consiste en colocar un clavo donde duela y masticarlo. El clavo resulta ideal si se incrusta en el jamón antes de cocerlo. Se emplea en muchos platos caribeños y forma parte de muchas mezclas de especias como el curry en polvo, que se emplea sobre todo en salsa de tomate y para condimentar salchichas.

Badiana (anís estrellado)

(Illicium verum)

La badiana llegó al Caribe procedente de China y se usa en la preparación de bebidas de muchas islas. El badián alcanza unos 6 m de altura y sus flores son pequeñas y amarillas. Fructifica al cabo de seis años y puede dar fruto durante un siglo aproximadamente. Las badianas se recolectan antes de que maduren y se ponen a secar hasta que se endurecen y presentan un color marrón, muy similar a la corteza de un árbol. La fragancia de la badiana se asemeja al anís y al hinojo, pero las plantas entre sí no guardan ningún tipo de relación. Se emplea en el Caribe como infusión para aliviar los cólicos y el reumatismo. Además, es un ingrediente de pasteles, galletas y licores caseros de muchas islas.

Las hojas de laurel se arrancan verdes y se dejan secar.

Laurel

(Pimenta racemosa)

El laurel es originario de las islas de Barlovento (Granada, San Vicente, Dominica y Santa Lucía). Se trata de un árbol perenne de la familia de las lauráceas que alcanza los 9 m de altura. Sus hojas correosas y brillantes se caracterizan por su particular aroma. Tras recolectarlas, se envasan y se llevan a destilerías "caseras" para extraer el aceite, que se utiliza para elaborar el ron de laurel, un tipo de ron que no se bebe, pues posee un olor especial y se emplea con objetivos terapéuticos y calmantes. No hay un isleño que no tenga una botella de este brebaje a mano. Con él se frota el cuerpo para aliviar la fiebre, calmar el calor tropical y mejorar la salud en general. El aceite de laurel también se usa, además, en perfumería y tónicos capilares. Las hojas se venden verdes o secas y se agregan a las sopas, guisos y adobos. El laurel debe retirarse antes de servir una preparación, pues el tallo de la hoja puede resultar peligroso si se traga. Las pequeñas bayas del árbol, conocidas como malaguetas, se destinan a platos como al *blaff*, una sopa de pescado común en las islas de habla francesa.

Un perro de raza local dispuesto a echar una mano en la destilería.

Los agricultores transportan las hojas de laurel a la destilería central, situada en la montaña.

Curry en polvo caribeño

2 cucharadas de mezcla de especias enteras: comino, mostaza negra, fenogreco, anís, pimienta negra y guindillas secas
60 g de semillas de cilantro
2 ramas de canela
4 cucharadas de jengibre seco molido
2 cucharadas de cúrcuma seca molida

Seque y tueste todas las especias junto con las semillas de cilantro. Muélalas y mézclelas con el jengibre y la cúrcuma.

Cordial de clavo de especia

Receta extraída del libro de Margaret Dodds, *The Cook & Housewife's Manual*, edición de 1833

"Tome 7,5 g de brotes de clavo de especia y de casia y una docena de granos de pimienta de Jamaica. Prepare una infusión con estas especias en agua caliente y conserve la botella cerca del fuego, vigilándola, durante una o dos noches. Incorpórela a 1,5 l de licor con grado y agregue jarabe al gusto. Cuele y coloree con caramelo líquido o un poco de cochinilla. Se puede añadir macis o nuez moscada trituradas. Constituye un tónico muy agradable."

El aceite se extrae de la hoja de laurel y se transforma en ron de laurel. No es para beber sino que se usa para "aliviar la piel"; además, en el Caribe, una casa sin ron de laurel es como una casa sin tejado.

Las vainas rojas, amarillas o anaranjadas, que crecen directamente del tronco entre hojas oscuras y brillantes, se convertirán en un producto muy apreciado: el chocolate.

Cacao

(Theobroma cacao L.)

El cacao proviene de Centroamérica y Sudamérica. Ya lo cultivaban los aztecas, quienes creían que poseía un origen divino, mucho antes de la llegada de los conquistadores. Cuando se llevó a España, los granos se tostaron y se mezclaron con azúcar y vainilla para producir una nueva bebida. Aunque el cacao se ha cultivado durante casi 400 años, fue a mediados del siglo XIX que se emplearon los granos para fabricar el chocolate que se usa en confitería.

En 1625, los españoles introdujeron el cacao en Trinidad y se crearon grandes plantaciones de este árbol tanto allí como en Tobago, y desde ambas islas se exportaban los granos secos a las fábricas de chocolate que florecían por toda España. En el siglo XVII, entre la clase alta, se popularizó una bebida de cacao muy cara, primero en Francia e Italia y, después, en Holanda, Alemania e Inglaterra.

El cultivo de cacao se convirtió en la base de la economía de muchas islas del Caribe con selvas tropicales volcánicas. En 1828, un fabricante holandés llamado Van Houten inventó un método para exprimir gran parte de la grasa del grano y lo hizo más sabroso y digerible. Durante muchos años, el cacao fue un cultivo lucrativo en el Caribe, pero los precios del mercado mundial empezaron a caer cuando el cacao se introdujo en África occidental y otras naciones del Pacífico, donde aún se produce a gran escala. Debido a los consiguientes conflictos económicos, se abandonaron muchas plantaciones del Caribe. Hoy, la producción de cacao en lugares como Cuba, Dominica, Granada, Puerto Rico, San Vicente y Trinidad es sobre todo para uso interno, aunque todavía se exportan algunos productos derivados. En Granada, el cacao sigue ocupando un papel importante en la economía y las fábricas de cacao aún dan beneficios con los granos producidos por las plantaciones que han logrado sobrevivir.

El árbol no es muy alto, aunque es fácilmente reconocible gracias a sus hojas brillantes de color verde oscuro y sus vainas anaranjadas, amarillas o de tonos de un rojo vivo. Las vainas crecen directamente del tronco o de las ramas y pueden llegar a medir 25 cm de longitud. Cuando adquieren un color rojizo, se recolectan y se extraen los granos y la mayor cantidad de carne blanca comestible y dulce, que se deja secar al sol antes de tostarla. Los granos tostados se emplean para producir el cacao, el chocolate y la crema de cacao comerciales.

En las islas que aún cuentan con estos árboles, el cacao casero se elabora moliendo las semillas en el mortero hasta que la preparación adquiere una textura suave y blanda que se enrolla a mano, despacio, hasta que forma una especie de rama. Estas ramas se rallan en las cocinas, se agregan a la leche de coco o a la leche fresca de vaca o cabra, se endulza con jugo de caña de azúcar o miel y se hierve con una rama de canela para obtener una bebida muy gratificante para tomar por la noche o la madrugada.

Los trabajadores esperan con paciencia la siguiente remesa de cacao en Carlton, St. Andrews (Granada).

Los sacos llenos de granos de cacao se vierten en el *boucan* o bandeja para secar este producto.

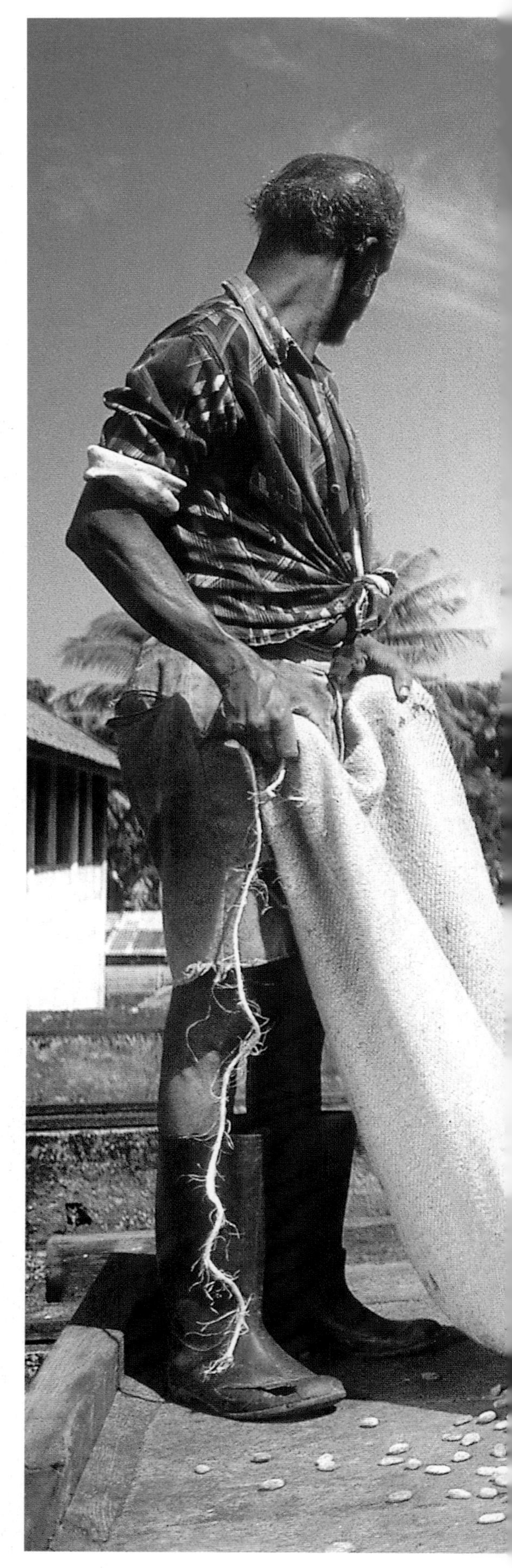

1. Tradicionalmente las mujeres recolectan y transportan el cacao.

2. Los supervisores realizan el "control" del trabajo de la mujer.

3. Una vez conducidas a la fábrica de cacao, las vainas se parten por la mitad.

4. Los granos oscuros, cubiertos por una pulpa dulce, se extraen de la vaina.

5. Una vista desde arriba de los granos descascarillados.

6. Tras secarse en *boucans*, los granos se seleccionan y se tuestan.

7. En los sacos se estampa "Cocoa Beans Granada" (granos de cacao de Granada).

8. Hasta nuestros días, los granos de cacao tostados se trituran con el mortero.

9. Los granos de cacao molidos se enrollan a mano y se endurecen al secarse.

En el mercado se venden hierbas medicinales y todos sus brebajes.

El magnífico Market Square de Granada.

El mercado

El Market Square (plaza del mercado) de Granada es uno de los que posee más colorido y bullicio de todos los mercados del Caribe. En 1791, año en que empezó a funcionar, el emplazamiento original era un mercado de esclavos y un lugar para contemplar ejecuciones públicas. La plaza aún se utiliza para mítines políticos.

El mercado se llena de mujeres y niños, ataviados con ropas multicolores (algunas con las tradicionales tocas de las islas con influencia francesa) que ofrecen, al aire libre y bajo sombrillas de vivos colores, todas las frutas y hortalizas imaginables. Dos zonas cubiertas del mercado, una frente a la otra, constituyen importantes centros de actividad. Alrededor y dentro de los edificios se hallan vendedores de especias, de hierbas aromáticas y de una serie de cocciones caseras que se mezclan en cazuelas tanto en el interior como en el exterior. El pescado fresco frito, el pollo, la morcilla y la sopa caliente están al alcance de los que lo deseen. Mujeres, con

¿Sabía que...

...la propiedad que ahora ocupa el Barclays Bank, en St. George's, era una residencia llamada Lamolie House? Su propietario, un caballero y terrateniente, la utilizaba como su "casa de ciudad". Cuentan que, al morir, su ataúd con el cadáver dentro se llenó de ron para preservar su cuerpo y guardarlo en la casa en espera de enviarlo a Inglaterra para darle sepultura. El vigilante descubrió este "barril" de ron e incapaz de contener su ansia por la "mercancía", abrió un orificio en él y todos los días extraía lo suficiente para pasar una buena noche, tapando la abertura tras cada visita. Sólo cuando se llevaron el ataúd se dio cuenta de que había estado bebiendo el líquido que conservaba el cuerpo de su señor. A pesar de que la estructura de madera original se quemó, dicen que desde entonces el espíritu del caballero ronda por la casa.

rulos de plástico de todos los colores imaginables, y hombres y niños con sus mejores galas, salen de furgonetas atestadas, cuyos equipos de música parecen poner en movimiento al mismo suelo como si compitieran unos con otros hasta que sólo se distingue un "bum-bum racata bum" de fondo.

El inglés de Granada y el dialecto criollo llenan el ambiente, aunque las voces no siempre suenan amistosas, ya que en este mercado acontecen serias discusiones en las barras y entre los propietarios de los puestos sobre quién se está entrometiendo en el negocio del otro y quién dice qué y a qué persona en particular. Entre discusiones reina la camaradería y las bromas habituales que sólo se encuentran en un mercado antillano (los asuntos personales de cada uno se expanden por el aire como ondas hercianas).

La otra zona cubierta está llena de camisetas, chaquetas, vestidos y todo tipo de ropa llamativa; asimismo se pueden adquirir productos hechos con paja –sombreros, bolsas, cestas y escobas– y cacharros de cocina.

Los bares de las calles adyacentes están repletos de hombres que esperan a sus mujeres para "gritarles", una vez que ha concluido el regateo ritual y llegan con sus cestas rebosantes con la comida necesaria para la semana. Las camionetas llenas de hielo tocan la campanilla para anunciar los helados a base de hielo picado. Los vendedores de coco levantan los machetes con ímpetu, cortan la parte superior del coco e introducen pajitas para beber el agua. Los comerciantes de cacahuetes disponen su mercancía en bolsas de papel marrón y las colocan casi en las manos del cliente. En verdad, éste no es un mercado para pusilánimes... y la experiencia no se olvida.

El parloteo, el chismorreo y el trueque están a la orden del día en cualquier isla del Caribe. Los sombreros y las tocas protegen del terrible calor del sol.

Las inspecciones a fondo antes de adquirir los productos y una palabra amable del vendedor bajo sombrillas multicolores forman parte de la compra en este mercado.

Pepperpot

Este plato, según dicen, llegó de Sudamérica con los indígenas amerindios, quienes durante muchos siglos lo prepararon en grandes recipientes de arcilla llamados *canaree.* Empezaban exprimiendo el zumo venenoso de la mandioca y lo hervían hasta que se ennegrecía y se espesaba como la melaza, momento en que el contenido se denominaba *cassareep.* Cada vez que cazaban una presa, la arrojaban a la olla, pues si se hierve todos los días, el *cassareep* conserva la carne.

En las plantaciones, esta tradición se convirtió en el *pepperpot,* un plato en el que se podía conservar la carne sobrante en un guiso delicioso. Antaño, cuando se viajaba en burro o a caballo y los cansados viajeros se veían obligados a pasar una noche en la plantación, el *pepperpot* resultaba muy adecuado como alimento caliente y abundante. En la actualidad se emplea de una forma parecida, con la excepción de que puede degustarse en casa y en los restaurantes criollos, en los que se sirve con gran orgullo. En una plantación de Granada, los propietarios de un excelente *pepperpot* afirman que llevan 20 años con el mismo guiso en la mesa. Existen algunas reglas: no añadir cebolla o ajo, ya que le proporcionarían un sabor agrio, y no utilizar carne de cordero ni pescado. Por lo demás, no existe complicación alguna.

Para este plato se necesitan 2,7 kg de carne. Se recomienda emplear 500 g de varios cortes de carne de vaca o cerdo (por ejemplo, el rabo). Disponga la carne en un *canaree* para marinarla toda la noche con unos 30 cl de *cassareep* (en las islas se vende en las tiendas). Al día siguiente, añada una rama de canela de 7,5 cm, 12 clavos de especia, 4 hojas de laurel, 2 guindillas (enteras), 2 cucharadas de azúcar moreno, 1 cucharada de cebolla en polvo, 1 cucharada de ajo en polvo, 1 cucharadita de orégano en polvo, de tomillo, de cilantro, de sal y de pimienta. Agregue 1 l de agua, lleve a ebullición y rehogue durante 4 horas aproximadamente. Rectifique el punto de sazonamiento y añada más si lo considera necesario. Ponga a cocer el *pepperpot* todos los días antes de servir. No tiene que conservarse en el frigorífico si se hierve a diario. Cuando añada más carne, debe incorporar también más *cassareep.*

En el Caribe, el *pepperpot* acompaña en la mesa a otros platos o se sirve con arroz blanco y plátanos macho fritos.

Cacahuetes

(Arachis hypogaea)

Los cacahuetes o maníes, originarios de Brasil, se cultivan en varias islas del Caribe. La planta produce pequeñas flores y, tras la polinización, se entierran en el suelo las vainas con las semillas para que maduren.

Muchos isleños prefieren comer crudo este fruto seco, pero en su mayoría se comen tostados después de cogerlos del árbol. Asimismo, se pueden comer salados, en pastel de cacahuetes o en crocante, en forma de manteca y como ingrediente básico de muchas salsas para pescado, pollo o cerdo.

El vendedor de cacahuetes suele ser todo un personaje. En Barbados, por ejemplo, hay uno que lleva un enorme sombrero chino que se ha fabricado con paja. Siempre está de pie en la carretera con una amplia sonrisa, cerca de los estudios de televisión, y ofrece sus cacahuetes –tienen fama de ser los mejores de la isla– a los coches en las horas punta. En Trinidad, un vendedor de cacahuetes muy conocido se ha especializado en campos de críquet. En los partidos, cuando las gradas rebosan de gente, se convierte en el mejor lanzador: puede tirar una bolsa de cacahuetes desde la parte inferior de la grada hasta una distancia de 35 m, justo a las manos del comprador. El pago se suele hacer cara a cara, pero a veces los compradores intentan arrojar la moneda al vendedor y tenga por seguro que llega directa a sus manos aunque tenga que correr tras ella.

En Granada, el joven vendedor de la fotografía inferior coloca su puesto en el mercado. Allí, al aire libre, prepara tabletas de crocante de cacahuete. También vende bolsas de cacahuetes salados y suele tener mucho que decir a las chicas, como tradicionalmente hacen los hombres del Caribe, mientras efectúan las animadas compras diarias.

Las semillas de cacahuete también se emplean para fabricar aceite. Los residuos de la extracción constituyen un pienso muy apreciado para aves y ganado.

Un vendedor de cacahuetes con todo un arsenal de artículos apetecibles.

El crocante de cacahuetes se prepara cociendo cacahuetes, azúcar y especias.

El cacahuete o maní procede de Brasil y es un producto muy apreciado en el Caribe. La planta produce vainas a partir de las flores que se entierran en el suelo para que maduren.

Ponche de cacahuetes

2 bolas de manteca de cacahuete

125 g de leche evaporada

2 cucharaditas de esencia de vainilla

60 ml de miel

60 ml de ron blanco (opcional)

Disponga todos los ingredientes en la batidora junto con el hielo y mézclelos hasta que se forme una pasta uniforme y cremosa.

La mezcla se vierte en moldes y se solidifica; así se da forma al dulce crocante de cacahuete.

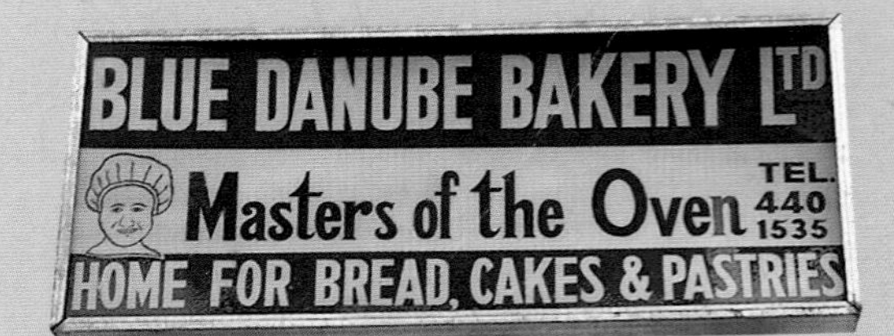

Blue Danube Bakery

Panes y pasteles caribeños

La Blue Danube Bakery, emplazada en una colina que domina el puerto de St. George's, constituye un buen ejemplo de panadería del Caribe. Antes de las ocho de la mañana, las furgonetas del establecimiento ya han comenzado el reparto por los supermercados, hoteles y restaurantes. Mientras tanto, un pequeño punto de venta situado en un lado del edificio abre sus puertas. La actividad febril continúa durante todo el día: grupos de clientes, gente de regreso a sus casas o que va expresamente por la tarde, acuden a comprar su ración de pan y pasteles frescos.

La variedad de productos es increíble: bollos de coco cuadrados, pastillas, pasteles, empanadas y tartas, bizcochos enrollados de canela y pasas de Corinto, tartas de queso y palitos, repostería danesa, tartas de mermelada y limón, *croissants* al estilo isleño, magdalenas de harina integral, *bagels* y *puddings* de pan. Todos estos productos se encuentran junto a una multitud de distintos panes y bollos salados, aunque cuando la panadería cierra no suele quedar nada. El aroma a vainilla, nuez moscada, canela y otras especias se entremezcla con el calor que surge de los hornos. Y de todas partes emana ese olor a pan recién hecho que se mezcla con las voces típicas de la isla y las bromas que se gastan entre trabajadores y clientes.

Una cesta con repostería típica de los hogares caribeños.

1. Extienda la masa hasta que presente un grosor de unos 6 mm.

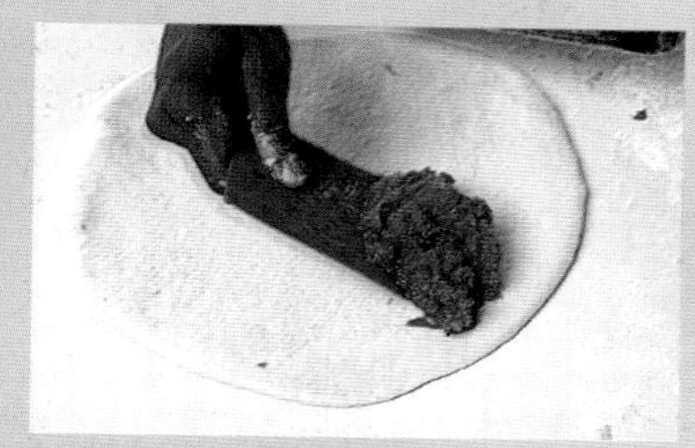

2. Coloque el relleno en el centro y repártalo por toda la masa.

3. Con cuidado, enrolle la masa con el relleno hacia usted.

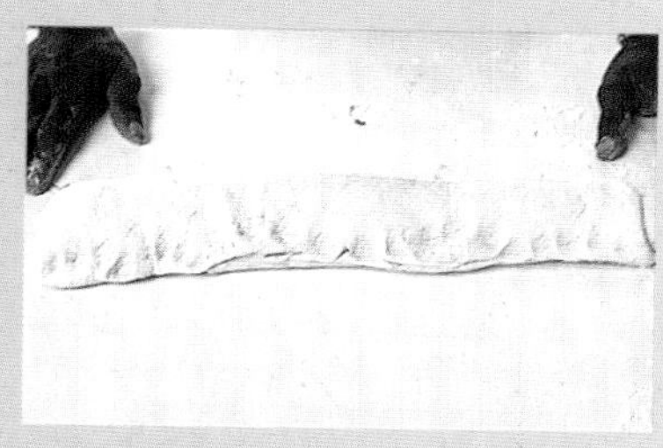

4. Cierre los extremos con los dedos.

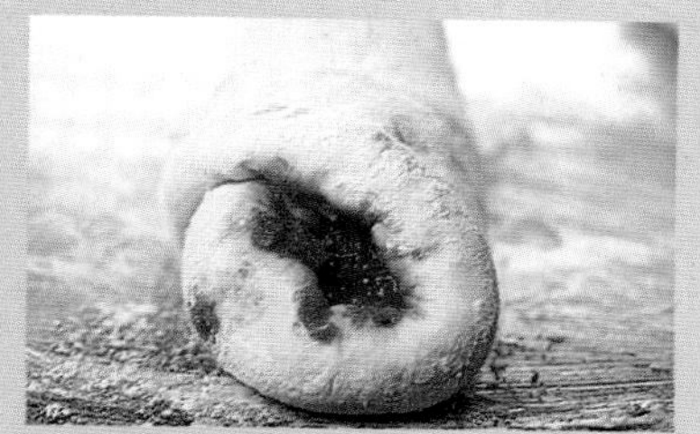

5. Colóquela en una bandeja de horno engrasada y enharinada.

6. Pinte los bizcochos con leche antes de introducirlos en el horno.

7. Una vez cocidos, corte en porciones como en la fotografía y sirva con el té de la tarde.

Un bizcocho enrollado de coco y mermelada es un buen motivo para que los niños corran de la escuela a sus casas.

Torta de coco y mermelada

Masa:

- 1 kg de harina
- 250 g de azúcar
- 200 g de mantequilla
- leche
- 2 cucharaditas de levadura en polvo

Relleno:

- 500 g de coco rallado
- 500 g de mermelada de acedera, guayaba o fresa
- 60 g de canela
- 2 cucharadas de esencia de vainilla

Mezcle todos los ingredientes para elaborar el relleno. Precaliente el horno a 150°C.
Para preparar la masa mezcle la harina y el azúcar. Añada a continuación la mantequilla y mezcle a fondo. Agregue poco a poco la leche necesaria para que se forme la masa. Deje reposar durante 1 hora. Córtela en 4 trozos y amase en una superficie enharinada hasta que la masa quede muy fina. Píntela con leche y extienda el relleno de modo uniforme. Despacio, enrolle la masa hasta formar un tubo. Dispóngala en una bandeja engrasada y enharinada y hornee hasta que se dore. Extraiga y deje enfriar. Corte trozos en diagonal de unos 10 cm.

Los oil dongs

La mayor parte de los *oil dongs* tradicionales se preparan en las casas o en restaurantes criollos, pero en un principio era un plato para elaborar al aire libre. Se trata de una especie de reunión gastronómica en la que todos se reúnen en torno al fuego. Muchos isleños, de todas formas, prefieren quedar con los amigos y transformar la reunión en una fiesta.

La receta de la derecha para un *oil dong* al aire libre procede del The Spice Garden, situado en la selva de Granada, donde se cultivan todo tipo de especias y hierbas aromáticas que se muestran con orgullo a los visitantes y se procesan allí mismo. Las reglas son las siguientes: 1) Quede a una hora determinada con varios amigos en un río, la playa, el bosque o simplemente en el patio de su casa. 2) Dé a cada uno la lista de lo que debe traer –algunos ingredientes o neveras portátiles con hielo, ron, ponche de ron o cervezas–. 3) Procúrese una gran cazuela, preferiblemente de hierro. 4) Recoja la leña suficiente para encender un buen fuego y ¡adelante! 5) No se olvide del repelente de insectos.

Una vez que empiece la preparación del *oil dong,* saque el ron o las cervezas y que comience la fiesta, porque en cuanto el *oil dong* esté listo y se sirvan montones de deliciosa comida bien regada con alcohol, será su final… y el principio de una buena siesta. "Panza llena, ojos cerrados" dicen en la zona refiriéndose a este plato.

Oil dong (para 6 personas)

- 3 cocos duros o 6 latas de leche de coco
- 1 trozo de cúrcuma pelada y rallada
- 125 ml de aceite vegetal
- 1 kg de alas de pollo
- 500 g de pescado salado puesto en remojo durante una noche
- 1 rabo de cerdo entero salado
- 6 plátanos verdes pelados y cortados por la mitad
- 1 fruta del pan entera, pelada y troceada
- 12 hojas de calalú de tamaño medio
- 1 hoja de culantro de monte picada fina
- 4 cebollas peladas y picadas finas
- 6 dientes de ajo picados finos
- 6 tallos de cebollino fresco picado fino
- 3 ramitas de perejil picadas finas
- 3 hojas de orégano francés picadas finas
- 4 hojas de menta fresca picadas finas
- 6 hojas de albahaca fresca picada fina
- 2 guindillas rojas enteras
- 2 pimientos para condimentar picados finos
- sal y pimienta al gusto

Dumplings (bolas de masa):

- 500 g de harina
- 125 g de mantequilla
- 1 cucharadita de sal
- 1 cucharadita de canela en polvo
- agua

Forme una especie de "fogón" circular con piedras para sostener el recipiente, coloque suficiente leña para el fuego y enciéndalo. Abra los cocos y rasque la pulpa blanca y dura del interior. Añada la cúrcuma y extraiga la leche vertiendo agua caliente sobre el coco rallado y exprimiéndolo con una bolsa de muselina. En su defecto, utilice 6 latas de leche de coco sin azúcar, añada la cúrcuma, lleve a ebullición y cuele la leche amarilla para extraer la cúrcuma rallada, cuya sola función es proporcionar ese color amarillo vivo. Coloque la cazuela de hierro en el fuego con aceite vegetal. Cuando esté caliente, incorpore las alas de pollo y fríalas hasta que se doren ligeramente. Añada la leche de coco y, a continuación, el resto de los ingredientes. Si no hay suficiente leche de coco para cubrir todos los ingredientes con unos 7 cm de líquido, añada más agua o leche. Tape hasta que la mezcla comience a hervir. Mientras tanto, en un cuenco, mezcle la harina y la mantequilla. Agregue sal y canela y continúe mezclando. Incorpore el agua necesaria para obtener una masa pegajosa pero consistente. Con la pasta forme pequeñas bolas, amáselas en trozos alargados de unos 10 cm y reserve. Deje que el *oil dong* se cueza sin prisa, durante unos 45 minutos, y añada los *dumplings* 20 minutos antes de que la cocción esté lista. El *oil dong* se tapa, pero hay que remover de vez en cuando para que no se pegue en el fondo. Una vez cocido, sirva en cuencos de calabaza y cómalo con cuchara.

Se requiere un algo especial para preparar los exquisitos *dumplings* caribeños.

Derecha: mientras los amigos se reúnen en torno al fuego, todos dan consejos sobre qué debe hacerse para conseguir que ese *oil dong* sea el mejor de sus vidas.

1. Cuando las alas de pollo se han frito en aceite caliente, se agrega a la cazuela el resto de los ingredientes.

2. Se añaden las especias y la leche de coco con cúrcuma hasta cubrir toda la preparación, y se comprueba que las llamas del fuego sean altas.

3. Deje que la mezcla se evapore mientras prepara los *dumplings*, los cuales se agregan en el último momento. Rectifique el punto de sazonamiento cada 15 minutos.

1. Hielo picado, ponche de ron De La Grenade y una pizca de nuez moscada: ¡delicioso! 2. Licor La Grenade. Según los sibaritas, iguala al Cointreau en calidad 3. A los niños les encanta el jarabe de nuez moscada 4. La mermelada y la jalea de guayaba y la jalea de pimiento se encuentran por todo el Caribe.

Los trabajadores de la fábrica La Grenade etiquetan a mano todas las botellas con suma delicadeza. El único que conoce los ingredientes secretos de este licor es el descendiente designado del capitán La Grenade y ¡nadie más!

Licores La Grenade

El capitán Louis La Grenade fue uno de los primeros hombres libres de color que adquirió una extensión sustancial de tierra en Granada. Era el comandante de la milicia de St. Georges's, cuyas goletas usaba para transportar el azúcar y las especias de sus plantaciones. En 1773 introdujo la nuez moscada en sus propiedades. Según algunos fue "la sangre francesa que corría por sus venas" lo que le impulsó a insistir en sus experimentos (estaba perfeccionando una fórmula para elaborar un licor que le había entregado un misionero holandés a cambio de pasaje gratis a Granada a bordo de La Louise, la goleta del capitán).

El cristal es el único vidrio adecuado para saborear un licor La Grenade.

El jarabe de nuez moscada es el ingrediente secreto de este licor. Está hecho de la parte más blanda y grasa de la nuez moscada, que suele desecharse. Durante más de 200 años, la receta de la familia La Grenade ha pasado de generación en generación, aunque sólo un miembro de la familia conoce la fórmula exacta en cada generación. Hasta la primera mitad del siglo XX, sólo los familiares y amigos de los La Grenade podían disfrutar de una bebida elaborada con el jarabe o ser invitados a tomar el licor después de cenar. Sir Robert y Lady Sainsbury (que dio nombre a una marca de comida y bebida famosa en Inglaterra) visitaron Granada, probaron el licor y convencieron a Sybil La Grenade, la conocedora en ese momento de la receta, de que se embarcara en negocios para que el resto del mundo compartiera semejante experiencia.

Ya en los años cincuenta, la gente de Granada podía deleitarse con la jalea y la mermelada de nuez moscada de los La Grenade, además del propio jarabe, todo fabricado en el sótano de la mansión familiar. Hacia 1970, el jarabe de nuez moscada Morne Délice se importó a otras islas. En 1975, el marido de Sybil, Allan, desarrolló una receta de ponche de ron utilizando el jarabe de nuez moscada y lo lanzaron al mercado. En 1986, La Grenade Industries empezó a funcionar como sociedad anónima. En 1990, la empresa ganó varios premios, entre los que destaca la medalla de oro por el licor La Grenade y la medalla de oro especial por el jarabe de nuez moscada Morne Délice concedida por la Monde Selection en Bruselas. En 1991, Sybil La Grenade murió en un trágico accidente de coche; su hija Cecile, una especialista en tecnología de los alimentos educada en Estados Unidos, volvió a Granada en 1992 para hacerse cargo de la empresa y su secreto.

En la actualidad, en esta central se produce una gran variedad de productos para el procesamiento de especias de la parroquia de San Pablo, entre los que cabe señalar el licor La Grenade, la mermelada y la jalea de guayaba y por supuesto, el jarabe de nuez moscada Morne Délice. A los niños les encanta este jarabe, que toman con soda o directamente con hielo picado. Los mayores lo consideran un ingrediente obligado para preparar el ponche de ron. Para los sibaritas, el licor La Grenade equivale al Cointreau o a otro licor conocido que se emplee en la elaboración del ponche. Cuenta una leyenda de la isla que si al beber un vaso de licor se frota con el dedo la cabeza del capitán –su imagen aparece en la botella–, se cumplirá el deseo solicitado.

Crema de la concordia

160 ml de nata doble
3 cucharaditas de licor La Grenade
90 g de jarabe de nuez moscada Morne Délice
1 cucharadita de extracto de vainilla
1 cucharada de nata agria

Refrigere un cuenco y la varilla. Mezcle todos los ingredientes excepto el jarabe de nuez moscada. Con la batidora, bata a velocidad media. Añada el jarabe de nuez moscada Morne Délice y siga batiendo hasta que adquiera una textura homogénea (unos 3 minutos). Sirva con *pudding* de pan.

Ponche de ron de Granada

1 medida de zumo de lima fresco
2 medidas de jarabe de nuez moscada Morne Délice
3 medidas de ron
4 medidas de agua

Mezcle todos los ingredientes y sirva con una guinda, una rodaja de lima y un chorrito de angostura. Espolvoree con nuez moscada rallada.

Brigadier de nuez moscada

2 cucharadas de jarabe Morne Délice
4 cucharadas de licor La Grenade
250 ml de soda

Remueva los ingredientes en un vaso de cóctel, añada hielo picado y sirva con una rodaja de lima. También pueden mezclarse con la batidora.

Pudding de pan de Granada

3 huevos grandes
180 g de jarabe de nuez moscada Morne Delice
1 1/2 cucharaditas de extracto de vainilla
1 1/4 cucharaditas de nuez moscada molida
500 ml de leche
125 g de pasas
125 ml de licor La Grenade
1 1/4 kg de pan cortado en dados

Mezcle todos los ingredientes excepto los dados de pan y las pasas. Coloque el pan en una fuente engrasada y añada la mezcla y las pasas. Deje reposar unos 45 minutos sumergiendo de vez en cuando el pan en el líquido. Precaliente el horno a 180ºC y hornee durante 40 minutos. Sirva con crema de la concordia.

Carriacou y Petit Martinique

Una casa típica de la isla de Carriacou.

Carriacou, situada al noroeste de Granada, ocupa una superficie de unos 20 km². Con unas 7.000 personas, es la isla más poblada de las Granadinas. Su nombre deriva de la lengua caribe (significa "lugar de arrecifes") y hasta el siglo XVIII se escribía *Kayryouacou.* La isla se encuentra a 20 minutos de Granada en avión o a tres horas y media en ferry.

Dos tercios de la isla son de origen volcánico y el resto está formado por piedra caliza llena de restos fósiles. Durante los primeros seis meses del año, el terreno de Carriacou consiste básicamente en maleza seca y cactus, aunque abunda el coco, el tamarindo, el almendro, el anón, la papaya y la lima.

En la ciudad de Hillsborough se encuentra el conocido establecimiento de refrigerios Golden Eagle. Desde allí se puede controlar todo lo que sucede desde el malecón hasta el mercado, razón suficiente para sentarse unas horas en compañía de Mum Billy, la propietaria. Desde aquí verá a los pasajeros, los animales y las mercancías que desembarcan del ferry; los pescadores vendiendo sus capturas, los magistrados que acuden a las sesiones judiciales mensuales, las cuales se desarrollan frente al mercado; abogados vestidos de punta en blanco esperando a que empiecen las sesiones; los burros paseándose arriba y abajo; los bebedores sentados en los bancos de madera o en taburetes, etc. Este bar-restaurante ofrece juerga o soledad según el momento del día.

Carriacou dispone de varios lugares extraordinarios para la práctica del buceo, aunque destaca el volcán submarino Kick'em Jenny, que últimamente ha empezado a retumbar y está bajo vigilancia. Una explosión podría tener consecuencias terribles para muchas islas de la zona. Existe un arrecife que transcurre en gran parte frente a la costa oriental y que es un magnífico lugar de anclaje para los yates.

El cartel de bienvenida a Windward narra la historia de la habilidad que tenía la población para construir embarcaciones.

Los escoceses fueron los primeros colonos de Dumfries, al sudoeste de la isla. Windward, en Watering Bay, cuenta con una larga tradición en la construcción de embarcaciones que aportaron en el siglo XIX unos carpinteros navales procedentes de Glasgow. Sus habilidades eran impresionantes, pues sólo utilizaban hachas, azuelas, perforadoras y brocas (no existían las herramientas eléctricas).

En 1750 el censo de la isla ascendía a 92 blancos, 92 negros y 15 mulatos. Hacia 1776 se habían multiplicado hasta llegar a los 86 blancos y 3.153 esclavos en 47 propiedades. En la actualidad, la mayoría de los descendientes, blancos o negros, pueden remontarse en su árbol genealógico muchas generaciones atrás hasta llegar a Europa y África. En realidad, los de descendencia africana pueden encontrar hasta las tribus de las que procedían, pues en 1750 se realizó una lista por tribus.

El baile continúa siendo una de las diversiones preferidas de los isleños. El *kromantin*, una danza tribal de Ghana, todavía se baila, y la danza del perdón suele principiar y concluir muchas celebraciones. También existen las danzas *bele*, el *bongo* y el *kalinder*, así como la *quadrille*, procedente de Europa. El carnaval de la isla es muy conocido y la danza del mayo se sigue celebrando.

En Carriacou también se efectúa la ceremonia de la lápida. Los isleños están convencidos de que el espíritu de una persona no descansa en paz hasta que la tumba dispone de lápida. Tanto si ésta se coloca justo tras el entierro o transcurridos varios años, el ritual es igual. Se pide a amigos y parientes que colaboren en su compra. La noche anterior a la colocación de la lápida, se deposita en la cama del fallecido. Dicen que de esta manera los familiares pueden comunicarse directamente con el muerto. Al día siguiente se celebra toda una fiesta llena de cantos, bailes y repicar de tambores mientras la lápida se coloca sobre la tumba.

A Petit Martinique sólo se llega en barco. Fue colonizada por Francia y la mayoría de sus habitantes actuales poseen apellidos de ese país. Hoy viven unos 1.000 habitantes en una superficie de unos 2 km². Presenta una gran colina rodeada casi totalmente de playas de arena muy fina. El críquet es el pasatiempo nacional y, contrariamente a lo habitual, hay equipos femeninos. La pesca y la construcción de embarcaciones constituyen actividades tradicionales de la isla, pero la base real de la economía continúa siendo el contrabando, que se realiza a gran escala. Las mansiones diseminadas entre los arbustos demuestran su rentabilidad. Aquí el contrabando se considera una forma de vida que no debe verse interferida por los extranjeros.

En una hoguera al aire libre se preparan las exquisitas comidas de los días de fiesta.

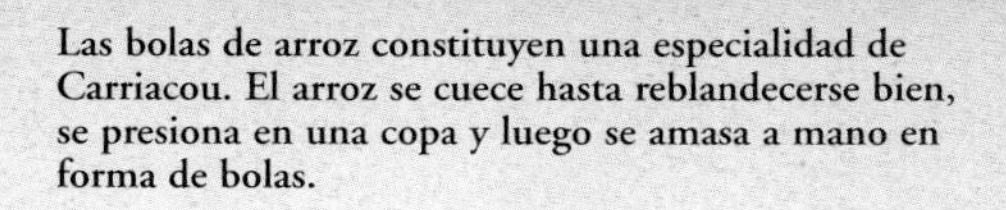

Las bolas de arroz constituyen una especialidad de Carriacou. El arroz se cuece hasta reblandecerse bien, se presiona en una copa y luego se amasa a mano en forma de bolas.

Derecha: Donna y su hija Nikita, cuya fiesta de bautizo requiere múltiples preparaciones al aire libre. En el interior, montones de carne de cabra al curry, guiso de carne de vaca, fuentes llenas de ensalada y un enorme pastel aguardan a los invitados.

PRICE LIST
20's $7.50
10's $4.00
THE WEST INDIAN TOBACCO COMPANY LTD.
Enjoy
Coca-Cola
PEPSI
HALF LITRE
PRAISE THE LORD!
WAKE THE TASTE!
MILO
Quik
Fla-Vor-Aid
POLITICAL LEADER
Patrick Manning
$2
BUSTA
20 FL. OZ.
DINNER MINT
Extra
Mt dor
HERR'S
Cheeze Stiks
CORN CHIPS
Kiss
RED HOT
POTATO CHIPS

Trinidad

Trinidad es la tierra del colibrí, donde se encuentra una de las maravillas del mundo: el famoso Pitch Lake, un lago natural burbujeante del que se extrae un asfalto que parece inagotable. Desde los días de Sir Walter Raleigh, que empleó este producto para impermeabilizar sus barcos y lo introdujo en Europa, se sigue extrayendo en grandes cantidades y se exporta a todo el mundo. La primera colonización española con éxito no se produjo hasta 1592, y la isla permaneció bajo su autoridad hasta que los británicos la conquistaron en 1797, aunque la cesión oficial al Reino Unido no se produjo hasta 1802. Tobago cuenta con una historia más tumultuosa, pues fue gobernada por holandeses, franceses e ingleses. En 1814 pasó a manos inglesas y en 1888 Trinidad y Tobago pasaron a formar una sola colonia. En 1962 consiguió la independencia y en 1976 el gobierno del país adoptó el régimen de república.

Trinidad y Tobago se encuentra a 11 km de las llanuras costeras de Venezuela. A diferencia de otras islas caribeñas, que son restos de volcanes o arrecifes de coral, Trinidad y Tobago formaban parte del territorio sudamericano, del cual se separaron a raíz de una grieta que fue ampliándose entre el continente y una pequeña zona montañosa de la costa situada al nordeste de la actual isla.

Cuando los españoles llegaron a Trinidad, consideraron esta isla como la puerta de entrada para su búsqueda del oro de El Dorado y una fuente de esclavos indígenas. Cuando se dieron cuenta de que ninguna de estas dos aspiraciones se cumplían, los colonizadores empezaron a cultivar tabaco y cacao, pero hacia 1776 ya resultó un fracaso debido a las enfermedades y al desastre económico. Fue entonces cuando España ofreció concesiones de tierra y ventajas fiscales a todos los colonizadores católicos que se establecieran en la isla. El resultado fue que llegó una ola de hacendados franceses, procedentes en su mayoría de otras islas antillanas dominadas por Francia, que enseguida se integraron en la sociedad de Trinidad. Llegaron a prosperar y a ocupar posiciones de gobierno, desde las cuales extendieron su dialecto francés y sus costumbres por todo el país. Se importaron esclavos de África occidental y, tras la emancipación, como se precisaba mano de obra barata, se convenció a hindúes que disponían de pocas oportunidades en su país para que fueran a trabajar a Trinidad. A principios del siglo XX, se habían instalado en la isla comerciantes portugueses, libaneses y sirios que también habían introducido sus costumbres. Por eso, la Trinidad actual posee una mezcla de culturas y de pueblos fascinante, y exquisiteces culinarias de lo más variopinto.

Estas dos islas cuentan con una variedad impresionante de flora y fauna: unas 2.300 flores distintas, 108 especies de mamíferos, 420 de aves, 55 de reptiles y 617 mariposas. Selvas frondosas, ríos y cascadas conviven con ciudades bulliciosas y zonas urbanas densamente pobladas.

Trinidad es muy famosa por su extravagante carnaval (para algunos es mejor que, incluso, el de Río); además, en esta isla tan rica desde el punto de vista cultural se creó el calipso y el primer instrumento musical inventado en el siglo XX, el bidón *(pan* como se llama en la isla). En la actualidad grandes bandas de bidones tocan para los amantes de la música de todo el mundo y producen ritmos musicales que van de lo clásico a lo moderno con increíble habilidad y melodiosas interpretaciones.

En cambio, Tobago es una isla rural y apacible, con una densa selva tropical protegida por un parque nacional, donde ahora empieza a llegar el turismo. Trinidad y Tobago constituyen verdaderos paraísos para las papilas gustativas, debido a una variedad gastronómica sin igual en el Caribe. En ambas islas existen numerosos restaurantes de alta calidad y pequeños locales de especialidades criollas con platos que hacen la boca agua.

Un hindú del centro de Trinidad sonríe y bromea con los transeúntes. La tienda, con el surtido de anuncios, constituye una imagen típica de la isla.

Un espéctaculo frutal

Por toda Trinidad, los vendedores se preocupan por la disposición de la fruta. Un viaje a San Juan, por ejemplo, a través del valle de Santa Cruz, transcurre por numerosos puestos de frutas situados en las cunetas, cuyo colorido y belleza son dignos de plasmar en un lienzo. La carretera Churchill Roosevelt proporciona a los turistas unas imágenes que permanecen grabadas en el corazón cuando parten desde el aeropuerto de Piarco rumbo a otras tierras.

Otra delicia son los diversos puestos que salpican la carretera de Puerto España a Westmoorings, en la costa occidental. Aunque, en broma, suelen llamar a estos vendedores "ladrones de carretera", los isleños hacen la vista gorda a estos precios algo más caros debido a la disposición artística de los productos. Las piñas maduras contrastan con las manos de plátanos amarillos; las papayas destacan en esa cortina de color y añaden un tono verde al cuadro, completado por otras frutas y hortalizas multicolores. Diríase que es posible darse un atracón con sólo contemplar semejante disposición.

Rastafaris, hindúes, mujeres, hombres, niños, todos preparan sus puestos con sumo cuidado. A ratos se rocían los productos con agua para mantenerlos frescos y crear la impresión de que las frutas y hortalizas están recién cogidas. En cualquier lugar de Trinidad, encontrará estas exposiciones de fruta y verdura, auténticas obras de arte que reflejan el talento artístico de los vendedores.

Superior izquierda: un rastafari muestra con orgullo sus productos naturales. Inferior izquierda: la disposición de la fruta da lugar a verdaderas obras de arte.

La cascadura

Los que tomen cascadura,
reza la leyenda indígena,
no importa donde se encuentren
que en Trinidad morirán.

History of the West Indies, de **Allister Macmillan**

En las costas meridionales de Trinidad existen grandes extensiones de marismas en las que abunda la cascadura. Este extraño pez de la edad silúrica se asemeja a una criatura primitiva y vive enterrada en el barro. Se trata de una especie poco atractiva de bagre, con un caparazón escamoso y branquias sólo en parte desarrolladas. La cascadura exige una laboriosa preparación antes de poderla cocinar. En primer lugar, debe lavarse a fondo con agua dulce hasta extraer todo el barro del pescado, pues la propia carne tiende a poseer un ligero sabor a barro al cocerla, y puede resultar muy fuerte si no se limpia con meticulosidad. Al principio sólo comían este pescado los hindúes que llegaban a Trinidad, pero ahora se sirve en los restaurantes caribeños de todo el mundo. Después de limpiar el pescado, se puede cocer con curry, agregarlo a un guiso criollo o asarlo a la brasa.

Según la tradición, las cascaduras recién pescadas se cuelgan de palos listas para vender. La leyenda cuenta que quien come cascadura ya no se va de Trinidad.

Matete de cascadura

1 cascadura
3 cebollas picadas
3 dientes de ajo rallados
1 ramita de tomillo fresco
1 ramita de cebollino fresco
sal y pimienta al gusto
2 cocos (o 2 latas de leche de coco)
1/2 guindilla envuelta en estopilla, despepitada y picada fina (se recomienda emplear la mitad inferior)
fariña

Lave la cascadura sin escatimar agua para extraer todo el barro. Cueza el pescado al vapor durante unos minutos. Desolle y vuelva a limpiar la carne a fondo con agua. Sazone con cebolla, ajo, tomillo, cebollino, sal y pimienta. Prepare la leche de los 2 cocos o emplee las dos latas. Hiérvala hasta que se torne aceitosa. Disponga en la cazuela la cascadura condimentada y la guindilla; tape y cueza durante 5 minutos. Añada la fariña a cucharadas sin dejar de remover la mezcla. Cuando alcance la consistencia del *CouCou,* homogéneo y no demasiado líquido, el plato estará listo. Añada más sal si lo considera necesario y una cucharada de mantequilla para que resulte más sabroso. Si requiere más guindilla, pique el resto fino y agréguelo a la mezcla.
Dicen que quien come este plato termina sus días en Trinidad. En todo caso, el matete de cascadura es tan sabroso que no podrá vivir sin comerlo regularmente.

Cascadura al curry

1 chalote grande picado fino
1 ramita de tomillo fresco picado fino
1 ramita de perejil fresco picado fino
1 hoja de culantro de monte o cilantro picado fino
1/4 cucharadita de sal
1/4 cucharadita de pimienta
4 filetes de cascadura
60 ml de zumo de lima recién exprimido
aceite
1 cebolla grande picada
3 tomates
2 dientes de ajo picados
2 cucharadas de curry
250 ml de leche de coco
1 guindilla entera envuelta en estopilla y bien atada

En una taza, mezcle el chalote, el tomillo, el perejil y el culantro de monte o cilantro con un chorrito de vinagre. Salpimiente. Marine 4 filetes de cascadura con las hierbas aromáticas y el zumo de lima al menos durante 2 horas. Caliente el aceite en una cazuela grande. Añada la cebolla, el tomate y el ajo y saltee durante 2 minutos. Agregue el curry y cueza durante un minuto más. Vierta la leche de coco y rehogue. Incorpore los filetes marinados, que deben quedar totalmente cubiertos con la salsa de curry. Añada la pimienta, tape y rehogue hasta que los filetes se desmenucen (entre 10 y 15 minutos). Extraiga los filetes y sirva en una fuente cubiertos con la salsa de curry.

Buffalypso, una raza especial de búfalos hindúes que produce una carne exquisita.

El buffalypso

El *buffalypso* es el resultado de un cruce muy selectivo de varias especies de búfalos hindúes domesticados *(Bubalus bubalis)* realizado por el doctor Steve Bennet, uno de los veterinarios más famosos de Trinidad. Al darse cuenta de la posibilidad de crear un animal que presentara en los lugares adecuados carne jaspeada y sabrosa, que soportara el calor tropical y fuera a la vez dócil y fuerte, se entremezclaron cinco razas de búfalo hindú existentes en Trinidad *(murrah, bhadawaxi, surti, jaffrabadi* y *meli)* y se estudiaron los resultados con detenimiento.

Los búfalos hindúes se introdujeron en Trinidad a principios del siglo XX para utilizarlos en las propiedades azucareras, en las explotaciones de aceite y como ayuda a los pequeños agricultores. Gracias a sus grandes pezuñas, pueden trabajar con gran rendimiento en los arrozales, lugares donde más se ven en la isla. Se creía que eran animales sucios que siempre se revolcaban en el barro cuando no trabajaban. Como son de naturaleza tímida, enseguida se asustan, por lo que deben tratarse con calma y tranquilidad. Sin embargo, son más inteligentes que otro tipo de ganado. La única razón por la que les gusta retozar en el barro es para protegerse del intenso calor. Todos saben que el queso *mozzarella* se elaboraba en Italia con leche de búfala, al igual que el queso blanco y el queso mano en Venezuela. Pero a nadie en todo el planeta se le había ocurrido desarrollar una raza de búfalos para producir carne de calidad. El doctor Bennet no empezó sus experimentos hasta 1949 en la Caroni Sugar Estate Limited, donde trabajaba como veterinario y asesor, y no logró conseguir su objetivo hasta mediados de los años sesenta. Este programa que pretendía mejorar la calidad de la carne fue todo un éxito y el resultado fue un animal que requería un nuevo nombre. Y se bautizó *buffalypso:* un cruce entre las palabras inglesas *buffalo* y *calypso,* la música creada en Trinidad.

Los *buffalypsos* son más inteligentes que otras especies de ganado.

La cocina criolla

La expresión francesa *ma ca fourchette* se convirtió en *makaforshet*, un término empleado para describir la cocina o la comida criollas en uno de los primeros calipsos. El significado literal es "comida pegada entre el tenedor". En Trinidad, la palabra se refiere a la comida que queda o a lo que conocemos con el nombre común de "sobras". En parte, es el significado auténtico de la cocina criolla, pues las sobras siempre pueden "calentarse" o añadirse a otro plato si se mezcla todo en una sopa. No hay duda de que si se da a elegir a un trinitense, siempre se decantará por la gastronomía criolla por encima de cualquier otra. Es admirable que en un país con unos diez tipos de cocina distintos, cada una, y en especial la criolla, sigan relativamente "puras".

La cocina criolla se ha visto influida por los indígenas, los franceses antillanos que llegaron en 1776 a la isla procedentes de Martinica, Guadalupe, Santa Lucía y Haití, los españoles, los africanos y los ingleses. Hay tantos platos criollos que se necesitaría un libro entero para hablar de todos. A continuación se comentan algunos de ellos.

El caldo de pescado criollo es una sopa excelente que puede hacerle comenzar el día con una "inyección de fuerza" y que, según los hombres de Trinidad, "¡te la pone como el plomo!". La sopa de cangrejo y calalú se prepara con hojas de la planta de la malanga mezcladas con quingombó, hierbas aromáticas locales y leche de coco, y hervidas con trozos enteros de cangrejo y un pimiento rojo envuelto en una estopilla para añadirle sabor. Como toque final, la sopa se remueve con una vara terminada en salientes para lograr la consistencia adecuada. El sancocho, un guiso de carne y verdura que comían los esclavos, es hoy en día casi obligatorio en todos los hogares. Este plato encarna el verdadero sentido de *makaforshet*, pues suele ser el resultado de los esfuerzos por deshacerse de todas las sobras del frigorífico. Un plato especial del sábado por la mañana es la sopa de talón de vaca, una preparación espesa elaborada con esa parte gelatinosa de la vaca (otro plato que según los hombres tiene propiedades afrodisíacas). El *pelau* es un plato de arroz que se prepara con carne de pollo o vaca y que puede servirse con pasas y nuez triturada para realzar su sabor. El rabo de buey, la carne de vaca, la cabra o el pollo asados, acompañados por una salsa de color marrón oscuro elaborada con caramelo líquido, es otra especialidad básica. Se suele servir con arroz, gandules y plátanos macho muy maduros y fritos. El *buljol* consta de bacalao o pescado salado, puesto en remojo toda una noche, hervido y, después, sazonado con cebolla, tomate y pimiento cortados en dados. Es un plato típico de los domingos por la mañana y se sirve con un panecillo. Además, todos los "productos de la tierra", como malangas, boniatos, mandioca y ñames forman parte de la cocina criolla. Los frijoles, las habichuelas y otras legumbres como las lentejas se emplean normalmente como guarnición.

Las bebidas también forman parte de la cultura criolla. La gente bebe musgo marino, *mauby* y distintos zumos de frutas para regar tales manjares. El postre no suele ocupar un lugar destacado pero si hablamos de cocina criolla no podemos olvidar el pan de mandioca y el *toolum*.

En la actualidad abundan en la isla los restaurantes que sirven comida criolla con un toque de *nouvelle cuisine* o de forma totalmente "local" (genuina y tradicional). No siempre fue así. Los trinitenses, como muchos otros caribeños, solían almorzar en casa y cenar fuera. Hoy parece suceder lo contrario. La buena cocina casera puede encontrarse en muchos lugares de la isla que los isleños conocen y disfrutan. Uno de los locales más conocidos está en Puerto España, la capital: el Breakfast Shed, que ofrece una excelente cocina criolla con platos cocinados ante el cliente de forma tradicional. Las camareras sirven platos humeantes –entre los que destacan muchas especialidades– a clientes ansiosos que esperan con paciencia sentados en bancos de largas mesas, compartidas por gente de todo tipo que sólo tiene una cosa en común: el deseo de saciar el hambre con platos criollos.

Una cazuela de hierro ya usada, un buen fuego de leña y un día hermoso son los requisitos para cocinar a la intemperie.

Vieja receta para preparar el morocoy

- 1 morocoy
- el zumo de 4 limas
- 2 cebollas picadas finas
- 6 tomates picados finos
- 3 dientes de ajo picados finos
- 1 ramita de tomillo picada fina
- 60 ml de ron
- aceite
- mantequilla para cocinar
- 4 hojas de hicaco
- de 125 a 250 ml de burdeos
- 1/4 guindilla despepitada y picada
- 2 pimientos para condimentar despepitados y cortados en dados pequeños
- 6 clavos de especia
- 6 huevos duros
- 6 huevos batidos

Mate el morocoy el día antes de servirlo. Extraiga al animal de su caparazón. Desóllelo y límpielo a fondo con zumo de lima. Sazone con cebolla, tomate, 2 dientes de ajo y tomillo. Añada el ron y déjelo marinar durante toda la noche. Mientras tanto, raspe el caparazón hasta que quede limpio y póngalo al sol. A la mañana siguiente, disponga una cazuela en el fuego con un poco de aceite y mantequilla. Dore la carne con el hicaco dejando aparte los condimentos. Agregue un poco de agua de forma continua durante 3 horas hasta que la carne se torne blanda. Incorpore el burdeos, los pimientos para condimentar y 1 diente de ajo, y cueza lentamente durante 1 hora más. Sale al gusto. Vuelva a raspar el caparazón del morocoy. Corte los huevos duros y reserve. Deposite una capa de carne en el caparazón; luego otra de huevo duro, espolvoree con guindilla y cúbralo con un poco de huevo batido. Repita este proceso hasta que se hayan usado todos los ingredientes. Hornee el caparazón relleno a 180°C durante unos minutos. Para 6 personas.

El morocoy

El morocoy es una pequeña tortuga terrestre que en la actualidad se vende como animal doméstico. Le gusta vivir en jardines cerrados y parece pasar los días tomando el sol en el paradisíaco Caribe. Antaño, sin embargo, su vida era más dura, pues se consideraba un plato suculento y no sólo un animalito gracioso para los niños. La receta tradicional que se incluye quizá la use todavía algún caribeño, aunque es de esperar que en los tiempos que corren, con tantas carnes al alcance de todos, estos pacíficos animales no terminen con excesiva frecuencia en las cazuelas.

1. Dore la carne que haya elegido, bien sazonada, en aceite vegetal con caramelo líquido. Añada 250 ml de agua y deje cocer.

2. Un pollo entero, incluidos el cuello, las patas y los despojos, resultan muy adecuados para el *pelau.*

3. Añada ½ kg de arroz y remueva. Cuando esté dorado, añada 1 l de leche de coco o de agua con sal al gusto.

4. Antes de que el arroz esté cocido y el agua se haya consumido, añada las pasas, las nueces y las aceitunas.

Pelau

- 1,5 kg de pollo o de la carne de su gusto
- 1 1/2 cucharaditas de sal
- 1 cucharada de sal para aderezar
- 2 cebollas picadas
- 2 dientes de ajo triturados
- 1 cucharadita de pimienta negra
- 5 hojas de cilantro picadas finas
- 1 ramillete de hierbas aromáticas picadas finas
- 90 g de ketchup
- 2 cucharadas de salsa Perrin's
- 500 g de pimientos picados
- 1 guindilla despepitada y picada fina

Corte el pollo o la carne en trozos pequeños y condimente con todos los ingredientes. Marine durante 1 hora.

Otros ingredientes:

- 60 ml de aceite
- 4 cucharadas de azúcar moreno
- 125 g de mantequilla salada
- 750 ml de leche de coco
- 750 ml de agua
- sal
- 250 g de zanahorias picadas finas
- 750 g de arroz
- 2 latas de gandules

Caliente el aceite a fuego fuerte. Añada el azúcar moreno y fría hasta que se derrita. Agregue la carne y la marinada. Incorpore, después, la mantequilla y remueva hasta que se dore. Añada la leche de coco, el agua, sal al gusto y las zanahorias. Tras añadir el arroz, cueza durante 10 minutos a fuego lento. Añada los gandules y las pasas y deje que el agua del arroz se evapore. Para 4 personas.

Toolum

- 500 g de azúcar moreno
- 125 g de melaza
- 1 1/4 kg de coco rallado
- 2 cucharadas de ralladura de naranja fresca
- 1 cucharada de jengibre fresco rallado

Derrita el azúcar moreno a fuego lento removiendo hasta que se dore. Añada la melaza mientras remueve. Agregue el coco, la ralladura de naranja y el jengibre. Reduzca el fuego y cueza hasta que la mezcla se separe con facilidad del recipiente. Retire del fuego y deje enfriar. Una vez fría, enrolle la mezcla en forma de conos y dispóngalos en papel parafinado con un poco de aceite. Cuando estén fríos del todo y se hayan endurecido, guárdelos en un recipiente hermético para que se conserven bien. Para 25 unidades.

Pan de mandioca

- 500 g de mandioca rallada
- 250 g de coco rallado
- 250 g de azúcar moreno
- 4 cucharadas de mantequilla
- 125 ml de leche evaporada
- 1/4 cucharadita de nuez moscada molida
- 1 cucharadita de canela
- una pizca de jengibre fresco molido
- 1 cucharadita de extracto de vainilla
- 60 g de pasas picadas finas

El pan de mandioca también puede prepararse con una mezcla de calabaza y boniato. Precaliente el horno a 280°C. Coloque todos los ingredientes en un recipiente grande y mezcle bien. Disponga la mezcla en una fuente de horno engrasada rectangular (de unos 20 cm) y hornee hasta que se dore y quede consistente.

Morcilla y souse

Para muchos isleños, este plato constituye la especialidad del sábado, y es que hay gente que no podría comenzar el día con buen pie si no tomara una buena ración de morcilla y *souse*. La costumbre es prepararlo el mismo día, por lo que las compras suelen empezar entre las diez y media y las once de la mañana. Los isleños acuden a su "vendedor" particular, cuyos productos consideran los mejores.

La morcilla se elabora de distintas maneras según las islas. En Barbados, por ejemplo, se emplea boniato como relleno sin recurrir a la sangre de cerdo. En Martinica recibe el nombre de *antilles boudin,* se elabora con sangre porcina y suele presentar un color rojo oscuro. Así pues, mientras cada isla ofrece su propia especialidad con un sabor y una forma de preparación distintas, los amantes de esta salchicha no ponen en tela de juicio que la morcilla de Trinidad es la mejor del mundo.

Y para la mayoría, la sola mención de esta especialidad les trae a la mente la morcilla de Charlie (Charlie's black pudding). Si bien es cierto que existen muchísimos lugares donde comer este embutido los sábados por la mañana –incluso en algunos se puede ver como hierven el relleno para asegurar a los clientes que están recién hechas–, la morcilla de Charlie se ha convertido en una institución y continúa considerándose la tradicional o, como dirían algunos, "la auténtica".

C. Attong, un chino de San Fernando, población emplazada en la parte meridional de la isla, empezó a vender su "receta secreta" de morcilla hace unos 70 años en una pequeña tienda de Broadway (lo que ahora se llama Independence Avenue). Allí comenzó la leyenda, pues la gente hacía cola los sábados por la mañana para comprar *souse*, morcilla y pan recién hecho típico de Trinidad (unos bollitos salados como no se encuentran en toda la isla). En la actualidad, la tradición ha pasado a sus hijos. La morcilla de Charlie se encuentra en casi todos los supermercados de la isla y se toma a diario en el desayuno, frita con cebolla y acompañada con huevos.

El *souse* va unido siempre a la morcilla; son como carne y uña. Este plato se elabora con las orejas, el morro y las manos del cerdo y se considera una verdadera exquisitez. En todas las mesas del Caribe aparece, al menos, una vez por semana.

Souse

- 1 kg de manos de cerdo
- 500 g de orejas y morro de cerdo
- 500 g de carne de cerdo
- 4 dientes de ajo picados finos
- 2 cebollas picadas finas
- 3 pepinos pelados, despepitados y cortados en rodajas finas
- 2 ramitas de perejil picadas finas
- 1 guindilla despepitada y picada fina
- 2 pimientos para condimentar despepitados y picados finos
- 375 ml de zumo de lima recién exprimido
- 875 ml de agua
- 1 cucharadita de sal
- 1/2 cucharadita de pimienta molida

Disponga las manos, las orejas y el morro de cerdo en una cazuela grande que contenga la cantidad suficiente de agua con sal para cubrirlos. Al agua se puede añadir el zumo de 3 limas, 1 cebolla, cebollino y ajo para darle un sabor más dulce. Cueza durante 2 horas o, si emplea una olla a presión, hasta que la carne se ablande. Retírela y enjuague con agua fría. Séquela. En un recipiente grande, mezcle el resto de los ingredientes, añada la carne y deje reposar entre 4 y 6 horas, incluso toda una noche, para que se marine por completo. Adorne con perejil fresco. El *souse* se suele servir acompañando la morcilla, aunque también combina bien con la fruta del pan hervida y cortada en rodajas. Para 4 personas.

Morcilla

- 3 cucharadas de mantequilla
- 2 cebollas tiernas o cebollinos picados finos
- 2 cebollas grandes trituradas finas
- 2 dientes de ajo triturados finos
- 1/2 hoja de culantro de monte picada fina
- 4 pimientos para condimentar despepitados y picados finos
- 1 guindilla roja despepitada y picada fina
- 1 cucharada de salsa Perrin's
- 1 cucharadita de bíter aromático
- 1/2 l de sangre de vaca o de cerdo
- 500 g de pan de bollo
- 2 cucharadas de tomillo fresco triturado
- 1/4 cucharadita de pimienta de Jamaica
- 1 cucharadita de sal
- 1/2 cucharadita de pimienta negra
- intestino de cerdo lavado a fondo

Deposite la mantequilla en una cazuela y añada la cebolla tierna o el cebollino, la cebolla, el ajo, el culantro del monte, el pimiento para condimentar y la guindilla. Saltee durante unos minutos a fuego lento. Añada la salsa Perrin's y el bíter aromático.
En un recipiente mezcle la sangre con suficiente pan para preparar una mezcla homogénea. Añada el tomillo, la pimienta de Jamaica, y sal y pimienta. Rellene el intestino con la mezcla, atando los extremos cada 15 cm. Deposítelo en una cazuela grande con agua hirviendo y cueza durante 1 hora a fuego lento. Si no dispone de intestino de cerdo, envuelva el relleno bien apretado en cilindros de papel de aluminio y aplique el mismo procedimiento.
La morcilla es un acompañamiento excelente para los huevos fritos o revueltos, y se puede comer en bocadillo o con *souse,* según la manera tradicional.

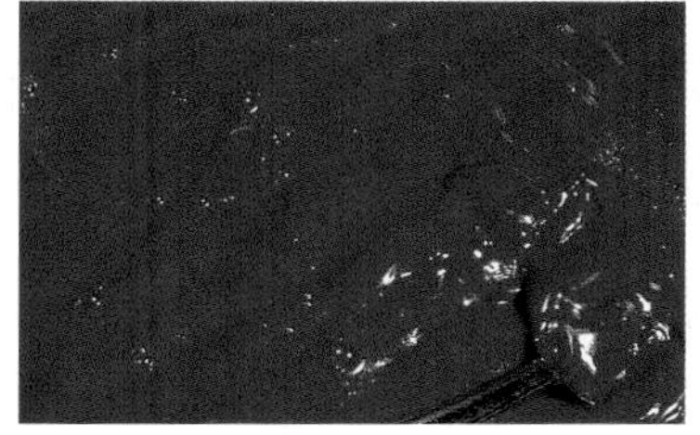

1. La sangre del cerdo se recoge tras la matanza.

2. También se puede añadir carne picada a la sangre.

3. Todos los condimentos se pican y se dejan preparados.

4. Antes de añadir la carne debe colarse la sangre.

5. Se mezcla el pan, la sangre y, opcionalmente, la carne.

6. Una vez añadidos los condimentos, el relleno se introduce en el intestino limpio.

7. Cuando está lleno, se atan los extremos y se separan las morcillas.

8. La morcilla se cuece a fuego lento durante 1 hora antes de servir.

El tiburón en pan de Maracas

Maracas Bay y el tiburón en pan *(Shark-and-Bake)* son dos elementos que siempre van unidos. Evidentemente se puede adquirir este plato en toda Trinidad y no hace faltar advertir que los trinitenses son productores expertos de esta especialidad; sin embargo, sólo en Maracas Bay el tiburón en pan resulta excepcional y la experiencia culinaria es incomparable, pues esta especialidad forma parte de esta playa en concreto.

Maracas Bay es un lugar de encuentro de fin de semana. La gente ofrece un trato amigable –y es que los isleños tienden a tratar así a todo el mundo– y suele acudir con ganas de fiesta. Así que cualquiera puede ir a Maracas durante el fin de semana. Los que aquí llegan pueden ser desde familias que viajan en grupos de coches hasta "amigos" que se siguen unos a otros desde Maraval, en la periferia de Puerto España, donde es obligatorio llenar las neveras de cerveza, refrescos y montones de hielo, y hacerse con ron, whisky y vodka. Los más fiesteros suelen pararse en el último pueblo antes de ascender la montaña. En este trozo de carretera se escudriñan los coches de los demás para reconocer a los más ricos de Trinidad. Los niños de los coches, con las bocas llenas de chucherías para que estén tranquilos, apenas se oyen entre la multitud de cubos de playa, manguitos y flotadores. Adolescentes, modelos, jugadores de críquet, presentadores de televisión, enormes mujeres, pilotos, atractivas azafatas, hombres con calva incipiente, "tíos buenos", directores de empresas, agricultores y aldeanos en general, amontonados como sardinas en lata dentro de coches de todos los tipos y tamaños, suben en caravana y luego descienden esa carretera de montaña sinuosa que construyeron los estadounidenses durante la Segunda Guerra Mundial. Los trinitenses afirman con orgullo que "se trata de la única carretera de la isla en la que los coches no pueden desaparecer en un bache".

Los clientes disfrutan de una gran variedad de salsas y ensaladas para el tiburón con pan.

Y, por fin, allí está: ¡la playa de Maracas en todo su esplendor! Hombres y mujeres tapados con trajes de baño que van desde el más minúsculo tanga hasta bañadores completos desfilan por toda la playa sin descanso; los niños de todos los colores y razas juguetean y construyen castillos de arena; la gente juega a fútbol y a críquet; y grupos de gente estirados en hamacas chismorrean a sus anchas bebiendo lo que han traído en las neveras portátiles. La playa rebosa de actividad, de conversaciones; un trozo de arena lleno de diversión y risa. Y por todas partes se vende el tiburón en pan, el plato tradicional de Maracas Bay. Cada isleño tiene su vendedor o vendedora favoritos. Aquí la deslealtad no cabe. De hecho, ni se permite: cuando un paladar se decide por el sabor de una combinación concreta de tiburón, salsa, pan y guindilla, no hay vuelta atrás. Así de sencillo. Uno se convierte en miembro del "club" del vendedor, en parte de la familia, por así decirlo, unido al resto de los "miembros" por el nombre de pila. Y cuando la gente se acerca a comprar tiburón en pan, siempre se encuentra con amigos que quizá no había visto si se hubiera quedado en su lugar habitual. Se encuentran, hablan de todo (desde "palabrotas" y "cotilleos" hasta política y negocios). Las bocas arden con la guindilla. El tiburón desaparece antes de que, con la tripa llena, regresen con su grupo particular de playa. El tiburón en pan siempre ha formado parte de la vida de Trinidad y cuando alguien dice "shark-and-bake" significa que va a Maracas.

Maracas Bay es un centro de reunión durante los fines de semana.

Shark-and-Bake (Tiburón en pan)

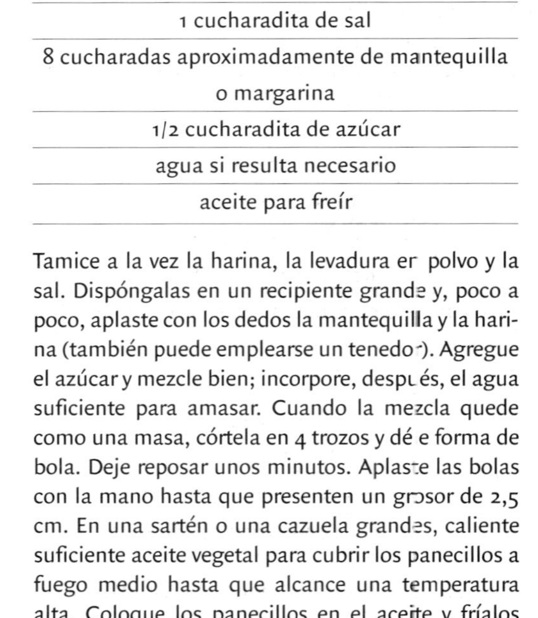

El pan

500 g de harina de trigo
2 cucharaditas de levadura en polvo
1 cucharadita de sal
8 cucharadas aproximadamente de mantequilla o margarina
1/2 cucharadita de azúcar
agua si resulta necesario
aceite para freír

Tamice a la vez la harina, la levadura en polvo y la sal. Dispóngalas en un recipiente grande y, poco a poco, aplaste con los dedos la mantequilla y la harina (también puede emplearse un tenedor). Agregue el azúcar y mezcle bien; incorpore, después, el agua suficiente para amasar. Cuando la mezcla quede como una masa, córtela en 4 trozos y dé forma de bola. Deje reposar unos minutos. Aplaste las bolas con la mano hasta que presenten un grosor de 2,5 cm. En una sartén o una cazuela grandes, caliente suficiente aceite vegetal para cubrir los panecillos a fuego medio hasta que alcance una temperatura alta. Coloque los panecillos en el aceite y fríalos hasta que se doren. Retire y escurra el exceso de aceite con papel de cocina. Para 4 personas.

Los grupos de amigos se divierten en Maracas.

El tiburón

4 filetes de tiburón de un grosor de unos 2,5 cm
1 diente de ajo picado fino
1/2 cebolla picada fina
1/2 guindilla picada fina (opcional)

Marine los filetes de tiburón entre 1 y 2 horas en zumo de lima, ajo, cebolla y guindilla (si lo desea). Retire los filetes de la marinada y lávelos rápidamente con agua fría.

Mezcla para condimentar

2 dientes de ajo triturados
2 ramitas de cebollino trituradas
2 ramitas de tomillo trituradas
1/4 guindilla cuya mitad superior esté triturada
sal al gusto

Harina sazonada

160 g de harina
sal y pimienta negra molida
una pizca de orégano en polvo

Pase los filetes de tiburón por la mezcla para condimentar, después por la harina sazonada y fría en aceite suficiente para cubrir los filetes. Déles la vuelta cada 10 minutos aprox. y retire el aceite sobrante con papel de cocina. Corte el pan por la mitad en sentido longitudinal y deposite el tiburón, espolvoreado con culantro de monte y salsa de guindilla.

Salsa de culantro de monte (Chadon bene)

125 ml de culantro de monte (o cilantro) picado fino
375 ml de vinagre de vino blanco (el de vino tinto también sirve)
2 dientes de ajo triturados finos
2 cucharaditas de aceite vegetal
1/2 cucharadita de guindilla despepitada y triturada fina
125 ml de zumo de lima
60 g de perejil fresco picado
1 cucharadita de tomillo fresco picado
1 cucharadita de albahaca fresca picada

Mezcle todos los ingredientes. Colóquelos en un tarro esterilizado que cierre herméticamente. Deje macerar a temperatura ambiente durante unas horas. Se puede refrigerar y usar en guisos y currys.

Culantro de monte *(Eryngium foetidum)*

También llamado culantro de cimarrón. En las islas francesas se denomina *chadon bene* y su nombre en hindi es *bandhania.* Los trinitenses lo llaman *shadow bennie* y crece silvestre entre el césped en muchos jardines. No hay nada como el aroma que emana del césped en Trinidad cuando se corta culantro de monte, una muestra del amor que esta isla de sabores culinarios intensos siente por las especias.

1. Tras preparar la masa y darle forma circular o alargada, se colocan los panecillos en aceite vegetal caliente.

2. Una vez fritos y dorados, retírelos del aceite y saque el exceso del mismo con papel de cocina.

3. Mientras tanto, pase el tiburón marinado por la harina condimentada.

4. Fría el tiburón en aceite caliente hasta que se dore pero sin que se haga demasiado.

5. Disponga el tiburón dentro del pan. Añada salsas o salsa de guindilla al gusto. ¡Que aproveche!

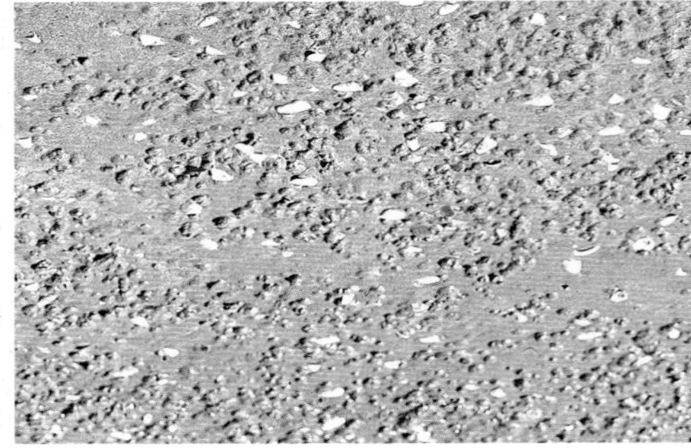

Cóctel de chipechipe

250 g de chipechipe sazonado
1 lima
2 cucharadas de ketchup
1/2 cucharadita de culantro de monte picado fino y machacado
1/4 cucharadita de guindilla picada fina y triturada
1/4 cucharadita de ajo fresco rallado fino
1/2 cucharadita de mayonesa (opcional)
1/2 cucharadita de salsa Perrin's (opcional)
sal y pimienta negra al gusto

Mezcle todos los ingredientes y déjelos reposar 5 minutos. Sirva como aperitivo en un cuenco no muy hondo sobre un lecho de lechuga. El chipechipe que se vende en la calle como cóctel se sirve en vasos pequeños, se lleva a la boca, se saborea unos segundos, se mastica un poco y se traga. Para 2-3 personas.

Agua de chipechipe

Conserve el agua que sueltan los chipechipes al calentarlos en un cazo seco para extraer la carne. Añada zumo de lima, sal y pimienta. Esta agua se considera un afrodisíaco y quedó inmortalizada en los años treinta por King Radio, un cantante de calipso oriundo de Barbados con una canción titulada *Agua de chipechipe:*

El chipechipe vive entre dos valvas
como la ostra que todos conocen.
De palabra todos lo conocen,
y el agua que desprende no te la acabas.
Y cantaban así:
¡Ay, ay, ay, ay! Cachipe, cachipe.
¡Ay, ay, ay, ay! Cachipe, cachipe.
Si quieres que tu cuerpo esté bien,
frótame con agua de chipechipe.

Superior izquierda: el chipechipe levanta la cabeza por encima de la arena. Superior derecha: cuando desciende la marea, el chipechipe se ve con claridad. Inferior: un puñado de hermosos chipechipes. Página siguiente: es frecuente ver a familias excavando en la arena en busca de chipechipes por las playas de Mayaro durante la bajamar.

Chipechipe

El chipechipe *(Donax striatus)* es un molusco que vive en la orilla de las playas arenosas de la costa oriental de Trinidad y que abunda entre febrero y mayo. Aunque primo hermano de la ostra, se trata de una criatura pequeña, suave, sin espinas, que vive entre dos valvas de unos 2,5 cm de diámetro que protegen su cuerpo por completo. La recogida de chipechipes constituye un pasatiempo tradicional de Trinidad desde tiempos inmemoriales. Según documentos conservados, era un alimento muy apreciado por los habitantes indígenas de la isla, los amerindios, preferencia que a través de los colonos europeos pasó de generación en generación. Es frecuente ver a padres e hijos buscando por las playas de Manzanilla, Mayaro y Orotoire, con cubos de plástico en la mano y agachándose de vez en cuando para remover la arena mojada donde viven los chipechipes de un modo sedentario (hasta que los atrapan, por supuesto). Una vez cogidos, hay que lavarlos con agua fresca para retirar el exceso de arena y, a continuación, se colocan en una cazuela al fuego. Las valvas se abren y dejan ver la criatura que vive en su interior. Aunque se aconseja no hervir los chipechipes porque se altera su sabor, los cocineros suelen extraer la carne de esta manera. Se separa, pues, el animal de la valva y se pasa por un colador fino que rompe la pequeña bolsa que cuelga de la carne y que contiene más arena. Los chipechipes se lavan a fondo una segunda vez, tras lo cual se condimentan con tomillo, cebollino y ajo picados, un poco de salsa de guindilla y sal al gusto, y se dejan reposar unos 20 minutos. A partir de aquí se pueden preparar varias recetas tradicionales de la isla. La media de vida de un chipechipe, si se deja en su estado natural, es de unos 12 meses, pero todavía debe probarse de forma científica. Se cree que se trata de un animal altamente sexuado con órganos sexuales masculinos y femeninos en las valvas. Por eso, la fertilización es para él un procedimiento simple. Y, sin embargo, se produce una situación irónica. Cuando el chipechipe alcanza su madurez, ansía empezar la actividad sexual; pero al acometer el acto reproductor, muere. Esto quizá sirva como aviso a los hombres y mujeres de la isla, que tienen la reputación de ser no sólo los más atractivos del Caribe, sino ¡los que tienen la sangre más caliente!

Los refrescos

Los trinitenses no sobrevivirían sin sus refrescos. Las marcas internacionales más importantes se pueden adquirir en la isla pero la especialidad de ésta y otras islas antillanas son los refrescos de vivos colores vendidos en latas y botellas de plástico o vidrio reciclables, entre los que se cuentan Solo Kola Champagne, Orange Lil Boy, Cream Soda, Banana, Orange, Lime, Pine, Solo Apple J, Chubby's Bubble Gum, Pink Ade, Sorrel Strawberry, JuC Red, Bim Kola y muchos otros sabores.

Esta gran variedad de refrescos se encuentra en el mercado de Trinidad desde los años treinta, época en que se preparaban en las casas y la capacidad de la maquinaria disponible era de unas 4 botellas por minuto. En la actualidad, esta industria ha crecido hasta alcanzar proporciones grandiosas y la competencia es feroz. S. M. Jaleel, por ejemplo, se ha fusionado en Barbados con el fabricante de Bim, y Solo Beverages ha unido sus fuerzas con otras empresas de esa isla. El director de relaciones públicas de Jeel afirma que su producto Chubbyes es la primera bebida con gas que se dirige sólo a un público cuya edad es inferior a 12 años.

Los refrescos caribeños se exportan a algunos países europeos, y la marca Solo ganó las medallas de oro, plata y bronce en la Monde Selections Brussels, la selección mundial de la calidad de los productos. Se podría decir que no hay niño o adulto en el Caribe que no posea una marca o un sabor de refrescos preferido. De hecho, hay niños que se van a internados de Europa y Estados Unidos y se llevan consigo refrescos caribeños para todo el trimestre que guardan como oro en paño para que otros niños no se los quiten. Incluso se rumorea que en una tienda de Miami quien pide una bebida Solo o Busta con su *roti* (acompañamiento obligatorio de este producto nacional) debe presentar el pasaporte de Trinidad.

Algunos de los refrescos que se venden en el Caribe.

Los niños de Trinidad beben todo tipo de refrescos.

Una Carib "superfría" apaga la sed más extrema.

Los pósters de la chica Carib se han convertido en un objeto de coleccionista. No hay belleza en Trinidad que no aspire a ser chica Carib.

Cerveza

En Trinidad, la publicidad afirma que la cerveza Carib es "la cerveza del Caribe". Y no hay duda de que tal afirmación es casi cierta. En las Antillas existen numerosas cervezas y casi todas las islas, por pequeñas que sean, poseen su propia marca; por ejemplo, Piton en Santa Lucía, Banks en Barbados, Tillman en San Vicente, Polar en Margarita, etc. No obstante, Carib se ha convertido en la cerveza con la que todos los caribeños se sienten identificados con gran fidelidad. De hecho, otro eslogan publicitario reza "¡una cerveza es una Carib!". Un trinitense escribió una vez a la fábrica de Carib con gran orgullo y confesaba su sorpresa y total satisfacción cuando le sirvieron una Carib en el Club Privilege de Grecia durante una visita que acababa de realizar. De todas formas, la Carib puede encontrarse hoy en Las Vegas, Miami, Nueva York, Puerto Rico y en países más lejanos como Inglaterra, Suiza y Suecia.

La cerveza Carib nació en Trinidad en 1950 y se convirtió en una bebida tan popular que retiró del mercado a casi toda la competencia, incluidas las marcas internacionales. La empresa, entonces, desarrolló otros productos entre los que se cuenta Malta Carib (una bebida energética en la que los hombres depositan toda su confianza), Shandy Carib (mezcla de cerveza de jengibre y cerveza común), Carib Light, Carib Strong e incluso Extra Strong. Aparte de ser la cerveza de los "auténticos bebedores", Carib patrocina acontecimientos deportivos como partidos de críquet, competiciones de surf, carreras de coches y campeonatos de damas. El póster de la chica Carib se ha convertido en un objeto de coleccionista y apenas existe una aspirante a modelo en todo el Caribe que no sueñe con ser elegida chica Carib. Cuando los antillanos entran en un bar y piden una "Carib superfría", lo dicen con orgullo. No hace mucho las cervecerías Carib compraron a su mayor competidor, la cerveza Stag, que desde entonces se ha popularizado en el mercado de Trinidad. En esta isla todavía existe un importante debate sobre qué cerveza es mejor pero, en cualquier caso, Carib es la más vendida y se conoce como la cerveza de Trinidad.

Stag fue adquirida por Carib y hoy es una de las cervezas más consumidas de Trinidad.

En la actualidad, la cerveza Carib se exporta a países de todo el mundo.

El ron y la angostura de Trinidad

La fascinante historia de la angostura empezó en Venezuela. En 1820, el doctor J. G. B. Siegert, un cirujano que sirvió en las guerras napoleónicas, se embarcó en una aventura que le llevó a luchar a favor de la independencia venezolana a las órdenes del gran libertador, el general Simón Bolívar. Unos cuatro años después, cuando ya era cirujano general del hospital militar de Venezuela, inventó un tónico amargo a base de hierbas aromáticas, especias y alcohol que empezó a usar para tratar a los europeos que, durante los combates en las selvas sudamericanas, habían contraído enfermedades tropicales que los debilitaban. En un principio lo bautizó con el nombre de Siegert's Aromatic Bitters y se hizo famoso en todo el mundo, pues lo soldados y las tripulaciones de los barcos, entusiasmados por sus propiedades terapéuticas, extendieron este brebaje allá donde iban. El eminente doctor dejó su trabajo y se dedicó a producir esta asombrosa medicina. Le cambió el nombre por Angostura Bitters, el nombre de la ciudad a orillas del río Orinoco en la que Bolívar había instalado su cuartel general de liberación. Hacia 1875, sin embargo, el ambiente revolucionario adquirió tal calibre que el doctor Siegert convenció a sus hijos para trasladarse a Trinidad y establecer allí su negocio. En la actualidad, la angostura se encuentra en casi cualquier bar del planeta, y los que conocen las propiedades curativas del tónico siempre tienen una botella en casa. Realza el sabor de los platos, se emplea como toque final de numerosos cócteles y mezclado con un poco de agua alivia las molestias producidas por indigestión, diarrea, náuseas y otras dolencias digestivas. La fórmula de la angostura es uno de los secretos mejor guardados del mundo, junto con el de Coca Cola. La familia Sigert no tardó en darse cuenta de que si producían su propio ron y alcohol para el brebaje, tendrían el control absoluto de la calidad final. Años más tarde, Trinidad Distillers Ltd., una filial que poseía Angostura Bitters Ltd. en su totalidad, se hizo con los bienes de Fernández Distillers Ltd., cuya destilería estaba situada justo al otro lado de la calle. Hoy, ambas destilerías, que forman parte del grupo McCal, producen algunas de las marcas más conocidas de ron de Trinidad. El ron es para los caribeños como la cerveza para los alemanes. Todas las islas poseen una mezcla propia en la que confían sus residentes, por lo que ni siquiera se molestan en probar otra variedad. Una persona que suele beber Old Oak Rum no se pasará al Vat 19, y a los fieles a una de ambas marcas ni se les pasa por la cabeza beber un ron de Barbados (las rivalidades no sólo existen entre los rones de distintas islas sino también entre los de la misma isla o incluso entre los de la misma localidad). Uno de los rones más fuertes, con un 75% de alcohol, es el Puncheon. Al llegar a Trinidad, los visitantes reciben el siguiente aviso: "Cuidado con el Puncheon". Otra empresa dedicada a la destilación de este licor es Caroni Ltd. (1975) y aunque exporta la mayor parte del ron a Europa, incluida Alemania, para mezclarlo, existen marcas que sólo se comercializan en Trinidad para consumo local, como White Magic Light. Su Puncheon Rum, Stallion, posee un 78% de alcohol. ¡Para dejar K. O. a cualquiera!

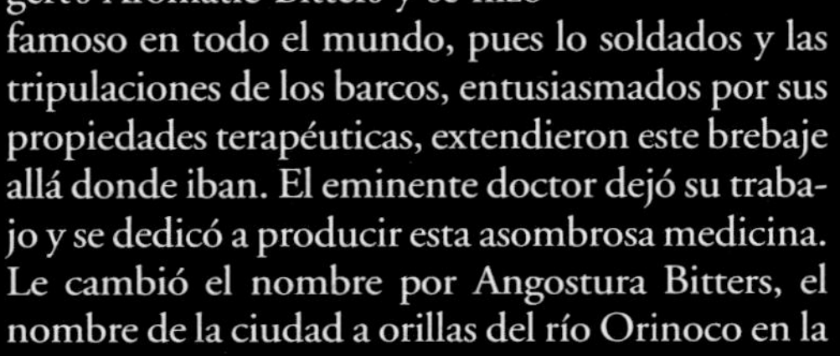

Un chorrito de angostura acentúa el sabor de los cócteles.

Los ponches de ron, los combinados, los ponches de fruta e incluso el tequila realzan su sabor con el aroma de la angostura. Se usa asimismo en toda la cocina caribeña para dar un toque especial a los ingredientes.

Café de vampiros

Del libro *Shake Dat Cocktail*

1 chupito de ron añejo de Trinidad
1/2 chupito de brandy
1/2 chupito de Tia Maria
almíbar
nata montada
2 granos de café

En un vaso, mezcle el ron, el brandy y el Tia Maria y complete con café fuerte de Trinidad. Añada almíbar al gusto y en la parte superior disponga una cantidad generosa de nata montada. Coloque encima los granos de café como decoración. Para 1 persona.

Te Le Le del carnaval de Trinidad

Del libro *Shake Dat Cocktail*

1 chupito de ron de Trinidad
1/2 chupito de tequila
1/2 chupito de vodka
1 chorrito de licor de naranja
3 chupitos de zumo de naranja
3 chupitos de zumo de mango
1 chorrito de almíbar
1 chorrito de angostura
1 chorrito de granadina

Mezcle todos los ingredientes junto con hielo en una batidora a velocidad máxima. Sirva en un vaso largo y adórnelo con una rodaja de naranja, una guinda y un trozo de mango ¡y viva el carnaval! Para 1 persona.

Varios de los rones producidos en Trinidad. La mayoría se exportan a todo el mundo.

Influencias europeas, chinas, libanesas y sirias

Al igual que muchas islas antillanas, Trinidad contó enseguida con una sociedad acomodada de blancos, descendientes de españoles, franceses, británicos, holandeses y alemanes que habían cruzado el océano en busca de aventura y una vida mejor o, sencillamente, huían de un clima de opresión política o de cargos judiciales de sus países de origen. Y con ellos llevaron sus costumbres culinarias, algunas de las cuales se han conservado intactas. La mayoría, sin embargo, se han convertido en lo que se denomina comúnmente "cocina criolla".

Muchos extranjeros se sorprenden de que todavía exista un pequeño número de blancos en todas las islas del Caribe (la mayoría están, en realidad, un poco mezclados, con piel y cabellos algo más oscuros, aunque algunos presentan una piel muy blanca, cabello rubio y ojos azules). En cualquier caso, pertenecen a ese popurrí caribeño de razas. Aunque en sus mesas todavía se come rosbif y *pudding* de Yorkshire, estos blancos ya no son realmente europeos. Puede que alguno posea un vago recuerdo de su "país de origen", pero en su mayor parte se sienten isleños como el que más y no les gusta que los encasillen de ningún otro modo. Otro tanto puede afirmarse del resto de los pueblos del Caribe, aunque su pasado siempre se manifestará en su aspecto físico.

Tras la abolición de la esclavitud en 1807, los ya ilegales traficantes de esclavos continuaron su lucrativo negocio llevando agricultores de la isla de Fayal, en las Azores, a Trinidad, seduciéndolos con grandes promesas de una vida mejor. Esta oferta pareció aún más atrayente al incluir a las mujeres y los niños de los agricultores en el viaje a esa "exótica isla" donde abundaba el trabajo agrícola. La cruda realidad es que estas personas debían permanecer escondidas y pasar por bosques y ríos hasta llegar a las propiedades donde se suponía que debían trabajar. Muchos no soportaron los rigores del duro viaje y murieron en pos de sus sueños. Hasta 1846, los habitantes de Madeira no obtuvieron permiso para desembarcar legalmente en Trinidad y trabajar en las plantaciones de cacao. Estos portugueses eran fuertes y sanos, acostumbrados a las tareas agrícolas, y constituyeron la base de la influencia portuguesa de la isla. Muchos lograron dejar las propiedades y encontraron trabajo en Puerto España, otros se involucraron en cultivos comerciales. Más tarde los portugueses introdujeron las tiendas de ultramarinos e importaron todo tipo de alimentos para complementar sus buenas provisiones de artículos alimenticios. Esto les permitió mantener sólidos vínculos con Portugal y la comida lusa realzó las mesas de las familias que habían conseguido una posición. El bacalao, el aceite de oliva, el ajo y las aceitunas se introdujeron en una isla que ya empezaba a crear esa mezcla de sabores. El cerdo con ajo era un plato tradicional portugués preparado con gran esmero en Navidad, al igual que el *buljol* y un aceite picante llamado *piri piri*.

Los chinos comenzaron a llegar a Trinidad en 1849. Los precios del azúcar habían caído en todo el mundo y esta industria pasaba por un período de decadencia. La inmigración hindú se había

Chew yam ha del Great Wall

- 750 g de gambas gigantes
- 2 cucharadas de aceite
- 1 cucharadita de sal
- 1 cucharadita de pimienta de Jamaica
- 2 dientes de ajo picados finos
- 3 ramitas de cebollino
- 1/2 cucharadita de jengibre fresco rallado
- 1/4 cucharadita de guindillas rojas despepitadas y picadas finas
- 1 chorrito de salsa de soja ligera
- 1 chorrito de vino para cocinar
- 2 cucharaditas de aceite de sésamo

Lave y pele las gambas. Fríalas en un wok con aceite caliente durante 1 minuto. Añada el aceite, el ajo y el resto de los ingredientes. Refría durante 2 minutos. Agregue un chorrito de salsa de soja ligera, un chorrito de vino y riegue con aceite de sésamo. Para 4 personas.

Tabdulie del Ali Baba

- 1 puñado de bulgur
- 1 tomate triturado
- 1 ramillete grande de perejil
- 5 ramitas de hierbabuena
- 5 cebollas tiernas
- 250 ml de aceite de oliva
- 125 ml de zumo de limón
- pimienta negra y sal al gusto

Mezcle todos los ingredientes y sirva sobre un lecho de lechuga. Para 4 personas.

Samakee heera del Ali Baba

(Filete de pargo colorado con relleno de ajo y piñones)

- 2 kg de filete de pargo colorado
- 125 g de piñones
- 5 dientes de ajo
- 250 ml de aceite de oliva
- 60 ml de zumo de lima
- 1 cucharadita de *samak*
- sal al gusto

Machaque el perejil con 3/4 de los piñones hasta que la mezcla quede muy fina. Añada aceite de oliva, zumo de lima y *samak* y mezcle bien con sal al gusto. Rellene el pescado con la mezcla y hornee en una fuente refractaria durante 20 minutos a 180°C. Retire del horno y disponga en una fuente . Saltee el resto de los piñones con aceite de oliva hasta que se doren y repártalos por encima del pescado. Para 4 personas.

estancado y 1.000 chinos, en su mayoría hombres, llegaron a la isla ligados por contratos de 5 años y sin billete de vuelta. En 1865 llegaron más chinos, pero esta vez un tercio eran mujeres. Aunque les resultó difícil adaptarse, consiguieron prosperar. Se dedicaron a la venta ambulante y a la horticultura y, tras comprar su libertad, entraron en el terreno de los negocios como vendedores. En 1866, la Convención Kung, impuesta a Trinidad por el gobierno chino, insistió en que tras esos cinco años, los chinos debían recibir un pasaje de vuelta a casa o el equivalente en metálico. Los que decidieron quedarse y establecerse en la isla no tardaron en adaptarse a la cultura europea. Muchos llegaron a ser comerciantes de tanta calidad que los portugueses y los hindúes empezaron a sentirse apartados del mercado.

En la actualidad, la influencia china continúa pujante en Trinidad. Los mercados se hallan repletos de productos importados, incluyendo la col china y los berros. En la capital existen tiendas de comida china una al lado de la otra y algunos propietarios sólo hablan chino. Las estanterías se encuentran repletas de los más diversos productos que van desde woks hasta huevos centenarios. La zona es una especie de barrio chino caribeño. Puerto España y San Fernando, en el sur, acogen algunos de los mejores restaurantes chinos de las Antillas. La comida china se ha convertido en parte integral de la gastronomía de Trinidad y los arroces chinos y el *chow mein* completan las comidas caseras habituales.

Los comerciantes sirios y libaneses empezaron a llegar a Trinidad a finales del siglo XIX. Su experiencia en este terreno se convirtió enseguida en una lección para los trinitenses. Sus culturas, aunque continuaron formando parte de sus vidas, no supusieron un problema para integrarse fácilmente en otros grupos étnicos y sus negocios florecieron, sobre todo los textiles y los de complementos de moda. En la actualidad tanto los sirios como los libaneses de Trinidad desempeñan un papel fundamental en la economía de la isla. Además, su habilidad culinaria ha tenido un fuerte impacto en las comidas diarias. Su cocina, como la del resto de los grupos étnicos de la isla, ha desarrollado un sabor caribeño sin perder la esencia de sus orígenes.

El chef corta con destreza la cabeza de un pato.

El chef del restaurante Soong's Great Wall de San Fernando, muestra con orgullo sus propias creaciones.

Influencias y celebraciones hindúes

En 1844, el gobierno británico aprobó la introducción de inmigrantes de la India en Trinidad. El 10 de mayo de 1845, el *Fatel Rozack* atracó en la isla con los primeros 217 hindúes a bordo. En 25 años llegaron a la isla unos 40.000 para empezar su aprendizaje forzoso, que duraba cinco años. Al final de ese período se les ofrecía un pasaje de regreso a la India o, si deseaban permanecer en Trinidad, una parcela de tierra. Los hindúes ocuparon muchos puestos en la industria y propiedades azucareras que los africanos no deseaban tras su emancipación. Hasta nuestros días, estos puestos han resultado esenciales para el sector agrícola de la isla. Aunque muchos decidieron volver a su país, miles permanecieron en Trinidad y se amoldaron a una nueva vida en el Caribe. Los de religión hinduista construyeron templos; los de culto musulmán, mezquitas; y las poblaciones hindúes se extendieron en torno a estos edificios. Muchos decidieron establecerse en el centro de Trinidad y fundaron pueblos en el campo, que aún hoy son de mayoría hindú. Hace poco que esta comunidad hindú acepta los matrimonios con otras etnias de Trinidad. Los rechazaba debido a la fuerza con que su cultura, religión y lengua cohesionaban a la comunidad. En la actualidad, los hindúes continúan siendo uno de los grupos más unidos de la isla. El 30 de mayo, Día de la Llegada Hindú, es festivo en toda la isla. La mayoría de los trinitenses se unen a sus celebraciones llenas de música y comida, y las influencias de la India, por su parte, han añadido un toque distinto a ese "crisol" que constituye Trinidad. Muchas de las celebraciones hinduistas y musulmanas se celebran en Trinidad (dos de las cuales son festivos en toda la isla) con gran pompa, esplendor, comida y bebida, y los trinitenses de toda clase les acompañan en la fiesta.

Hosay

Este acontecimiento se celebra en Ashura, el décimo día del mes de *muharram* o el décimo tras la aparición de la luna nueva del mes de agosto. Es una celebración cargada de historia: en ella se lamentan las muertes de los hermanos Hussein y Hassan, nietos del profeta Mahoma, que fueron asesinados durante la *yihad* (guerra santa). La fiesta dura tres noches y termina con la celebración principal. Los *tayás*, espléndidas efigies de bambú, oropel y cristal en forma de mezquitas que alcanzan entre 3 y 4,5 m de altura, se construyen en secreto durante meses antes de la fiesta.

Durante la primera noche, llamada "Noche de la Bandera", se conducen banderas de diversos colores por las calles recordando el comienzo de la batalla de Kerbala. En la segunda, se pasea el *matkore*, para el cual se coloca un pequeño *tayá* en un *chauk* o santuario, y se ofrecen oraciones y súplicas por Hussein y Hassan. La víspera de la fiesta, se conmemora el día en que se cometió el asesinato, se llama K Tal Kay Rart, y bailarines especiales portan dos lunas que representan a los dos hermanos. Miden 2 m por 1 m y suelen ser de color rojo para simbolizar la decapitación de Hussein, y verde y azul para recordar el envenenamiento de Hassan. Los bailarines proyectan el triunfo de los hermanos sobre la muerte y, al final, las lunas se encuentran como en un abrazo y los espectadores aplauden emocionados.

En el último día, llamado *shura*, todos los *tayás* se unen en un punto designado y se conducen en lenta procesión, con mujeres andando entre medio y cantando *masihas* (canciones melancólicas) en memoria de los dos hermanos. Entre los *tayás* se halla una luna que gira, del tamaño de una rueda de carro, de forma semicircular, colocada en un palo central y transportada por hombres corpulentos que bailan al son de los tambores.

Izquierda: uno de los grandes *hosay* espera ser conducido a la calle.
Superior: durante Divali, la fiesta de la luz, las casas, los comercios y las calles se adornan con velas diminutas.

Entre un repique de tambores, los participantes del Fagvá se arrojan agua coloreada unos a otros y a los espectadores.

Divali

Esta fiesta es celebrada por la comunidad hindú de Trinidad y de otras islas caribeñas –como Barbados, San Vicente y Jamaica–, donde esta etnia es importante. Pero como Trinidad presenta el número más elevado de hindúes es donde las celebraciones de Divali resultan, quizá, más espectaculares.

Divali se celebra el décimo quinto día de la quincena más oscura del mes hindú de *kartik*, entre octubre y noviembre. La fiesta conmemora el regreso de Rama a su reino de Ayoda tras un exilio de 14 años. A su vuelta, sus súbditos colocaron miles de *deyas* en los caminos que iluminaban los cielos y los ríos. Durante la festividad de Divali, los hindúes conmemoran la caridad de un rey, Bali, y adoran a la diosa de la luz y la riqueza espiritual, Laksmi. Los hindúes devotos comienzan el ayuno 21 días antes de Divali y se abstienen de cualquier tipo de alimento de origen animal excepto el *ghee* y la leche. Meses antes de la fiesta, los alfareros de la isla están muy ocupados fabricando miles de recipientes y lámparas de barro, la producción de aceite de coco (así como la de combustible) se incrementa para abastecer el mercado, y se compran rollos enteros de cuerda de algodón (para las mechas). Estos tres productos se emplean para fabricar las *deyas*, sostenidas por enormes construcciones de bambú de formas distintas que se colocan en terrenos comunitarios, delante de las casas y en los patios de los centros de negocios. La víspera de Divali, se encienden las *deyas* en todos los templos y tras esta operación las familias pueden rendir culto y empezar la celebración.

En el Día de Divali, la mayor parte de las familias hindúes se levantan antes del alba, comienzan el día con un baño y rezan en el rincón *yanda* del patio orientado al sol. Hasta la oración de Puja, que se celebra hacia las cinco de la tarde, la mayoría de las familias se abstienen de probar bocado, y los niños y los ancianos comen sólo fruta. Ya avanzado el día, los miembros de la familia y los invitados preparan y comen una multitud de exquisiteces y dulces hindúes, que se disponen en platos de latón impecables. Para asegurar que la comida sea abundante no se repara en gastos. Justo antes de que oscurezca, se encienden las *deyas* por toda la isla y la fiesta de la Luz alcanza un ritmo ascendente de cuento de hadas. Pequeñas luces centelleantes iluminan todos los recovecos de las casas, y trinitenses procedentes de toda la isla acuden a ver las grandes construcciones, que constituyen un espectáculo asombroso. Abunda la fiesta y la bebida, y la gente abre sus casas para la ocasión. En la actualidad, Divali es festivo en toda la isla e incluso los que no son hindúes encienden *deyas* en el exterior de sus casas. Divali conmemora el triunfo del bien sobre el mal, de la luz sobre la oscuridad, de la esperanza sobre la desesperación.

Fagvá

Durante esta fiesta, canciones, danzas y música *choutal* alaban la belleza de la naturaleza y rinden tributo a la llegada de la primavera hindú. Las bandas de *choutal,* ataviadas con trajes tradicionales, tocan en los templos y en las calles, donde los espectadores y fieles se arrojan *abir* (agua coloreada) en representación de los diversos colores de la primavera. El repique ritual de los tambores *tasas* constituye un elemento singular de la fiesta.

Eid-Ul-Fitr

Esta fiesta se celebra a principios del año nuevo islámico, que comienza cuando los imanes ven la luna nueva y finaliza el mes sagrado de ramadán. Por toda Trinidad, los musulmanes llenan las mezquitas para rezar y pedir a Alá que les dé fuerza. Tras las oraciones, las familias y los amigos se reúnen en una casa con largas mesas repletas de currys vegetarianos, *roti paratha* o *dhal roti* preparados para la ocasión.

Un gran *hosay*, de complejo diseño, sale de la casa donde se ha fabricado y se lleva en procesión por las calles de St. James, en Puerto España. Estos enormes templos se arrojan al mar al finalizar las celebraciones.

El roti de Trinidad

Casi todo puede prepararse al curry. En Trinidad, los currys para el *roti* pueden ser vegetarianos (garbanzos, calabaza, patata, hojas de malanga) o de carne (pollo con huesos o deshuesado, carne de vaca, de cabra, gambas y, a veces, cobo, pescado e hígado). Las tiendas de *roti* abundan y cada trinitense cuenta con su establecimiento o vendedor ambulante favoritos. En Puerto España, uno de los más famosos es Hott Shoppe, que elabora un pan delicioso; Patraj, en la ciudad de San Juan, es para muchos el mejor; y los habitantes de San Fernando afirman que a Ali, en el sur de la isla, no puede vencerle nadie. De todas formas se puede acudir a cualquiera de las miles de tiendas de *roti*, pues en todas descubrirá que está para chuparse los dedos. Una vez extendido el curry por el pan del *roti*, le preguntarán si desea *kucheela* y/o más pimienta. La pimienta suele ser para los expertos, pues la de Trinidad "no es fácil", como se dice en la isla.

Roti dhalpurie

- 1 cucharada de aceite de oliva
- 1 cucharadita de semillas de comino
- 2 dientes de ajo cortados en láminas finas
- 500 ml de agua
- sal
- 1 cucharadita de curry en polvo
- 250 g de guisantes partidos amarillos

Caliente el aceite en una cazuela. Añada las semillas de comino y el ajo. Rehogue hasta que el ajo esté casi quemado. Vierta agua con sal al gusto y lleve a ebullición. Agregue el curry en polvo y los guisantes partidos amarillos. Cueza. Retírelos del agua y cuélelos. Cuando se enfríen, triture los guisantes con un tenedor para obtener *dhal.* Dé forma de bola a la mezcla de *roti* (*véase* la página siguiente), practique un hueco profundo en el centro e introduzca parte del *dhal.* Apriete para cerrarlo. Extienda la masa con el rodillo en una superficie enharinada y continúe la preparación según las instrucciones que se indican más abajo. El agua de *dhal* puede servir como acompañamiento del *roti* o del *roti paratha* con curry.

Los *rotis* se toman de diversas maneras. Existen dos tipos de pan de *roti:* normal y con *dhal.* El primero se llama *roti dhalpurie* o sencillamente *dhalpurie.* Los dos tipos se comen con las manos, como si fuera un bocadillo. Estos panes, al igual que el *roti paratha,* se comen asimismo acompañando al pescado. En el plato se disponen distintos currys y los panes se emplean como cubiertos.

Receta de curry

- 60 ml de aceite vegetal
- 1 cucharadita de semillas de comino
- 4 dientes de ajo picados
- 2 cebollas picadas finas
- 1/4 guindilla despepitada y picada fina
- 6 cucharadas de curry de Trinidad
- hortalizas o carne de su elección
- 1 l de agua
- 2 ramitas de cebollino
- 1 ramita de tomillo
- 1 hoja de culantro de monte picada fina
- 1/2 cucharadita de sal
- 1/2 cucharadita de pimienta negra
- 1 guindilla entera envuelta en estopilla y bien atada
- (se puede añadir leche de coco a cualquier curry)

En una cazuela caliente el aceite vegetal. Añada las semillas de comino y fríalas durante varios segundos. Agregue el ajo, la cebolla, la guindilla y el curry. Saltee durante medio minuto sin dejar de remover. Luego, incorpore las hortalizas y la carne. Vierta agua, remueva y cueza. Añada el cebollino, el tomillo, el culantro de monte, la sal, la pimienta y la guindilla entera envuelta en la estopilla. Tape y deje cocer 30 minutos si ha utilizado hortalizas o 40 minutos si ha elegido carne. Retire la tapa en el último cuarto de hora para que la mezcla se espese. Rectifique de sal si es necesario.

Cómo preparar un roti dhalpurie:

1. Los guisantes partidos amarillos y los condimentos se cuecen juntos.

2. Tras la cocción, se pasan por un molinillo de carne.

3. Los guisantes triturados, o *dhal*, se reservan.

4. Cuando el *roti* está formado, se practica un orificio en la parte superior de la bola.

5. El *dhal* se introduce en el orificio abierto.

6. Agarrando con cuidado los lados, se cierra el orificio con el relleno en el interior.

7. Coloque esta bolsa en una superficie enharinada y extiéndala con el rodillo.

8. La torta redonda se coloca en una plancha o *tawa* caliente untada con algo de aceite y se cuece por ambos lados.

Roti paratha y roti

1 1/2 kg de harina
6 cucharadas de levadura en polvo
1 cucharadita de sal
500 g de mantequilla
500 ml de agua
el aceite vegetal que se requiera

Tamice a la vez la harina, la levadura en polvo y la sal. Añada la mantequilla y mezcle bien. Vierta agua despacio y remueva hasta formar una pasta. Amásela y deje reposar durante 30 minutos. Vuelva a amasarla y divídala en 8 bolas. En una superficie enharinada, extienda las bolas con el rodillo hasta conseguir el menor grosor posible. Con un pincel pinte de aceite vegetal una plancha o *tawa* grande y caliente a fuego medio. Coloque los *roti* individuales en la plancha y cuézalos un minuto y medio aproximadamente por cada lado pintando cada uno con aceite vegetal. Retírelos de la plancha y seque el exceso de aceite del *roti* con papel de cocina. Para elaborar el *roti paratha* corte en tiras los panes del *roti*.

Kucheela

1 kg de pulpa rallada de mango verde (sólo pueden emplearse los verdes)
8 dientes de ajo triturados
4 cucharaditas de *masala*
250 ml de aceite de mostaza
4 guindillas despepitadas y trituradas
1/4 cucharadita de sal

Extraiga todo el zumo del mango rallado y extiéndalo en papel parafinado. Hornee a 120ºC aproximadamente durante 2 horas o hasta que la fruta esté seca. Mezcle a fondo el resto de los ingredientes. Añada el mango y suficiente aceite de mostaza para que la mezcla resulte un tanto líquida, como una sopa espesa. Disponga la mezcla en botellas esterilizadas, que deberá emplazar en un lugar donde les dé el sol varias horas al día. Retírelas y refrigérelas. Esta receta sirve para 1 kg de *kucheela* y constituye un delicioso acompañamiento para el curry con *roti* o bolas de *phulouri*. Asimismo puede añadirse al curry una cucharada de *kucheela* justo antes de terminar la cocción.

Cómo doblar un *roti:*

1. Disponga el relleno de curry en el centro del pan
2. Doble una parte sobre el relleno.
3. Haga lo mismo con la otra parte.
4. Doble los extremos y forme un paquete.

El *roti paratha* es una preparación típica de las bodas y las celebraciones. Se elabora de la misma forma que el *roti* (aunque de mayor tamaño), se corta en tiras y se come con curry.

Las bodas hindúes

Según la tradición hindú, antes de la ceremonia en sí se organizan celebraciones durante toda la semana. El ritual comienza cuando el novio toma el "hilo sagrado" que confirma su intención no solo de seguir el modo de vida hindú sino también de aceptar su código de conducta para el resto de sus días. Entonces la pareja ya puede anunciar su compromiso. La primera ceremonia tras el anuncio consiste en el intercambio de anillos delante de los testigos. A continuación viene la ceremonia del Sangit, una fiesta con cena y música que ofrece la familia del novio *(duhala)* y a la que asisten miembros de la comunidad hindú. Se baila música tradicional y se bromea sobre la vida familiar. Después, la familia de la novia *(dulahin)* organiza una fiesta similar para todos, pero en esta ocasión las consuegras deben tener mucha paciencia porque todas las bromas se hacen a sus expensas. La siguiente celebración es la ceremonia de Mehendi, para la cual las manos y los pies de la novia se decoran con tinte de color cereza o rosa. La novia debe ofrecer aún otra ceremonia (Sangri), en la cual se atavía con flores frescas y a la que sólo acuden los amigos íntimos.

Todas las celebraciones incluyen un total de 19 fases distintas que constan de oraciones, bendiciones y entrega de regalos. El significado básico del sacramento hindú del matrimonio *(viva)* es que, al casarse, el hombre y la mujer se completan mútuamente. Tras la ceremonia de la boda, se prepara una espléndida comida para toda la comunidad hindú. Al día siguiente, la familia de la novia organiza una fiesta para los miembros de ambas familias, tras la cual los novios comienzan el esperado viaje. En las bodas hindúes, el novio suele llevar traje occidental mientras que la novia se viste con un trabajado sarí bordado con hilo de oro y normalmente resaltado en rojo y rosa. Tras la ceremonia, no es extraño que la novia regrese a casa, se ponga un vestido blanco y vuelva a la boda, una muestra de hasta qué punto las tradiciones hindúes se han visto influidas por la cultura occidental.

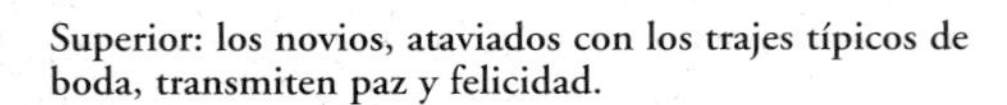

Superior: los novios, ataviados con los trajes típicos de boda, transmiten paz y felicidad.

Derecha: una casa típica hindú. Las banderas de distintos colores explican los acontecimientos de la familia. Muertes, nacimientos, compromisos y bodas se anuncian de esta manera.

Izquierda: una apetitosa muestra de los dulces hindúes.

Sahina

250 g de harina de trigo
250 g de harina de guisantes partidos
1 cucharadita de levadura en polvo
1 cucharadita de cúrcuma molida
una pizca de sal
250 ml de agua fría
de 6 a 8 hojas de malanga o de espinacas
aceite vegetal

En un cuenco mezcle la harina de trigo y la de guisantes, la levadura en polvo, la cúrcuma y la sal. Añada agua poco a poco hasta formar una pasta homogénea. Extiéndala sobre cada hoja de malanga o de espinacas hasta formar una capa de 7,5 a 10 cm de grosor. Enrolle las hojas a lo largo y corte los rollos de forma longitudinal en trozos de 1,5 a 2,5 cm de grosor. Caliente el aceite en una sartén y fría los trozos hasta que estén crujientes. Colóquelos en papel de cocina para retirar el exceso de aceite y sirva con *dip* de salsa de guindilla o *chutney* de mango verde.

Mango al curry de masala

8 mangos medio maduros con piel
4 cucharaditas de aceite vegetal
4 dientes de ajo picados finos
1 guindilla roja despepitada y picada fina
4 cucharadas de curry de *masala*
500 ml de agua
2 cucharadas de ron
1 cucharadita de azúcar

Lave los mangos y córtelos en trozos de 5 cm dejando pulpa en las semillas. Caliente el aceite en una cazuela. Añada el ajo, la guindilla, el curry de masala y el agua, y cueza todo unos 3 minutos. Agregue los mangos con las semillas, el ron y el azúcar. Tape la cazuela y rehogue unos 40 minutos. Añada más agua si la mezcla se se seca.

Bolas de phulouri

12 dientes de ajo picados
1/2 cucharadita de comino molido
1/2 cucharadita de tomillo molido
2 cucharaditas de *masala*
2 pimientos para condimentar (que no piquen)
500 ml de agua
1 kg de harina de guisantes partidos
2 cucharaditas de levadura en polvo
1 guindilla roja despepitada y picada
2 cucharaditas de sal
aceite vegetal

A velocidad alta, bata con la batidora el ajo, el comino, el tomillo, el *masala* y los pimientos con un poco de agua durante un minuto. Coloque harina en un cuenco y vierta poco a poco la mezcla, sin dejar de batir cuando se añada la levadura en polvo y el resto del agua. Agregue la guindilla y la sal. Para comprobar si la mezcla está lista para freír, deposite una gota en un vaso de agua fría. Si la pasta flota, estará lista; si se hunde, tendrá que seguir batiendo para que entre más aire. En una sartén, disponga una capa de aceite de 2,5 cm. Cuando esté caliente, deposite 1 cucharada de masa por tanda y fría hasta que se dore. Retire el aceite sobrante con papel de cocina. Sirva con *chutney* de mango verde como *dip*.

Goolab jamoon

500 g de harina
250 g de mantequilla
1 lata de leche evaporada
aceite
500 g de azúcar
1 l de agua

En un cuenco mezcle bien con los dedos la mantequilla y la harina. Añada poco a poco la leche. Forme unidades con forma de almendra y fríalas. Mezcle agua y azúcar para elaborar almíbar. Cuando esté espeso y pegajoso, unte los trozos de *goolab* y colóquelos en papel encerado para que se seque.

Chutney de mango verde

1 cabeza entera de ajos pelados y picados
8 mangos verdes pelados con la pulpa cortada en dados
8 hojas de culantro de monte o de cilantro
2 cucharaditas de orégano francés
1 cucharadita de orégano fresco
2 cucharadas de azúcar
1/4 cucharadita de sal

Triture los ajos en la batidora. Añada el resto de los ingredientes y continúe triturando hasta que la mezcla presente la consistencia de una salsa de manzana. Sirva de inmediato como *dip* para las bolas de *phulouri* o conserve en el frigorífico para otros usos. El *dip* se sirve a temperatura ambiente.

Postre Sewain

125 g de mezcla de pasas y frutos secos (almendras o anacardos)
1/2 cucharadita de canela molida
1/2 cucharadita de cardamomo molido
2 cucharadas de *ghee* (mantequilla clarificada) o mantequilla
250 g de fideos *vermicelli*
500 ml de agua hirviendo
125 ml de leche condensada caliente

Espolvoree con canela y cardamomo la mezcla de pasas y nueces y reserve. Derrita la mantequilla en una cazuela grande a fuego medio. Añada los fideos y rehóguelos hasta que se doren. Agregue agua hirviendo y mantenga a fuego fuerte hasta que los fideos estén a medio cocer. Incorpore la mezcla de pasas y nueces y cueza a fuego medio hasta que la pasta se torne blanda. Deseche el exceso de agua. Sirva en cuencos y vierta la leche condensada por encima.

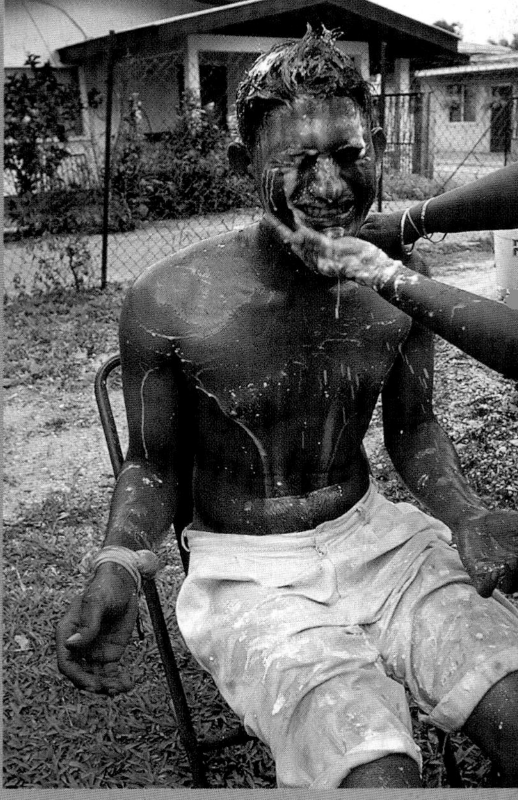

El cuerpo del novio se limpia con leche antes de la boda.

Barafie

500 g de leche entera en polvo
1 1/2 latas de nata
375 g de azúcar granulado
180 ml de agua
agua de rosas con jengibre fresco
250 g de cerezas
250 g de almendras

Mezcle la leche en polvo y la nata con los dedos. Tamice la mezcla. Hierva el azúcar, el agua y el agua de rosas con jengibre durante 10 minutos. Cuando la mezcla presente la consistencia del almíbar, retire el jengibre. Añádala a la mezcla tamizada y forme una masa compacta en una fuente engrasada utilizando el dorso de una cuchara. Decore con guindas y almendras y córtela cuando se enfríe.

El carnaval de Trinidad se caracteriza por su colorido.

El carnaval y la comida en la calle

El calipso, la *soca,* el bidón *(pan o steelpan),* las bandas disfrazadas y la comida en la calle son los ingredientes del carnaval. Ni uno de ellos puede suprimirse: todos dan cuerpo a esta extraordinaria fiesta.

El calipso o *kaiso* surgió durante los días de la esclavitud, cuando se obligaba a los grupos que cortaban la caña de azúcar a competir entre ellos y cantar canciones para incrementar su productividad. Los jefes de los grupos adoptaban nombres como Intruso, Atronador o León Poderoso, y así comenzó lo que hoy es una mezcla musical apreciada en todo el mundo. Además, los esclavos solían reunirse y cantar estas canciones burlándose por completo de sus amos, los cuales no podían entender muchas de ellas porque se cantaban en la lengua materna de los esclavos. A principios del siglo XX, el calipso empezó a expresarse en inglés, y las clases media y alta comenzaron a interesarse por el estilo retórico de estas composiciones. Así lo explicaba The Gorilla, un intérprete de calipso muy conocido:

Te voy a hablar del calipso.
Cuando lo cantes, tienes que aprender a improvisar.
No importa tu inglés sino tu ritmo;
cuando entiendes su sentido, cantas al compás,
pues los cantantes veteranos de calipso
son hombres que improvisan a voluntad.

Algunos calipsos resultaban un tanto "picantes", con muchos dobles sentidos, y constituían un medio de dar a entender a los políticos que el pueblo estaba al corriente de sus artimañas. En los años treinta, la policía empezó a aplicar una antigua ley de 1868 por la que se prohibía cantar canciones obscenas. Atilla The Hun, otro famoso cantante, respondió con total aplomo:

Decir que estas canciones son sacrílegas, obscenas o licenciosas
es mentir y calumniar.
Si el calipso no es decente, entonces debo recordar
que tampoco lo son Venus y Adonis *de Shakespeare*
los cuentos de Boccaccio, Cándido *de Voltaire,*
o The Martyrdom of Man *de Winwood Reid.*
Y con ellos no arman escándalos,
sólo quieren aprovecharse de nosotros.

Atiborrarse de comida por la calle forma parte de la experiencia carnavalesca.

Se trata de un buen ejemplo del dominio de la lengua por parte de los intérpretes de calipso.

El bidón, único instrumento inventado en el siglo XX, emite un extraordinario sonido. Existe una fuerte controversia sobre sus orígenes. Algunos afirman que los primeros en celebrar el carnaval –que recurrían a cualquier cosa, desde teteras de hojalata, botellas y cucharas hasta cajas de tablillas para producir los ritmos– se dieron cuenta de que las cajas metálicas de galletas, colocadas boca abajo y tocadas como un tambor resultaban de lo más efectivo, y fueron evolucionando hasta los inicios del primer bidón. Según otros, el instrumento es un invento en toda regla construido con la base de un bidón de aceite. En cualquier caso, este instrumento reluciente con sólo muescas ovales alrededor de la parte superior circular –cada una afinada a la perfección– no solo produce cualquier ritmo de calipso o *soca* imaginable, sino que con él se pueden tocar las piezas clásicas más difíciles y sorprendentes con un sonido inigualable. En la actualidad, las bandas de bidones están reconocidas internacionalmente, han tocado junto a la Royal Philarmonic Orchestra y el mismo Pavarotti se ha quedado asombrado de los sonidos que surgen de un instrumento tan simple. Las orquestas de bidones de Trinidad actúan por todo el mundo y se han formado otras en países como Estados Unidos, Inglaterra, Suecia y Suiza, por mencionar algunos.

Las bandas disfrazadas forman parte asimismo del ambiente de carnaval. Esta fiesta tuvo sus orígenes con la llegada de los franceses, que festejaban los días anteriores a la Cuaresma y al Miércoles de Ceniza a partir de la semana siguiente después de la Navidad. Las celebraciones consistían en conciertos, bailes de disfraces, cenas, cacerías y *fetes champetres* o fiestas campestres. Con la liberación de los esclavos, esas fechas se convirtieron en una época para que la gente normal descansara, saliera a la calle y se divirtiera. En la actualidad existen *mas camps* donde diseñadores de gran talento reúnen bandas temáticas de hasta 3.000 participantes vestidos con trajes que van desde ropas gastadas hasta enormes creaciones multicolores de 5 m de altura que representan a personajes históricos y legendarios. El carnaval se ha convertido en un asunto de todo el año, aunque el verdadero carnaval que desfila por las calles comienza el lunes anterior al Miércoles de Ceniza con la ceremonia inaugural de Jour Overt (J'Ouvert o Joovay). Las "criaturas" carnavalescas aparecen a primeras horas de la mañana. Los trajes son humorísticos, satíricos y a veces rayan lo grotesco. Son "días salvajes" en los que el alcohol abunda, las bandas de bidones asaltan las calles y la gente frenética brinca al unísono durante ocho horas. El lunes y el martes por la tarde, las bandas mayores toman las calles. La sinfonía visual de este carnaval resulta una experiencia increíble.

Con todo, uno de los ingredientes más interesantes de estas celebraciones es la comida, que parece venderse en todos los rincones por los que discurren los participantes. Corre el alcohol y las bebidas dulces, servidas "superfrías", así como toda una serie de sabrosos bocados. Destacan la cerveza Carib, el ron de Trinidad, el agua de coco, el musgo marino, los zumos frescos, el maíz hervido, el maíz asado, la sopa de maíz, las ostras, el *pelau*, caparazones de cangrejo rellenos, pastel de carne, pollo frito, tiburón con pan, *roti*, *doubles* y empanada de patata. Todo está listo para comer y a la vez seguir saltando con la banda que uno prefiera. Tambu, un artista de *soca* lo resumió en este calipso:

Cuando pierda la energía,
tenemos un buen remedio:
comida de reyes con 'dumplings',
cangrejo y calalú,
o un panecillo y pescado salado
que acude a ayudarle
a recobrar lo que ha perdido.
Pruebe un rosbif o un vaso de musgo marino
¡Y vuelva a la juerga, amigo!

Maíz asado

6 mazorcas de maíz
1 asador con brasas o 1 barbacoa

Espere hasta que la plancha colocada sobre el asador esté muy caliente. Coloque las mazorcas de maíz en la plancha y déles la vuelta hasta que se tornen casi negras. Sirva con en las hojas que las envuelven. Para 6 personas.

Sopa de maíz

6 latas de granos de maíz
6 latas de puré de maíz
10 mazorcas de maíz fresco cortadas en rodajas de 7,5 cm
3 dientes de ajo picados finos
3 cebollas picadas finas
2 ramitas de cebollino picado fino
1 ramita de tomillo fresco picado fino
1 ramita de albahaca fresca picada fina
1 guindilla despepitada y picada fina
1 cola de cerdo
sal y pimienta al gusto
1 1/2 l de agua
1 cucharada de mantequilla para cocinar

Disponga los ingredientes en una cazuela, lleve a ebullición y cueza durante 1 hora aprox. hasta que el maíz y el resto de los ingredientes presenten una textura cremosa y uniforme. Sirva muy caliente en tazas o cuencos.

Doubles

1 lata de 500 g de garbanzos escurridos o 500 g de garbanzos secos
2 l de agua
3 cucharadas de *masala*
3 cucharadas de aceite de maíz
5 dientes de ajo triturados finos
2 cebollas picadas finas
1 cucharadita de comino molido
1 guindilla despepitada y picada fina
sal y pimienta

Ponga en remojo los garbanzos en 2 l de agua toda la noche. Cuézalos a fuego lento con un poco de *masala* de 2 a 3 horas hasta que se ablanden. Mezcle el *masala* con 125 ml de agua. Caliente el aceite en una sartén. Añada ajo, cebolla y la mezcla de *masala* y agua. Cueza durante 2 ó 3 minutos. Agregue los garbanzos a la olla junto con el comino y la guindilla, tape y remueva hasta que estén blandos. Añada el agua si quedan muy secos; no debe quedar aguado, sino consistente. Salpimiente al gusto.

Cómo preparar doubles:

1. Forme bolas con masa de *roti*.

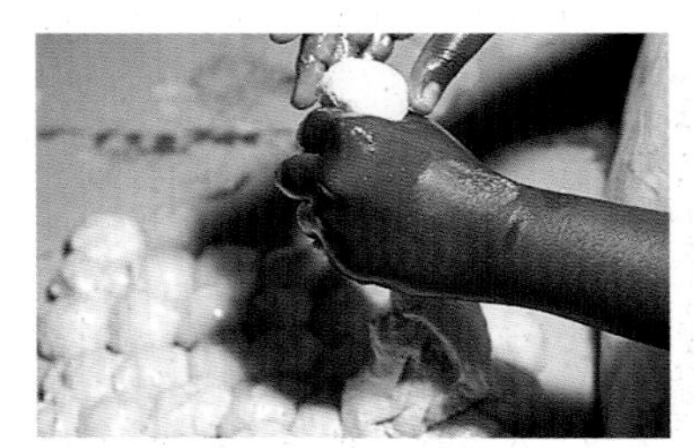

2. Resérvelas y úselas cuando las necesite.

3. Aplaste las bolas con la mano como se aprecia en la fotografía.

4. Deposítelas en aceite caliente y fríalas hasta que se doren.

5. Retírelas, coloque el *double* en el centro, dóblelas y sirva con salsa de guindilla.

Maíz hervido

6 mazorcas de maíz
2 cebollas picadas
2 dientes de ajo picados
3 cebollinos picados
1 ramita de tomillo entera
1 guindilla despepitada y picada fina
1 cucharada de mantequilla para cocinar
sal y pimienta negra al gusto

Disponga los ingredientes en agua abundante para cubrir el maíz y lleve a ebullición. Cueza hasta que el núcleo de la mazorca se ablande. Sirva como guarnición o córtelo en trozos como tapa. Para 6 personas.

El bidón *(pan)* es un instrumento magnífico que los trinitenses dominan a las mil maravillas y con el que se toca desde calipso hasta música clásica.

La comida callejera de todo el año se transforma en manjar durante el carnaval.

Pan bara

250 g de harina de guisantes partidos molidos
125 g de harina de trigo
3 cucharaditas de levadura en polvo
60 g de mantequilla
1/4 cucharadita de comino molido
1/2 cucharadita de cúrcuma molida
1/2 cucharadita de sal
1 diente de ajo triturado
1 guindilla despepitada y triturada
60 ml de agua templada, o incluso más si es necesario
aceite vegetal para freír
harina adicional para mantener las manos enharinadas

En un recipiente grande mezcle la harina, la levadura en polvo, la mantequilla, el comino, la cúrcuma, la sal, el ajo y la guindilla. Añada el agua despacio hasta que la mezcla quede homogénea pero no muy espesa. Sin dejar de remover, vierta agua a la masa para que no se pegue. Tape y deje reposar durante 1 hora. Caliente el aceite (una capa de unos 5 cm) en una cazuela a fuego medio. Con las manos enharinadas, extraiga unas 12 cucharadas generosas de la masa, aplástelas con las manos hasta que quede un grosor de unos 3,5 cm y unos 10 cm de diámetro. Fríalas de una en una hasta que se doren, un minuto por cada lado. Retire el aceite sobrante con papel de cocina. Para introducir los *doubles,* abra el pan *bara* en la mano y extienda una cucharada de la mezcla de garbanzos. Incorpore la salsa picante o *kucheela* (o ambas al gusto) y coloque el otro trozo de bara para formar el bocadillo. Sirva de inmediato.

Tobago

Tobago, una isla pequeña y tranquila, se halla a 33 km al nordeste de Trinidad, forma parte de la república de Trinidad y Tobago, y hace miles de años estaba unida al continente sudamericano.

La isla es un paraíso que el turismo acaba de descubrir. Se cree que Cristóbal Colón llegó por equivocación a esta isla en 1498. Más tarde pasó del dominio español al británico, fue ocupada por los holandeses y franceses y, al final, fue cedida a Inglaterra tras la caída de Napoleón en 1814. Se afirma que esta diminuta isla ha pasado por más manos a lo largo de su historia que muchas otras islas del Caribe. La Main Forest Ridge, una cadena montañosa cubierta de jungla que vertebra la isla, es reserva protegida desde 1776, lo que la convierte en el primer ejemplo de compromiso ecológico de Occidente. Se dice asimismo que Tobago es la isla que inspiró la historia del naufragio de Robinson Crusoe, pese a que existen otras islas caribeñas que también reclaman ese protagonismo. En el siglo XVII, Tobago era rica en plantaciones de caña de azúcar, controladas por los holandeses, pero sólo duraron hasta principios del siglo XX, cuando la industria azucarera se fue a pique y los plantadores la sustituyeron por el coco y el cacao. En 1888, Tobago se unió a Trinidad y formaron un sola colonia británica, medida que impulsó la industria azucarera. Sin embargo, el descubrimiento de los recursos petrolíferos por toda Trinidad ha sido lo que más ha ayudado a la economía de Tobago, aunque sus habitantes se quejan de que la mayor parte del dinero obtenido con el petróleo ha beneficiado a los trinitenses.

Y quizá esto haya supuesto su salvación, pues Tobago continúa en un estado poco afectado por el progreso. Los arrecifes y las selvas tropicales, las lagunas y las cascadas acogen a unas 210 especies de aves y 123 de mariposas. Hay unos 30 arrecifes que rodean la isla en los que abundan la pesca y la flora submarina. Las aguas de Tobago rebosan de peces, entre los que destacan el pez volador, una exquisitez en Barbados. En muchas playas, tanto de la costa atlántica como caribeña, la tortuga de carey del Atlántico y la tortuga verde del Atlántico anidan de marzo a septiembre. Entre las aves de Trinidad sobresale el trogón acollarado, el ibis escarlata (ave nacional), el fandanguero cola blanca y el güitío pecho rayado. Los loros del Amazonas son tan abundantes en la isla que sus habitantes casi ni los miran.

El trabajo de personas como David Rooks, una enciclopedia andante por lo que respecta a la flora y la fauna de Tobago, ha hecho mucho para asegurarse de que lugares como Little Tobago, una isla emplazada frente a Speyside, todavía acoja al rabijunco etéreo, al piquero pardo, al gallego y a la magnífica fragata.

Tobago aún constituye un refugio inexplorado para los buceadores. A la manta voladora, de una envergadura de 4 m, le encanta nadar con visitantes a su alrededor frente a las costas de Little Tobago. Aquí pueden admirarse los corales, del tamaño de una casa, o las langostas o anguilas ocasionales ojeando a hurtadillas desde abajo con una mirada curiosa. Las aguas de Pigeon Point conducen al famoso arrecife Bucco Reef, donde el candil gallito, el loro viejo y el pez ángel pasarán frente a sus gafas de buceo.

Los jardines submarinos japoneses constituyen una prueba de lo que la naturaleza puede producir. Unos 100 m más allá se encuentra la Nylon Pool: un claro en el arrecife de 1,2 m de agua cristalina sobre 4.000 m^2 de arena blanca resplandeciente que hace inevitable un rápido chapuzón. Existen antiguas plantaciones de cacao, campos de cítricos y poblaciones pesqueras como Charlotteville; cascadas que saltan a frías aguas en la profundidad de la selva con nombres como Goldsborough, Argyle y King's Bay. Todas estas maravillas convierten a Tobago en una isla muy especial.

Sin embargo, Tobago no sólo es famosa por sus maravillas naturales; también cuenta con la reputación de su comida, que va desde cocina de *gourmet* hasta los platos sencillos que se venden en la calle.

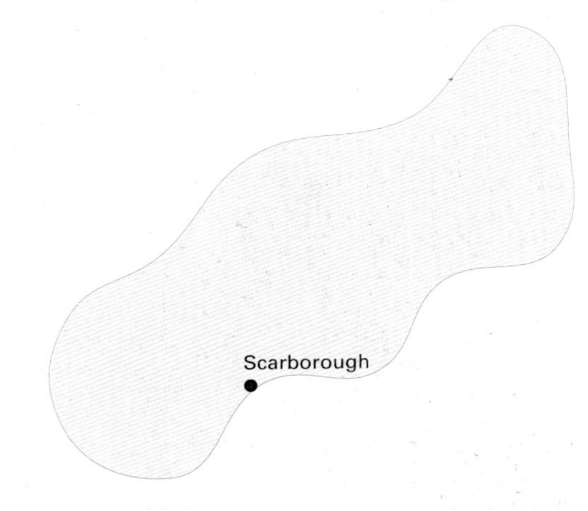

Izquierda: Pigeon Point, en Tobago, es uno de los lugares más fotografiados de todo el Caribe.

Agua de paccro

Lave unos 20 *paccros* para quitarles la arena. Dispóngalos junto con cualquier alga marina en una cazuela con agua hirviendo y cueza hasta que el agua se torne fangosa y verde. Cuele el agua y bébala. Puede realzar su sabor añadiendo un poco de azúcar y lima.

1. Saque el *paccro* de la roca.

2. Hierva y cuele el agua.

3. Se parecen a las cucarachas.

4. Beba para "tener energía".

Las mujeres de Store Bay

No cabe la menor duda de que los tobagos preparan un cangrejo al curry con *dumplings* "pobre". Algunos trinitenses llegan en avión a pasar el día sólo para visitar a las mujeres de Store Bay y deleitarse con este plato. Store Bay es una playa a la que puede llegarse andando desde el aeropuerto y la carretera que pasa por delante está repleta de pequeños "restaurantes" en los que las mujeres compiten por sus clientes. Los nombres de las mujeres se hallan escritos en colores vivos encima de la ventana por la que se sirve la comida; en los laterales se ven los multicolores menús, pintados a mano por varios artistas locales, que anuncian los platos del día. Disponen de bancos desde los que se divisa la playa; allí puede uno sentarse y degustar los sabores extraordinarios preparados por estas mujeres de la tierra. Además, si tiene la suerte de hacerse amigo de una de las cocineras y se convierte en cliente habitual, tendrá el privilegio de sentarse dentro de la "zona de la cocina", en grandes mesas con manteles de plástico hermosamente decorados, y comer en una vajilla multicolor.

Una de estas mujeres es Esme, cuya única rival en el terreno gastronómico es Edith, en el otro extremo de la pequeña manzana de puestos. El plato fuerte de Esme es el cangrejo al curry con *dumplings,* que nunca podrá superar nadie. Entre los otros platos destacan el pollo guisado, la cabra al curry y el pescado al vapor servido con raciones generosas de arroz y guisantes, empanada de macarrones, calalú o una mezcla de las verduras del día, todo cubierto por la salsa más deliciosa que pueda imaginarse y acompañado, para que resulte más sano, de una ensalada fresca. De todas formas, la visita a una de las cocineras de Store Bay no se termina sin probar una de sus "bebidas vigorizantes". La mayoría se venden en casi todas las islas caribeñas y todos creen en sus propiedades afrodisíacas. En cambio, una bebida que sí parece ser propia de Tobago es el agua de *paccro.* El *paccro* es una pequeña criatura cubierta en la parte superior por un caparazón duro (parecido al del armadillo) que sólo mide entre 7,5 y 10 cm de longitud.

Estos sencillos animales, que apenas resultan visibles bajo su armadura, se asemejan a una babosa, viven pegados a las rocas del mar, salen a la superficie durante la bajamar y permanecen bajo el agua con la pleamar. Los entusiastas del *paccro* lo arrancan de las rocas –como si quitaran el tapón de una bañera– y lo venden a las mujeres para que lo transformen en esa "bebida maravillosa" de sabor infame. El dicho de que todo lo que es sano casi nunca se caracteriza por su buen sabor resulta muy cierto en este caso. Además de todas las bebidas extrañas y los deliciosos platos, las mujeres de Store Bay constituyen una gran fuente de información. Saben todo lo que acontece bajo el sol. Desde política hasta quién está embarazada en la población o quién ha fallecido; desde "¿qué pasa con la delincuencia de Trinidad?" (uno de los temas favoritos de conversación) hasta "¡es momento de separarnos!". No son solo excelentes cocineras sino también mujeres que lo saben todo y conocen a todo el que pasa por delante del puesto; y no sólo si es de Tobago, ¡también de Trinidad!

Un buceador de Tobago busca *paccro,* una criatura afrodisíaca, según la tradición.

Cangrejo al curry con dumplings

6 cangrejos terrestres de tamaño medio
o 1 kg de carne de cangrejo
3 limas
1/2 manojo de cebollino o
de hierbas aromáticas
60 g de apio picado
1 ramita de tomillo fresco
3 dientes de ajo
2 cucharadas de aceite vegetal
1/2 cucharadita de semillas de comino
3 cucharadas de curry
2 latas de leche de coco o el equivalente
obtenido de cocos frescos
2 cebollas
2 tomates
1/2 cucharada de mantequilla para cocinar
sal al gusto

Extraiga los caparazones de los cangrejos y lave la carne a fondo. Con un cepillo pequeño de cerdas duras, frote la zona entre las patas para retirar la suciedad. Lave con lima y agua y ponga a remojo en zumo de lima fresco y agua. Reserve. En una tabla, corte el cebollino, el apio, el tomillo y el ajo en trozos pequeños. Caliente el aceite vegetal en una cazuela grande. Añada las semillas de comino y tuéstelas a fuego lento. Agregue el curry y todas las especias picadas y rehogue durante varios minutos sin dejar de remover. Incorpore la leche de coco y llévela a ebullición; luego, reduzca el fuego y añada la mantequilla para cocinar y los cangrejos. Sale al gusto. Cueza durante media hora a fuego lento. Mientras tanto prepare los *dumplings*.

Dumplings (bolas de masa)

1 kg de harina
1 cucharadita de sal
6 cucharadas de levadura en polvo
4 cucharadas de mantequilla
250 ml de leche

Tamice la harina, la sal y la levadura en polvo en un recipiente grande. Añada la mantequilla y remueva con un tenedor hasta que todo esté bien mezclado. Vierta la leche poco a poco mezclando hasta que se forme una masa homogénea. Deje reposar durante media hora aproximadamente. Amase la pasta en una superficie enharinada durante un minuto. Puede añadirse más harina para evitar que se pegue. Extienda la pasta con el rodillo hasta obtener un grosor de 1,25 cm. Córtela en trozos de 7,5 cm de diámetro. Cueza en una cazuela con agua hirviendo y sal entre 10 y 15 minutos. Transcurrido ese tiempo, deseche el agua y sirva con el cangrejo. Para 4-6 personas.

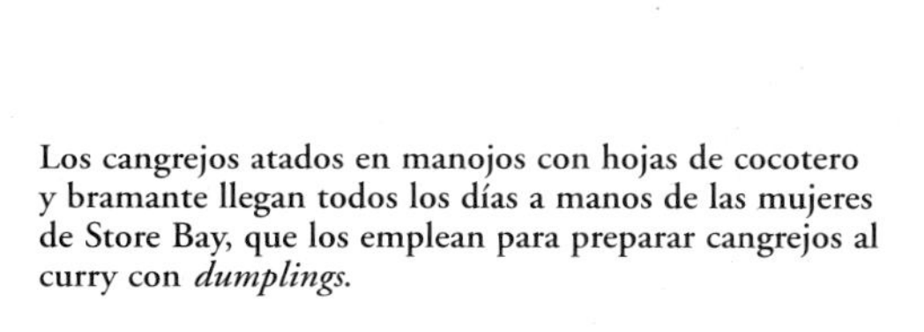

Los cangrejos atados en manojos con hojas de cocotero y bramante llegan todos los días a manos de las mujeres de Store Bay, que los emplean para preparar cangrejos al curry con *dumplings*.

Cómo adobar la ambarela:

1. Los árboles de la ambarela *(S. cythera)* alcanzan los 20 m de altura. El fruto posee una piel fina, una pulpa jugosa cuando está maduro y un hueso punzante en el centro.

2. Pele, corte y trocee 12 ambarelas verdes. Colóquelas en un cuenco grande y cúbralas con 250 ml de vinagre de malta, 1 cucharada de aceite de mostaza, 2 ramitas de culantro de monte picado, ½ guindilla picada fina y ½ cucharadita de sal.

3. Disponga la mezcla en botellas cerradas herméticamente y tómela como aperitivo.

La cosecha dominical

La cosecha dominical en Tobago constituye una de las mejores experiencias que existen. Es como si el tiempo se hubiera detenido. La isla de Tobago, accidentada y montañosa, presenta pueblos en lugares elevados, como por ejemplo Bethel, Les Coteau, Pembroke, Charlotteville y Speyside. Casi todas las poblaciones poseen su propia iglesia, el lugar donde empieza todo.

Una vez al año, en julio o agosto, y durante varios domingos, un pueblo abre sus puertas a los "invitados" de todas las poblaciones de Tobago. Primero se va a misa el domingo por la mañana y, después, comienza la fiesta. Durante varios días se han realizado todos los preparativos. Estratégicamente se han colocado unos recipientes enormes sobre fuegos de leña en el patio de la iglesia. Las aves de corral (normalmente pollos caseros) ya se han sacrificado, desplumado y marinado con condimentos durante toda la noche. Se han capturado iguanas y se han limpiado, se han desollado y se han cortado en trozos pequeños. También se han sacrificado algunas cabras y su carne se ha puesto a marinar en curry. El pescado también forma parte de los preparativos y ya está eviscerado y escamado. Todo tipo de tubérculos –malanga, mandioca, ñame y boniato– ya están hervidos y a punto para servir. Cientos de plátanos macho se han pelado, se han hervido y se han untado con mantequilla. Se han preparado pasteles en abundancia. En la cosecha dominical, tanto los hombres como las mujeres de una casa empiezan a cocinar desde la madrugada antes de acudir a la iglesia. Es una época del año en la que los hombres disfrutan con la idea de cocinar y no cabe duda que muchos trinitenses y tobagos lo hacen a las mil maravillas y se sienten orgullosos de ello. El aire se llena con los aromas a curry, iguana ahumada, guisos y caldo de pescado, y de la leña empleada para los fuegos emanan diversas fragancias.

Tras salir de la iglesia, se empieza a comer y beber. Gente de todas la edades ataviadas con sus mejores galas dominicales caminan hacia las casas de la población, saludan al propietario y se sientan para que les sirva un plato de comida seguido de "algo fuerte o suave" (una bebida alcohólica o un refresco). Después de hablar y reír un rato, y quizá también de chismorrear, se marchan y se dirigen a otro hogar a repetir el mismo proceso. Miles de niños, jóvenes, madres, padres y abuelos van de una colina a otra, saludando, comiendo y bebiendo hasta saciarse. Nadie se queda con hambre. Junto a la entrada de las casas se coloca un cuenco o un plato para depositar un donativo destinado a la iglesia. Pero no hay obligación alguna: aunque no done nada, será igualmente bien recibido.

Por la noche, las familias ponen su música preferida y comienza la fiesta de verdad. Se baila, se bebe y se come hasta que todos los estómagos están llenos, a todos les duelen los pies y a todos se les cierran los ojos. Y, al domingo siguiente, el proceso se repite en una población cercana.

Derecha: los feligreses entonan canciones de alabanza durante la celebración de la cosecha en la iglesia de una población de Tobago.

Ave de corral en leche de coco

1 ave de corral
3 limas frescas
2 cebollas picadas
1 manojo de cebollinos o de hierbas aromáticas picado
3 dientes de ajo picados
1 guindilla despepitada y picada
1 ramita de tomillo picada fina
1 trozo de 5 cm de jengibre rallado
2 cucharadas de salsa de tamarindo
salsa Perrin's
sal y pimienta al gusto
1 cucharada de aceite vegetal
2 cucharadas de azúcar moreno
2 latas de leche de coco o 500 ml de leche de coco fresca
zanahorias
pimientos verdes y rojos
1 pimiento amarillo

Limpie el ave de corral a fondo y lávela con lima. Aderece con cebolla, cebollino, ajo, tomillo, guindilla, jengibre, salsa de tamarindo, salsa Perrin's, sal y pimienta. Marine durante toda la noche o, al menos, durante varias horas. Coloque una olla grande en una parrilla sobre fuego de leña y vierta en su interior el aceite vegetal y el azúcar moreno. Deje que el azúcar se torne caramelo líquido. Incorpore en la olla el ave y la marinada y no deje de remover con fuerza hasta que se dore. Agregue la leche de coco, la zanahoria, los pimientos verdes, rojos y amarillo y rehogue sin tapar durante 2 horas (si utiliza un pollo normal, bastará con 1 hora; si la mezcla se espesa demasiado, añada agua o más leche de coco. Sirva sobre un lecho de arroz). Para 4 personas.

Pescado asado con leña

2 filetes de tiburón
2 filetes de aguja
2 jureles ojones enteros
2 pargos enteros
1 barracuda de tamaño medio
1 l de zumo de lima recién exprimido
3 guindillas despepitadas y picadas finas
60 ml de jerez o ron dorado
sal y pimienta al gusto
250 ml de aceite vegetal

Coloque el pescado en un recipiente grande o en una tina y vierta zumo de lima, guindilla y jerez o ron. Marine el pescado durante toda la noche. Encienda una hoguera de leña con piedras alrededor y coloque una parrilla sobre el fuego. Retire el pescado de la marinada y deje secar. Salpimiente y unte el pescado con aceite. Ase entre 8 y 10 minutos por cada lado.

CAMPEON
86

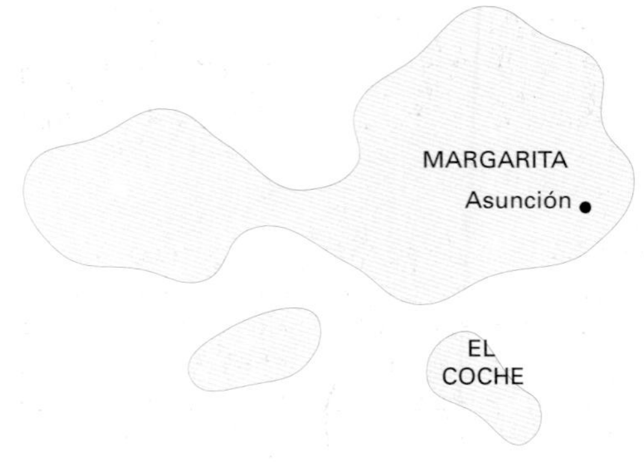

Los indios guaiquiris, los indígenas de esta isla, la llamaron Paraguachoa, que significa "lugar de pescado abundante". Los conquistadores españoles la llamaron Margarita, que significa "perla" en griego. Ambas denominaciones resultan acertadas, ya que las aguas que rodean a este pequeño trozo de tierra y sus dos hermanas –El Coche y Cubagua– rebosan de todo tipo de pescado y marisco.

Un pescador de marisco afirma que El Coche dispone de "cantidades interminables. Si extrajésemos todo el marisco de una zona en concreto, estaría llena de nuevo al día siguiente. Nuestra fe en el Señor nos ha colmado de bendiciones". Margarita se llama "la isla de las perlas" debido a sus viveros de ostras que suministran pequeñas perlas rosadas, de formas poco habituales, muy buscadas por los expertos y los coleccionistas.

Margarita es una isla hispanohablante de 1.072 km², formada por dos penínsulas unidas por una estrecha franja de tierra, y emplazada a 39 km al nordeste de la costa de Venezuela. Junto con El Coche y Cubagua forman parte del estado venezolano de Nueva Esparta. La parte oriental de Margarita está muy poblada; en cambio, la occidental, o península de Macanao, sólo posee una escasa población indígena que vive en un entorno desértico.

Los españoles conquistaron la isla en 1498 por sus perlas. En estos últimos 500 años se han producido ataques de los indios en represalia por la toma de esclavos, la invasión holandesa y el saqueo de los piratas británicos; los fuertes que aparecen en muchos rincones dan testimonio de estos acontecimientos. Este período de conflictos terminó con la ayuda inestimable de la isla a Simón Bolívar, libertador y héroe de la República

Margarita y El Coche

de Venezuela que utilizó Margarita como base de sus luchas para conseguir la independencia de España. En la Declaración de Independecia del 4 de mayo de 1810, Bolívar bautizó este archipiélago con el nombre de Nueva Esparta, pues su heroísmo se asemejaba al de los espartanos griegos. Asimismo declaró que una de las siete estrellas de la bandera nacional representaba a Margarita.

La belleza y la cultura de Margarita es legendaria. Paseando en barca por la pacífica laguna de Las Maritas, podrá contemplar la increíble vista de Las Tetas de María Guevara, dos picos parecidos a los pechos de una mujer. La capital, Asunción, alberga la segunda catedral más antigua de Sudamérica y la primera de Venezuela. Porlamar, la ciudad más grande y comercial de la isla, se caracteriza por sus rascacielos, hoteles y casinos, además de su casco antiguo que incluye la plaza Bolívar, edificios coloniales y calles peatonales con pequeñas tiendas que venden de todo. En la población de El Espinal vive el señor Cruz, que fabrica las típicas alpargatas con suela de goma de neumático y que se atan con tiras multicolores cosidas a mano. En el pueblo de pescadores de Juangriego, los niños, cuando no esperan la llegada de las barcas pintadas con ojos para acertar el camino, se sumergen en el mar en busca de pulpos y ostras, que luego venden a los puestos en los que se prepara el pescado. Desde las dunas de Playa de Puerto Cruz puede contemplar plácidas aguas, puestos de comida, vendedores ambulantes en bicicleta, restaurantes, cafés y quioscos. Todas estas vistas convierten a Margarita en uno de los lugares más interesantes entre Norteamérica y Sudamérica.

Superior: tormenta eléctrica en Porlamar.

Hallacas

Las hallacas constituyen una especialidad de Navidad. Su laboriosa preparación obliga a que, por lo general, se preparen entre varios amigos o distintos miembros de la familia durante un período nunca inferior a tres días. Por supuesto, el bullicio de todas las actividades que supone la preparación de las hallacas incluye los cotilleos, la bebida, la comida y, claro está, las carcajadas sin fin.

Aunque las hallacas se consideran un plato de fiesta, se puede comer durante todo el año. Además se pueden encontrar en otras islas de habla hispana e incluso en islas con huella española, como Trinidad. De hecho, debido a las migraciones de trinitenses a Barbados, las hallacas también se encuentran en esa isla, en las casas y en la sección de congelados de casi todos los supermercados durante la época navideña.

Ni que decir tiene que cada cocinero posee su propia receta. En Margarita, las hallacas son típicas para desayunar el día de Nochebuena y el de Navidad. El modo tradicional incluye moler el maíz o "masa" en casa; sin embargo, en la actualidad se suele emplear harina de maíz amarilla desbastada. Como siempre, se puede partir de esta sencilla receta y complicarla de muchas formas.

Hallacas

Para el envoltorio:

120 hojas de banano de 80 cm de anchura y 40 cm de longitud
bramante fino y resistente

Para la masa:

2 kg de maíz descascarillado o 40 bolas de masa del mercado
5,7 l de agua
500 ml de caldo (de vaca o de pollo)
750 g de manteca de cerdo fundida y coloreada con bija
1 cucharada de pimentón
3 cucharadas de papelón rallado o azúcar moreno
2 cucharaditas de sal

Para el relleno:

750 g de carne magra de vaca
1,5 kg de carne de pollo
500 g de carne de cerdo salada
2 cucharaditas de sal
2,5 kg de cebolla picada fina
4 dientes de ajo triturados
250 g de manteca de cerdo
2,5 kg de tomates pelados despepitados y picados finos
1 cucharada de salsa Perrin's
6 pimientos despepitados y picados finos
2 puerros triturados
12 guindillas despepitadas y trituradas
2 ramitas de perejil picado fino
6 ramitas de cebollino picado fino
1 cucharada de hojas de orégano picadas
250 g de papelón o azúcar moreno
500 ml de vinagre
1 cucharada de pepinillo con mostaza picado fino
un poco de masa o pan rallado
250 ml de vino tinto dulce
250 g de alcaparras
60 aceitunas rellenas cortadas en rodajas
100 pasas
100 almendras picadas finas
(para 40 hallacas)

Primer día: este día se emplea para preparar la masa y el envoltorio. Tome el maíz y lávelo hasta que el agua se vea limpia. Colóquelo en una cazuela grande, añada 3 l de agua y hierva durante 20 minutos. Retire del fuego y deje que el maíz repose en agua durante una noche. Mientras tanto, corte las hojas de banano y reblandézcalas sosteniéndolas

Joli, una joven de Margarita se dispone a hervir las hallacas.

El señor Juan ha ayudado a moler la harina de maíz para las hallacas.

1. El maíz se muele en el mortero (operación que en Margarita se acompaña con canciones locales).

2. Se preparan todos los ingredientes de las hallacas.

3. La masa a base de harina de maíz se aplasta formando un círculo y se coloca sobre una hoja de banano.

4. Disponga en el centro cucharaditas del relleno, el cual, al igual que la masa, se nivela con cuidado mediante un palo.

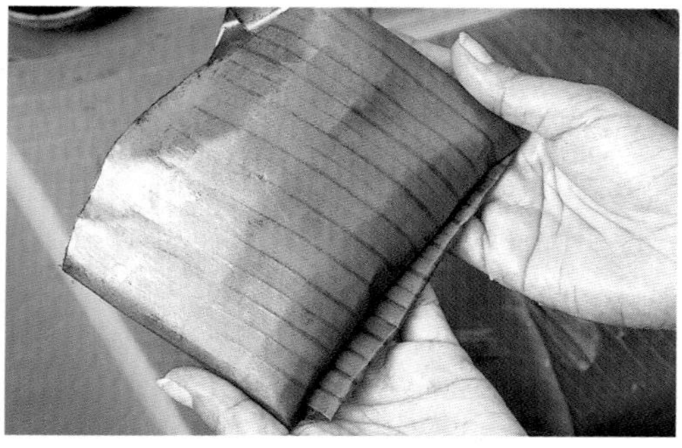

5. La hoja de banano se dobla según la manera tradicional.

6. La hoja se ata con cuatro hilos de bramante para asegurar el relleno del interior.

7. Tras hervir durante 1 hora, las hallacas se extraen y se corta la cuerda.

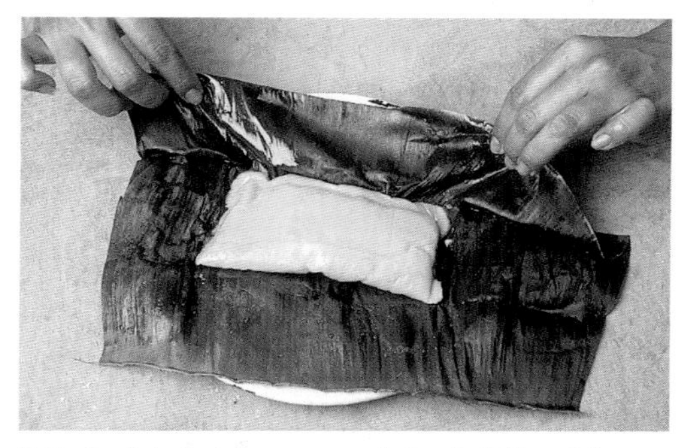

8. Se abre la hoja de banano y se obtiene la hallaca de la fotografía.

sobre el fuego. Retire las venas y corte algunas hojas en trozos cuadrados de 36 cm y el resto entre 20 cm y 40 cm con formas oblongas. Lave y seque por completo (si las hojas se compran en el mercado, sólo habrá que cortarlas y limpiarlas).

Segundo día: preparación de la masa. Deseche el agua del maíz hervido y muélalo al menos dos veces para que quede fino. Amase con 3 cucharadas de sal disueltas en 750 ml de agua hasta que adquiera una textura fina. Mezcle aparte el caldo, la manteca de cerdo, el pimentón, el papelón o azúcar moreno y la sal. Añada esta preparación al maíz sin dejar de amasar hasta que la masa quede suficientemente suave para extenderla con un cuchillo. Divida en 40 bolas pequeñas, una para cada hallaca y reserve.

Preparación del relleno: hierva la carne (de vaca, pollo y cerdo salado) con sal, cebolla y ajo en agua suficiente como para que ocupe más de media cazuela al añadir la carne. Deje que el caldo reduzca. Corte la carne en trozos pequeños y guarde los restos del caldo. Caliente la manteca de cerdo, agregue el tomate y rehogue durante algunos minutos. Incorpore la carne y de 500 a 700 ml de caldo y, después, la salsa Perrin's, los pimientos, los puerros, las guindillas, el perejil, el cebollino y el orégano. Mezcle bien y rehogue durante 5 minutos. Añada el azúcar moreno, el vinagre y el pepinillo con mostaza. Espese con la masa o el pan rallado y vierta el vino.

Envoltura y cocción: separe las alcaparras, las aceitunas, las pasas y las almendras para utilizarlas como guarnición. Coloque una de las hojas cuadradas en una tabla y extienda en ella media bola de masa. Cubra con dos cucharadas de relleno, espolvoree con un poco de la guarnición y tape con otra hoja cuadrada que contenga también la mitad de una bola. Doble juntas ambas hojas y forme un cuadrado o una forma oblonga, envuelva con una de las hojas cortadas y ate con cuidado la hallaca en los dos sentidos.

Cuando se completen todas las hallacas, depósitelas en agua hirviendo con sal y deje que se cuezan durante al menos 1 hora. Retire del agua y séquelas.

Las hallacas estarán listas para comer. Sin embargo, sabrán mejor si se guardan en el frigorífico y se toman al día siguiente tras dejarlas cocer ligeramente hasta que se calienten.

Las hallacas se suelen tomar muy calientes como desayuno, y se pueden congelar, calentar en el microondas o volver a cocer.

La vida rural

El Conuco del Abuelo es un pueblo situado en las colinas de Antolín del Campo, en el Sector La Polvorosa de La Fuente, en Margarita. Muchos campesinos continúan viviendo hoy en día de la misma forma que lo hacían antaño. Por ejemplo, el hogar ancestral de José Ramón Rodríguez Aguilera consta de varios miles de metros cuadrados de tierra con una casa sencilla donde vive la familia (incluyendo las hermanas, los primos, y los tíos). Por un sendero, unos postes de madera sostienen un techo de paja, abierto y construido según el estilo de las chozas de reunión amerindias, con hamacas y taburetes en peligroso equilibrio sobre un suelo muy duro de barro seco que se mantiene limpio barriéndolo a diario con una escoba de paja y hojas de coco. En la parte trasera aparece el hogar para cocinar al aire libre, que incluye un pilón (mortero y mano) para triturar el grano, la base de la comida de Margarita. Este pilón es tan grande que dos niños deben trabajar juntos entonando cancioncillas como la que se reproduce a la derecha.

El señor José elabora su propio vino especial. No desvela su receta secreta pero a juzgar por las carcajadas, cuando uno se ve obligado a probar un trago en un vaso de calabaza, quizá sea mejor ignorarla. Su sabor es ciertamente excelente, suave y agradable. Los niños corretean por los senderos que atraviesan los terrenos ocupados por una gran variedad de frutas y hortalizas. Los extraños burros rebuznan; los pollos y los patos corren sueltos por doquier; hay una o dos cabras, algunos cerdos y vacas, gallos de pelea, loros y varias serpientes enormes llamadas tragavenaos, que se hallan encerradas, pero tan amigables que uno puede enroscárselas al cuello.

Un desayuno tradicional se compone de arepas servidas muy calientes y con queso chorreando, regadas con zumos de frutas recién cogidas del árbol, endulzados con jugo de caña de azúcar y servidos en vasos multicolores con grandes cubitos de hielo. Un balanceo en la hamaca, otro traguito de vino del señor José… ¿qué más quiere?

Buñuelos de tania

1 1/2 kg de tanias peladas y hervidas
con una pizca de sal
1 huevo
1 cebolla picada
1/4 cucharadita de guindilla despepitada y picada
1/2 diente de ajo picado
1 cucharada de mantequilla
sal y pimienta al gusto
aceite vegetal

Triture todos los ingredientes, excepto el aceite vegetal, hasta que quede una mezcla homogénea. Caliente el aceite suficiente para freír en una sartén honda. Fría cucharaditas de masa de una en una hasta que se tornen crujientes.

A los habitantes de Margarita les encanta comer fuera. Un desayuno tradicional se compone de arepas, el delicioso plato típico.

Tania u ocumo

(Xanthosoma sagittifolium)
Tubérculo de la selva tropical que cultivaban los indios precolombinos en el Caribe y en toda la zona tropical americana antes de la llegada de Cristóbal Colón. En el siglo XIX, los europeos la introdujeron en el Pacífico sur donde se llamó taro. Resulta especialmente delicioso hervido y en forma de buñuelo. Los buñuelos de tania son muy apreciados en las islas de habla hispana, así como en las que presentan influencias españolas y francesas, como Trinidad, Santa Lucía y Dominica.

Arroz con coco, me quiero casar
con una viudita de la capital.
Que sepa cocer, que sepa bordar,
que ponga la mesa en su santo lugar.

Yo soy la viudita, la hija del Rey,
me quiero casar y no hallo con quién.

Contigo sí, contigo no,
¡contigo, mi vida, me casaré yo!

Arroz con coco

la leche de 1 coco seco
125 g de arroz
500 ml de agua
la ralladura de una lima
una rama de canela
250 g de azúcar moreno o papelón

Extraiga la leche del coco. Lave el arroz y hiérvalo en agua con sal hasta que se ablande y se evapore el agua. Añada la leche de coco y el resto de los ingredientes, coloque de nuevo en el fuego y rehogue entre 15 y 30 minutos vigilando que la mezcla no se queme. Sirva caliente o fría espolvoreada con un poco de canela o nuez moscada (opcional). Para 2 personas.

Las arepas

Arepa, del indígena cumanagoto *erepa* ("maíz"), es un pan plano y redondo, elaborado con masa de maíz y cocido en una bandeja de arcilla llamada budare. La técnica tradicional manda prepararlas en fuego de leña al aire libre con maíz triturado en el mortero. Antaño las arepas se consideraban el pan de los pobres, pero en la actualidad hasta los ricos las toman como desayuno y constituyen prácticamente el plato típico de Venezuela.

En cualquier calle de Margarita, las arepas se venden rellenas de queso, carne, pescado o frijoles. Todas saben deliciosas con rellenos cocinados al estilo del Caribe. El queso se derrite en el interior: una bola de masa con un orificio en el centro se rellena de queso rallado, se aprieta para cerrarlo y se aplasta. Las arepas más pequeñas, llamadas arepitas, son un acompañamiento exquisito para comer o cenar, en sustitución del pan.

Un tipo de arepita se prepara friendo empanadillas a las que se añade un poco de azúcar moreno o papelón, además de queso rallado. Suelen venderse alrededor de las iglesias en los días de fiesta servidas con vasos de café azucarado caliente.

Para aproximadamente 5 arepas:

500 g de harina de maíz blanca
1 cucharadita de sal
agua caliente

Precaliente el horno a 180°C. En un cuenco disponga la harina junto con la sal. Añada un poco de agua caliente y empiece a amasar. Continúe añadiendo agua caliente hasta obtener una masa de textura húmeda y suave. Tome la cantidad suficiente para formar una torta redonda y aplastada de unos 11 cm de diámetro y 2,5 cm de grosor. Ase en un bufare (o una plancha) de hierro, plano y sin engrasar hasta que en ambos lados se forme una corteza. Dé la vuelta una sola vez. Termine la cocción horneando las arepas durante 20 minutos aproximadamente o hasta que suenen huecas al golpearlas. Sírvalas calientes con mantequilla y una selección de queso y jamón.

1. Una aldeana teje una bolsa de malla. Las mujeres de Margarita siempre están ocupadas con alguna actividad.

2. Una gran embarcación pesquera en una playa cercana se halla cubierta con hojas de cocotero para protegerla mientras se termina de construir el interior.

3. Los niños mastican la habitual pulpa de coco directamente de la cáscara.

4. El señor Juan Rodríguez Aguilera, propietario de El Conuco del Abuelo, tomando un trago de su propio "vino".

El restaurante Ruben

Rubén Santiago es escritor, chef, historiador y experto en todo lo margariteño. Su restaurante, situado en la playa de Bahía de Bella Vista, en Porlamar, es sencillo aunque de calidad suprema (característica que no se refleja en los precios). Con vistas al mar Caribe y con la comodidad del aire acondicionado, le servirán platos regionales exquisitos preparados por el maestro.

Rubén es una persona jovial, para algunos un tanto "entrometida", que parece llevar, a veces, una careta de payaso mientras cocina. Con una anécdota, un chiste o una historia real sobre su amada isla, va de mesa en mesa comprobando que "sus amigos" estén satisfechos y bien alimentados.

Además es un experto sobre las diversas maneras de beber café en Margarita. Explica que "marrón" se llama al café con leche en una proporción tal que el café se torna de ese color; para pedirlo hay que decir: "un marrón grande" o "un marrón pequeño". Si desea ser más específico, pida "un marrón claro" o un "marrón oscuro". La misma proporción de café y leche se reserva para el "café con leche", que también se pide utilizando los adjetivos "grande" y "pequeño". Si predomina la leche sobre el café se denomina "tetero" (biberón). El café solo americano es el "guayoyo"; uno solo normal se llama "café negro". Si pide un "negro largo", le darán un café largo; en cambio, si pide "un negro pequeño" o "un negrito" le servirán un expreso.

¿Sabía que…

…resulta muy sencillo preparar en casa queso *cottage* al estilo de Venezuela? A 500 ml de leche, añada 125 ml de zumo de lima y deje reposar la mezcla durante 1 hora en un lugar caliente. Vierta agua hirviendo para cubrir la mezcla y vuelva a dejar reposar durante media hora o hasta que se convierta en un bloque. Átelo con un trozo de estopilla y cuelgue el queso para que seque. Retire y salpimiente si lo desea.

El chef Rubén, como siempre de buen humor en la cocina, da los últimos toques a una ensalada margariteña.

Ensalada margariteña

1 cogollo de lechuga

1 pepino cortado en rodajas finas

3 tomates grandes cortados en rodajas finas

3 cebollas grandes cortadas en aros finos

4 tallos de cebollino picados finos

1 cucharadita de cilantro u hojas de cilantro picadas finas

250 g de queso blanco cortado en trozos de unos 6,5 cm de grosor

Para el aderezo:

125 ml de aceite

60 ml de vinagre

1/2 cucharadita de sal

Lave la lechuga y coloque las hojas en una bandeja. Como primera capa, disponga los trozos de pepino; a continuación las rodajas de tomate y los aros de cebolla. Espolvoree con cebollino y con cilantro. Adorne la ensalada con trozos de queso. Mezcle el aderezo al gusto y viértalo en los platos. Para 4 personas.

Filetes de pargo en salsa

1 pargo entero escamado, eviscerado y lavado
4 gambas gigantes
2 cebollas
2 manojos de cebollino
el zumo de 4 frutas de la pasión
200 g de harina
1/2 cucharadita de sal
1/2 cucharadita de pimienta negra molida
1/2 cucharadita de condimento de pescado
1 cucharada de vino blanco
1 cucharada de mantequilla

Pique la cebolla y el cebollino. Añada la mitad de la pimienta, la sal y el condimento de pescado. Agregue a la harina el resto de la pimienta y la sal. Corte el pargo en dos filetes grandes y páselos por la harina sazonada. En una sartén pequeña, disponga la mitad de la mantequilla y dore la cebolla y el cebollino. Reserve. Incorpore la otra mitad de la mantequilla y 1 cucharadita de harina. Remueva hasta que quede una preparación cremosa. Vierta el zumo de fruta de la pasión, la cebolla y el cebollino. A continuación añada el vino. Rectifique de sal y reserve. En otra sartén deposite mantequilla y fría los filetes hasta que se doren. Incorpore las gambas y rehóguelas. Coloque el pescado en una fuente, adórnelo con las gambas y vierta la salsa. Para 2 personas.

1. Los ingredientes frescos esperan a ser utilizados.

2. Corte el pargo en filetes e intente retirar el máximo número de espinas posible.

3. Sazone la harina con la mitad de la sal y la pimienta. Pase los filetes por la mezcla.

4. Pique la cebolla y el cebollino finos.

5. El filete de pargo es tierno y jugoso: un pescado muy apetecible.

6. En una sartén pequeña prepare la salsa como se indica en la receta. Sirva con salsa y gambas cocidas a fuego lento.

Tomate margariteño
(Lycopersicon esculentum)

El antepasado del tomate crecía en estado silvestre y se extendió como mala hierba por Perú y Ecuador y, más tarde, por toda América tropical. En México se "domesticó" y los españoles lo llevaron a Europa. En la actualidad, el tomate es la segunda hortaliza (en realidad es una fruta) más común del mundo. Como se sabe, suele comerse crudo, pero puede incorporarse a guisos y sopas, además de enlatarse en salsas, ketchup, tomate pelado entero, concentrado de tomate y purés. Aparte de emplearse en el Caribe para la salsa de los espaguetis y la pizza, constituye la base de la salsa criolla. La especie de tomate autóctona de Margarita es grande, muy dulce, con un sabor propio, y suele denominarse "tomate margariteño".

Papelón

El papelón es un producto de la caña de azúcar que se obtiene de la cocción del jugo de caña crudo, luego se introduce en moldes de madera con formas cónicas y se extrae al enfriarse. Un cono medio pesa unos 750 g y tiene una longitud de 20 a 25 cm. El papelón presenta un grado de oscuridad distinto en función de su empleo, pero el más común es de color marrón oscuro. Rallado, su sabor se parece mucho al del azúcar mascabado molido.

Los dátiles

(Phoenix dactylifera)

En los alrededores de San Juan y Fuentidueño se cultivan dátiles, aunque no a gran escala sino más bien de una forma casera, para el consumo local. En una casa pequeña y típica de Margarita, en el pueblo de San Juan, el miembro más joven de la familia tiene 75 años y aún trepa a los árboles para recolectar los dátiles. Su hermana, diez años mayor, está sentada en la sala de estar, fabricando rollos de paja trenzada con las hojas de la palmera datilera. Envía estos rollos a Fuentidueño, donde se transforman a mano en los famosos sombreros por los que es conocida la población. Otro hermano, que vive en la casa adyacente y está a punto de cumplir los 90 años, se interesa por los visitantes. Cruza el jardín a través de jaulas de patos y árboles frutales para ver si puede ganarse un par de centavos. Tras muchas viejas historias, con las que cada hombre intenta superar al otro, se fuman un buen puro y beben un trago de ron añejo. Creen que es la razón por la que se conservan tan jóvenes.

El señor Jesús y sus hermanos mayores no constituyen una estampa inusual de este pueblo, donde los ancianos alcanzan a menudo los 100 años. Así que esta familia ¡todavía se considera joven! Y todos se muestran muy activos. Aquí nadie piensa en retirarse. El señor Jesús recolecta él mismo los dátiles de sus tierras y transporta a la espalda enormes ramas hasta la entrada de los terrenos. Sentado a la sombra de una zona cubierta de la casa, introduce con esmero los dátiles en sacos para que maduren. Una vez maduros, se empaquetan en bolsas pequeñas y se venden a los transeúntes. Afirman que a los dátiles les encanta tener "los pies en agua y la cabeza en el fuego del cielo". Y eso es lo que les proporciona esta zona de Margarita, un suelo y un clima que produce dátiles naturales y dulces, libres de pesticidas y recolectados a mano con sumo cuidado.

Izquierda: las palmeras datileras salpican el campo de San Juan y Fuentidueño, en Margarita. Inferior: el señor Jesús, de 75 años, aún trepa a las palmeras para recolectar los dátiles.

Los racimos de dátiles se llevan a casa, donde se extraen del tallo principal.

Los dátiles se seleccionan según el color.

Los dátiles se introducen en sacos de paja para que maduren.

Bolluelos de dátiles

160 g de mantequilla
310 g de azúcar
2 huevos batidos
1 cucharadita de vainilla
375 g de harina
1/4 cucharadita de harina
1 1/2 cucharaditas de levadura en polvo
560 g de dátiles picados
180 g de mezcla de frutos secos picados

Precaliente el horno a 180ºC. Bata la mantequilla añadiendo azúcar de forma gradual y, a continuación, los huevos. Agregue la vainilla. Tamice a la vez la harina, la sal y la levadura en polvo. Incorpore los frutos secos a la mezcla de la mantequilla y después, poco a poco, sin dejar de remover, la mezcla de harina. La consistencia debe ser la de una masa para galletas. Forme bolas de 1,3 cm de diámetro y dispóngalas en una fuente de horno engrasada. Hornee durante aproximadamente 8 minutos.

Un racimo de dátiles cuelga en lo alto del árbol.

Tras un día de duro trabajo, el señor Jesús disfruta del producto de su esfuerzo.

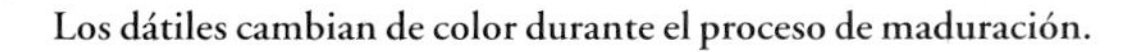

Los dátiles cambian de color durante el proceso de maduración.

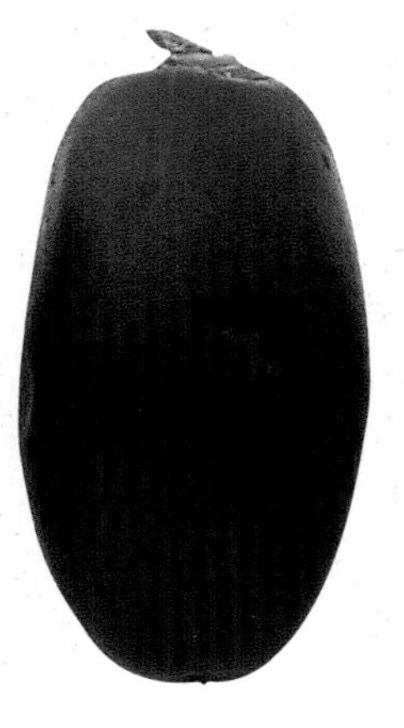
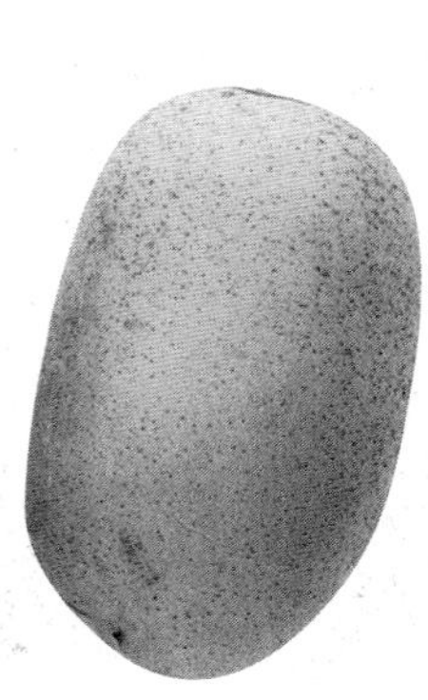

La panadería

La Asunción, fundada en 1536, es la ciudad más antigua de Margarita, constituye todavía la sede del gobierno –que se reúne en la Casa del Gobierno y el Palacio Municipal– y cuenta, además, con otros lugares históricos entre los que destacan la catedral de Nuestra Señora de la Asunción y el castillo de Santa Rosa, una de las dos únicas fortalezas que se han conservado. En este castillo, construido en un admirable estilo colonial español, muchos nobles pasaron sus días en la cárcel.

Aunque en comparación con Porlamar La Asunción parezca un pueblecito, su historia y el orgullo y la fuerza de sus gentes certifican que es la capital de Margarita. Por sus calles se respira el "Viejo Mundo". Sólo los coches nuevos que pasan por la población recuerdan que la vida moderna aún existe.

En La Asunción se halla una de las panaderías más antiguas de Margarita: la panadería y pastelería de Juan Bosco, donde continúan empleándose las tradiciones ancestrales para la cocción. Aunque se necesita maquinaria moderna para estar a la altura de las nuevas exigencias, se han conservado restos del establecimiento original como recuerdo del pasado. Justo en el centro del comercio aparece un pequeño café al que, a intervalos, llegan corriendo unos chiquillos a comprar el pan diario para la familia y, con caras expectantes, elegir un dulce para sí mismos. Y tienen muchos para escoger: besitos de coco, suspiros, galletón de leche, rocas cubiertas, etc. Tanto que debe de resultar difícil tomar una decisión: de aquí las largas pausas que dejan las huellas de la nariz y los labios marcados en el vidrio situado en el mostrador de la tienda.

1. Panecillo redondo para bocadillo
2. Panecillo para perritos calientes
3. Barra de pan rellena de queso
4. Barra de pan con salvado
5. Barra de pan con sal para el desayuno
6. Pan de mandioca

Izquierda: bollitos friéndose delante de una tienda.

Tequeños grandes

1 kg de harina
2 yemas de huevo
1 cucharadita de azúcar
1 cucharada colmada de mantequilla
1/2 cucharadita de sal
250 ml de agua aproximadamente
500 g de queso *cheddar* suave

Mezcle todos los ingredientes, excepto el queso, utilizando sólo el agua suficiente para elaborar una masa homogénea. Reserve durante unos minutos. Corte el queso en tiras de 1,3 cm por 6,3 cm. Divida la masa en 4 trozos y extienda cada uno sobre una superficie enharinada hasta que quede lo más fino posible. Corte tiras anchas de 1,3 cm de anchura y enrolle la masa en torno a las tiras de queso hasta que estén cubiertas por completo. Use un poco de leche para asegurarse de que las tiras se mantienen pegadas. Fría en aceite hasta que se doren. Retire el exceso de aceite con papel de cocina y sirva muy caliente. El otro método más moderno usado hoy en día en panaderías y casas particulares consiste en mezclar todos los ingredientes, colocar la masa en una bolsita para glasear pasteles y obtener largas tiras de unos 15 cm de longitud. Hornee a 180ºC hasta que queden crujientes.

Pan de naranja

2,1 kg de harina
4 cucharaditas de levadura en polvo
1 1/2 cucharadita de sal
250 g de mermelada de naranja
60 g de azúcar
1 cucharada de ralladura de naranja
2 huevos bien batidos
375 ml de leche
180 g de mezcla de frutos secos

Precaliente el horno a 180ºC. Tamice a la vez la harina, la levadura en polvo y la sal. Mezcle la mermelada, el azúcar y la ralladura de naranja, y añada a la mezcla de harina. Sin dejar de remover, agregue el huevo y después, poco a poco, la leche. Agite los frutos secos en un poco de harina y retírelos para incorporarlos a la masa. Mezcle bien. Disponga toda la preparación en una fuente de horno para pan bien engrasada y enharinada y deje reposar unos 10 minutos. Hornee durante 35 minutos o hasta que un cuchillo o una broqueta, al clavarlos en el centro, salgan limpios.

Suspiros

6 claras de huevo

500 g de azúcar refinado

1/4 cucharadita de vainilla

Precaliente el horno a 100°C. Bata las claras de los huevos a punto de nieve. Poco a poco añada el azúcar hasta que la mezcla se espese. Agregue la vainilla (el zumo de lima puede sustituirse por aroma caribeño). Deposite cucharaditas –o utilice una manga pastelera si desea que el resultado sea el de la fotografía– en las bandejas de horno cubiertas con papel encerado. Hornee entre 20 y 30 minutos dejando el horno abierto. Los suspiros estarán listos cuando puedan separarse del papel con una espátula. Deje enfriar antes de retirar del papel.

Fiesta de la Virgen del Valle

Madre de los pobres,
los humildes y sencillos,
de los tristes y los niños
que confían siempre en Dios.

Este es uno de los cánticos de comunión que se entonan en la fiesta de la Virgen del Valle, una fascinante manifestación de las creencias espirituales de las gentes de Margarita. Cuenta la leyenda que la imagen sagrada de la Virgen del Valle fue encontrada en 1561 en la cueva del Piache del valle del Espíritu Santo. En la actualidad, esta imagen todavía se conserva en una de las torres de la iglesia de Nuestra Señora del Valle, un templo erigido exclusivamente para ella y desde donde, según los isleños, los protege. La Virgen del Valle es la patrona de toda la zona oriental de Venezuela y de las fuerzas navales venezolanas.

Todos los años, en septiembre, gente de toda Venezuela y, por supuesto, toda Margarita acuden a esta población para contemplar el descenso de la imagen del lugar donde reposa. Desde cualquier lugar panorámico de donde se divise este valle y la iglesia, verá una hilera de coches por calles y carreteras que se pierde en la distancia y a la muchedumbre por todo el pueblo. Los balcones se encuentran repletos; hay gente en los postes, en los árboles, en los tejados de las casas y en los coches, todos esperan ver por un momento a la Virgen.

La iglesia está llena de invitados especiales, ministros del gobierno, directores de empresas y personas importantes de todo tipo. Todos cuentan con asientos reservados en la parte delantera.

Inferior: todos los años la iglesia de Nuestra Señora del Valle, enclavada en las colinas, es visitada por miles de creyentes.

Mondongo

Este plato se toma en la comida de los domingos y mucha gente de Margarita acude a los restaurantes situados en el campo, donde lo sirven mejor: muy caliente.

500 g de callos
1 mano de toro, sin piel y limpia
el zumo de 3 limas
4 cebollas picadas finas
4 dientes de ajo picados finos
1/2 cucharadita de sal
1 kg de taros pelados y picados en trozos
6 zanahorias peladas y cortadas en rodajas
3/4 kg de ñames pelados y cortados en trozos
1 kg de patatas peladas y cortadas en trozos
1/2 col picada fina
750 g de mandioca o yuca pelada y cortada en trozos
625 g de calabaza pelada y cortada en trozos
1 cucharada de manteca de cerdo
4 tomates pelados y picados
1 cucharada de vinagre
1 cucharada de alcaparras

Lave a fondo los callos y la mano de toro con zumo de lima. En un recipiente grande con agua, cuézalos hasta que se tornen blandos junto con 1 cebolla, 2 dientes de ajo y sal. Retire del fuego y reserve en un lugar fresco y en remojo durante toda la noche. Al día siguiente, corte los callos en trozos. Extraiga la carne del hueso de la mano de toro. Vuelva a colocar todos los trozos cortados en el recipiente con líquido. Añada todos los ingredientes excepto los tomates, 2 cebollas, 1 diente de ajo, el vinagre y las alcaparras. Lleve a ebullición. Mientras tanto, fría en la sartén los tomates, la cebolla y el ajo con un poco de mantequilla. Una vez dorado, cuele y añada a la sopa. Cuando la sopa se espese, incorpore las alcaparras y el vinagre. La sopa debe servirse caliente y espesa. Para 6-8 personas.

Izquierda: la imagen de la Virgen del Valle se saca de la iglesia y se conduce en procesión por todo el patio exterior, donde la gente intenta verla por un momento e incluso tocarla.

Una vez terminada la misa, se abren las parrillas y los bares para atender a los clientes hambrientos y sedientos.

El resto de la iglesia se reserva para los que han aguardado durante días en el exterior, y se llena de inmediato. El púlpito está lleno de sacerdotes ataviados con sus trajes de ceremonia.

Empieza la misa: discursos, oraciones y cánticos llenos de emoción en espera de que la Virgen comience su largo viaje escaleras abajo. Las campanas tañen y la multitud en el exterior grita cada vez que se vislumbra por una de las ventanas. Para los portadores es una ocasión única, pues han sido escogidos para acometer lo que todos los asistentes ansían. La gente empieza a llorar y el aire se llena de una fe y una espiritualidad inefables.

Cuando la Virgen llega a la puerta que conduce al púlpito, las campanas repican en un frenesí total, y tanto hombres como mujeres alzan las manos al aire y sus labios exclaman: "¡Virgen!, ¡Virgen!". Las lágrimas corren por los rostros y la emoción aumenta. Se entonan cánticos y se pronuncian oraciones personales. Los enfermos y minusválidos son conducidos hasta la imagen. Los pecadores suplican perdón; los atormentados, paz.

La Virgen se coloca en su peana y tras la misa los que se encuentran en la iglesia se acercan a tocar la caja. La seguridad es extrema. La imagen está protegida no solo por una caja de vidrio, sino también por guardias, ya que está ataviada con joyas. Su vestido es obra de un miembro de la iglesia especialmente designado para tal efecto.

Desde aquí, la Virgen se conduce en procesión fuera de la iglesia, donde la esperan sacerdotes de todo el país, la marina, los dirigentes del gobierno y otros invitados especiales. Le dirigen oraciones, cánticos, discursos y grandes muestras de amor y respeto. Mientras la conducen entre la multitud, todos se esfuerzan por verla y, si es posible, tocarla. Los que no consiguen acercarse lo suficiente, se suben unos encima de otros, en las paredes de la iglesia o en gradas construidas especialmente para la prensa. Es todo un pandemónium consagrado.

Tras la procesión, la Virgen vuelve a su pedestal interior y comienza la fiesta. Los vendedores venden réplicas de la Virgen en su caja de cristal en todos los tamaños imaginables, crucifijos y otros objetos religiosos. Desde el patio de la iglesia hasta el pueblo, se alinean unos tras otros los puestos de pan, pasteles, pastas y dulces de todo tipo elaborados especialmente para la ocasión. En los bares, las grandes emociones se canalizan en una fiesta de fin de semana. Las bandas tocan, las atracciones empiezan a retumbar y la gente se pone a bailar. Los vendedores de globos hacen su agosto con los niños, que también compran juguetes hinchables de plástico, molinillos multicolores y matasuegras. El olor a asado flota por el aire. Todos los que han visto sus pecados perdonados por la simple mirada de la Virgen disfrutan de lo que ofrece la población.

Cachapas de budares

1 kg de maíz en lata
31/2 cucharaditas de sal
250 ml de agua
250 g de azúcar

Mezcle todos los ingredientes en la batidora. La mezcla debe ser espesa y densa; en caso contrario, añada más maíz. Forme bolas con esta masa y aplástelas como si preparara tortitas de 1 cm de grosor y 13 cm de diámetro. Coloque un budare a fuego medio y frote la parte superior con un poco de grasa. Cueza las cachapas en el budare durante 1 minuto por cada lado hasta que se formen pequeñas burbujas en la parte superior. Las cachapas deben servirse calientes y el queso blanco constituye un excelente acompañamiento.

Madres e hijos aprovechan la oportunidad de ganarse un dinero. Los dulces y los panes caseros son muy apreciados.

La fiesta de cumpleaños

Para un niño de Margarita, al igual que en Venezuela, las fiestas de cumpleaños constituyen el momento del año más especial, con la excepción de las Navidades. Los preparativos de una fiesta de cumpleaños comienzan el mismo día y de la misma forma que en todo el mundo: el pastel, los adornos, la comida, las invitaciones. La diferencia estriba en la elección de la piñata. Se puede encargar, pero lo más sencillo es elegir una en la multitud de tiendas especializadas de la ciudad. Las piñatas se fabrican con cartón piedra, sobre una base de alambres con una pequeña tapa o abertura, y decoradas con papel plisado de colores muy vivos. Presentan formas y tamaños muy dispares, desde un enorme Mickey Mouse hasta una pequeña embarcación, un payaso, un perro, un caballo, una casa, o lo que desee. Como adulto, resulta complicado elegir entre la multitud de piñatas que cuelgan de los techos de las tiendas; a los niños, en cambio, les es más fácil porque suelen tener sus preferencias.

Para llenar la piñata, las novedades más baratas se exponen junto a las paredes de las tiendas dentro de grandes recipientes. Los artículos más caros se guardan en bolsas dispuestas en largas filas en las estanterías. En las piñatas se incluyen, además, juguetes de plástico y ositos de peluche de pequeño tamaño, silbatos, teléfonos, matasuegras, globos, juegos (todo tipo de trastos) y deliciosos dulces envueltos en papeles multicolores.

La piñata se cuelga en un lugar abierto y seguro, de un árbol o del techo de una casa, y se sostiene con una cuerda que actúa como polea controlada arriba y abajo por un adulto. Los niños se colocan alrededor y prueban por turnos. Les vendan los ojos, les colocan un palo en las manos y se llevan al centro de la habitación. La piñata se baja a intervalos y el objetivo es localizar su posición y golpearla lo más fuerte posible. Con cada golpe se agrieta un poco más. Cuando parece que está a punto de romperse, los niños se pelean por la mejor posición. En el momento en que caen todas las golosinas, se abalanzan con

A veces, las madres tiene que intervenir en las peleas que se producen cuando las golosinas caen de la piñata.

Una gran piñata, llena de sorpresas, es el blanco de los golpes de los niños que llevan los ojos vendados hasta que consiguen abrir un agujero lo suficientemente grande como para que todo lo que hay en su interior caiga al suelo.

Ingredientes para una fiesta de cumpleaños en Margarita: 1. Surtido de galletitas saladas 2. Galletas caseras de todo tipo 3. Refrescos 4. y 7. Quesillos 5. Más aperitivos salados 6. Un pastel de cumpleaños decorado con profusión 8. Suspiros

unas bolsitas en las que depositan todo lo que pueden recoger en el menor tiempo posible.

Aunque las piñatas constituyen toda una diversión y una fiesta de cumpleaños venezolana resulte incompleta sin ellas, suelen tener un final caótico: llantos porque uno consiguió más que otro, rabietas porque uno no cogió nada, o peleas por un dulce en particular. Por suerte, todos se tranquilizan con el pastel, el helado y otros obsequios. Al final, se lo han pasado en grande.

En Margarita todos los vendedores venden esta bebida tradicional, que transportan en cajas situadas en la parte frontal de sus bicicletas. Anuncian su llegada tocando la bocina, el timbre o sencillamente gritando "¡Chicha!, ¡chicha!".

Chicha

250 g de arroz

375 g de almendras

375 g de harina de maíz blanca

250 ml de agua

1 nuez moscada fresca rallada

1 cucharadita de agua de naranja

azúcar al gusto

Muela a la vez el arroz, las almendras y la harina de maíz. Coloque esta mezcla en agua y lleve a ebullición. Hierva hasta que se espese sin dejar de remover para que no se pegue en el fondo. Añada más agua hasta obtener la consistencia de la leche. Agregue la nuez moscada, el agua de naranja y azúcar al gusto. Sirva como bebida con hielo picado.

Copos de nieve

2 cucharadas de mantequilla

6 cucharadas de azúcar glas

1 cucharadita de vainilla

500 g de harina

250 g de mezcla de frutos secos picados

Precaliente el horno a 120°C. Bata la mantequilla y el azúcar y añada la vainilla. Mezcle poco a poco con la harina y agregue los frutos secos. Disponga cucharaditas de la mezcla en una fuente engrasada y enharinada. Hornee durante 10 minutos. Apague el fuego y deje que la mezcla continúe cociéndose mientras el horno se enfría. Retire y pase por un poco de azúcar glas.

La parrillada

Al igual que en el resto de Venezuela, las parrilladas constituyen el pasatiempo nacional de Margarita. Se preparan en restaurantes al aire libre, donde las parejas bailan los numerosos pasos del joropo, a veces acompañadas de las tradicionales bandas en vivo. En los grandes asadores, se asa una gran variedad de carnes sobre fuegos en enormes agujeros con cantos rodados y leña de madera autóctona o carbón comercial. También es posible que en algunos lugares sirvan por mesa una parrilla individual.

Una verdadera parrillada consta de varios cortes de carne y distintos tipos de embutidos locales, aparte de apetitosos despojos como el hígado, los riñones, los intestinos, los sesos e incluso las criadillas. Los cuencos llegan repletos de mandioca cubierta con mantequilla fundida, montones de plátanos fritos, ensaladas, y arroz blanco caliente y esponjoso cocido a la perfección. Las cestas con pequeñas arepas salpican la mesa, además de platos de pan de mandioca y la guasacaca de rigor (una salsa picante no recomendable para los apocados). Entre las bebidas destacan la cerveza local, los rones, el vino fino de Venezuela (tinto o blanco) y los ponches de fruta fresca. La carne procede de la isla, sin aditivos, y los animales se alimentan de hierba fresca. El chef de los asadores trae los cortes asados a gusto del cliente y las marinadas secretas para la barbacoa los hacen deliciosos.

Izquierda: los patrones disfrutan de la tradicional parrillada en el restaurante El Caney del Viejo Soguero.

El baile nacional

La banda se compone de dos o tres hombres al cuatro (guitarra de cuatro cuerdas); un hombre o una mujer al arpa, uno o dos a las maracas, uno o dos al raspador y, a veces, uno a la guitarra acústica. En ocasiones les acompañan unos pequeños tambores. Todos van vestidos con el traje típico, incluidos los bailarines oficiales. El baile consta de muchos pasos. Este baile, el joropo, es una mezcla de vals, *quadrille* e incluso pasos escoceses, todo con un toque español.

Según la tradición, la parrillada consiste en cortes selectos de carne servidos en platos de madera o hierro caliente.

Salsa para la parrillada

- 1 cucharada de mantequilla
- 1 cebolla pequeña rallada
- 2 dientes de ajo rallados
- 1 cucharadita de hojas de cilantro picadas finas
- 2 cucharaditas de sal de ajo
- 1/2 cucharadita de pimentón
- 1 cucharada de Tabasco
- 1 cucharada de salsa Perrin's
- 1 cucharada de azúcar
- 1 cucharadita de mostaza seca
- 2 cucharadas de ron

Derrita la mantequilla a fuego lento. Añada la cebolla, el ajo y el cilantro. Rehogue durante 5 minutos. Incorpore el resto de los ingredientes. Rocíe la carne con la mantequilla antes de terminar de asar.

Guasacaca

- 250 g de pimientos verdes
- 250 g de pimentón
- 50 g de perejil
- 50 g de cilantro
- 100 g de ajo
- 1 cebolla grande
- 4 guindillas rojas despepitadas
- 125 ml de aceite vegetal o de oliva
- 300 ml de vinagre
- 125 ml de agua
- sal al gusto

Pique muy finos todos los ingredientes, excepto el aceite, el vinagre, el agua y la sal. Colóquelos en un recipiente grande con aceite, vinagre, agua y sal, y macere durante unos días. Sirva con las carnes.

El chef aviva las brasas y da la vuelta a la carne. Sabe exactamente cuando está cruda, semicruda o bien hecha.

El Coche y Cubagua

Viera y lisa

Nueva Cádiz de Cubagua fue fundada en 1500 y se anexionó a Margarita en 1535. Fue la primera ciudad colonial de Sudamérica y el principal centro perlífero del archipiélago, cuyas perlas proporcionaron a España una riqueza semejante al oro que se traía de Perú. En cuestión de poco tiempo, los colonos destrozaron los viveros de ostras y mataron a todos los indígenas, a los que habían sometido como esclavos para bucear y recolectar las ostras. Durante la Navidad de 1541, un *tsunami* producido por un maremoto y un terremoto destruyeron en un instante toda la ciudad. En la actualidad, la isla se encuentra deshabitada a excepción de algunos campistas y yates esporádicos. Cubagua es Parque Nacional y no se permite ningún tipo de pesca en sus aguas.

A El Coche también se llega únicamente por vía marítima. Su capital es la ciudad de San Pedro de Coche. No hay embarcadero para que atraquen las barcas; los visitantes tienen que saltar y caminar por las aguas poco profundas hasta llegar a la isla. El Coche, situado al sudeste de Margarita, cuenta con una larga playa muy hermosa, un hotel, acantilados impresionantes en la costa oriental, minas de sal, dos o tres pueblos, tres restaurantes, varios bares, dos iglesias y 5.000 habitantes que se dedican en su mayor parte a la pesca.

Las gentes de El Coche se cuentan entre las más humildes y abiertas del Caribe. Desde no hace mucho han empezado a darse cuenta de qué significa tener turistas merodeando, y los ojos de los niños aún muestran su asombro cuando ven a una persona rubia. Los pescadores están orgullosos de su "caviar de Margarita", una exquisitez que sólo se elabora en esta isla. Las valvas multicolores que se extienden por la playa constituyen un signo de la variedad de marisco existente. La mayor parte de las capturas se vende a Margarita, pero queda suficiente para cubrir las propias necesidades.

Un pescador extrae las huevas de una lisa. Se secarán para elaborar "caviar" y se venderán a los restaurantes selectos de Margarita.

La lisa

Los pescadores zarpan todas las mañanas con la esperanza de regresar con grandes capturas de un pescado que llaman lisa. No siempre abunda, y no lo buscan tanto por su carne sino por sus huevas, así que las capturas deben ser abundantes. Se emplean redes enormes y los pescadores se sientan en silencio en sus embarcaciones a una distancia de entre tres y cinco kilómetros buscando indicios de este pez tan esquivo.

Una vez capturado, este pescado se lleva a tierra y se procede a su evisceración y a la extracción de las huevas. Estas operaciones siempre se efectúan en la playa, cerca del agua. El pez en sí no se desperdicia, pues con él sacian los pescadores y sus familias las necesidades alimenticias del día.

En varios cubos se prepara una mezcla de sal en la que, durante cinco minutos, se ponen las huevas en remojo. Después se añade más sal, que cambia el color y la textura de las huevas: el suave revestimiento comienza a parecer una bolsa de plástico en miniatura. Se extraen las huevas y se disponen en las mesas agrupadas en "manos", una tarea, por cierto, bastante aburrida. Las manos se cuelgan de lo alto de los tejados de las cabañas de los pescadores, situadas en la playa, para que se sequen. En uno o dos días, las huevas se endurecen lo suficiente para venderlas. Para unas 20 manos se necesita un kilo de lisa y, a veces, una mano está formada hasta por 6 huevas.

Manos de lisa, el "caviar" de El Coche, se dejan secar en largos tablones antes de ser vendidos a los restaurantes de Margarita.

1. Las huevas se extraen del pescado.

2. Se disponen en "manos" de entre seis y ocho huevas como en la fotografía.

3. Las manos se mantienen juntas con pequeñas broquetas elaboradas con las venas de las hojas del cocotero.

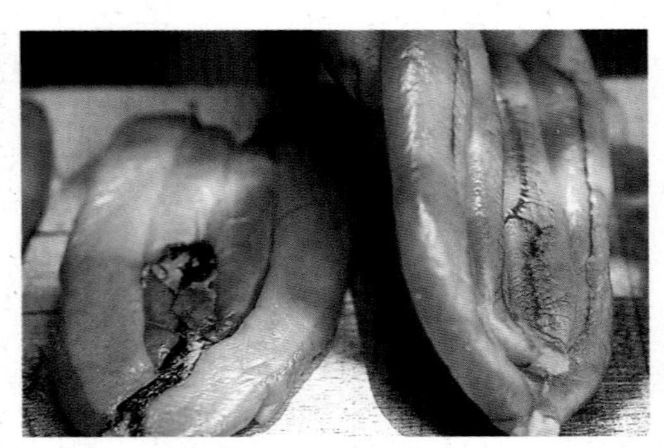

4. Dos veces al día, se da la vuelta a las manos para que se sequen por igual.

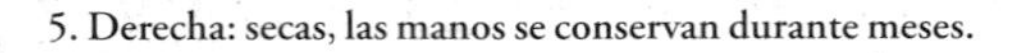

5. Derecha: secas, las manos se conservan durante meses.

La viera

La viera es un crustáceo de aspecto sorprendente. Las valvas son grandes, casi triangulares, y la carne presenta un color blanco cremoso. En Margarita, los buceadores salen provistos de cámaras neumáticas con redes atravesadas de unos 100 m que rápidamente se llenan de vieras. Los submarinistas afirman que sus antepasados pescaron desde siempre en el mismo "agujero" y que las reservas son interminables (el regalo de Dios a la isla).

Crema cangreja del restaurante El Pescador

1 kg de cangrejos limpios con su caparazón
1 cebolla picada fina
3 pimientos despepitados y picados finos
1 diente de ajo picado fino
1 ramita de perejil picada fina
1 cucharadita de hojas de cilantro picadas finas
1 taro pelado y picado fino
1 ñame pequeño pelado y picado fino
1 cucharadita de curry
1 cucharadita de zumo de lima fresco
1/2 cucharadita de sal
1/2 cucharadita de pimienta negra
250 ml de nata doble
250 ml de leche
250 ml de agua

Coloque todos los ingredientes en una cazuela grande y lleve a ebullición hasta que las hortalizas están cocidas y la salsa se evapore y se espese. Retire el cangrejo. Deposítelo en el centro de una bandeja y disponga el resto de la mezcla alrededor. Sirva caliente.

Vieras a Lo Bohio del restaurante Bohio de doña Carmen

250 g de carne de viera
2 cucharadas de mantequilla
2 pimientos rojos
2 ramitas de perejil picadas finas
1 diente de ajo picado fino
sal y pimienta negra al gusto

En una sartén coloque la viera con un poco de mantequilla a fuego fuerte. Cuando esté ligeramente cocida, retírela y reserve. Disponga el resto de la mantequilla en otra sartén y cuando esté derretida, agregue los pimientos, el perejil, el ajo, y sal y pimienta. Incorpore la viera y deje que la salsa se evapore hasta que se espese. Sirva caliente con arroz y ensalada.

Las mujeres abren las vieras en la playa para extraer la carne blanca del interior.

Los buceadores emplean cámaras neumáticas con redes atravesadas.

La carne blanca es una delicia que se deshace en la boca.

Los ingredientes de las vieras a lo Bohio.

Derecha: crema cangreja.

Aruba, Bonaire y Curazao

La capital de Curazao, Willemstad, ofrece muestras de la esplendorosa arquitectura colonial holandesa.

Las islas de Aruba, Bonaire y Curazao se encuentran al norte de la costa de Venezuela. Los primeros exploradores españoles las llamaron "islas inútiles", debido a la falta de agua potable, al clima seco y a la ausencia de recursos minerales, aunque los amerindios vivían allí por lo menos desde hacía 4.000 años. Por desgracia, al igual que sucedió en todas las Antillas, los indios fueron exterminados por los europeos. En la época en que se introdujo la esclavitud, los pocos indios que quedaban fueron absorbidos de forma gradual por la población africana y, en este caso, también por la española y la holandesa. En Aruba, como los europeos no se asentaron hasta el siglo XVIII y la condición de la tierra no exigía esclavos, la influencia física de los indios ha perdurado hasta nuestros días. La mayoría de los habitantes de Aruba y algunos de los de Bonaire todavía se asemejan a sus antepasados, los indios Caquetio.

Aruba, Bonaire y Curazao constituyen un crisol de culturas. Además de los holandeses, los españoles y los ingleses, los judíos portugueses también llegaron a estas islas. En el siglo XVI, la influencia europea junto con la de los indios aborígenes produjeron una nueva lengua: el papiamento. En la actualidad, se habla en las tres islas con tanta fluidez como el holandés y, en general, mejor que el inglés.

El puerto de Curazao se halla estratégicamente ubicado; mantenía a los enemigos en la

bahía mientras los colonos construían su colonia. La isla se convirtió en un importante centro productor de sal y un lugar de almacenamiento de esclavos muy lucrativo. Nunca fue una colonia con plantaciones, así que los esclavos se compraban y vendían, y sólo se mantenían algunos para producir los alimentos básicos del consumo local. La riqueza histórica de la isla se manifiesta en las hermosas *landhuizen* (casas de campo) construidas por los hombres de negocios, comerciantes y autoridades gubernamentales de antaño. La capital Willemstad está dividida en dos zonas –Punda y Otrobanda– por el magnífico puente centenario de la Reina Emma, construido sobre 15 pontones flotantes, que se abre y se cierra unas 24 veces al día (tarda sólo 2 minutos en realizar una de estas operaciones). Willemstad y el resto de la isla están salpicadas de arquitectura colonial holandesa, que se distingue por su decoración multicolor y elaborada, sus ventanas de celosía y sus pórticos. En la actualidad, Curazao es un puerto comercial floreciente y un destino turístico de moda.

En 1986, Aruba y su capital Oranjestad se convirtieron en una entidad separada *(status aparte)* de las Antillas Holandesas, formadas por Curazao, Bonaire, Saba, San Eustaquio y San Martín. En el siglo XVII, Aruba era famosa por la cría de caballos y los ejemplares de esta isla se exportaban por todo el mundo. En la actualidad, el aceite y el turismo constituyen la base de la economía, junto con la exportación del áloe, la tercera fuente de ingresos más importante.

Bonaire es un paraíso para los buceadores y lugar de residencia de unos 5.000 flamencos. Y su belleza natural incluye montañas salinas que abastecen a una de las industrias de sal obtenida por evaporación solar más prósperas del mundo.

Los habitantes de estas tres islas son, quizá, los más abiertos del Caribe. La palabra *dushi* (encanto) puede escucharse por todas partes junto con *bon bini* (bienvenido) y *con ta bai?* (¿cómo está?).

Los isleños se sienten muy orgullosos de sus artes culinarias. Sólo cuatro hortalizas son comunes a muchos platos: el pepino chiquito, un pepino pequeño y redondo, de piel rugosa; el frijol arroz, un tipo de frijol precolombino de tamaño medio; la pampuna, un tipo de calabaza redonda y dulce que los indios trajeron de Centroamérica y Sudamérica; y el yambo o quingombó, un pariente del ornamental hibisco. Estos alimentos esenciales son tan populares que

ARUBA
Oranjestad
CURAZAO
Willemstad
BONAIRE

Papiamento: el restaurante de la familia Ellis en Aruba

La familia Ellis de Aruba son todo un ejemplo, pues entre todos regentan un restaurante ubicado en una mansión de 150 años repleta de accesorios arubianos que se ha convertido en un punto de referencia. La casa se restauró dedicando la misma atención a los detalles que, en palabras de uno de los chefs, a los "artísticos" platos que preparan. Tanto si decide cenar en el interior de la suntuosa casa rodeado de las antigüedades atesoradas, como junto a la piscina, entre vegetación exuberante y jardines, el ambiente del restaurante Papiamento es excelente y la comida un verdadero deleite. Los hijos, Eduardo, Annelotte y Antoinne, son todos chefs galardonados con varios premios y formados en Holanda antes de recibir varias medallas de oro. El otro hijo, Gaap, y su madre, Lenie, se encargan del resto de los aspectos necesarios para que el restaurante funcione. Eduardo Ellis, el padre, es el encargado del famoso Papiamento Herb Garden, que suministra las hierbas aromáticas frescas para la cocina. En todos los aspectos, la preocupación de esta familia por el detalle y su fuerte compromiso con el empleo de productos de Aruba, han conseguido que destaquen en un lugar donde dominan las cenas elegantes. El Papiamento también sobresale por usar técnicas de cocina tradicionales, como piedras y asadores, y ha creado una nueva cocina arubiana reconocida internacionalmente. Aunque la familia Ellis es excepcional, debe señalarse que por todo el Caribe existen muchos restaurantes "caseros" excelentes cuyas recetas especiales se han transmitido de generación en generación. Sin duda, el Papiamento continuará sirviendo platos deliciosos en el futuro, pues el propio restaurante se halla asentado sobre base firme como toda una institución de Aruba.

Esta mansión de más de 150 años es propiedad de la familia Ellis y alberga el restaurante Papiamento.

1. Los ingredientes para el cocobana del Papiamento.

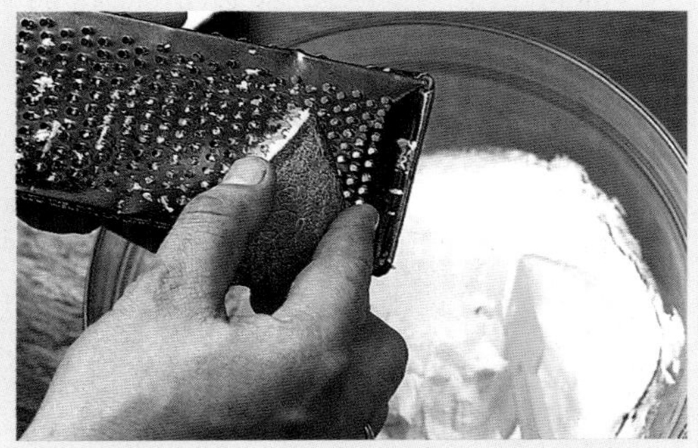

2. Todos los ingredientes que se emplean en este restaurante están recién hechos, incluso la leche de coco.

Un postre del Papiamento: Cocobana

1 l de nata doble

1 cucharada de azúcar

3 claras de huevos batidas a punto de nieve

125 ml de leche de coco fresca

125 ml de pulpa blanda de coco fresca

125 ml de pulpa dura de coco fresca triturada

1 plátano macho verde cortado en rodajas y frito en aceite de cacahuete

Decoración:

granadina

2 cucharaditas de jarabe de naranja

Bata la nata y el azúcar en un recipiente de cristal. Cuando esté bien montada, añada las claras. Reduzca el coco cociendo a fuego lento el resto de los ingredientes hasta obtener un líquido espeso. Viértalo en la mezcla que ha preparado y agite bien. Vierta granadina en los platos del postre e incorpore el jarabe de naranja. Con una cuchara de servir, coloque la crema de coco en el centro de los platos. Acompañe con dos rodajas de plátano macho frito. Para 4 personas.

Un plato principal del Papiamento: Pargo Papiamento

(Pargo fresco cubierto con gambas del Caribe y vieiras)

1 filete de pargo

2 gambas gigantes

3 vieiras con valvas

una pizca de harina

1 cucharada de mantequilla

una pizca de curry en polvo

1 chorrito de vinagre

sal y pimienta al gusto

Decoración:

arroz cocido al vapor con hierba de limón

quingombó al vapor

puré de boniatos

plátano macho frito

albahaca fresca

Salpimiente el pargo y el marisco. Vierta el zumo de un limón por encima y reserve. Pase el pargo por harina y saltéelo en mantequilla junto con las gambas y las vieiras (éstas últimas sin las valvas, que luego se utilizarán para hornear). Espolvoree el pescado con curry en polvo y vinagre. Hornee a 180ºC entre 5 y 10 minutos. Coloque toda la decoración en el plato, añada el pescado y el marisco y sirva. Para 4 personas.

Un entrante del Papiamento: Calamares criollos

1 cebolla pequeña

1/2 de cada tipo de pimiento (rojo, verde y amarillo)

1/2 guindilla despepitada

4 calamares enteros limpios

1/2 lata pequeña de concentrado de tomate

1 cucharada de alcaparras

1 tomate cortado en rodajas

1 diente de ajo

1 cucharada de albahaca picada

1 cucharada de apio picado

sal y pimienta al gusto

aceite de oliva

Saltee la cebolla y los pimientos en aceite muy caliente. Añada los calamares, el concentrado de tomate y las alcaparras. Incorpore asimismo las rodajas de tomate, el ajo, la albahaca y el apio. Salpimiente al gusto y cueza durante un par de minutos. Adorne con varios trozos de calalú, una rodaja de limón y unas cuantas rodajas de guayaba fresca. Para 4 personas.

Un postre delicioso e innovador: la cocobana. No resulta muy común utilizar plátanos macho fritos como postre, pero en este caso combina a la perfección.

Ponche Crema y licores Coe Coe

En Aruba se elaboran dos licores deliciosos: Poche Crema y Coe Coe. El primero se compone de huevos y ron, parecido a la bebida alemana *eierlikör;* el segundo se produce a base de la pita que se cultiva en la isla. Si mezcla ambos productos, obtendrá un cóctel llamado Pantera Rosa.

Banana Aruba Frappé

1 plátano
4 cucharadas de Ponche Crema
1 cucharada de ron blanco
1/2 cucharada de coco
1 cucharadita de granadina
nuez moscada rallada

Coloque todos los ingredientes excepto la granadina y la nuez moscada en una batidora con hielo picado y mézclelos bien hasta que la preparación adquiera una textura suave. Llene los vasos con la mezcla y vierta jarabe de granadina por encima. Espolvoree con nuez moscada y adorne con rodajas de plátano y coco.

Ponche Crema Traditional

Vierta Ponche Crema en un vaso de vino con mucho hielo. Añada un chorrito de angostura y espolvoree con nuez moscada.

El licor Coe Coe y el Ponche Crema constituyen el orgullo de Aruba.

Coe Coe Mamba

6 cucharadas de licor Coe Coe
4 cucharadas de Cointreau
1 cucharadita de licor de melocotón
2 cucharaditas de tequila

Mezcle el licor con hielo picado. Compruebe el punto de dulzor y añada un chorrito de jarabe si desea aumentarlo. Sirva en vaso de chupito y ¡adentro!

Aruba Rumba

1 rodaja de piña fresca
4 cucharadas de leche de coco
4 cucharadas de ron blanco
4 cucharadas de licor Coe Coe
1 plátano pequeño
2 cucharaditas de almíbar

Disponga todos los ingredientes en la batidora con hielo. Mezcle hasta que presente una textura uniforme y sirva en vasos fríos. Adorne con una rodaja de plátano y un trozo de piña. Para 3-4 personas.

Mango Frappé

1 mango grande maduro
4 cucharadas de licor Coe Coe
4 cucharadas de nata doble
1 cucharadita de almíbar
1 cucharada de nata de coco

Coloque todos los ingredientes en la batidora. Mezcle con hielo picado y deposite en un vaso largo de cóctel. Adorne con una guinda.

Ponche Crema Swizzle

6 cucharadas de Ponche Crema
1 cucharada de tequila
una pizca de nuez moscada
un chorrito de angostura

Deposite todos lo ingredientes en una batidora con hielo picado. Sirva en vasos de vino blanco o tinto. Añada un chorrito de angostura y espolvoree con nuez moscada.

1. Se cascan los huevos y se separan las claras de las yemas en recipientes diferentes.

2. Las yemas se depositan en un gran mezclador industrial.

3. Se baten hasta que adquieren una textura suave y cremosa y se han mezclado bien.

4. Se mezcla el azúcar hasta que se disuelve y se añade la vainilla y el colorante amarillo.

5. Poco a poco se añade la cantidad de leche en polvo necesaria.

6. Se incorporan a la mezcla el ron y los conservantes orgánicos.

7. Las especias y los ingredientes secretos se cuecen por separado y se añaden a la mezcla.

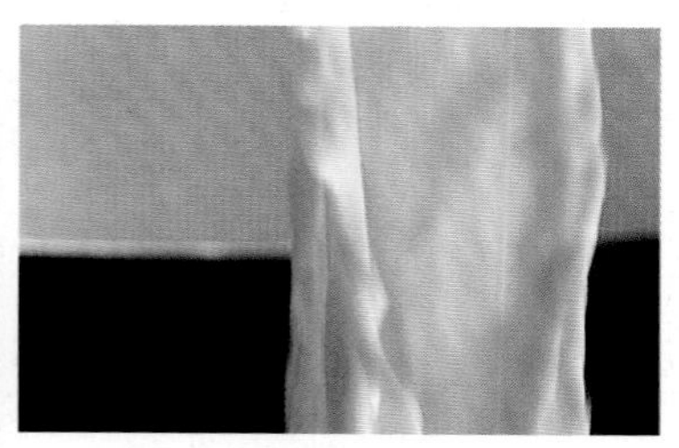

8. Esta mezcla de ingredientes secretos hacen que el Ponche Crema resulte tan especial.

La vainilla se vierte poco a poco en la mezcla. Cuando todos los ingredientes se han mezclado, la preparación pasa por un proceso de calentamiento para que se conserve.

El áloe

El áloe *(Aloe vera)*, del que existen más de 300 especies, se ha empleado con fines terapéuticos durante miles de años. Existen papiros egipcios que se remontan al año 1600 a.C. en los que se describe su uso medicinal. En el Caribe, es una práctica común regalar un trozo de áloe para desear buena suerte. En Aruba, la especie que se cultiva lleva el nombre comercial de áloe de Curazao, aunque en realidad se trata de *Aloe barbadenis* o especie mediterránea.

Las hojas del áloe, que crecen en zonas situadas entre sol y sombra e irrigadas en la estación seca, poseen un exuberante color verde y suelen rebosar de pulpa; a veces pesan entre 1/2 kg y 1 kg cada una. Las hojas individuales se cortan cerca de la base y se conducen boca arriba hasta un conducto inclinado donde el látex, de color verde amarronado y sabor amargo, se deja gotear de la base de la hoja a un recipiente. Se recoge y se evapora por medio de calor o se procesa al vacío y se exporta como látex comprimido seco o en polvo para emplearse en la producción de purgantes farmacéuticos. Las hojas se recogen, se cortan y se trituran. Se extrae la pulpa y, a continuación, se filtra y se concentra. La gelatina resultante, mucilaginosa y estable, se vende a la industria de cosméticos para la fabricación de jabones, ungüentos, cremas y lociones. El áloe es apreciado por su capacidad de suavizar, calmar e hidratar la piel.

Una propiedad sorprendente de esta planta es que, una vez se ha cortado la hoja, sus extremos pueden cerrarse tan sólo apretándolos y así se puede conservar durante varias semanas sin necesidad de refrigeración; toda una ventaja para su exportación o almacenamiento antes de procesarlas.

En el Caribe, el áloe se encuentra en muchos hogares, pues presenta muchos usos. La pulpa se emplea para frotar la piel después del baño y, así, hidratarla. El champú natural de áloe no solo limpia el cabello, también lo refuerza. Esta planta alivia las quemaduras de sol, cura los cortes, reduce la inflamación y, si se toma por vía oral en pequeñas cantidades, dicen que cura las úlceras, reduce la presión sanguínea, depura la sangre, disminuye la artritis e incluso ayuda en la digestión.

Receta de la bebida de áloe

500 g de hoja de áloe (manténgala colgada durante varios minutos hasta extraer todo el látex)
1 l de agua
el zumo de 2 limas
azúcar al gusto
1 chorrito de bíter aromático

Retire los pinchos de la hoja y córtela por la mitad en sentido longitudinal. Extraiga la pulpa. Asegúrese de que no tiene piel. Disponga la pulpa en un cuenco con agua y zumo de lima. Mezcle bien y luego cuele la preparación. Añada azúcar al gusto y un chorrito de bíter. Si emplea una batidora, deposite todos los ingredientes a la vez y mézclelos hasta que obtenga una textura uniforme. Sirva con hielo.

En el Caribe, el áloe crudo posee muchas indicaciones medicinales. Se come, se bebe, se unta por el cuerpo e, incluso, se emplea como champú.

Cómo elaborar la bebida de áloe

1. El áloe se recolecta, se seca y se retira la parte punzante con un cuchillo afilado.

2. Se extrae también la piel externa con cuidado para no llevarse mucha pulpa.

3. La pulpa se bate o se mezcla hasta que queda líquida.

4. Se coloca en un recipiente grande y se continúa removiendo.

5. Se cuela con mucha paciencia ya que la pulpa es bastante espesa.

6. El azúcar y la lima se mezclan con agua y se obtiene un líquido consistente.

7. Se llenan los vasos con rodajas de lima y hielo picado, se vierte el áloe…

…y ya está listo: una bebida muy sana.

1. Se recolectan las hojas de áloe y se llevan boca arriba a un conducto inclinado a través del cual se recoge el látex, de color marrón y sabor amargo, en un recipiente. Después se evapora o se procesa al vacío y se exporta en forma de polvo para elaborar purgantes farmacéuticos.

2. Las hojas cortadas se filtran y se trituran. Se extrae la pulpa con separadores, se vuelve a filtrar y se concentra.

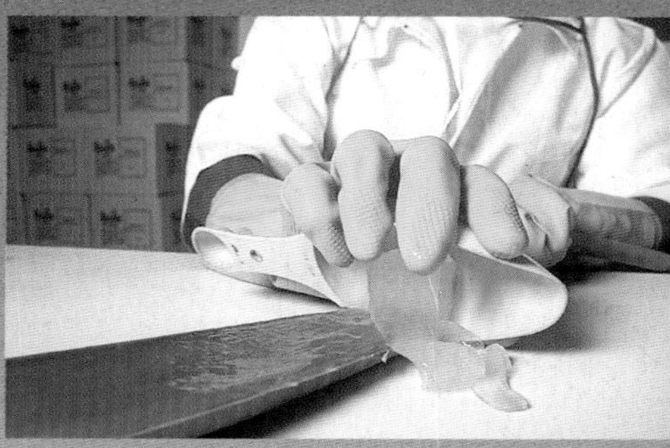

3. Después, el áloe se emplea para elaborar todo tipo de cosméticos, cremas faciales y corporales, champús, lociones bronceadoras y jabones.

El Brisas del Mar de Aruba

Este restaurante se halla en el edificio que a finales del siglo XIX ocupaba la antigua comisaría de policía. Los agentes disfrutaban de una vista espectacular, pues desde aquí se contempla Boca San Carlo, el punto donde arriban los pescadores con sus capturas diarias. Desde otro ángulo se divisa la bahía del Comandante, que alude al primer comandante y gobernador holandés de la isla. El comandante no era muy popular y los arubianos decidieron terminar con su tiranía. Un día, mientras cabalgaba por la costa, lo rodearon y le obligaron a adentrarse en el mar hasta que se ahogó. Lucia Rasmijn, la pequeña y activa encargada del Brisas del Mar, explica la historia con tono convincente.

El conocimiento de Lucia sobre el folclore de Aruba sólo es superado por su dominio de la gastronomía de la isla. El resultado es que su restaurante siempre está repleto. Arubianos y visitantes por igual se extasían con los manjares que salen de su cocina, que constituyen un canto de amor a su isla, su historia, su cultura y su arte culinario.

Kerri Kerri

1 kg de pescado
(peto, cría de tiburón o perite lucio)
1 cucharadita de bija
(cocida con aceite hasta que se dore bien)
1 cucharada de aceite de oliva
1 cebolla grande picada
2 dientes de ajo picados
1 ramita de albahaca arubiana picada fina
2 cucharadas de comino
1 cucharada de aroma

Cueza el pescado. Extraiga las espinas y desmíguelo. Saltee el ajo y la cebolla en aceite de bija. Añada la albahaca, el comino y el aroma, y sale al gusto. Incorpore el pescado y rehogue. Para 4 personas.

Pescado arubiano picante

500 g de filete de pescado
(preferentemente peto)
1 lima o 1 limón
1 diente de ajo
guindilla
sal al gusto

Salsa de guindillas del chef

Salsa de guindillas del chef
mezcla de especias: pimentón, tomillo, orégano,
albahaca, pimienta negra y ají en polvo
2 cucharadas de aceite de oliva
60 ml de salsa de ostras
aroma
agua

Corte el filete en 4 trozos. Añada el limón o la lima y sale al gusto. Frote el ajo y la guindilla por todo el pescado. Agregue la mezcla de especias. Caliente el aceite de oliva y fría el pescado durante 4 minutos por cada lado. Mezcle la salsa de ostras, el aroma y un poco de agua. Incorpore al pescado y rehogue. Sirva con arroz y hortalizas. Para 2-4 personas.

1. La mezcla de pan bati se vierte en una plancha caliente.

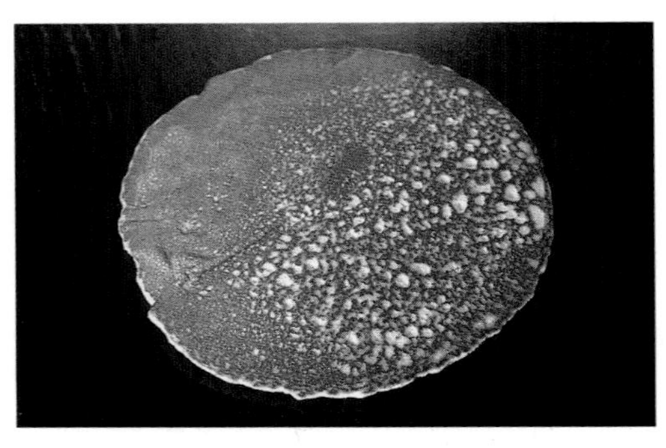

2. Cuando empiezan a aparecer burbujas, se da la vuelta al bati y se cuece por el otro lado.

Pan bati (Pan arubiano de maíz)

500 g de harina de maíz
1 kg de harina
1 lata de leche evaporada
2 cucharadas de levadura en polvo
2 cucharadas de azúcar
1/4 cucharada de sal
agua

Mezcle los ingredientes en un recipiente grande (utilice el agua suficiente para elaborar una pasta que presente la consistencia de la que se utiliza para preparar tortitas). Refrigere durante toda la noche. Caliente una cazuela plana, que debe tener unos 40 cm de diámetro, y úntela con un poco de aceite. Vierta la mezcla en la cazuela caliente. Cuando se dore, déle la vuelta. Mientras el pan se encuentre en la cazuela, golpéelo por ambos lados con un cuchillo plano. Corte triángulos y sirva de acompañamiento. Para 12 personas.

El pan arubiano de harina de maíz constituye un alimento básico en muchos hogares y lo que sobra nunca se desperdicia. Cuando se seca, se puede cortar en tiras como patatas fritas y freír; o servir con leche y azúcar para desayunar como si fueran cereales. Además, cuando está duro, se puede mezclar con huevo, pasas y especias, y hornearlo como si fuera un *pudding*. El *kerri kerri* se puede poner en tortitas más pequeñas y cubrirlas con queso caliente.

1. Los ingredientes para elaborar el quesillo.

2. Mezcle los huevos, la leche, el agua, el azúcar, la vainilla y el brandy.

3. Cuele la preparación para retirar los grumos.

4. Ponga otra sartén al fuego e incorpore azúcar al aceite para obtener caramelo líquido.

5. Deposite el caramelo obtenido en un recipiente al baño María.

6. Despacio, coloque la mezcla de quesillo en el recipiente con el caramelo y vigile que no se mezclen demasiado.

Quesillo con caramelo

10 huevos

2 latas de leche evaporada

250 ml de agua

250 g de azúcar

1 cucharada de vainilla

1 cucharada de brandy

Caramelo líquido

250 g de azúcar

60 ml de agua

cueza hasta que se oscurezca

Precaliente el horno a 180°C. Mezcle todos los ingredientes. Vierta el caramelo líquido en un recipiente al baño María. A continuación, incorpore la mezcla de quesillo. Hornee. Compruebe si el quesillo está cocido introduciendo un cuchillo en su interior; si lo extrae seco significa que ya está listo. Retire del horno y deje enfriar. Vuélquelo en un plato grande y sirva en porciones con caramelo líquido. Añada nata montada como toque final.

Una porción del exquisito quesillo decorado con nata y una guinda: la especialidad de la cocina de Lucia.

La mujer de Junior se encarga sin problemas de la pequeña cocina. Aquí se preparan los mejores bistecs y gambas de la isla.

El Charlie's Bar de Aruba

Este establecimiento es toda una institución en Aruba. Fue inaugurado el 18 de septiembre de 1941 y su éxito comenzó con el ataque a Pearl Harbor. Algunos militares se habían instalado en Aruba para proteger la refinería de petróleo de San Nicolás, que producía una sexta parte del petróleo que utilizaban los aliados. El Charlie's Bar, situado en las cercanías, se convirtió en punto de encuentro de los soldados y en centro de coordinación de los esfuerzos bélicos locales.

Charlie Brouns, el propietario, llegó de Weert, Holanda y conoció a una muchacha llamada Marie, de Rotterdam; fue un flechazo. Como economista local y confitera, se hallaba muy por encima de Charlie, quien siempre "metía la pata". Pero la educada holandesa y su tosco amante terminaron casándose en Aruba. Trabajando duro se convirtieron en la base del éxito del Charlie's Bar.

Durante la guerra, si un torpedo alemán acertaba su objetivo, el plan de ayuda se organizaba siempre en el bar. Y cuando los alemanes comenzaron a disparar a los depósitos y la gente huyó al *cunucu* (al campo), Charlie se convirtió en el guardián de las llaves de las casas por si la policía o los bomberos tenían que entrar en alguna de ellas. Charlie también visitaba el hospital todos los días asegurándose de que los heridos se relajaran con "un traguito". Por sus esfuerzos de guerra, se le concedió la medalla de la Orden de Caballería, que entregó de inmediato a su mujer Marie.

Terminada la guerra, el Charlie's Bar continuó siendo el punto de encuentro para poetas, actores, productores y marineros de cualquier rincón del planeta. Dof de Vries escribió su novela *Knopen tellen* en el Charlie's Bar.

En febrero de 1989, Charlie, hombre tan humilde como fascinante, murió y todos en Aruba lloraron su muerte. Su memoria sigue viva en su hijo Junior, que se hizo cargo del negocio. El hijo de Junior, Charlito, le ayuda y constituye el futuro del Charlie's Bar. Toda la comida que allí se prepara es del día y típica de la isla. Destacan los bistecs, el pescado asado a la parrilla y las enormes gambas gigantes.

Típica comida para dos del Charlie's Bar:
1. El pan local forma parte obligada de todas las comidas.
2. Las pequeñas ensaladas combinan bien con todo.
3. Patatas fritas al estilo de Aruba preparadas con patatas frescas.
4. Una salsa criolla picante llamada salsa de luna de miel.
5. Gambas gigantes al ajillo servidas con caparazón.
6. Los bistecs asados en su salsa son muy famosos.

Junior saluda tras la barra a los clientes como lo hacía su padre. Su hijo trabaja con él, así que la leyenda del Charlie's Bar está asegurada.

Salsa de luna de miel

6 pimientos medianos Madame Janette picados finos
125 ml de vinagre
2 cucharadas de vino blanco
1/2 zanahoria de tamaño medio picada fina
1/2 cebolla o 1 manojo de cebollino picado fino
una pizca de cilantro
1 cm^3 de jengibre molido fino
sal y pimienta al gusto

Disponga en un recipiente y deje reposar durante 1 día. Constituye un acompañamiento perfecto para el bistec asado. Cuidado con su sabor picante. Para 4 personas.

30
29
28
32
31
35

El crupier se muestra seguro esperando que los clientes apuesten e intenten derrotarle.

Los casinos

Aunque existen casinos en muchas islas del Caribe, algunas iglesias han presionado al gobierno para evitar la introducción de este pasatiempo "degradante". Los gobiernos encargan a comisiones de investigación que estudien los pros y los contras de esta actividad, con resultados que suelen afirmar que el juego provoca males sociales, declive moral y espiritual, y corrupción pública.

En la actualidad, los casinos abiertos al público en general sólo están permitidos en las siguientes islas: Aruba, Bonaire, Curazao, República Dominicana, Guadalupe, Margarita, Martinica, Puerto Rico y San Martín. En otras islas, el juego se desarrolla en lugares privados y los hoteles (en general, los que disponen de todos los servicios) ofrecen el juego sólo a los que allí se hospedan. En cualquier caso, las máquinas tragaperras son legales en casi todas las islas, pero los impuestos son tan elevados que desaniman a las grandes instalaciones.

En Aruba el juego forma parte de la vida cotidiana. En casi todas las esquinas de la franja de 13 km de playa paradisíaca y aguas transparentes aparece un casino. Algunos conforman entidades separadas; otros, en cambio, pertenecen a grandes complejos hoteleros. Entre los juegos que se ofrecen destacan la ruleta americana, el *blackjack*, el *craps,* la rueda de la fortuna, el bacará y el *chemin de fer,* aparte de todas las máquinas tragaperras. Los casinos de las islas suelen caracterizarse por el lujo, la sofisticación, la ostentación y su estilo europeo.

Ruleta

La "ruleta" auténtica, como su nombre indica, es una rueda que presenta ranuras rojas y negras numeradas con las cifras 00, 0 y del 1 al 36. Junto a la ruleta, en una mesa de fieltro, se encuentra una zona normalmente blanca llamada tablón de apuestas. Una vez colocadas las fichas (las apuestas) en el tablero de apuestas, el crupier gira la ruleta y una bolita da vueltas en sentido contrario. El objetivo del juego es predecir donde se detendrá la bola. Se puede apostar por el color, un número o un grupo de números. La apuesta más corriente es elegir la mitad del tablero y colocar las fichas en los cuadrados llamados Par, Impar, Rojo, Negro, 1-18 o 19-36; si gana, obtiene un premio con correspondencia 1 por 1. Existen otras opciones para elegir distintas secuencias de números. La segunda apuesta más popular consiste en elegir un solo número y si acierta ganará 35 por 1.

Blackjack

El objetivo de este juego de cartas tan conocido es obtener una puntuación que supere al repartidor sin superar el número 21. Las cartas del 2 al 10 valen su valor; las figuras, 10; y los ases, 1 u 11. Antes de repartir, se hacen las apuestas. El repartidor distribuye cartas a los jugadores hasta que deciden plantarse (no pedir más cartas). El repartidor se da entonces a sí mismo teniendo en cuenta las siguientes reglas: mientras tenga una cantidad igual o inferior a 16 puntos, debe continuar pidiendo y, si llega a 17, debe detenerse. Si el jugador y el repartidor empatan, no hay flujo de dinero. Si el jugador supera en puntos al repartidor, o si el repartidor supera el 21, el jugador gana en proporciones iguales. Si el jugador consigue 21 puntos con las dos primeras cartas, obtiene *blackjack* y gana 3 por 2.

Craps

Se trata de un juego con dados cuyo objetivo es adivinar si una persona obtendrá una combinación concreta de números. El juego comienza cuando el jefe de mesa pasa el dado al tirador. Su primera tirada se denomina "salida" y tanto éste como el resto de las personas de la mesa pueden apostar. Un total de 7 u 11 en la salida se denomina "natural", resultado que gana y permite al jugador tirar otra vez. Un resultado de 2, 3 ó 12 en la salida se llama *craps,* cosa que hace que el tirador pierda, aunque no debe entregar el dado. Cualquier otro número en la salida (4, 5, 6, 9 ó 10) se convierte en la puntuación del tirador. Éste intentará obtener el mismo número otra vez sin sacar un 7. Si lo consigue, "hace punto"; si obtiene un 7, es eliminado y debe pasar el dado al siguiente jugador.

Bacará y chemin de fer

El bacará se remonta a la Italia medieval, donde se jugaba con una baraja de tarot. Tras entrar en la aristocracia francesa, el juego evolucionó hasta el bacará y *chemin de fer* ("ferrocarril" en francés) europeos. En el primero, el casino es la banca, mientras que en el segundo la banca pasa de jugador a jugador. En el bacará, además, el casino hace apuestas iguales con los jugadores y en el *chemin de fer* el casino no corre riesgo alguno y cobra una cantidad a cada jugador que lleva la banca. El objetivo del juego es acercarse lo máximo al 9 y la mano perfecta es la que obtiene este número con las dos primeras cartas. El 8 es el segundo mejor resultado y éste y el 9 son consideradas las manos "naturales". Existen reglas adicionales muy complicadas de explicar aquí. A ambos juegos suele apostar gente con mucho dinero. Varios millones pueden cambiar de mano en una sola noche. Por lo general participan seis jugadores y el repartidor. Debido a las grandes fortunas que se ponen en juego, los vigilantes controlan con gran atención las mesas para detectar cualquier tipo de trampa.

El mercado flotante de Curazao

El mercado flotante de Sha Caprileskade, en Curazao, es digno de ver. Embarcaciones de todos los tipos y tamaños amarran en la "pared de agua" del mercado. Toldos multicolores indican que las embarcaciones venden frutas, hortalizas y artesanía. La mayoría de los vendedores llegan de Venezuela, cargados con todo tipo de mercancía y no regresan a casa hasta que se ven en la necesidad de reponer existencias. También se vende pescado fresco: barracudas, pargos, mulas, gambas, langostas o cobos. Casi todos los vendedores, claro está, hablan español pero, en todo caso, consiguen regatear con los que se expresan en otras lenguas, tanto de Curazao como de todo el mundo.

Las especialidades gastronómicas de Curazao son múltiples debido a la diversidad cultural. Aparte de la cocina *kryoyo* (criolla), abundan los platos europeos, chinos, coreanos, hindúes, surinameses e indonesios. Éstos últimos resultan casi tan comunes como los criollos porque Indonesia fue colonia holandesa hasta los años cuarenta. Una comida típica criolla de Curazao empieza con una sopa o un entrante frío como el *kala* (petisú de judías de ojo) o el *karko na salada* (ensalada de cobo), sigue con un plato principal que puede ser *kokomber stoba* (guisado de pepino) o *keshi yena* (queso relleno al estilo de Curazao) con *tutu* (harina de maíz con judías de ojo) o *aros verde* (arroz verde). Y de postre, *arepita di pampuna* (arepita de calabaza) o *bolo di pan (pudding* de pan).

Pepino chiquito *(Cucumis anguria)*

El pepino chiquito es pequeño, redondo, con la piel punzante y llegó de África con los esclavos en el siglo XVII. A veces se denomina "pepino de manzana" o "pepino de limón" y se cuece sin pelar en la mayoría de los guisos *(stobas)*.

Frijol arroz *(Vigna sinensis)*

Se trata de un frijol mediano que se consume desde la época precolombina y que llegó al Caribe en el siglo XVI. En Aruba se cuece y se sirve como guarnición o como aperitivo.

Superior: los vendedores llegan en embarcaciones y ofrecen su mercancía bajo toldos multicolores. Inferior: la mayoría de los vendedores vienen de Venezuela para ganarse un dinero.

Keshi yena (Queso relleno al estilo de Curazao)

1 kg de carne picada de vaca o pollo
o de pescado picado
1 diente de ajo pequeño
2 cebollas cortadas en aros
3 tomates pelados y picados
1 pimiento verde picado
60 g de aceitunas (rellenas) cortadas en rodajas
1 cucharada de alcaparras
2 cucharaditas de salsa Perrin's
1 cucharada de concentrado de tomate
1 cucharada de perejil
1/4 guindilla triturada (o salsa Tabasco)
2 cucharadas de ketchup
2 cucharadas de encurtidos picantes
sal y pimienta al gusto
5 huevos
60 g de pasas o ciruelas pasas
de 1 a 1,5 kg de queso edam

Fría la carne picada . Fría por separado las hortalizas y añádalas a la carne. Agregue todos los condimentos. Bata los huevos y mézclelos con la preparación. Incorpore las ciruelas pasas o las pasas. Practique un agujero en la corteza del queso y extraiga el contenido (debe quedar 1,25 cm de grosor). Rellene con la mezcla. Cubra con la tapa y extienda lo que sobre del huevo por encima del queso para cerrarlo mejor. Coloque este recipiente en una cazuela con agua caliente. Hornee a 180°C durante una hora y media o ponga el recipiente tapado al baño María dejando hervir el agua lentamente durante el mismo período de tiempo. **Método alternativo**: disponga lonchas de queso de 6 mm en una bandeja con mantequilla. Deposite el relleno y cubra con otra capa de queso. Pinte con huevo para cerrar. Cueza como se ha explicado más arriba.

Arepita di pampuna

500 g de calabaza (escurrida después de hervida
y triturada de inmediato)
125 g de harina
60 ml de leche
1 huevo
1 cucharadita de canela
2 cucharadas de azúcar
una pizca de sal
1/2 cucharadita de vainilla
una pizca de levadura en polvo
grasa vegetal para freír

Mezcle todos los ingredientes con la batidora o a mano en un cuenco. Fría cucharadas en una plancha. Para 30 arepitas aproximadamente.

Aros verde (Arroz verde)

1 cebolla picada
1 guindilla triturada
2 dientes de ajo triturados
aceite para freír
125 g de perejil picado
sal y pimienta al gusto
750 ml de agua
500 g de arroz sin cocer
250 g de guisantes de olor

Fría en aceite las cebollas, la guindilla y el ajo. Añada el perejil, y sal y pimienta. Vierta agua y lleve a ebullición. Agregue el arroz y baje el fuego. Tape y hierva durante 20 minutos o hasta que esté listo. Cuando el arroz esté cocido, añada los guisantes de olor. Sirva con pinzas de helado.

Kala (Petisú de judías de ojo)

250 g de judías de ojo
2 cucharaditas de sal
2 guindillas
6 cucharadas de agua
1/2 cucharadita de levadura en polvo (opcional)

Ponga en remojo las judías 1 ó 2 días. Pélelas y séquelas bien. A continuación tritúrelas y añada la sal y las guindillas. Mezcle con la batidora y vierta agua poco a poco. Debe presentar una textura esponjosa. Fría cucharadas en aceite caliente. Para unos 25 petisús.

Komkomber stoba

de 1,5 a 2 Kg de *komkomber* (una hortaliza
de color verde claro, punzante, con tallo largo,
parecido al pepino)
1,5 kg de carne de cordero o de vaca
sal, pimienta, nuez moscada,
ajo y cebolla en polvo
salsa Perrin's y pastilla de caldo
500 g de carne de vaca salada
aceite vegetal
2 cebollas pequeñas picadas finas
2 dientes de ajo triturados
440 g de tomate en bote
2 pimientos verdes picados
500 g de patatas cortadas en dados
8 cucharadas de mantequilla
1 cucharada de concentrado de tomate
1 cucharada de azúcar

Retire los tallos de los *komkombers*. Corte cada *kokomber* en 4 ó 6 trozos, lávelos y despepítelos tanto como pueda. Prepare la carne de cordero o de vaca con todas las especias. Hierva dos veces la carne de vaca (cambie el agua tras el primer hervor). Caliente un poco de aceite en un recipiente grande y dore la carne y los condimentos. Añada el resto de los ingredientes y un poco de agua. Rehogue hasta que el guiso esté listo. Para 6 personas.

1. Kala (petisú de judías de ojo) 2. Keshi yena (queso relleno al estilo de Curazao) 3. Kokomber stoba y aros verde.

La sopa de cactus y el mercado de Punda

Para hacerse una idea de lo que comen los isleños, visite el antiguo mercado de Punda, situado justo enfrente del Round Market. El mercado de Punda cuenta con varias mesas y sillas y los vendedores ocupan los puestos que se alinean junto a la pared. En ellos podrá darse un festín con comida local exquisita y de todos los colores, preparada ante la mirada de los clientes por mujeres sonrientes y charlatanas de todas las complexiones posibles.

El restaurante del mercado rebosa al mediodía, cuando los habitantes de Curazao toman la comida principal del día. Así que los visitantes se ven relegados a un segundo plano tras los clientes asiduos, quienes acuden a comer sus platos predilectos a sus lugares habituales. Las autoridades gubernamentales se mezclan con los vendedores con un objetivo común: compartir la comida del día.

Entre las especialidades destacan la *sopi di piska* (sopa de pescado), *stoba* (guiso de carne de cabra) y todo tipo de pescado asado en parrillas a la brasa. En la mesa siempre hay *banana hasa* (plátanos macho fritos) y *moro* (arroz mezclado con frijoles u otras hortalizas) o *funchi* (harina de maíz). Este último plato se prepara en calderos enormes y se necesita la fuerza de un toro para manipularlos. La harina de maíz se añade poco a poco al agua caliente con sal y mantequilla, sin dejar de remover con grandes palas de madera y casi golpeando la mezcla cuando se espesa. El producto final sólo resulta aceptable para la exigente multitud cuando presenta una consistencia uniforme.

Otro plato popular es la sabrosa sopa de cactus. El paisaje árido de Curazao está cubierto por una docena de variedades de esta planta. Una de las más impresionantes es el *kadushi (Cereus repandus)*, que cuenta con varios brazos que surgen de un tronco y sólo vive en Aruba, Bonaire y Curazao. Debe cortarse antes de las seis de la tarde.

Sopa de cactus

Sopa de cactus
3 sardinas frescas limpias
2 l de agua
sal al gusto
3 pastillas de caldo de pollo
1,5 kg de perite lucio limpio y marinado en zumo de lima
1 trozo grande de cactus
1 cola de cerdo salada
250 g de carne de vaca salada
500 g de gambas
500 g de caracoles de mar
500 g de cobo
1 cebolla picada
1 pimiento verde
1 cucharadita de perejil
1/2 guindilla despepitada (o Tabasco al gusto)

Ase las sardinas a la brasa. En un recipiente grande, lleve a ebullición el agua junto con las pastillas de caldo y la sal. Añada el perite lucio y cuézalo hasta que se torne blando. Triture el cactus para obtener la pulpa con la ayuda de un ablandador de carne. Extraiga el pescado, incorpore la pulpa al agua y déjela durante 1 hora o hasta que se haya disuelto del todo. Desolle las sardinas y el perite lucio y retire las espinas. Disponga el pescado y el resto de los ingredientes en el recipiente. Deje que hierva durante 1 hora o hasta que esté bien cocido. Para 4-6 personas.

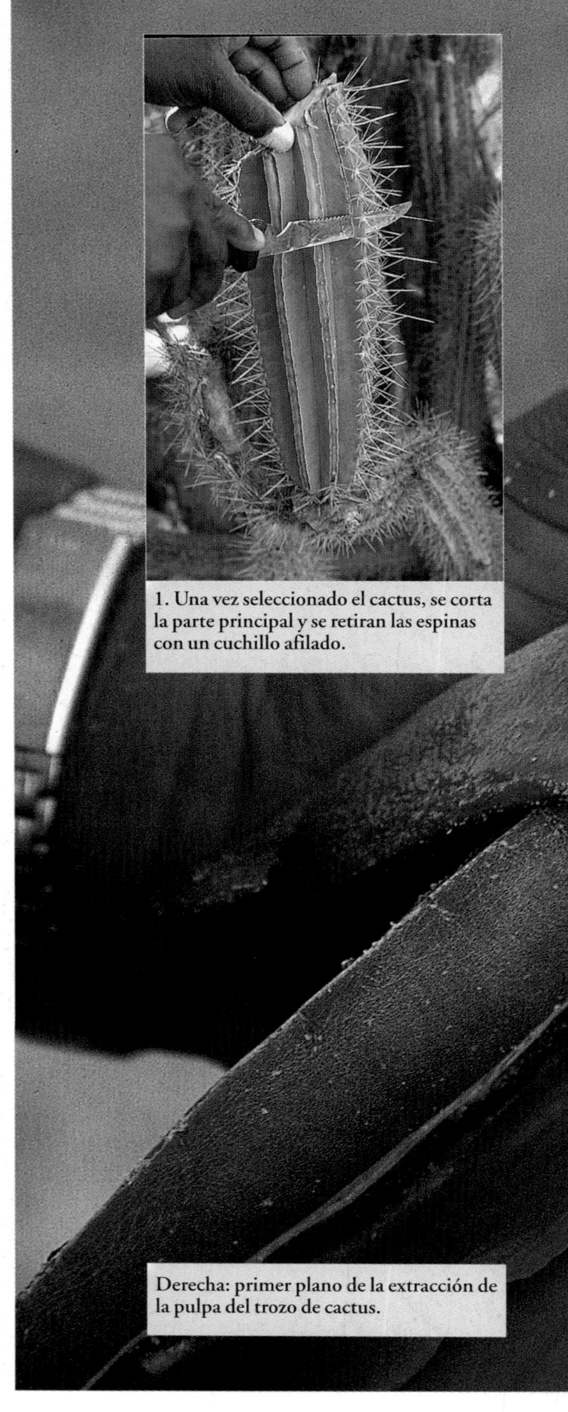

1. Una vez seleccionado el cactus, se corta la parte principal y se retiran las espinas con un cuchillo afilado.

Derecha: primer plano de la extracción de la pulpa del trozo de cactus.

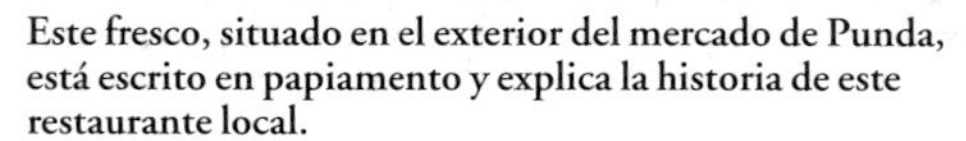

Este fresco, situado en el exterior del mercado de Punda, está escrito en papiamento y explica la historia de este restaurante local.

2. Todos los ingredientes de la sopa de cactus.

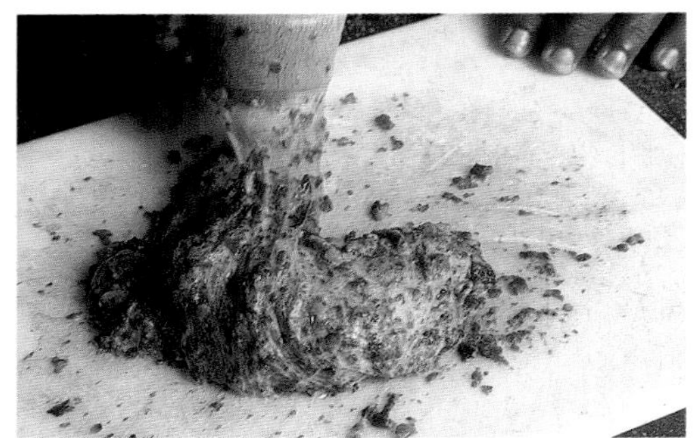

3. Se tritura el cactus con un ablandador de carne.

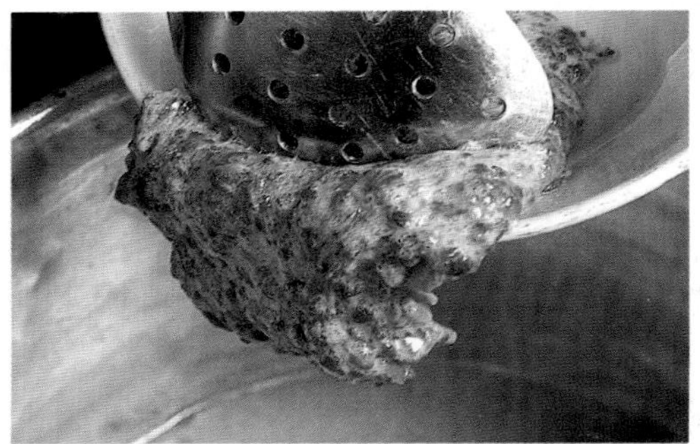

4. La pulpa del cactus se coloca en agua hirviendo con pastillas de caldo y se cuece durante una hora hasta que se disuelve.

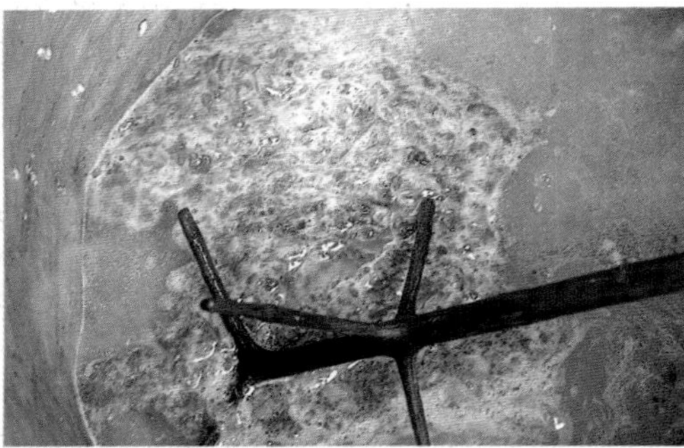

5. Mediante un vara con dientes en el extremo (un instrumento típico en todos los hogares antillanos) se disuelve la pulpa en agua hirviendo.

La iguana

(Ameiva ameiva)

Existen pruebas arqueológicas muy fiables de que la iguana, considerada como el rey de los reptiles, formaba parte de la alimentación básica de los primeros habitantes de Curazao. En la actualidad, la caza de la iguana sigue siendo un deporte popular ente los jóvenes de la isla. Con rifles o tirachinas, escudriñan el campo buscando pistas de estos animales.

A pesar de que la iguana posee una apariencia feroz, casi prehistórica, es muy pacífica a menos que se sienta atacada, situación en la que puede causar daño con su poderosa cola y sus afiladas garras traseras. De todas formas, su primera e indecorosa defensa consiste en escupir. La iguana suele ser una criatura tímida que vive en árboles y arbustos, se alimenta de hojas y casi siempre se halla cerca de las fuentes de agua, pues siempre tiene sed y le encanta nadar. Posee la habilidad de cambiar de color según el entorno en que se halle, pero, quizá, su característica más intrigante y en la que se fundamenta el supuesto poder afrodisíaco de su carne y sus huevos es que el macho tiene un pene doble.

El sabor de la carne de iguana se asemeja al del pollo. Debido a un aumento de la demanda y a una caza excesiva, la iguana de Curazao se halla en peligro de extinción. Una posible solución puede ser el proyecto CARMABI Iguana, que intenta crear granjas donde se críe este animal mediante una alimentación controlada para, de esta manera, obtener carne más sabrosa y abundante. Muchos esperan que, a fin de cuentas, además de salvar a las iguanas, el proyecto cree un mercado exportador que cubra la demanda mundial de esta carne exótica.

1. Todos los ingredientes del guiso de iguana.

2. Se extrae la piel de la iguana; para ello se practica un corte longitudinal y se estira de ella.

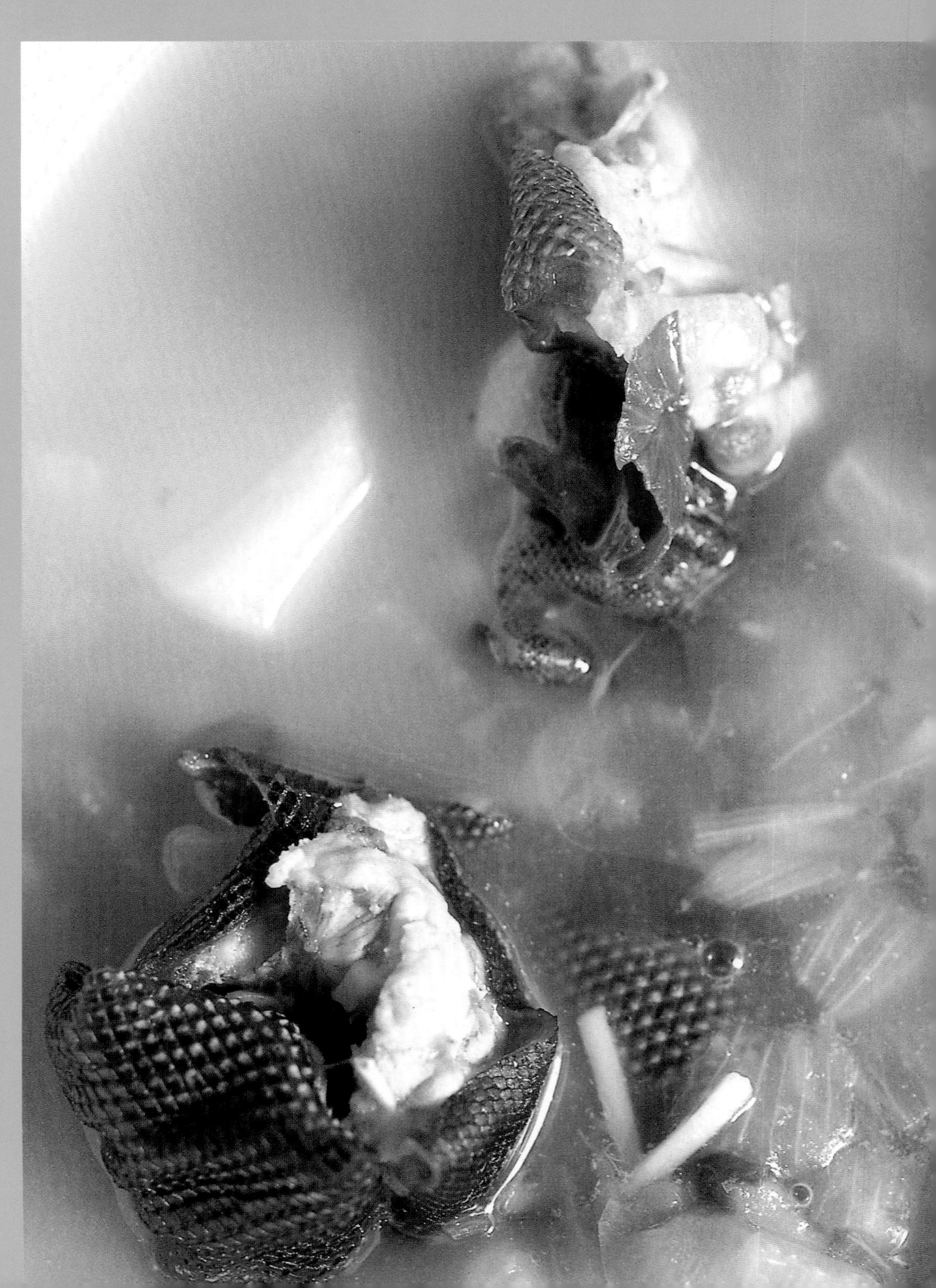

Derecha: el guiso de iguana se considera una exquisitez en muchas islas del Caribe, y Curazao no constituye una excepción.

Inferior: las iguanas parecen prehistóricas y suelen poseer una mirada de inteligencia.

3. Los cazadores que preparan la sopa en el exterior no dejan de charlar mientras ultiman los ingredientes para el guiso. A los hombres del Caribe les encanta cocinar al aire libre.

4. La carne de iguana se lava, se sazona con lima y se marina durante dos horas. Después se añade al agua y se lleva a ebullición.

5. Se agrega la leche de coco junto con todos los ingredientes y, después, se incorporan las hortalizas y los fideos. Un chorrito de whisky es de rigor. Rehogue y sirva con *funchi*.

Funchi

375 ml de agua fría
250 g de harina de maíz
1 cucharadita de sal
125 ml de agua hirviendo
1 cucharada de mantequilla

Mezcle en una cazuela el agua fría, la harina de maíz y la sal. Añada el agua hirviendo y la mantequilla. Lleve a ebullición y cueza durante 6 minutos sin dejar de remover con una cuchara de madera. La mezcla está lista cuando la preparación se separa de los lados y presenta una consistencia firme. Retire del fuego y sirva de inmediato.

Iguana

la carne de 1 iguana desollada, destripada y cortada en dados de 7 cm
500 ml de agua

Condimentos:

hojas de laurel
orégano
2 ramitas de cebollino
1 ramita de perejil
1 ramita de tomillo
3 tallos de apio
1 guindilla despepitada
3 dientes de ajo
sal al gusto
250 ml de leche de coco

Hortalizas:

10 patatas pequeñas cortadas en dados
3 tomates
3 pimientos verdes
250 g de fideos
1 chupito de whisky

Aderece la carne de iguana con lima y marine durante 2 horas. Lleve a ebullición medio litro de agua en una recipiente grande e incorpore la carne de iguana. Cueza durante media hora retirando cada pocos minutos la espuma que se forma en la superficie. Agregue los condimentos y la leche de coco y hierva durante 20 minutos. Añada las hortalizas, los fideos y el whisky. Rehogue hasta que la carne y las hortalizas estén cocidas (una media hora). Sirva con *funchi* (harina de maíz).

Planta desalinizadora K. A. E. N. V.

Kompania di Awa i Elektrisidad di Korsou N.V.

En Curazao, el agua potable se obtiene al evaporar el agua del mar y condensar el vapor. El resultado es agua potable que se ajusta del todo a los más altos niveles bacteriológicos y a las regulaciones sanitarias públicas. La isla se ha convertido en una de las pioneras en el terreno de la desalinización de agua de mar. Y, ciertamente, los visitantes se sorprenden del agua potable fresca y limpia de Curazao.

La primera planta desalinizadora se construyó en 1928, en la zona de la antigua fortaleza de la ciudad (Riffort); la segunda se erigió en Penstraat y en aquella época, la empresa se consideró una maravilla tecnológica. La planta de agua actual se construyó en 1948 en Mundo Nobo, junto al mar. El combustible para esta planta se conduce directamente desde la refinería de petróleo de la isla, a través de tuberías, hasta los depósitos de almacenamiento de la planta. El combustible se quema en calderas que producen vapor a alta o media presión, que luego se conduce hasta las turbinas para generar electricidad. La compañía eléctrica (Kodela) la distribuye por toda la isla. El vapor de baja presión que se obtiene en este proceso se lleva a calentadores de agua salada en los que esta agua hierve y se almacena en cámaras de evaporadores, donde se condensa el vapor y se recoge como destilado. Éste pasa por filtros de calcio y carbón y se obtiene agua potable.

Otras islas del Caribe están estudiando el método de Curazao de distribución del agua para implantarlo en su territorio. Y es que la obtención de agua potable cada vez resulta más difícil debido al cambio climático, mientras que el porcentaje de consumo de agua continúa aumentando en comparación con el de las precipitaciones.

Un de los supervisores de la planta desalinizadora comprueba que el agua que abastece a Curazao sea totalmente potable.

El agua del océano entra en la planta por estas canalizaciones.

Superior: los depósitos de sal se aprecian en cuanto se produce una filtración de agua y los interiores de algunos edificios se asemejan a una cueva. Inferior: la planta desalinizadora, emplazada en la orilla del mar, abastece de agua potable a Curazao y alivia, así, las penurias de un país con escasas precipitaciones.

Los clientes del famoso Tap Maar Pub de Curazao disfrutan de la cerveza Amstel de barril.

Cerveza Amstel

Amstel se elabora en Curazao desde 1960 siguiendo la tradición cervecera holandesa conocida en todo el mundo, aunque con una diferencia: se trata de la única cerveza del planeta elaborada con agua de mar destilada. Los principales ingredientes son la malta (o cebada germinada), el lúpulo y la levadura, importados de las mejores fuentes del mundo en la materia: Inglaterra, Bélgica, Alemania y Francia.

En las grandes calderas de cobre, los ingredientes se mezclan, se cuecen y se filtran; así se obtiene el mosto. A continuación se añade la levadura en las bodegas de fermentación para descomponer la maltosa en alcohol y dióxido de carbono, proceso que exige varias semanas para llevarse a cabo. Cuando el mosto se transforma en "cerveza joven", se coloca en depósitos situados en enormes bodegas donde se deja madurar. Al final se convierte en cerveza rubia *(lager)*, que se filtra y se conduce a la zona de envasado, donde se introduce en botellas oscuras que la protegen de la luz. Por último se pasteuriza. En Curazao, la cerveza Amstel se denomina "oro líquido". La planta abastece también a Bonaire y a Aruba.

En los trópicos, la temperatura recomendada para servir la cerveza es de unos 4,5ºC. De todas formas, muchos caribeños no están de acuerdo, pues creen en la cerveza "superfría", casi congelada, hasta un punto en que el hielo ya cubre la botella.

Curazao se enorgullece de la Amstel, ya sea embotellada o de barril. La gente la pide en sus bares preferidos siguiendo la verdadera tradición europea. Uno de los más famosos en la isla es el Tap Maar, a donde muchos acuden a por "una rápida".

Licor Curacao

Esta ilustración que refleja el proceso de destilación del licor Curacao recibe a los visitantes de la planta.

Al poco tiempo de llegar los españoles a Curazao, establecieron un plan para desarrollar la agricultura en la isla. Sin embargo, no contaban con las duras condiciones del clima y el suelo. Las naranjas valencianas se plantaron en abundancia. Por desgracia, los españoles obtuvieron naranjas amargas, casi incomibles, en lugar de la esperada variedad dulce. El proyecto se abandonó, pero los naranjos continuaron viviendo en estado silvestre. Ni las cabras querían tocar sus hojas.

Los naranjos amargos abundan en Curazao. Llamados en la isla *lahara*, son los descendientes de las naranjas que llevaron los españoles durante la colonización.

Décadas después, en una fecha incierta, alguien descubrió que las cáscaras de estas naranjas tan desagradables, puestas a secar al sol, contenían un aceite de una fragancia atrayente. Algunas familias de Curazao empezaron a utilizar este aceite para elaborar licores sin desvelar la receta. El proceso exigía la maceración: debilitar la piel en remojo con alcohol, triturar el resultado en un mortero hasta obtener pulpa y añadir jarabe, especias y agua, y luego filtrar el líquido para obtener un licor verde.

La naranja amarga recibió, al final, un nombre científico: *Citreus Aurantium Currassuviensis,* que significa "naranja dorada de Curazao". También recibe el nombre vulgar de lahara.

Más tarde, un farmacéutico, socio de la farmacia Botic Excelsior (propiedad de la familia Senior), comenzó a probar con una receta familiar básica, añadió distintas especias exóticas y recurrió a la destilación en lugar de a la maceración. Así se desarrolló en la Botica Excelsior un producto sin igual, un licor aperitivo o digestivo de color blanco al que bautizaron con el nombre de licor Curacao. En 1896, se introdujo el alambique de cobre y la industria empezó a producir en serio.

En la actualidad, el licor Curacao se continúa produciendo en la mansión rural de Chobolobo, en Salina. La isla pretendía obtener los derechos exclusivos de la marca, del mismo modo que el champán es el que se elabora en Champagne, y el coñac, el que se fabrica en Cognac. Sin embargo, varios productores europeos importantes decidieron que Curazao no era una nación independiente, por lo que el nombre había que considerarlo genérico y el licor podía copiarse y etiquetarse como Curacao. En cualquier caso, la palabra "original" sólo puede añadirse si en la bebida se emplea el aceite de las naranjas *lahara* de la isla. Además, la División de Impuestos sobre el Alcohol y el Tabaco de Estados Unidos dictaminó que sólo la Senior's Curacao Liqueur podía utilizar "The Authentic" (el auténtico) en las etiquetas. Más tarde, la Senior & Co. cambió de nombre a Curacao of Curacao Liqueur para evitar confusiones con otras marcas.

En 1973, la Senior's Curacao recibió la medalla de oro de la World Selection for Excellence. En la actualidad presenta cinco colores diferentes: claro, naranja, rojo, verde y azul. Saben exactamente igual pero añaden un toque de exotismo al cóctel. Hoy en día, la empresa produce asimismo licor Curacao con sabor a chocolate, café y ron con pasas.

Los distintos licores que producen Senior & Co. En la actualidad han añadido toda una serie de botellas coleccionables de sus licores empleando porcelana de Delft procedente de Holanda.

Las naranjas amargas poseen una piel muy gruesa, por eso se han inventado cuchillos especiales.

La piel se retira hacia abajo en cuatro trozos iguales y se extrae la fruta, como si se tratara de un caparazón.

Curacao International

30 ml de vermú dulce
30 ml de licor Curacao
30 ml de ron claro
30 ml de ron oscuro
almíbar al gusto
zumo de lima al gusto
zumo de naranja al gusto

Mezcle y sirva en una vaso largo lleno de hielo picado. Decore con una guinda macerada en marrasquino y una rodaja de naranja.

Bombini (Bienvenido)

unas gotas de zumo de piña
unas gotas de zumo de lima
15 ml de vodka
15 ml de ron
30 ml de licor Curacao

Mezcle bien en una coctelera. Vierta en un vaso de cóctel y sirva con una guinda macerada en marrasquino.

Omelette au Curacao flambée

6 huevos
1 cucharadita de azúcar
una pizca de sal
3 cucharadas de mantequilla
60 g de mermelada de naranja
60 g de mermelada de cereza
1 vaso de licor Curacao

Separe las claras y las yemas. Bata éstas últimas con azúcar y sal. Mézclelas con las claras batidas. Funda mantequilla en una sartén y vierta la mezcla. Mezcle las mermeladas y dos cucharadas de licor Curacao y agregue cuando la tortilla esté casi lista. Colóquela en una bandeja, vierta el resto del licor por encima y sirva.

Hoyo 19

En una coctelera con hielo mezcle 2/3 de Curacao of Curacao y 1/3 de zumo de lima fresco. Vierta en un vaso frío y complete con soda o hielo. Añada una rodaja de lima y sirva.

El fruto de la naranja amarga posee un sabor muy desagradable pero, tras secarse al sol, la cáscara produce un aceite excelente con una fragancia muy atrayente. Estos aceites se emplean para elaborar licores.

La comunidad judía

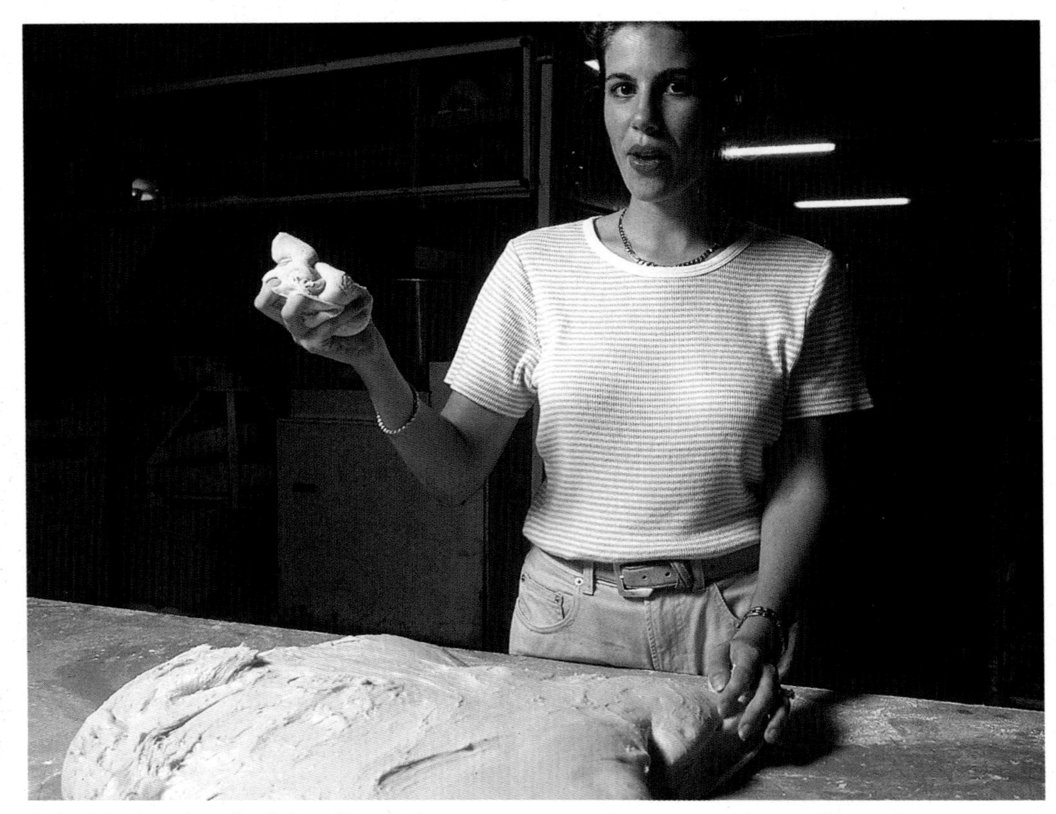

En Rosh Hashaná, la Hollandsche Bakkery de Curazao prepara especialmente sus aparatos para elaborar el pan. Una esposa judía designada previamente debe supervisar el proceso. La noche antes de Rosh Hashaná, toma un trozo de la primera masa antes de darle forma de pan.

Curazao se jacta de poseer una de las comunidades judías más antiguas del Nuevo Mundo. Los primeros colonos llegaron de Amsterdam en 1651 para establecer una colonia agrícola. Construyeron una sinagoga de madera y llamaron a su comunidad religiosa Mikve Israel "la esperanza de Israel". Un grupo más numeroso de judíos sefardíes arribó en 1659 llevando consigo la primera Sefer Torá, que hasta nuestros días constituye una de las 18 Sifrei Torá que emplea según la tradición la comunidad Mikve Israel-Emanuel.

La carta otorgada a los judíos les concedía extensos terrenos, exoneración del pago de impuestos, protección garantizada por parte de las autoridades, exención de guardias en tiempo de guerra durante el Sábat y libertad para practicar libremente su religión y sus costumbres. Parece ser el primer documento que garantiza la libertad religiosa en el Nuevo Mundo.

Curazao posee uno de los cementerios judíos más antiguos y, casi con seguridad, la sinagoga más antigua de América. La sinagoga Mikve Israel-Emanuel se construyó y se consagró en 1732 para dar cabida al número creciente de judíos sefardíes de España y Portugal que llegaron

Forma tradicional de servir el pan especial de Rosh Hashaná, el año nuevo judío.

de Europa a millares huyendo de la Inquisición. El suelo de la sinagoga está cubierto de arena, un duro recuerdo de la necesidad de ahogar el sonido de las oraciones y los cánticos por miedo a las represalias durante la época de la Inquisición y, además, símbolo de aquel desierto por el que vagaron los israelitas en su largo viaje hacia la libertad.

Debido a las áridas condiciones de Curazao, la agricultura terminó siendo un fracaso. Desde el principio, los colonos judíos comerciaron desde Europa con ropa, armas, herramientas y alimentos a cambio de azúcar de caña, tabaco, cacao, pieles y madera, que luego volvían a exportar a Europa. A finales del siglo XVIII, la comunidad judía de Curazao era la mayor y más rica de América.

A finales de los años veinte, los judíos asquenazíes, que huían de la persecución en Europa, empezaron a llegar a la isla. Los dos grupos viven en armonía y aunque tienen distintos puntos de vista sobre la conducta en su vida cotidiana y asisten a sinagogas distintas, celebran las mismas fiestas religiosas y, en lo esencial, disfrutan de las mismas preparaciones culinarias.

Las comunidades judías de Curazao constituyen un modelo para el resto del mundo por su integración en la sociedad de la isla. Algunos afirman que la adopción del papiamento como lengua común de la isla se debió sobre todo a los primeros judíos sefardíes de habla portuguesa.

Con la fiesta de Rosh Hashaná, el año nuevo judío, comienza el período conocido como los Diez Días de Arrepentimiento, que culmina con el ayuno de 24 horas de Yom Kipur, el Día de la Expiación, cuando Dios abre el Libro de la Vida y decide quién permanecerá en él durante ese año. Al final de este período, las mesas de la comunidad sefardí de Curazao se llenan de platos especiales para romper el ayuno sin provocar problemas de digestión. Durante las fiestas, el pan se sirve en dos barras a la vez recordando que, en el desierto, Dios envió a los judíos "doble maná" el viernes ya que no podía darlo el sábado por ser el Sábat. Durante Rosh Hashaná, en lugar de amasar el pan de forma ordinaria, se forma con la masa una pieza larga y se enrolla hasta formar una barra. Antes de hornearla, se toma un trozo de la masa, que es bendecida por una mujer judía; a continuación, se introduce en el horno hasta que se quema y se tira. Sólo entonces se puede hornear el resto de la barra.

Derecha: interior de la sinagoga Mikve Israel-Emanuel de Curazao. Se trata de la sinagoga más antigua del Nuevo Mundo.

El pan trenzado es otro tipo de pan que se come durante Rosh Hashaná y otras celebraciones. Todas las barras se sirven de dos en dos.

Chalá (Pan trenzado del Sábat)

- 2,25 kg de harina tamizada para preparar el pan
- 1,25 kg más de harina tamizada para amasar
- 625 ml de agua templada
- 1 dado de levadura
- 250 g de pasas (opcional)
- 3 huevos grandes ligeramente batidos
- 180 g de azúcar
- 1/2 cucharadita de levadura en polvo
- 1/2 cucharadita de canela
- 1 cucharadita de vainilla
- 1 cucharada de sal
- 180 ml de aceite de maíz

Glaseado de huevo:

- 1 huevo
- 1/8 cucharadita de azúcar
- 1 cucharada de semillas de amapola o de sésamo

Mezcle 250 g de harina, 250 g de agua y la levadura. Revuelva hasta que la levadura se disuelva y deje reposar durante 45 minutos para que suba la masa. Añada el resto de la harina y el agua. Agregue todos los ingredientes y forme una masa pegajosa. Poco a poco incorpore la harina hasta que la pasta no se pegue en las manos. Tape la pasta y déjela reposar durante 20 minutos. Amase de nuevo durante 5 minutos. Vuélvala a tapar y deje reposar 30 minutos más. Forme barras de pan. Deposítelas tapadas en una fuente de horno engrasada hasta que doblen su tamaño. Precaliente el horno a 160ºC. Bata 1 huevo con 1/8 cucharadita de azúcar. Utilice un pincel para untar las barras con el huevo. Espolvoree con semillas de amapola o de sésamo. Introduzca las barras en el horno y cuézalas durante 1 hora aproximadamente. Para 12 barras pequeñas o 6 grandes.

Chalá paso a paso:

1. Una vez realizado el ritual de la quema del primer trozo de masa, los panaderos empiezan a amasar el pan.

2. Se forman bolas sobre una superficie enharinada.

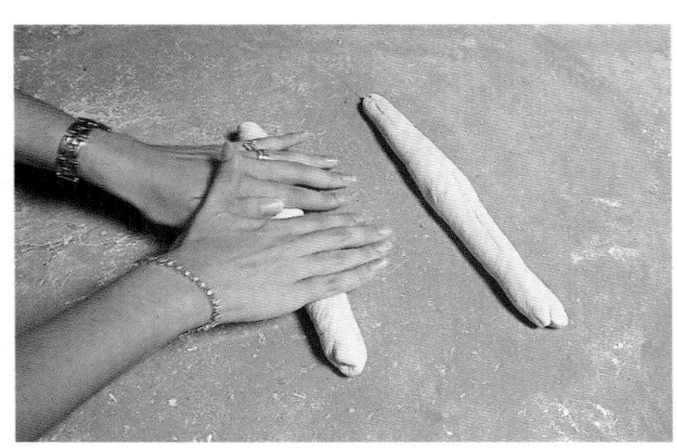

3. A continuación, las bolas se transforman en formas alargadas.

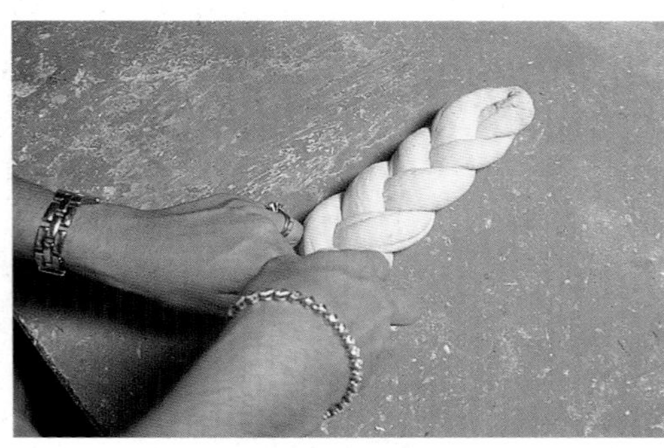

4. Los trozos de masa alargados se trenzan para formar una sola barra.

Sopi de galina (Sopa de pollo)

- 1 pollo entero de 1,25 kg
- limas
- 500 g de huesos de carne blanca
- 5 tallos de apio picados
- 2 pimientos verdes grandes picados
- 1 cebolla pequeña cortada en dados
- 1 diente de ajo triturado
- 2 tallos de cebollas tiernas
- 250 g de tomate en bote
- 2 cucharadas de concentrado de tomate
- 3 pastillas de caldo
- 4 ó 5 patatas troceadas
- fideos vermicelli
- 5 ó 6 zanahorias
- 1 mazorca de maíz troceada

Lave el pollo con zumo de lima. En un recipiente grande, incorpore el agua suficiente para cubrir el pollo, los huesos y el resto de los ingredientes excepto las pastillas de caldo, las patatas, los fideos, las zanahorias y el maíz. Lleve a ebullición y reduzca el fuego. Cueza durante 45 minutos. Cuele el caldo y añada las pastillas. Deseche todos los huesos (del caldo y del pollo) y añada las patatas al caldo. Cuando éstas estén casi cocidas, incorpore los fideos. Corte el pollo en trozos pequeños y dispóngalos de nuevo en la cazuela junto con las zanahorias y el maíz. Agregue salsa Perrin's si lo desea.

Sangria (Vino caliente condimentado)

- 250 ml de agua
- 180 g de azúcar
- 2 ramas de canela
- 1 botella de vino tinto (clarete o borgoña)
- 3 limas verdes parcialmente peladas
- 1/2 cucharadita de nuez moscada

Lleve a ebullición el agua, el azúcar y la canela hasta formar un jarabe diluido. Deje enfriar. Mezcle el jarabe y el vino, añada las limas, las cáscaras y la nuez moscada. Deje reposar durante varias horas. Añada 250 ml de agua caliente y el zumo de 1 lima antes de servir. Para 8 personas.

Chalapches (Col rellena)

1 col grande

130 g de salsa de tomate

500 g de salsa de arándanos en gelatina

1/3 botella de jarabe de maíz

3 cucharadas de azúcar moreno

90 g de pasas

500 g de carne picada de vaca autorizada por la ley judía

1 huevo

cebolla en polvo

ajo en polvo

125 g de arroz sin cocer

Para la salsa:

Vierta la salsa de tomate y una cantidad igual de agua en una fuente de asados pequeña. Añada la salsa de arándanos y, a continuación, el jarabe de maíz, el azúcar moreno y la mitad de las pasas.

En un cuenco aparte mezcle la carne y el resto de los ingredientes. Disponga una cucharada del relleno en cada hoja de col. Enróllelas para cubrir el relleno de carne. Coloque la col rellena en la fuente refractaria y hornee durante 2 horas a fuego lento. Deje enfriar. Extraiga las coles y refrigere durante toda la noche. Caliente al día siguiente, agregue el resto de la salsa sobre los rollitos y sirva.

1. Los ingredientes de la col rellena o chalapches.

2. La carne se mezcla con los ingredientes según la receta.

3. Se coloca la mezcla de carne en las hojas de col y se enrollan con cuidado.

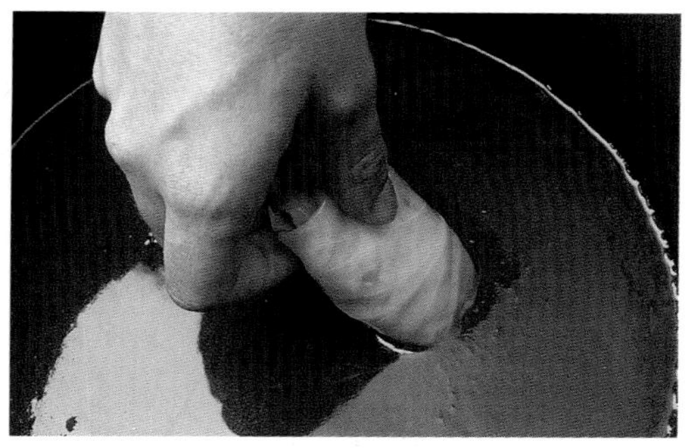

4. Se disponen en la salsa y se cuecen hasta que estén listas.

Las coles rellenas o chalapches se sirven con toda elegancia en una antigua bandeja de plata. Este plato se toma en la primera comida después del ayuno de Rosh Hashaná.

CRÉDITOS FOTOGRÁFICOS

Leyenda: izq.= izquierda; dcha.= derecha; c.= centro; sup.= superior; inf.= inferior; col.= columna; l.= línea

© Clem Johnson, Dominica:
2, 3, 10, 24 superpuesta, 30, 32 superpuesta, 40, 41, 50, 54/55, 56, 58 inf., 59, 60, 61-68, 70-75, 78, 80, 81, 83, 84 sup. y sup. superpuesta, 86-89, 92, 93, 95, 98, 99 sup., 100, 101, 119-126, 128, 129, 131, 140/141, 144/145, 146/147, 162/163, 168-171 (excepto sup. izq. superpuesta), 172/173, 176-178, 180 sup. dcha., 181 sup. dcha., 183, 184 (excepto inf. izq.), 185, 186, 189 sup. dcha., 190, 191, 194 izq. (excepto centro), 198 col. dcha., 199 sup. izq., 200/201, 201 sup.dcha., 204/205, 205, 208, 209, 215 sup., 216-223, 226 dcha., 232 (excepto 1ª y 3ª desde l. sup. y l. inf.), 240/241, 246, 247 (excepto inf.), 248, 254-258, 259 inf., 260 (n.º 2, 6, 7, 10, 11, 12, 13, 15), 261 (n.º 16, 22, 23, 29), 262, 263, 265 fondo, 266-270, 271 (excepto sup. dcha.), 272-278, 279 fondo, 280-284, 288-297, 298 sup. dcha., 299-303, 304 (sup. dcha. e izq.), 305 (excepto inf.c.) 306-310/311, 314, 315, 322 sup. superpuesta, 328 inf., 329 (excepto sup. dcha.), 330, 331, 333 inf., 334, 335, 343, 345 (n.º 8 y 9), 358/359-361, 364-371, 376 superpuesta, 378, 379, 382 inf., 383, 384 sup. e inf. dcha., 385, 387 sup. izq., 388, 389, 392, 393, 395.

© Ruprecht Stempell, Colonia:
14, 15, 17 sup. dcha., 18/19 inf., 21, 29, 33, 35 sup. dcha., 36/37, 44, 51, 67, 79, 85, 90/91, 94, 96, 102/103, 104, 108/109-113, 116, 118, 127, 130, 134, 135, 136 (excepto 1ª col.), 137, 138, 139 inf., 142/143, 148/149, 152 izq., 154-158, 160/161, 164 sup., 166/167, 179, 180/181 fondo, 180 sup. izq., 182 sup., 184 inf. izq., 187 excepto inf. dcha. y n.º 1, 195 excepto centro, 196/197, 198 izq., 199 (malanga, quingombó y calabaza), 201 inf.izq., 202/203, 206/207, 212/213, 214, 215 inf., 224, 225, 226 izq., 227-231, 232 (excepto 2ª y 4ª desde l. sup.), c., inf. dcha., 233-239, 242-246, 247 inf., 249 dcha., 250, 253, 259 izq., 260 (n.º 1, 3, 4, 5, 8, 9, 13), 261 (n.º 17, 18, 19, 20, 21, 24, 25, 26, 27, 28), 264, 265 sup. superpuesta, 279 sup., 285, 304 inf. izq. 304/305 inf. c., 312, 313, 316, 317, 320, 321, 322 (excepto sup. dcha.), 323 (excepto c.), 324, 325, 328 superpuesta, 332, 333 sup., 336/337-342, 344, 345 (excepto n.º 8 y 9), 346-357, 363, 372 sup., 373, 386 sup. dcha., 396/397, 398-422, 424-445
© por gentileza de Angostura Bitters Ltd.: 376/377 excepto 376 sup. izq.
© Archiv für Kunst und Geschichte, Berlín: 318 sup., 319 sup. izq.
© The Bahamas Tourist Office, Guildford: 28/29 fondo, 28 inf.
© por gentileza de Barbados Historical Society, Barbados Museum, Barbados: 58 sup., 318 inf., 319 inf. dcha., 329 sup. dcha.
© Bertrand de Peaza, Trinidad: 362, 372/373, 380/381, 384 inf. izq., 386/387 fondo, 386 sup. dcha., 390/391
© por gentileza de The Bermuda Tourist Board: 17 inf., 18 izq., 20 (F: Jonathan Wallen)
© Bildagentur Huber, Garmisch Partenkirchen: 106, 132 (F: Bartsch), 152/153 c. (F: Bartsch)
© por gentileza de Carib: 375 inf. (F: Bertrand de Peaza), 375 sup. izq.(F: Bertrand de Peaza), 375 1ª col. c., 375 sup. dcha.
© Cayman Island Department of Tourism, Francfort: 48/49 fondo, 48 sup. izq. (F:Torleif Svensson / Art Vox), 52 (F: Lorenzo Martinengo)
© Das Fotoarchiv, Essen: 22 (F: Jochen Tack), 32/33 (F: Jochen Tack), 42/43 (F: Jochen Tack), 114 (F: Richard W.Wilkie), 115 (F: Jonathan Wenk)
© Foodarchiv / C.P.Fischer BFF, Múnich: 26/27 inf.
© Helga Lade Fotoagentur, Francfort a.M.: 17 sup. izq. (F: TPH), 174/175 fondo (F: Ingrid Rangnow)
© Jennifer Levy, Colonia: 76/77
© Könemann Verlagsgesellschaft mbH, Colonia: 16 (F: Helmut Claus), 84 inf. 96 inf.(F: Günter Beer), (F: Helmut Claus), 137 dcha. (F: Ruprecht Stempell), 139 exc. inf. y 2ª izq. dcha. (F: Günter Beer), 153 2ª col. (F: Helmut Claus), 271 sup. dcha. (F: Helmut Claus), 199 sup. dcha. (F: Ruprecht Stempell), 199 (calabaza amarilla y chayote) (F: Peter Medilek),
© laif, Colonia: 153 sup. dcha. (F: Miguel González), 164 inf. izq. (F: Gernot Huber), 165 (F: Gernot Huber), 210/211 fondo (F: Gernot Huber)
© Martinique Tourism Office: 252 inf. izq.
© Nicolas Popov / Island Expedition, Nassau: 24/25 fondo, 31
© Pat Mitchell: 298 inf. izq.
© Rosemary Parkinson: 21 inf. superpuesta, 105, 187 n.º 1, 203, 232 inf. dcha., 320 sup. dcha., 374 izq.
© por gentileza de Solobottling Ltd. (Josef Charles): 374 dcha. (F: Bertrand de Peaza)
© Stock Food / Bodo A. Schieren, Múnich: 136 izq.
© Times of the Islands, International Magazine of the Turks & Caicos: 26 sup. (F: Matt Weedon), 27 sup. (F: Sandi Knight)
© Tony Stone Images, Múnich: 194/195 c. (F: Mike Severns)
© Turks and Caicos Tourist Board: 38/39
© Uschi Wetzels, Barbados: 150/151, 188/189 fondo, 46/47 fondo, 34/35
© Zeitenspiegel, Picture Press/Life, Hamburg: 192/193 fondo (F: Sven Creutzmann)

A la autora y al editor les ha sido imposible localizar a todos los poseedores de los derechos correspondientes a las imágenes reproducidas. Se ruega a los poseedores de dichos derechos remitir las reclamaciones pertinentes al editor.

AGRADECIMIENTOS

En un ambicioso proyecto como éste, que ha tardado cerca de tres años en finalizarse, se requiere siempre un enorme esfuerzo para reconocer como es debido la colaboración de todas las personas que han participado de una u otra forma en la realización de dicha publicación. Por ello sólo puedo pedir disculpas a quienes no he mencionado personalmente, pero confío en que me comprendan y espero que se cuenten entre los citados a continuación: todas las gentes del Caribe con quienes me he encontrado, desde conductores de autobús y taxistas hasta empleados de hotel. Trabajadores de restaurantes, tiendas de ron, panaderías e isleños en sus hogares. Artistas, barberos, sastres e incluso criadas. Los médicos que me trataron las picaduras de escorpión, entre otras, la tripulación de los aviones y el personal de los aeropuertos, pescadores y niños en las cunetas de la carretera. Amigos y colaboradores en Gran Bretaña, Alemania, Luxemburgo y Dinamarca. Burke, Sam y todos los demás. A todas y cada una de las personas que han contribuido de una u otra forma a la realización de esta obra, les agradezco de todo corazón su colaboración.

Merece un especial agradecimiento el personal de las oficinas de turismo, tanto del Caribe como de otros lugares, por haber facilitado hoteles, taxis, permisos de trabajo y de entrada a las islas… y simplemente por estar ahí. Son demasiados nombres para mencionarlos todos, pero el equipo de Culinaria nunca olvidará los lugares visitados y sus gentes. Muchísimas gracias a David Piffre, mi chef francés, y a Sara Collins, mi hija, por su inestimable ayuda en las cocinas de Bathsheba, Barbados, donde se realizó todo el trabajo de estudio. A Ruprecht Stempell, Martin y Holger por sus excepcionales fotografías.
A Christopher Knowles, Drew Achong, Marie Frazer, Frans y Rita, Grant y Betty, Claudia, Dagmar Rosner, Sonia Elliott, Keith y Liz, Mike Bell, Sian Pampellonne, Jeanette Layne-Clarke, Judith Anne, The Hartmans, Wendy Gomes, Brett y Anne por su ayuda en mi "miedo a volar", Basil, Lady Jemima Yorke, Joey Hardwick, y tantos otros que me han apoyado.
Time-Life Photo Lab. N.Y. EE.UU.
Fed Ex, DHL y UPS por sus constantes envíos urgentes
Charles Stewart, Londres, Gran Bretaña
Mr. Charles Webbe, Hamilton, Bermudas
The Bahamas Hotel Training Council, Bahamas
The Bahamas Tourism Office, Guilford, Surrey
Bahamas Ministry of Tourism, Nassau, Bahamas
Kathy Borsak, Editor, Times of the Islands, the International Magazine of the Turks & Caicos, Islas Turcas y Caicos
Matt Weedon y Sandi Knight por sus fotografías bajo el agua
Turks & Caicos Tourist Information Office, Middlesex, Gran Bretaña
Turks & Caicos Tourist Board, Londres, Gran Bretaña
Cayman Islands Department of Tourism, George Town, Gran Caimán, Islas Caimán
República de Cuba, Ministerio de Turismo, La Habana
Sr. Orlando Rangel, Director de Relaciones Internacionales del Ministerio de Turismo, Cuba
Sr. Juan Pardo, preso internacional, Ministerio de Turismo, Cuba
El director, Cuba Tourist Board, Londres, Gran Bretaña
Casa del Café Cubita, La Habana, Cuba
El Floridita, La Habana, Cuba
Havanatur S.A. Viajes Multidestinos, La Habana, Cuba
Restaurante La Cecilia y El Bajareque, Miramar Playa, Cuba
Jamaica Tourist Board, Montego Bay, Jamaica
Barclays Stratton for Jamaica Tourist Board, Londres, Gran Bretaña
Jamaica Tourist Board, Londres, Gran Bretaña
Jamaica Trade Commission, Londres, Gran Bretaña
Ethiopia Africa Black International Congress Church of Salvation, St. Andrew, Jamaica.
Secretairie d'Etat Au Tourisme, Port-au-Prince, Haití
Sr. Jesús Zarraga c/o Venezuelan Embassy, Haití
Secretaría de Estado de Turismo, Santo Domingo, República Dominicana
Restaurante Fogarate, Santo Domingo, República Dominicana
Hotel Plaza Naco, Santo Domingo, República Dominicana
Museum Amber World, Santo Domingo, República Dominicana
Puerto Rico Tourism Company, Old San Juan Station, San Juan, Puerto Rico
US Virgin Islands Tourist Board, Londres, Gran Bretaña
The British Virgin Islands Tourist Board, Londres, Gran Bretaña
The British Virgin Islands Tourist Board, Tórtola, Antillas
Martin Public Relations, Richmond, Virginia, EE.UU.
US Virgin Islands Tourist Board, Islas Vírgenes Norteamericanas, Antillas
St. Martin Tourist Board, Port de Marigot, Saint Martin
St. Maarten Tourist Board, Sint Maarten
Mr. Stephen Thompson, Phillipsburg, Sint Maarten, Antillas Holandesas
Mr. Claude Mussington, ganador del 1er premio, 1st Overall Competition, Muestra culinaria de Sint Maarten, Le Palmier Restaurant, Saint Martin, Antillas Francesas
Mr. Lorenzo Lloyd, St. Martin Food & Beverage Catering Service, Antillas Holandesas
Seaview Hotel, Phillipsburg, St. Maarten, Netherlands Antilles
The Passangrahan Royal Inn, Phillipsburg, St. Maarten, Antillas Holandesas
Great Bay Beach Hotel & Casino, St. Maarten, Antillas Holandesas
Nettle Bay Beach Club, Saint Martin, Antillas Francesas
Government of Antigua and Barbuda, Tourism Office, St. John's, Antigua
Antigua & Barbuda Tourist Office, Antigua House, Londres, Gran Bretaña
Rex-Halcyon Cove Hotel, St. John's, Antigua
Senator Gwen Tonge, St. John's, Antigua
Calypso Cafe, St. John's, Antigua
Cades Bay Pineapple Farm, Cades Bay, Antigua
Hawskbill Beach Hotel, Antigua
Mr. Daniel Oliver, Marketing Manager, LIAT Caribbean Ltd., St. John's, Antigua
LIAT Caribbean Ltd., St. John's, Antigua
Antigua Distillery Limited, Distillers of Cavalier Rum, Antigua
Anguilla Tourist Office, Londres, Gran Bretaña
The Department of Tourism, The Valley, Anguila, Antillas
Arawak Beach Resort at Big Spring, Anguila
The Hub Restaurant, Long Street and Soul Alley, St. John's, Antigua
St. Kitts & Nevis Department of Tourism, Londres, Gran Bretaña
Ministry of Tourism, Culture & Environment, Basse-Terre, San Cristóbal, Antillas
Nevis Tourism Bureau, Charlestown, Nieves
West Indies Association of Beekeepers, Nieves, Antillas
Alex Sylvester Duggins, chef, San Cristóbal, Antillas
Frigate Bay Resort, Frigate Bay, San Cristóbal, Antillas
Chef's Place, Basse-Terre, San Cristobal
Montserrat Tourist Board, Plymouth, Montserrat, Antillas
Muchas gracias a la oficina del Gobernador por mantenerse en contacto durante la erupción del volcán Soufrière
Office Inter Regional Antilles Guyane, París, Francia
Office du Tourisme de Guadeloupe, Pointe-a-Pitre, Guadalupe
Office Departmental du Tourisme de la Martinique, Martinica, Antillas Francesas
Mr. Yves Noel, Boulogne, Francia
Office Departmental du Tourisme, Guadalupe, Antillas Francesas
Societé Martiniquaise des Eaux de Source, Chanflor, Martinica, Antillas Francesas
Office Departmental du Tourisme de la Martinique, París, Francia
Office of the High Commissioner for the Commonwealth of Dominica, Londres, Gran Bretaña
Dominica National Development Corporation, Roseau, Dominica
Dominica Export Import Agency, P.O., Box 173, Bay Front, Roseau, Dominica
Ministry of Community Development and Social Affairs, Cultural Division, Roseau, Dominica
Bobby Fredericks, Ras Tours, Roseau, Dominica
Dominica's National Park Office, Roseau, Dominica
Parry W. Bellot & Company Limited, Dominica, Antillas
The Hummingbird Inn, Commonwealth of Dominica
Carib Reserve, Gerard, mujer e hijo, Dominica
Dive Dominica, Roseau, Dominica
Hampstead Plantation, Dominica
Colgate-Palmolive, Dominica Coconut Products, Roseau, Dominica

Los habitantes de Point-Michel, Point-Michel, Dominica
Moses e Israel en las montañas de Dominica
Clinton Phillips por sus conocimientos sobre el *titiri* y Boydie Laurent por su comida, Layou River, Dominica
Melvina Boyer, su marido y sus amigos, Point-Michel Village, Dominica
Madge del restaurante Callaloo y Mrs. Delia Grell en casa, Dominica
Ministry of Agriculture, Roseau, Dominica
BGB & Associates, Londres, Gran Bretaña
St. Lucia Tourist Board, Londres, Gran Bretaña
St. Lucia Tourist Board, Castries, Santa Lucía
Hilary Moise por su constante de dedicación y amabilidad, Santa Lucía
Green Parrot Restaurant, Castries, Santa Lucía
Banana Growers Association, Castries, Santa Lucía
Eudovic Art Studio, Restaurant & Bar, Goodlands, Castries, Santa Lucía
Golden Apple Restaurant, Sam Flood's Scott's Cafe, Gros Islet, Santa Lucía
Paradise Inn, Castries, Santa Lucía
Sundale Guest House, Castries, Santa Lucía
Anita James y Donald Antoni, Union Forestry Division, Santa Lucía
St. Vincent & The Grenadines Tourist Office, Londres, Gran Bretaña
Jasmine Baksh, St. Vincent & The Grenadines Tourist Office, Londres, Gran Bretaña por su especial atención.
St. Vincent & The Grenadines Tourist Office, Kingstown, San Vicente
Gingerbread Restaurant & Cafe, Bequia, San Vicente y Las Granadinas
Muchísimas gracias a Pat Mitchell. La fotografía del restaurante Gingerbread fue tomada por ella y en general su ayuda fue inestimable.
Mustique Airways por los vuelos sobre Las Granadinas, San Vincente
Paradise Inn, Villa Beach, Box 1286, San Vincente
Julie's Guest House, Bequia, San Vicente y Las Granadinas
The Botanical Gardens, Kingstown, San Vincente
Mr. Othneal Ollivierre, Paget Farm, Bequia, San Vicente y Las Granadinas
Coli, Zulia, Fred, Joerany Ollivierre, Dwight O'Neil por el día de pesca, Bequia, San Vicente y Las Granadinas
Orson Ollivierre, Lapompe, Bequia, San Vicente y Las Granadinas por enseñarnos a pescar mediante la técnica del *mashing*.
Edward Gregg por su viaje pesquero a las 3 de la madrugada, Bequia, San Vicente y Las Granadinas
Todo el personal del Basil's Bar, Mustique, San Vicente y Las Granadinas
Charter Association, Bequia, San Vicente y Las Granadinas
Gareth y Fiona, Dabulamanzi, Bequia, San Vicente y Las Granadinas
Peter Luke, Samurang, Bequia, San Vicente y Las Granadinas
Barbados Tourism, Londres, Gran Bretaña
Barbados Tourism Authority, Bridgetown, Barbados
St. Lawrence Apartments East, St. Lawrence Gap, Barbados
Casuarina Beach Club, St. Lawrence Gap, Barbados
Mrs. Cave, Parravicino's House, Mrs. Herper's House, Mr. Miller's House, Bathsheba, St. Joseph, Barbados
Round House Hotel, Bathsheba, St. Joseph, Barbados
Mr. David West, Searles, Christ Church, Barbados
Mr. y Mrs. Gordon Parkinson, Wendover, Abbeville Road, Rockley, Barbados
Mrs. Laurel Ann Morley, Frere Pilgrim, Christ Church, Barbados
Ms. Lisa Foster, Christ Church, Barbados
Grenada Board of Tourism, Londres, Gran Bretaña
The Grenada Board of Tourism, The Carenage, St. George's, Granada
Minor Spices Co-Operative Marketing Soceity Limited, St. George's, Grenada
Dougaldston Spice Plantation, Gouyave Nutmeg Processing Station, Granada
Grenada Renaissance Resorts, Granada
Aerotuy, Mr. Dopwell, St. George's, Granada
Maeve Murphy, MBM & Associates, Londres, Gran Bretaña
The Spice Garden y todos sus trabajadores, Granada
Donna Botswain, Brunswick, Carriacou, Granada
Carmelita H. Onota, St. David's, Granada. Los niños más simpáticos y amables de todas las islas
Pappy's Wines, McLeish Langaigne, Woodford, Granada
Grenada Co-Operative Nutmeg Association, Gouyave, Granada
Mr. Carl Ward, Mount Gay Distillery, Santa Lucía, Barbados
John Chandler, Fisherpond Plantation and Guest House, St. Thomas, Barbados
Barclays Bank, Worthing Branch, Rendezvous, Barbados
Big B Supermarket, Rendevous, por permitirnos fotografiar su Black Belly Sheep Butchering Departement y por los descuentos en la comida
Mr. y Mrs. Bynoe por alquilarnos su maravillosa casa en Bathsheba, St. Joseph, Barbados, donde se tomaron la mayoría de las fotografías de estudio
Ricardo Williams, Mutual Bank, Broad Street, Bridgetown, Barbados
The Crock, Crock's Den, Paynes Bay, St. James, Barbados
Spade y todos los demás de Temple Yard, Bridgetown, Barbados
Super Centre J.B's Master Mart Supermarket por los descuentos en la comida y por la fotografía del Pink Star Bar, Baxter's Road, Bridgetown, Barbados
C.O.Williams Farms, Canefield Plantation, Barbados
Chamels Old Fashioned Bakery, Bay Street, Bridgetown
Mr. Michael Downes y familia, After Dark, St. Lawrence Gap, Barbados
Veronica y Ali, After Dark, St. Lawrence Gap, Barbados
Trinidad & Tobago Tourist Office, Middlesex, Gran Bretaña
TIDCO, Puerto España, Trinidad
Bertrand de Peaza por su inestimable ayuda. Puerto España, Trinidad y Tobago
Sian Pampellonne, Red Head Design, No. 60 Ariapita Ave., St. Anns, Trinidad y Tobago
The Venezuelan Embassy, Mr. Alfredo Brandt, Gran Bretaña
Sr. Juan Quilarque Mata, Presidente, Corporación de Turismo Nueva Esparta, Los Robles, Isla de Margarita
Ministerio de Fomento de Venezuela, Corporación de Turismo, Caracas, Venezuela
Beatriz Rojas, Corporación de Turismo Nueva Esparta, Los Robles, Isla de Margarita
El alcalde, La Isla El Coche, Venezuela
Sr. Manolo Armas, San Pedro de Coche, Calle Santa Lucía, El Coche
José Ramón Rodríguez Aguilera y su hermosa hija, Lijia, Isla de Margarita, Venezuela
Danzas "Macanao", Prof. Marly Marin Narvael, península de Macanao, Isla de Margarita, Venezuela
Panadería San Juan Bosco, Calle Virgen del Carmen 8-26m La Asunción, Isla de Margarita, Venezuela
Restaurante El Caney del Viejo, Soguero, Porlamar, Isla de Margarita
Josefina Limares, Isla de Margarita por dejarnos la casa para la fiesta de cumpleaños
Hotel Boulevard, Porlamar, Margarita
El Bohio de doña Carmen, Isla de El Coche, Venezuela
Restaurante El Pescador de La Isla, El Coche, Venezuela
Luis Beltram, Oyster Fisherman, Porlamar, Margarita, Venezuela
Basílica de Nuestra Señora del Valle, Isla de Margarita, Venezuela por permitirnos acceder a donde otros fotógrafos no les había sido autorizado
Windsurf Paradise, El Yaque, Isla de Margarita, Venezuela
Aruba Tourism Authority, Den Haag, Países Bajos
Aruba Tourism Authority, Oranjestad, Aruba
Mr. Castro Perez y amigos del Aruba Tourism Authority, Aruba, por su inestimable ayuda y facilitación de todos los requerimientos fotográficos
Amsterdam Manor Beach Resort, Aruba
Crystal Casino, Aruba
Curaçao Tourism Development, Londres, Gran Bretaña
José D'Evertz, Regional Marketing Manager for Europe, Curazao, Antillas Holandesas
Monterrey Trading co., Ilana y Isaac Grynsztein, Curazao, Antillas Holandesas
Ruth y Charles Gomes Casseres, Curazao, Antillas Holandesas
Ricardo Garcia, Bridgetown, Barbados
Jason y Nick, Indigo, Holetown, Barbados
Fenja Wittneven, Eva Brauner, Aicha Becker y Judith Herder, Colonia

BIBLIOGRAFÍA

Alleyne, Warren: *Caribbean Pirates.* Macmillan Education Ltd., 1986
American Eagle Latitudes, Caribbean Travel & Life Inc., Silver Sping, MD
Anthony, Michael: *The Golden Quest, The Four Voyages of Christopher Columbus.* Macmillan Press Ltd., 1992
Antigua & Barbuda Adventure Tourist Guide, CPS Caribbean Communications, St. John's, Antigua
Apicultura: *The Nevis Way by J. Quentin Henderson,* financiado por Voluntary Service Overseas, Londres, Reino Unido, y Community Project Scheme, British Development Division in the Caribbean and Voluntary Service Overseas for the Beekeepers Cooperative, Nieves, Antillas Británicas
Bacon, Peter R.: *Flora and Fauna of the Caribbean.* Key Caribbean Publications, Puerto España, Trinidad 1978
Barlow, Virginia: *The Nature of the Islands.* Chris Doyle Publishing and Cruising Guide Publications, 1993
Barratt, Peter: *Grand Bahama.* Macmillan Education Ltd., Londres y Basingstoke 1972
Besson, Gerard y Brigitte: *The Book of Trinidad.* Paria Publishing Co. Ltd., Cascade, Trinidad 1992
Bethel, E. Clement: *Junkanoo Festival of the Bahamas.* Macmillan Education Ltd., 1991
Bobrow, Jill y Jinkins, Dana: *St. Vincent and The Grenadines.* Concepts Publishing Inc., 1985
Bourne, M.J., Lennox, G.W., Seddon, S.A.: *Fruits and Vegetables of the Caribbean.* Macmillan Press Ltd., 1988
Bremzen, Anya von y Welchman, John: *Terrific Pacific Cookbook.* Workman Publishing Company Inc., Nueva York 1995
Buen Provecho. Caracas Cookery, British War Charities by Caracas Journal, Caracas, Venezuela 1943
Caribbean Beat, editado por Media & Editorial Projects Ltd. (MEP), Maraval, Puerto España, Trinidad y Tobago, para BWIA International
Caribbean Rum Book. Macmillan Education Ltd., 1985
Carrington, Sean: *Wild Plants of Barbados.* Macmillan Press Ltd., Londres y Basingstoke 1993
Choubouloute, Fort de France, Martinica
Cora Scope, Primisteres Reynoird par la societé Burke Communication, Guadalupe
Cravette, A. Gerald: *Cuba Official Guide.* Macmillan Education Ltd., 1988
Curacao, Tourism Publications, Curazao, Antillas Holandesas
Curacao Nights, Nights Publications Inc., Montreal, Quebec
Destination Dominica, Dominica Hotel & Tourism Association, Ulrich Communications Corp., North Miami, Florida 1995
Dyde, Brian: *Caribbean companion-The A-Z reference.* Macmillan Press Ltd. Londres y Basingstoke 1992
Dyde, Brian: *St. Kitts, Cradle of the Caribbean.* Macmillan Press Ltd., 1989
Dyde, Brian: *Antigua and Barbuda, Heart of the Caribbean.* Macmillan Press Ltd., 1986
Envol Magazine, Modern Air Communication, Immeuble Le Village, San Martín
Fergus, Howard A.: *Montserrat, Emerald Isle of the Caribbean.* Macmillan Press Ltd., 1983
Gordon, Joyce: *Nevis, Queen of the Caribees.* Macmillan Press Ltd., 1985
Grants, Rosamund: *Caribbean & African Cookery.* Grub Street Press, Londres, Reino Unido 1988. Editado por Ian Randle Publishers Limited, en sociedad con Green Island Press, Jamaica
Guzman-Ladion, Herminia de: *Healing Wonders of Herbs.* Inter-American Division Publishing Association, Miami 1988
Hamilton, Edward: *Rums of the Eastern Caribbean.* Tafia Publishing, Culebra, Puerto Rico 1995
Harms, Richard F.R.: *Aruba.* Van Dorp Aruba N.V. 1990
Harris, Dunstan: *Island Barbecue.* Chronicle Books, San Francisco 1995
Holiday Bequia, West Indies Publishing Ltd., St. John's, Antigua
Honychuch, Penelope N.: *Caribbean Wild Plants and Their Uses.* Macmillan Education Ltd., Londres y Basingstoke 1980
Honychurch, Lennox: *The Caribbean People.* Thomas Nelson & Sons Ltd., Sunbury-on-Thames, Middlesex 1979
Hoyos, F. A.: *Barbados, The Visitor's Guide.* Macmillan Publishers Ltd., Londres y Basingstoke 1982
Humann, Paul: *Reef Fish Identification.* New World Publications Inc., Jacksonville 1989
Janzan, Kathy: *The ABC of Creative Caribbean Cookery.* Macmillan Press Ltd., 1994
Jones, A. and Sefton, N.: *Marine Life of the Caribbean.* Macmillan Education Ltd., Londres y Basingstoke 1979
KWIHI, *The In-Flight Magazine of Air Aruba,* Travel Media Corporation, Vienna, Virginia, EE.UU.
Le Blanc, Beverley: *The Complete Caribbean Cookbook.* The Apple Press, Londres 1996
Liat Islander, FT Caribbean (BVi) Ltd., St. John's, Antigua
Life in Antigua and Barbuda. West Indies Publishing Ltd., St. John's, Antigua
Mackie, Cristine: *Life and Food in the Caribbean.* Iam Randle Publishers Limited, Jamaica 1991
Martinique, The Martinique Tourism Office, E.M.E. 38, París, Francia o Immeuble Boulon, Ajoupa Bouillon
Mavrogordato, Olga J.: *Voices in the Street.* Paria Publishing, Trinidad 1977
Mitchell, Pat: *Bequia, Sweet, Sweet.* 1994
Morley, Laurel Ann: *Cooking with Caribbean Rum.* Macmillan Education Ltd, 1991
Norman, Jill: *The Complete Book of Spices.* Dorling Kindersley Limited, Londres 1990
Parkinson, Rosemary: *Shake Dat Cocktail: The Cocktailer's Guide to the Caribbean.* Macmillan Education Ltd., 1996
Parry, J.H., Sherlock, Philip, Maingot, Anthony: *A Short History of the West Indies.* Macmillan Education Ltd., 1956
Popov, Nicolas & Dragan: *The Bahamas Rediscovered.* Macmillan Press Ltd., 1992
Raine, David F.: *The Island of Bermuda, Another World.* Macmillan Press Ltd., 1990
Recipes from the Jewish Kitchens of Curacao, compilado por la congregación de mujeres de Mikve Israel-Emanuel. Drukkerij de Curacaosche Courant N.N., Antillas Holandesas
Recipes, The Cooking of the Caribbean Islands. Macmillan Press Ltd., 1985
Saint Martin/Sint Maarten Nature, Sepcart Sarl BP, San Martín
Sanderson, Ivan T.: *Caribbean Treasure.* A Pyramid Book, Pyramid Books, Pyramid Publications Inc.
Santiago, Rubén: *La Vuelta a la Isla en 80 Platos.* Editorial Fondene 1990
Saunders, Gail: *The Bahamas, a Family of Islands.* Macmillan Press Ltd., 1988
Seddon, S.A. and Lennox, G.W.: *Trees of the Caribbean.* Macmillan Education Ltd., 1980
Sherlock, Philip y Preston, Barbara: *Jamaica, The Fairest Isle.* Macmillan Press Ltd., Londres y Basingstoke 1992
Sinclair, Norma: *Grenada, Isle of Spice.* Macmillan Press Ltd., 1987
Sint Maarten/Saint Martin, International Voyager Media, International Reizegers Publications, Phillipsburg, St. Maarten N.A.
Smithers, Amelia: *The Turks and Caicos Islands,* Lands of Discovery. Macmillan Education Ltd., Londres y Basingstoke 1990
Sookia, Devinia: *Caribbean Cooking.* New Burlington Books, Londres 1994
St. Kitts & Nevis Visitor, St. Kitts & Nevis Hotel & Tourism Association, Basse-Terre, San Cristóbal
St. Maarten Nights, Nights Publications Inc., Montreal, Quebec
Sutty, Lesley: *St. Vincent and The Grenadines.* Macmillan Press Ltd., 1993
The British Virgin Islands Welcome Tourist Guide, Island Publishing Services Ltd., Tórtola, Islas Vírgenes Británicas
The Greeting Tourist Guide, CPS Caribbean Communications Inc., Boca Raton, Florida, EE.UU.
The Mustique Airways Magazine, West Indies Publishing Ltd., St. John's, Antigua.
Ti Gourmet, Sint Maarten, Saint Martin Ocean Must Marina, La Pointe, Gustavia, San Bartolomé
Times of the Islands, Times Publications Ltd., Providenciales, Islas Turcas y Caicos, Antillas Británicas
Took, Ian F.: *Fishes of the Caribbean.* Macmillan Education Ltd., Londres y Basingstoke 1979
Verteuil, Fr. Anthony de: *Scientific Sorties.* Litho Press
Visitor's Guide: Ian Randle Publishers, Islas de Barlovento 1996
Visions St. Lucia, Island Visions Ltd., Castries, Santa Lucía
Ward, Nathalie F. R.: *Mon, Blows.* Gecko Productions, 1995

RECETAS

Las fotografías están indicadas en **negrita**

TÉRMINOS GENERALES

Las fotografías están indicadas en **negrita**

LECTURAS RECOMENDADAS

Atlas universal de Puerto Rico, América Central y el Caribe, Nauta Crédito, Barcelona, 1997.

Caribe, MICHENER, James A., Emecé, Barcelona, 1995.

Caribe: fragmentación, exclusión y paraíso, BORRÁS, María Luisa y ZAYA, Antonio, Consorcio Casa de América, Madrid, 1998.

Culturas precolombinas del Caribe, LÓPEZ Y SEBASTIÁN, Lorenzo, Akal, Madrid, 1992.

Del Caribe, Cuba, ESCOBAR, Simón, Fund. Mus. E. Valle, Gijón, 1994.

El Caribe, HAMLYN, James, Everest, León, 1994.

El Caribe colonial, NARANJO OROVIO, Consuelo, Akal, Madrid, 1991.

El difícil equilibrio de los regímenes políticos del Caribe, ALCÁNTARA SÁEZ, Manuel, Akal, Madrid, 1992.

El español en el Caribe, LÓPEZ MORALES, Humberto, Mapfre, Madrid, 1992.

Geografía del Caribe, CHICHARRO, Elena y MOLINA, Mercedes, Akal, Madrid, 1992.

Guía práctica del Caribe, Catai Tours, Madrid, 1994.

Influencia de España en el Caribe, La Florida y la Luisiana, ACOSTA RODRÍGUEZ, Antonio y MARCHENA, Juan, La Muralla, Madrid, 1983.

La esclavitud africana en América Latina y el Caribe, KLEIN, Herbert S., Alianza, Madrid, 1986.

Las artes plásticas en Centroamérica y el Caribe, GÓMEZ PIÑOL, Emilio, Akal, Madrid, 1991.

Las selvas tropicales. Joyas del mar Caribe, Planeta, Barcelona, 1998.

Literatura del Caribe. Antología, COLÓN ZAYAS, Eliseo, Playor, Madrid, 1988.

Los oscuros pioneros del Caribe, ERRASTI, Mariano, Unión Misional Franciscana, Valencia, 1995.

Los piratas del Caribe, SALGARI, Emilio, Bruguera, Barcelona, 1981.

Lugares encantadores y cómo encontrarlos. Mediterráneo, Índico, Caribe y USA, Turner, Madrid, 1990.

México, América Central y el Caribe, c. 1870-1930, Crítica. Grijalbo Mondadori, Barcelona, 1992.

México y el Caribe desde 1930, Crítica. Grijalbo Mondadori, Barcelona, 1998.

Misterio en el Caribe, CHRISTIE, Agatha, Círculo de Lectores, Barcelona, 1997.

Músicas del Caribe, LEYMARIE, Isabelle, Akal, Madrid, 1998.

Pobreza y medio ambiente en el Caribe, Enda-Caribe, Santo Domingo, 1993.

Por las rutas del mar Caribe, MORENAS DE TEJADA, M. de los Ángeles, Tierra de Fuego, Madrid, 1991.

Un mundo aparte: Aproximación a la historia de América Latina y el Caribe, NÚÑEZ GIMÉNEZ, Antonio, Ediciones de la Torre, Madrid, 1994.

1898, su significado para Centroamérica y el Caribe, Iberoamericana, Madrid, 1998.